EEN NIEUW BEGIN

Amanda Brookfield

Een nieuw begin

H&W

VAN HOLKEMA & WARENDORF
Unieboek BV, Houten/Antwerpen

Oorspronkelijke titel: Life begins
Vertaling: Annet Mons
Omslagontwerp: Boooxs.com
Omslagfoto: Henry Arden/Image Source
Opmaak: ZetSpiegel, Best

www.unieboek.nl

ISBN 978 90 475 1058 1 / NUR 302

Voor Rod en Gyll

De waarheid is zelden zuiver en nooit eenvoudig.
— Oscar Wilde

1

Ik zit op een plekje waar slechts de uitlopers van de golven me kunnen bereiken. Het zand is korrelig tussen mijn tenen, de bandjes van mijn zonnehoed zitten strak onder mijn kin. Ik word hoog opgetild door een paar grote handen. Mijn vaders gezicht is dichtbij, het is verweerd en het glimlacht, zijn blauwe ogen steken scherp af tegen zijn bruine huidskleur. Als hij me in de lucht gooit lach ik, in het veilige besef dat ik zal worden opgevangen. Mijn moeder zit in een strandstoel te lezen, haar slanke witte ledematen worden keurig omhuld door de beschermende schaduw van een grote houten parasol. Ze draagt een blauwe sarong, met een bijpassende sjaal om haar hoofd gewonden, en er is een wilde krul kastanjebruin haar ontsnapt die vrijelijk over haar voorhoofd danst. Wanneer ik het uitgil van de pret, kijkt ze over de zwarte rand van haar zonnebril en glimlacht, waarbij haar wimpers vol mascara knipperen tegen het felle licht.

Charlotte haalde de deur van het slot en duwde hem met enige moeite open, tegen de berg ochtendpost aan die op de mat lag. Terwijl ze dit deed kwam de buurman zijn voordeur uit, gekleed in een verschoten Schots geruite ochtendjas en leren instapsloffen die het gele eelt op zijn hielen onthulden. 'Vrolijke Valentijnsdag, liefje,' blafte hij en hij bukte zich om de lege melkfles in zijn handen te verwisselen voor de volle die naast zijn afvalcontainer stond geparkeerd. Hij richtte zich op en greep met een pijnlijk gezicht naar zijn rug.

'Dank u, meneer Beasley, insgelijks.'

'Gaat alles goed met de kleine Sam?'

'O ja, dank u... Ik heb hem net naar school gebracht.' Charlotte bladerde even in de post en wierp een bedenkelijke blik in de richting van de Volkswagen die als een grote berijpte tulband naast het bordje TE KOOP stond, dat aan het hek was gespijkerd. Ze was zoals gewoonlijk laat geweest met haar zoontje van twaalf naar school brengen, en daarom had ze een ketel water over de voor- en achterruit gekieperd, met als gevolg dat ze het meeste ijs er met haar nagels af had moeten krabben aangezien het water op slag bevroor. Sam had vanaf de passagiersplaats roerloos naar haar zitten kijken, met zijn kin op zijn rugzak geleund. De auto had bij de eerste drie pogingen geweigerd te starten, en had daarna, toen het gelukt was, bij de nadering van de rotonde een nieuw rammelend geluid geproduceerd, net niet lang genoeg om er nader onderzoek naar te verrichten.

'U zult daar vast wel wat kaarten hebben.' Meneer Beasley knikte naar haar handen, en liet zijn vergeelde tanden zien in een glimlach.

'Ik betwijfel het.' Charlotte glimlachte. Haar buurman bedoelde het goed, wist ze. In de tien maanden sinds Martin was vertrokken, had elke week een aantal van dergelijke pogingen tot communicatie opgeleverd. Maar het was een gure morgen om op de stoep te blijven treuzelen en er waren natuurlijk geen kaarten. Er was dat jaar ook geen zelfgemaakt cadeau met kleverige glitterhartjes van Sam geweest, wat op zich volstrekt begrijpelijk en normaal was, gezien de leeftijd van haar zoon, maar het had haar toch even treurig gemaakt.

'Hebt u het huis al verkocht?' kraste meneer Beasley, juist toen ze naar binnen wilde schuiven.

'Nee, maar er komt vanmorgen iemand kijken. Hij kan feitelijk elk moment hier zijn...' Charlote keek demonstratief op haar horloge.

'Dat is alweer een tijdje geleden, hè?'

'Een paar maanden, ja.'

'En u hebt nog niets anders gevonden?'

'Nee, meneer Beasley, ik heb nog niets gevonden.'

'Ik ben het even vergeten... Wat zocht u ook alweer?'

'Ik...' Charlotte zweeg toen ze de envelop boven op het stapeltje in haar hand zag, een bruine envelop met een stempel van de rechtbank. 'Iets kleiners, iets goedkopers, veel dichter bij het park,' mompelde ze, waarmee ze een samenvatting gaf van de instructies die ze Tim Croft, de makelaar, acht maanden geleden had gegeven. Haar hart begon te bonzen onder haar anorak – opluchting, vreugde, duizend dingen. Het moest de rechterlijke uitspraak zijn, dat kon niet anders. Ze voelde zich alsof ze had staan duwen tegen een enorme zware deur die eindelijk had meegegeven – geen afschuwelijk gekibbel meer over cijfers, over wat ze aan de kapper of in winkels uitgaf; geen ellendige sessies meer met haar zakjapanner en een stapel rekeningen. Het was eindelijk voorbij. Ze was vrij.

Meneer Beasley zoog zijn wangen naar binnen en schudde zijn sombere, ongeschoren, oude gezicht naar de klamme februarilucht. 'Het park… O, die zijn heel duur, zelfs de kleintjes.'

'O ja? Nou, ik ben toch hoopvol, héél hoopvol.' Opgewekt gestemd nu, door de bruine envelop, klemde Charlotte de stapel post tegen haar borst en vluchtte naar binnen.

Er hing daar nog steeds een tastbare stilte nu Martin er niet meer was, bijna alsof haar weigering om te treuren over het verbreken van hun ongelukkige verbintenis betekende dat de een of andere huisgeest dit voor haar deed. In haar wildere overpeinzingen vroeg Charlotte zich zelfs wel eens af of dit de reden was waarom het huis zo moeilijk te verkopen bleek. Op andere, verstandiger momenten leek het buitengewoon oneerlijk dat Martin en zijn echtbrekende liefje Cindy hun vleugels konden uitslaan in hun nieuwe, royale huis aan de rivier in Rotherhithe, terwijl zij moest proberen een onderkomen te verkopen dat, hoeveel vazen met verse bloemen ze er ook mocht neerzetten, iets scheen uit te stralen wat op een grafstemming leek.

Ze nam uitvoerig de tijd voor de bruine envelop: maakte een kop koffie, pakte een koekje, genoot van het moment. En toen ze het document eenmaal in haar hand hield, bracht ze zich ertoe het grondig te lezen, woord voor woord, waarbij ze niets oversloeg van het jargon of van de kleine lettertjes en zich dwong terug te denken aan de narigheid van de laatste maanden en aan het gemene anonieme briefje dat haar ten slotte het laatste zetje – en de moed – had gegeven om er voorgoed een punt achter te zetten. *Je man heeft een ander. Afzender: iemand die het beste met je voorheeft.* Zelfs op dat moment had Charlotte een akelig soort triomf gevoeld – al die jaren van afnemende genegenheid, van ziekelijke achterdocht, van Martins ontkenningen – en toen ten slotte, in twee zinnen, het bewijs, de toestemming, om op te geven, even officieel als het gestempelde document dat ze in haar handen hield.

En nu een bezichtiging, de eerste in vijf weken. Dit zou een geluksdag worden, besloot Charlotte, terwijl ze bijna uitgelaten door de benedenverdieping heen en weer holde om kranten tot nette stapeltjes te schuiven en alle rondslingerende voorwerpen op te rapen: een natte handdoek, een telefoonoplader, twee verschillende schone sokken. Met haar armen vol liep ze naar boven, peinzend over het wonderlijke gedoe van vreemden in je huis uit te nodigen, de neiging die dit handelen met zich meebracht om een beeld van volmaaktheid te scheppen dat in werkelijkheid niet bestond.

Toen ze boven bij Sams slaapkamer arriveerde, vergat ze al haar overpeinzingen en vloekte hardop. De laden en kasten spuwden hun inhoud uit als losgebarsten ingewanden. Verspreid over de vloer lag de volledige inhoud van de krat met Lego die maanden – of waren het jaren? – onder het bed had staan te verstoffen. Te midden van dit chaotische mozaïek lagen zijn eens gekoesterde Subbuteo-poppetjes, cd's zonder hoes, snoeppapiertjes, een bakje met aangekoekte restjes cornflakes, een plastic boemerang en een verzameling gescheurde stripverhalen en tijdschriften.

Charlotte probeerde een golf van bekende emoties – ergernis, wrok, berusting, wanhoop – en daaronder een schuldbewust besef van verantwoordelijkheid te bedwingen. Wat voor man zou die zoon van haar worden? Wat voor partner, echtgenoot? Ze stond nog steeds in de deuropening, verstard door twijfels en angstige voorgevoelens, toen de bel van de voordeur ging.

'Sorry, ik ben wat vroeg.' De man, die dik, donker haar had, met wat grijs aan de slapen, en een grote neus, rood van de kou, stak een hand uit die de hare te stevig vastgreep om oprecht berouw te suggereren.

'Dat geeft niet. Het is prima. Komt u binnen.' Charlotte wist door de verwarde mix van tegen haar borst geklemde objecten zijn hand te schudden. 'Maar omdat u me toch een beetje hebt overvallen, is er helaas geen versgebakken appeltaart om u in verleiding te brengen. U zult alles moeten nemen zoals het is.' Ze legde de spullen op de stoel in de hal terwijl ze zichzelf verweet dat ze al na enkele seconden zich zo verontschuldigend, zo wanhopig had opgesteld. 'Zullen we met de keuken beginnen?'

'Prima. Net wat u uitkomt.' Hij had niet eens geglimlacht toen ze het oude grapje over de appeltaart had gemaakt, en hij stond nu het plafond in de hal te bekijken, recht naar de plek waar twee jaar geleden een overgestroomd bad van Martin het schilderwerk geel had gemaakt.

12

Ze hadden het natuurlijk opnieuw moeten laten pleisteren, laten schilderen, net als de vochtige plek boven de achterdeur en de krans aan haarscheurtjes die rond de rozet in het plafond van de zitkamer was verschenen nadat Sam met zes vriendjes gymnastiek had gedaan tijdens een logeerpartijtje. Het huis, besefte Charlotte opeens met gruwelijke helderheid, vormde een getuigenis van het mislukken van haar huwelijk, en niet alleen door de subtiele leegheid ervan. Het was als de spreekwoordelijke molensteen: lelijk, zwaar, drukkend. Hoe eerder ze het kwijt was, hoe beter. Ze keek weer even naar haar mogelijke koper – hij was zichtbaar nerveus, met de armen stijfjes op zijn rug – en ze vroeg zich af of hij wat milder zou worden bij een hint dat ze bereid was iets onder de vraagprijs te gaan zitten. Tim Croft had al enige weken laten doorschemeren dat ze zoiets zou moeten doen.

In de keuken praatte ze snel, te snel, over de container voor huisvuil en dat de zon op de achterkant van het huis scheen. Haar bezoeker wierp een bedenkelijke blik op de tuin, en daarna op zijn horloge. 'U mag ook zelf wel even rondkijken, als u dat liever doet,' bood Charlotte terloops aan, leunend tegen de keukentafel, die een beetje wiebelde omdat het stuk papier dat ze eronder schoof om hem in evenwicht te houden, weer eens was weggeschoven. 'Ik weet dat er hier en daar wat achterstallig onderhoud is, een likje verf en zo.' Hou eens op met je zo uit te sloven, berispte ze zichzelf, waarna ze haar hoofd scheefhield, haar armen over elkaar sloeg en daarna, voor alle zekerheid, ook haar enkels.

'Dank u, mevrouw. Nou ja, als ik heel eerlijk ben moet ik zeggen dat dit niet helemaal is wat ik zoek.'

Charlotte greep haar ellebogen vast. 'O lieve help. Geen punt...'

'Ik ben alleen, ziet u... Dat wil zeggen, ik heb een dochter en ik heb echt geen tijd voor een huis met achterstallig onderhoud, zelfs als het slechts een kwastje verf is. Bovendien had ik van de makelaar begrepen dat het voor haar dicht genoeg bij school zou zijn om er zelf naartoe te kunnen lopen. Ze is net op St. Leonard's begonnen en ik moet naar mijn werk en het verkeer hier in de buurt is altijd erg druk...'

Charlotte duwde zich bij de tafel vandaan en stak haar handen omhoog om hem de moeite van verdere uitleg te besparen. 'Ik ken dat probleem maar al te goed. Mijn zoon zit ook op St. Leonard's en ik weet dat het hiervandaan een ramp is om daar te komen. Hemelsbreed is het natuurlijk een kippeneindje, maar met drie hoofdwegen om over te steken...' Ze schudde spijtig haar hoofd. 'Als dat een prioriteit is, dan zou u eerlijk gezegd wel gek zijn om dit huis te kopen. U moet eigenlijk meteen weer vertrekken,' grapte ze, en ze wees naar de deur. 'Dit is een bevel.'

'Eh... goed.' Hij schonk haar zijn bedenkelijke glimlach en liep achteruit de hal in.

'Ik ben ook alleen,' flapte Charlotte eruit, terwijl ze achter hem aan liep. 'Dat was niet het plan... maar soms loopt het wel eens anders in het leven dan je had gedacht, nietwaar? Dan kijk je soms terug naar hoe je begon, daarna naar waar je terecht bent gekomen, en je denkt: Jemig, hoe heeft dat kunnen gebeuren? Alsof je het leven van twee onbekende mensen bekijkt, of...' Ze zweeg opeens, geschrokken door de gekwelde uitdrukking op zijn gezicht en de snelheid waarmee hij de knopen van zijn chique antracietgrijze winterjas dichtknoopte.

'Nou, dank u wel, mevrouw Turner. Het spijt me dat ik u zoveel ongemak heb bezorgd – misschien kunt u tegen de makelaar zeggen dat hij de volgende keer iets duidelijker moet zijn met de informatie.'

'Ja. Beslist. Uiteraard. Tot ziens dan maar, meneer... eh...' Charlotte voelde dat ze een vuurrode kleur kreeg. Ze was vergeten hoe ze moest zíjn, bedacht ze hulpeloos. Tegenwoordig schoten woorden en antwoorden als vanzelf uit haar. Ze miste Martin niet – hoe zou ze de bron van zoveel verdriet kunnen missen? – maar ze was zich er in toenemende mate van bewust geworden dat het hebben van een man, hoe onbevredigend ook, voor een soort essentiële ballast van haar persoonlijkheid had gezorgd. Zonder die ballast was ze vrijer, maar ook, nog steeds, tot ze eraan gewend was geraakt, wat onevenwichtig, losgeslagen.

'Porter. Net als het bier.'

'Pardon?' Charlotte reikte langs hem heen om de knip van de voordeur los te maken.

'Mijn naam is Porter,' herhaalde hij koeltjes, terwijl hij zich van haar vandaan boog. 'Dat is een oud woord voor donkerbruin bier.'

'O ja? Goed... eh... meneer Porter, ja natuurlijk, ik herinner het me nu weer. O, ik denk... Wauw!' riep ze uit, en ze vergat haar gêne toen hij een vuurrode wollen muts met pompon uit de zak van zijn jas haalde en laag over zijn voorhoofd en oren trok. De algehele indruk was niet flatteus. 'Wát een muts!'

'Rose, mijn dochter, heeft hem me voor Kerstmis gegeven,' mompelde hij en zijn vale gezicht plooide zich tot een soort glimlach. 'Maar er is geen ruimte voor trots wanneer er liefde in het spel is, hè?'

'Nee, zeg dat wel,' mompelde Charlotte, en toen ze de deur achter hem had dichtgedaan liet ze zich met een zucht van opluchting tegen de muur vallen.

Het Aziatische meisje, verreweg de mooiste van Tim Crofts medewerkers, met een zijdezacht gordijn van gitzwart haar en grote, katachtige ogen, had een vaas met rozen naast haar computer staan, twaalf bloedrode schoonheden met dikke, groene stelen en messcherpe doorns. Toen ze de rozen en het stralende gezicht van het meisje zag, verbaasde het Charlotte dat iemand nog zo naïef kon zijn om valentijnscadeaus serieus te nemen. Wacht maar eens af, wilde ze zeggen. Wacht maar eens af waar die rozen toe zullen leiden.

Tim Croft, hartelijk en uitvoerig als altijd, nam haar snel mee naar zijn kamer, schonk haar een kop koffie in en deed heel bezorgd toen hij haar relaas over de bezichtiging door meneer Porter aanhoorde. 'Niet de gemakkelijkste klant,' had hij gezegd, terwijl hij zijn keurige ringbaardje wreef. 'Zijn vrouw blijkt te zijn gestorven. Eierstokkanker, heel laat geconstateerd. Binnen drie weken na de diagnose overleden.' Hij klikte met zijn vingers.

'Gestórven?' Charlotte sloeg beide handen voor haar mond. 'Ik veronderstelde, toen hij zei dat hij alleen was...'

'Heel tragisch natuurlijk, maar zulke dingen gebeuren nu eenmaal.' Tim schraapte tot twee keer toe zijn keel. 'Het goede nieuws is dat ik vanmorgen een telefoontje heb gehad van een zekere mevrouw Burgess die graag een afspraak wil maken om volgende week je huis te bekijken.'

'O mooi,' mompelde Charlotte, met haar gedachten nog steeds bij het beeld van de ongelukkige weduwnaar, meneer Porter, die ineenkromp onder het geweld van haar veel te amicale gekwebbel over de lasten van het leven en van het alleenstaand ouderschap.

Tim Crofts vingers met grote knokkels vlogen over de toetsen van zijn computer. 'Zal ik haar donderdagmiddag aanbieden, bijvoorbeeld om drie uur? Op donderdagmiddag maakt Ravens Books toch geen gebruik van je diensten, hè?' ging hij verder, op zachtere en meer begrijpende toon, alsof hij min of meer genoot van het feit dat de maanden waarin het niet gelukt was haar huis te verkopen hem een intiem inzicht in haar weekprogramma hadden gegeven. 'Niet wanhopen, Charlotte,' ging hij joviaal verder. 'Uiteindelijk komt iedereen er.'

Waar? vroeg Charlotte zich af, en ze knikte en glimlachte terwijl ze haar koffiekopje wegschoof. Waar kwam iedereen dan wel? En hoe wisten ze dat ze er waren gekomen? 'Donderdagmiddag, drie uur, mevrouw Burgess. Bedankt, Tim. En ik heb eens nagedacht over de vraagprijs – misschien moet ik hem iets laten zakken, maar niet te veel, anders kan ik me geen verhuizing veroorloven. De huizen zijn érg duur in de buurt van het park.' Ze knipperde met haar ogen naar hem en ze voelde opeens behoefte aan een van zijn opbeurende monologen over de markt en prijzen die op en neer gingen en misschien zelfs aan een herhaling van het gedoe over dat iedereen er ten slotte kwam.

'Aha.' Tim, die haar op dat punt nooit teleurstelde, klopte op de zijkant van zijn neus. 'Ik heb bericht gehad, onofficieel, dat er op Chalkdown Road iets van je gading zou kunnen zijn. Het is vlak bij het park, niet in de rijtjeshuizen. Het zou precies kunnen zijn wat jij zoekt. De verkopers proberen het onderhands te verkopen, maar ik zal eens kijken wat ik voor je kan doen.'

'Geweldig, dat klinkt echt veelbelovend. Bedankt, Tim. Hou me op de hoogte, wil je?' Charlotte ging staan, klaar om weg te gaan, en stak haar hand uit. Tim schudde die, maar liet hem, tot haar verbazing, niet onmiddellijk los.

'Charlotte, ik vroeg me af... Vergeef me als ik...'

Hij had zijn stem zo laten dalen dat ze over het bureau moest leunen om hem te verstaan.

'Ik dacht opeens...' Hij keek behoedzaam in de richting van zijn collega's, 'dat het misschien leuk zou zijn om... een keer samen iets te gaan drinken of zo. Natuurlijk niet vanavond – je zult juist vanavond wel bezet zijn – maar misschien de volgende week een keer, of de week daarna?'

'Iets drinken?' fluisterde Charlotte, en ze keek ook voorzichtig over haar schouder terwijl ze haar hand losmaakte. 'Iets drinken?'

Tim schoot in de lach en plukte nerveus aan de punt van zijn kin waar de haren het langst waren. 'Ja, je weet wel, iets wat gewoonlijk in een glas wordt gepresenteerd… soms met iets te eten erbij.'

'O lieve help…'

'Vanavond natuurlijk niet,' herhaalde hij, terwijl hij over de kroezige bovenkant van zijn weerbarstige haar streek, alsof hij de logistieke mogelijkheden overwoog van een duik over de dossierkast en daarna door het raam naar buiten.

Het antwoord moest natuurlijk nee zijn. De man was haar makelaar. Hoewel ze haar vriendinnen had bezworen dat ze zich, als ze er weer aan toe was, maar al te graag in het circuit zou storten om weer wat pret te maken na alle jaren van ongenoegen. Maar het was nooit in haar opgekomen de stevig gebouwde Tim Croft met zijn brede gezicht als doelwit te beschouwen. Hij had een baard. Ze hield niet van baarden.

Maar het was een Valentijnsdag zonder kaarten, bracht ze zichzelf in herinnering, en ze had haar echtscheidingsakte veilig in de uitpuilende beige map met het etiket SCHEIDING opgeborgen, en misschien had de nog steeds ontbrekende behoefte om zich in die wonderlijke bezigheid van het plezier maken te storten een soort vliegende start nodig. En dan was er nog het onmiskenbare feit dat ze met Tim te doen had. Ze had heel erg met hem te doen, met zijn zenuwachtige blikken uit het raam terwijl de angst om te worden afgewezen opvlamde als een soort waarschuwingslicht. Dus hoewel Charlotte nog steeds 'Nee' dacht, mompelde ze dat ze tegenwoordig geen oppas had en dat dit wellicht een probleem zou blijken te zijn omdat Sam, met zijn twaalf jaar, nog steeds veel toezicht nodig had bij dingen als huiswerk, avondeten en bijtijds naar bed gaan.

'Mijn buren hebben een dochter van zestien die veel oppast,' zei Tim snel, terwijl hij vergat zijn stem te dempen, waardoor hij het Aziatische meisje een opgetrokken wenkbrauw ontlokte. 'Ze heet Jessica,' ging hij verder, iets minder uitbundig. 'Ze is dol op kinderen. Ik zou haar even kunnen bellen. Wat dacht je van volgende week woensdag, om acht uur? Gewoon om wat over huizen te praten als je dat wilt, bij een glaasje in plaats van bij deze vieze koffie.' Hij grijnsde en plukte weer aan zijn kin, met een smekende blik in zijn ogen.

Charlotte stemde in, en had er vervolgens de hele middag spijt van.

Tegen de tijd dat de hoge, zwarte hekken van St. Leonard's in zicht kwamen, die als een rij blinkende zwarte wapenschilden naar de lucht omhoog wezen, had ze al diverse smoezen om af te zeggen bedacht en verworpen. Het was bijna een opluchting om bij wijze van afleiding zoals gewoonlijk naar een parkeerplaats te moeten zoeken tussen uitritten en stopverbodsborden. Toen ze er eindelijk een had gevonden begon de zon al als een zilveren schijf onder te gaan, eerder als een maan dan als een ster. Toen ze er vanuit de warme cocon van haar Volkswagen naar zat te kijken, in het besef dat haar humeur enigszins was verslechterd, zette Charlotte haastig de motor af en stapte naar buiten in de gure kou van de middag.

'U mag hier niet parkeren. Uw bumper staat voor het eind van mijn uitrit.'

'O ja?' Charlotte keek over de schouder van haar aanklager, een man met zware kaken en een baret op zijn hoofd, en zag niets anders dan de ongewassen bult van haar Volkswagen. 'Maar ik dacht dat ik...'

'Er staat een witte streep,' brieste de man, terwijl er klodders speeksel in zijn mondhoeken verschenen. 'Er staat een duidelijke witte streep en daar steekt u overheen.'

Verderop in de straat had zich inmiddels een menigte ouders voor de hekken verzameld. Charlotte zag hoe Theresa met haar grappige muts met oorflappen geanimeerd met Naomi stond te praten, bij wie de tweelingzoontjes van drie aan de armen stonden te trekken. 'Ik kom alleen maar even mijn zoon ophalen, ik ben zo weer weg.' Ze wierp de man een smekende blik toe, in de hoop dat zijn zichtbaar gevorderde leeftijd zou maken dat hij eerder zou zwichten voor de twijfelachtige, vergane charmes van een bleke vrouw van negenendertig met kringen onder haar ogen en een verwarde bos kastanjebruin haar dat de dag in een knot was begonnen maar nu als een slordige paardenstaart omlaag hing.

'Als u niet weggaat, bel ik de politie. We hebben er genoeg van, dat verzeker ik u, meer dan genoeg. Het is verdomme elke dag hetzelfde. Al die stomme nietsnutten van vrouwen die hun stomme grote auto's voor onze oprit parkeren...' Hij zweeg, misschien in het besef dat deze belediging niet op de Volkswagen van toepassing was, of misschien omdat de tranen over Charlottes gezicht stroomden.

Charlotte dook weg, onthutst over zichzelf, terwijl ze woest over haar wangen veegde en blindelings haar autosleutel in het portier probeerde te steken.

'Vijf minuten dan,' snauwde de man, terwijl hij hoofdschuddend afdroop. 'En laat ik u morgen niet weer hier aantreffen.'

Sam viel gemakkelijk te ontdekken met zijn gezicht verborgen achter een sluike bos wit-blond haar, met losse schoenveters en zijn hemd uit zijn broek, terwijl hij zijn rugzak over het asfalt achter zich aan sleurde als een onwillig huisdier aan een lijn. Er holden klasgenoten om hem heen, allemaal langer dan hij, met een puberlichaam dat op weg was man te worden. Sam, met zijn kleine gestalte en broodmagere armen en benen, die nu op wrede wijze zichtbaar waren als gevolg van een besluit op de valreep om met een korte broek naar school te gaan, leek meer op de magerste meisjes.

'Sam!' Charlotte liep haastig naar het hek en knipperde die belachelijke tranen weg. Hij treuzelde nog even, bekeek iets op de zool van zijn schoen, terwijl George, onmiskenbaar Theresa's zoon met zijn dikke, donkere krullen en ronde, blozende gezicht, uit het groepje wegholde om zich kortstondig maar enthousiast in de armen van zijn moeder te storten.

'Mahjong, bij mij thuis, volgende week donderdag,' riep Theresa, terwijl ze de klaar-over nog net ontweek toen ze naar de met modder bespatte Volvo aan de overkant van de weg liepen, waar het dansende hoofd met vlechtjes van haar jongste dochter door het raam van de passagiersplaats te zien was.

'Ik begrijp niet hoe ze het doet,' zei Naomi, die naar haar toe kwam lopen met de tweeling, die nu aan hun zusje Pattie hing – ze had sinds de kleuterschool bij Sam in de klas gezeten maar ze haalde tegenwoordig haar neus op voor spelen met jongens, ten gunste van gesmoes met vriendinnen achter gesloten deuren. 'Vier kinderen, vier scholen. De vrouw is niet goed wijs.' Charlotte knikte en glimlachte bij dit versleten commentaar. Ze bewonderden Theresa – goed georganiseerd, opgewekt, bescheiden, met een man die een vooraanstaand medicus was en vaak op belangrijke congressen lezingen moest houden. Ze beweerde altijd dat ze het niet aankon, maar ze wist alles toch uitstekend te regelen. Toen de vriendschappen tussen hun kinderen be-

19

gonnen te verwateren, was het Theresa's idee geweest om elkaar te blijven ontmoeten, bij een spelletje mahjong (ze had geen tijd om elke maand een boek te lezen, zei ze, en ze verafschuwde bridge). De bijeenkomsten waren sporadisch maar heel gezellig geweest en ze waren ongeveer in dezelfde tijd begonnen dat Charlottes huwelijk op de klippen liep. De hartelijkheid en de steun van haar vriendinnen waren voor haar als zuurstof geweest en hadden haar de kracht gegeven alle narigheid thuis te doorstaan.

'Ik dacht dat Theresa schilders over de vloer had,' merkte Naomi op terwijl ze een vergeefse poging deed om de tweeling van hun zusje af te trekken.

'Heeft ze ook, maar die zijn tegen die tijd weer verdwenen.'

'Laat Pattie nou eens met rust,' schreeuwde Naomi, in een explosie van ongeduld die het gewenste effect had voor ze zich weer tot Charlotte wendde en vriendelijk zei: 'Jo heeft me gevraagd Ellie op te halen omdat de au pair ziek is. Heb jij haar gezien?'

Charlotte bekeek het uitgedunde groepje kinderen. Josephine Burrows, directeur van een marketingbureau met drie kinderen en een verleden vol problematische hulp in de huishouding, was de vierde van hun hechte groepje. Ellie was haar jongste kind; de twee oudere broers gingen met de bus naar een school in Wimbledon. 'Zeg, is dat haar niet? Staat ze daar niet bij de muur te lezen?'

'Lézen! Hoor je dat, Pattie, ze leest zonder dat haar wordt gevraagd dit te doen.' Naomi keek woest naar haar dochter voor ze haar aandacht weer op Charlotte richtte. 'Zeg, is alles goed met je?'

'Ja hoor, prima.'

Naomi keek haar onderzoekend aan. 'Martin doet toch zeker niet weer moeilijk over de weekends van Sam, hè?'

'Nee... ik heb vanmorgen trouwens de definitieve echtscheidingsovereenkomst binnengekregen. Eindelijk.' Ze stak een vuist in de lucht.

'Waarom dan dat sippe gezicht?'

'O, ik weet het niet... misschien de hormonen, en dat ik het huis maar niet kan verkopen... en misschien ook wel omdat ik ja heb gezegd op een uitnodiging van mijn makelaar! Ik probeerde nee te zeggen,' jammerde Charlotte, 'maar het kwam er verkeerd uit.'

Naomi bulderde van de lach, op een manier die niet leek te passsen bij haar kleine gestalte en verfijnde gelaatstrekken. 'Nou, dat lijkt me heel leuk. Zolang het niet die dikke oude is, maar die aardige jonge knul met kort haar, en hij niet getrouwd is.'

'Natuurlijk is hij niet getrouwd,' merkte Charlotte een beetje scherp op. 'Het is niet waarschijnlijk dat ik zulke streken uit zal halen, wel?'

'Nee, dat kan ik me niet voorstellen,' stemde Naomi, nog steeds lachend, in. 'En maak je geen zorgen over het huis – uiteindelijk worden ze altijd verkocht. Weet je nog dat Graham en ik er anderhalf jaar over hebben gedaan om ons eerste huis in Milton Keynes kwijt te raken? De huizenmarkt was volledig ingestort en weigerde weer op te krabbelen. Maar nu zitten we veilig en wel in zonnig Wandsworth. Maar laat ik Ellie nu maar eens ophalen en dit stelletje naar huis brengen.' Ze gebaarde opeens vermoeid naar haar tweeling, die een woest gevecht leverden om een schooletui. 'Je had toch gezegd dat je het voor jezelf nu weer gezellig ging maken, hè?' voegde ze eraan toe, misschien nog steeds niet overtuigd door de blik op Charlottes gezicht. 'Dat je gewoon alles even op z'n beloop zou laten en eindelijk eens zou gaan geníeten. Het is nu al maanden geleden en je was zo ongelukkig... Herinner je je dat nog, Charlotte? Hoe ongelukkig getrouwd je was?'

Er klonk een spoortje ongeduld in haar stem, voldoende om Charlotte met haar ogen te laten rollen en 'Natuurlijk' te zeggen, en Sam te gebaren dat het tijd was om naar de auto te gaan. Ze was ook een beetje boos op zichzelf. Het keerpunt waar ze zo naar had verlangd, was die morgen gearriveerd en nu had ze alweer redenen om somber te doen.

Ze liep snel, maar Sam huppelde voor haar uit. Er zaten rode plekken aan de achterkant van zijn knieën – een opflakkeren van het eczeem dat hij als baby had gehad – en hij had een schram op zijn kuit. Charlotte haastte zich om hem in te halen. Haar zelfmedelijden werd vervangen door het veel begrijpelijker en vertrouwder gevoel van schuldbewustheid om alles wat hij door Martin en haar had moeten doorstaan, omdat ze maar al te goed wist hoe het was om het kind te zijn van een ontrouwe vader. 'Alles goed, liever?'

'Jawel.'

'Zullen we een glaasje cola gaan drinken en een stuk chocoladetaart eten in dat leuke café?'

Het was een goedkope list, besefte Charlotte, maar zoals met zoveel simpele strategieën werkte ook deze. Het verleden viel niet te veranderen, gedane zaken namen geen keer. Maar de toekomst, prentte ze zich in, lag nu meer binnen haar bereik dan ooit.

Sams gezicht klaarde op, zoals ze al had verwacht. Een verheugend verschijnsel in de afgelopen weken en iets moois om te koesteren, als gordijnen die opengingen en het daglicht binnenlieten. 'We kunnen je tas in de auto zetten en er dan heen lopen. Of misschien hollen,' riep Charlotte, en ze snelde de straat in zodra de auto op slot was, wetend dat hij haar binnen enkele seconden in zou halen, blij dat ze hem nog steeds kon verrassen.

2

Er is een werkplaats – altijd – waar we ook wonen. Een schemerige, naar hout geurende ruimte met kasten vol kleine, doorgezakte kistjes die elk verschillende maten spijkers, bouten en schroeven bevatten. Langs de muur boven de werkbank hangen hamers, schroevendraaiers en sleutels, in volgorde van grootte; de kleinste ziet er zo aanlokkelijk uit dat ik hem het liefst – net als mijn kleinste baboesjkapoppetje – stevig in mijn hand zou willen houden. Soms – de scènes vloeien door elkaar – laat mijn vader me op zijn schoot zitten om hem te helpen een stuk hout in de bankschroef te zetten. Ik draai met beide handen aan de zware hendel en zie daarna hoe de metalen kaken zich vastklemmen terwijl hij het werk afmaakt. Net tanden, zegt hij, de tanden van een monster; en hij drukt zijn mond tegen mijn nek en ik spartel en gil door de combinatie van angst en pret zoals alleen een kind die kent.

De volgende woensdag zat Sam nog erger dan anders met zijn warme eten te treuzelen; hij steunde zijn hoofd op zijn ene hand en stopte met zijn vork te grote stukken kip en schijfjes wortel en aardappel in zijn nauwelijks geopende mond. Charlotte zat naast hem met een beker thee. Ze bedwong de neiging om hem te berispen. Ze hadden al strijd moeten leveren omdat hij niet voor de tv mocht eten, een strijd die zij op het nippertje had gewonnen.

'Ik blijf niet lang weg. Er komt een aardig meisje op je passen, ze heet Jessica. Vind je dat goed?'

Sam schoof een stukje wortel in zijn mond en kauwde er langzaam op. 'Mij best.'

'Papa heeft nog gebeld. Ik zet je vrijdag na school daar meteen af omdat Cindy die middag vrij heeft. Hij zei dat ze misschien met je naar de bioscoop gaan. Leuk, hè?'

'Zal wel.'

'Gaat alles goed op school?'

Vanachter een warrige bos haar keek hij naar haar op met een misprijzende blik in zijn lichtblauwe ogen. 'Op school is het klote.'

'Juffrouw Hornby zei anders dat het nu veel beter met je gaat, dat je...'

'Juffrouw Hornby is een spastische trut.'

'Dat is een afschuwelijke uitdrukking, Sam. Die mag je voor niemand gebruiken.'

Sam liet zijn vork op zijn lege bord vallen en schoof zijn stoel naar achteren. 'Mag ik nu televisiekijken?'

'Wil je geen toetje, yoghurt of een koekje?'

Hij schudde zijn hoofd en stak zijn kin naar voren, waardoor hij haar even – heel duidelijk – aan Martin deed denken.

'Wat dacht je van yoghurt én een koekje, terwijl je televisiekijkt?'

Sam fronste zijn wenkbrauwen, probeerde zich nog even tegen haar vriendelijkheid, tegen de zachtheid in haar stem te verzetten. 'Mag ik een spelletje op de computer doen?'

Charlotte trommelde met haar vingers op de tafel en deed alsof ze diep nadacht. 'Ja, maar alleen ná het eten en... eens even kijken... ik denk dat daar ook een flinke knuffel voor nodig is. Een geweldige, enorme knuffel waar niemand anders ooit iets over hoeft te weten.'

Sam schuifelde naar haar toe om zich te laten omhelzen, terwijl Charlotte een golf van emotie voelde die net zo hevig was als toen de dokter hem uit haar schoot had bevrijd en hem, klein en glibberig, in haar armen had gelegd. Ze stak haar neus in zijn haar, genietend van zijn kleinejongensgeur, en gaf even toe aan de dierlijke verlangens die haar voor het eerst hadden vervuld op die dag in het ziekenhuis, zo allesoverheersend, dat ze kijkend naar Martin die bij haar bed stond zich had afgevraagd of ze ooit vóór dat moment ook maar het vaagste besef had gehad van wat het betekende om lief te hebben.

Even later had Sam zich losgewurmd en deed een greep in de koektrommel.

'Heb je vandaag sport gehad?'

'Nee. Mag ik er twee?'

'Ja... Hé, laat die blauwe plek eens zien.'

'Welke blauwe plek?'

'Daar, op je been, en er zit er nog een bij je elleboog. Twee blauwe plekken.' Charlotte probeerde hem bij zijn arm te grijpen, maar hij rukte die weg en rende de keuken uit.

Een uur later verwelkomde ze een pukkelige tiener en Tim Croft in de hal, terwijl ze met gemengde gevoelens de moeite opmerkte die de makelaar zich om haar had getroost: zijn krullende lichtbruine haar glansde van het wassen, zijn baard was keurig bijgewerkt, zijn grote tanden blonken. In plaats van het gebruikelijke pak van zijn werk droeg hij een bruin leren jasje, een zwarte coltrui en een verschoten spijkerbroek, strak genoeg om óf een van nature sportief lichaam óf het resultaat van hard werken in de sportschool te onthullen.

Hij was eigenlijk heel aantrekkelijk, besefte Charlotte, en ze verstrakte eerder dan dat ze zich bij deze constatering ontspande toen ze hem in de eetkamer binnenliet om Sam aan hem voor te stellen. Haar eigen werkzaamheden waren beperkt gebleven tot een haastig bad, gevolgd door een moeizame zoekpartij in haar overvolle garderobe naar een outfit die presentabel was zonder de suggestie te wekken van een bewuste wens om er leuk uit te zien. Ze had scheve gezichten naar haar spiegelbeeld getrokken en ze had zich, met enige weerzin, als een onnozele tiener gevoeld, terwijl ze ten slotte had besloten tot een bezadigde (té bezadigde) combinatie van een chocoladebruine corduroy broek en een roomkleurig truitje met parelmoeren knoopjes.

'We... ik... heb de computer in de eetkamer staan, zodat ik kan zien wanneer Sam vierkante ogen begint te krijgen, hè lieverd?' kwebbelde Charlotte, in een poging een toon te vinden die op zou wegen tegen de onbeleefde grom van haar zoon. 'Jij bent vast heel goed met computers, Jessica,' zei ze behulpzaam, en ze tuurde over Sams schouder, blij te zien dat hij naar dansende stippen zat te kijken, wat een onschuldig voetbalspelletje betekende, in tegenstelling tot iets gevaarlijks, zoals een chatbox, hoe die er ook uit mocht zien. Martin had zulke dingen allemaal geregeld: kindersloten, spamfilters, firewalls en andere onbegrijpelijke zaken die voor technologische gezondheid en veiligheid moesten zorgen. Sam wist maar al te goed dat haar vaardigheden niet verder reikten dan internet en e-mail.

'Ik kan er wel mee overweg,' antwoordde Jessica langzaam, en ze ontblootte daarbij een zware beugel waarvan Charlotte vermoedde dat deze verantwoordelijk was voor de duidelijke schroom van het meisje om iets te zeggen.

'Zal ik je dan maar even het huis laten zien?' bood ze aan, opnieuw overmand door twijfels over de avond en over haar keuze van het truitje, waarvan ze was vergeten dat het de irritante gewoonte had om omhoog te kruipen.

'Graag, mevrouw Turner.'

'Uitstekend.' Tim, die zich duidelijk het meest op zijn gemak voelde tijdens deze ongewone bijeenkomst, sloeg zijn handen in elkaar en liep door de kamer om Sam te vragen wie er tegen wie speelde en hoe de stand was. Charlotte vond hem opeens toch weer aardig, vooral toen ze tussen het rondleiden van Jessica door zag dat Sam hem goed partij gaf zonder van het scherm op te kijken en korte en vlakke antwoorden gaf. 'De makelaar,' had hij smalend gesnoven, toen ze de identiteit van haar gezelschap had onthuld. 'Waarom?' Charlotte had geaarzeld, overweldigd door het veelvoud aan mogelijke antwoorden, die allemaal ongeschikt waren (omdat ik me gevleid voelde en omdat ik met hem te doen had, omdat sinds het vertrek van je vader jij de enige man in mijn omgeving bent, omdat ik, sinds de uitspraak zo dicht binnen mijn bereik kwam, in een soort niemandsland was beland, in een dolmakende staat van nietsdoen, van achteruitgang, van omkijken...). 'Getver!' Sam had het woord in haar stilte gespuwd, en had een gezicht getrokken alsof hij moest overgeven, waarna hij de trap was op gehold.

'Ben je klaar om te gaan?' Tim wachtte Jessica en haar op toen ze terugkwamen in de hal.

'Ik denk het wel, tenzij er nog iets is wat jij me wilt vragen, Jessica?' mompelde Charlotte, en ze glimlachte bemoedigend naar het meisje dat heel gezellig had lopen babbelen tussen het bekijken van de koelkast en het ontvangen van instructies over in bad en naar bed gaan. 'Hij zal wel tegenstribbelen als hij naar boven moet. Maar daar moet je natuurlijk niet voor zwichten. Hij mag het licht aan laten als hij dat wil, hij slaapt graag met het licht aan. Niet dat ik erg laat zal zijn...' Charlotte zweeg, ze voelde zich opgelaten; Tim liet zijn vingers kraken en Jessica staarde naar haar voeten, beiden duidelijk verlangend om verder te gaan met alles.

'Ik had gedacht aan iets even buiten de stad.'

'O ja?' Charlotte greep de gesp van haar handtas vast en keek uit het raampje, zich inspannend om voorbij haar wazige spiegelbeeld naar de neonlichten van bars en winkels te kijken die buiten voorbijsnelden. Tim was met haar door de straat naar een gestroomlijnde sportauto gelopen die ze nog nooit bij het makelaarskantoor had zien staan. Het leek eerder een cockpit dan een auto. Buiten leek alles wat ze van de wereld kon zien al even gecomprimeerd: ineengedoken gestalten die zich voortrepten onder een donkere maartse hemel met de telefoon aan het oor gedrukt, ieder van hen verdiept in het strakke, complexe pakket van het eigen leven. Ontspan je, berispte ze zichzelf. Laat je gewoon eens gaan. Na verdere twijfels en diverse overwegingen om af te zeggen waren haar verwachtingen ten aanzien van dit uitje bijna te gering om nog teleurgesteld te kunnen worden. Gezelligheid, geen liefde, hoe moeilijk kon dat zijn? En als er iets misging had ze altijd nog een leuke anekdote voor haar vriendinnen, als bewijs voor hen en voor zichzelf dat ze haar gevoel voor humor nog niet had verloren, dat de lange periode waarin ze de klagende, verongelijkte vrouw had gespeeld, definitief achter de rug was. Charlotte haalde een paar keer diep adem en liet haar handtas los, waarna ze zag dat de harde rand van de gesp een rode striem op haar handpalm had achtergelaten. Als een levenslijn, peinsde ze, vastbesloten niet voortdurend zenuwachtig te zijn in een nieuw leven dat wie weet waarheen leiden zou.

Naast haar maakte het met leer beklede stuur kleine sissende geluiden wanneer Tim het door zijn handen liet glijden.

'Maak je geen zorgen, niet te ver. We gaan naar Kingston. Vind je het hier te warm?'

'Nee... Ik... Nou ja, misschien toch een beetje.' Charlotte schoof haar benen weg van het eiland met wijzers terwijl hij op diverse knoppen drukte. Ze kon zijn aftershave ruiken, een vage maar doordringende citrusachtige geur. Onder zijn oorlel zaten drie lange haren die hij met het scheermes had gemist. Elke keer dat hij schakelde streek zijn elleboog langs haar bovenarm. De contouren van de spieren van zijn dijbeen waren duidelijk door zijn broekspijp heen te zien wanneer hij de pedalen gebruikte. 'Hoor eens, Tim,' flapte ze er opeens uit, 'ik vraag me af of ik je misschien een verkeerde indruk heb gegeven... Ik bedoel, door je uitnodiging voor vanavond aan te nemen. Het was beslist niet mijn bedoeling…'

'Ik weet het.' Hij grijnsde even naar haar. 'Echt, het is geen punt. Ik heb het je een beetje moeilijk gemaakt, hè? Ik heb je er een beetje mee overvallen. Ik kan wel eens wat bazig zijn als ik iets in mijn hoofd heb.'

'Het punt is dat ik pas onlangs ben…'

'Gescheiden? Dat had ik een tijdje geleden al begrepen. Ik heb zelf ook nog niet zo lang geleden een relatie moeten beëindigen,' vervolgde hij ontspannen, terwijl hij de weg af draaide. 'Tien jaar, je zou toch denken dat je dan de ware had gevonden, maar opeens… pfff.' Hij knipte met zijn vingers. 'Dan ben je alleen en loop je dode kamerplanten water te geven en zit je in je eentje pulp op de tv te kijken en vraag je je af wat er in hemelsnaam met je leven is gebeurd. Dan moet je er iets aan doen, anders word je gek.'

'Ja, zeg dat wel,' stemde Charlotte in. Ze vond hem opeens zo'n stuk aardiger dat ze moeite had om hem niet te vertellen over die behoefte van haar om nog steeds terug te kijken, elke keer als ze maar enige aanleiding daartoe zag.

'Dus dacht ik: laten we gewoon ergens een glaasje gaan drinken,' ging Tim verder. 'Zelfs met een vrouw die helemaal geen trek in je heeft, zelfs' – praattte hij door, zonder zich iets aan te trekken van Charlottes mislukte pogingen hem in de rede te vallen – 'als die vrouw een cliënt is en alle regels in de boeken luidkeels waarschuwen tegen het combineren van zaken met pleziertjes. Aha, we zijn er.' Hij remde fors en draaide langs een houten wegwijzer met de woorden EL RANCHERO. Even later stopten ze voor twee grote houten struisvogels die een pad bewaakten dat naar een verlaten terras en een grote deur leidde. 'Het is me aanbevolen door een vriend. Zo'n Spaanse tapasbar, niets zwaars, wat hapjes en drankjes. Gewoon voor de gezelligheid, hè?' Hij sprong uit de auto en deed galant haar portier open, waarna hij vooruit draafde om hetzelfde te doen met de toegangsdeur van het restaurant.

De struisvogels stonden belachelijk dicht bij elkaar, ze waren grof gesneden en zo slecht op hun voetstuk bevestigd dat hun stakerige poten zichbaar bibberden toen er een windvlaag over de parkeerplaats ging. Maar Tim wenkte haar met het zelfvertrouwen van een portier naar het warme, lichte interieur en weldra zaten ze heel comfortabel op een barkruk achter een glas gekoelde witte wijn en schaaltjes met garnalen, ratatouille en luchtige miniatuurtortilla's. Ze praatten ontspannen en uitvoerig over huizen, over prijzen, straten, deposito's, bouwkundige inspecties. Tim had enkele grappige verhalen over lastige cliënten en transacties die mislukt waren, in het bijzonder een met een melkboer en een haan als huisdier, waar Charlotte zo om moest lachen dat ze bijna van haar kruk viel. En toen opeens, toen ze echt ontspannen en niet op haar hoede was, verklaarde Tim dat hij haar vanaf het begin graag had gemogen, dat vanaf het moment dat ze zijn kantoor was binnengestapt het was geweest of er licht was gaan branden. 'Stil maar,' verzekerde hij haar haastig en hij klopte haar op de hand toen ze bloosde en begon te draaien, 'je hebt volstrekt duidelijk gemaakt hoe jij erover denkt en ik begrijp, ik respecteer dat, maar...' Hij liet zijn stem dalen. 'Zelfs als je vriend zou ik alles over je willen weten, Charlotte Turner, of op zijn minst een béétje meer,' zei hij smekend, waarbij hij een grap van deze bekentenis maakte door met duim en wijsvinger iets heel kleins aan te geven.

Ze voelde zich gevleid. Haar instincten waren verzacht door de wijn en ze wist niet goed wat ze moest vinden van deze man met zijn onverwachte wendingen en stemmingswisselingen (vooral niet na vijftien jaar met dezelfde man te zijn omgegaan). Ze wist zich geen houding te geven en bracht er zwakjes tegen in dat er niets te vertellen viel en hoe zat dat bij hem? Op hetzelfde moment bedacht ze dat die baard toch niet zo erg was. Er zaten in elk geval geen restjes saus of eten in, daar had hij heel goed op gelet, hij had na elke hap zijn mond met een servet gedept. Hij at ook heel netjes voor een man, en dat beviel haar wel. Martin was altijd in een soort trance geweest als het op eten aankwam, hij had alles gretig naar binnen gewerkt, niet in staat tot een zinnig gesprek voor zijn honger was gestild.

'Ik heb het als eerste gevraagd.' Hij schonk haar glas nog eens vol.

'Oké, eens even zien.' Ze nam een slok, en toen nog een. 'Een beknopt verslag luidt ongeveer... Geboren in Sri Lanka – in die tijd Ceylon – omdat mijn vader in thee deed, en daarna zijn we verhuisd naar Constantia in Zuid-Afrika...'

'Théé? In Zuid-Afrika?'

'Nee, toen was het wijn.' Charlotte schoot in de lach. 'Nou ja, daar laat ik het bij.'

'Nee, nee,' protesteerde hij, 'laat het daar niet bij. Ga verder. Ik wil meer horen.' Hij gleed met zijn vingers over zijn lippen in een gebaar van dichtritsen.

'Ik ben op de prille leeftijd van negen jaar naar kostschool gestuurd. Een paar jaar later zijn mijn ouders voorgoed naar Engeland teruggekomen, naar Tunbridge Wells. Mijn moeder woont daar nog steeds. We kunnen niet erg goed met elkaar overweg. Eh... wat verder nog? O ja, mijn vader is gestorven toen ik achttien was. Ik was net aan de universiteit van Durham gaan studeren. Daar heb ik mijn man ontmoet. We hebben Sam gekregen, zijn naar Londen verhuisd, vorig jaar zijn we uit elkaar gegaan en nu is de scheiding min of meer officieel.' Charlotte pakte haar glas op en zette het weer neer, draaide het bij de steel rond en glimlachte verlegen. 'Ik denk dat dat het zo'n beetje is. Een heel eenvoudig leven zo, hè? Als je alleen naar de feiten kijkt, bedoel ik.'

'O ja, heel eenvoudig,' beaamde Tim, hoewel zijn aandacht allang was afgedwaald. Het beviel hem wel zoals ze de bovenste drie knoopjes van haar vest open had gelaten, waardoor de blik – met opzet, meende hij stellig – naar de bescheiden welving van haar borsten werd getrokken. Die zagen er ook heel goed uit, zeker als je bedacht dat ze een kind had gehad en tegen de veertig moest zijn. Door de dunne, roomkleurige wol van het topje kon hij nog net het randje van haar beha ontwaren. Of misschien was het een hemdje, iets van mooie zijde met een randje kant erlangs. En haar mond was verlokkelijk, met de natuurlijke kleur rood die zo vaak bij kastanjebruin haar te zien was. Hij vond de mond des te onweerstaanbaarder nu de lipstick eraf was gesleten.

Het was verkeerd, besefte Tim, om zulke gedachten toe te staan. Hij had gezegd dat hij begreep hoe ze zich voelde, dus daar hoorde hij zich toe te beperken. Hij hoorde te doen alsof het hem slechts om vriendschap ging. Praten was erg belangrijk voor vrouwen, ze wilden het altijd over gevoelens hebben en zo. Phoebe had hem dat maar al te vaak aan het verstand gebracht. Ze had hem op zijn kop gegeven omdat hij niet naar haar luisterde, omdat zijn gevoelens nooit voldoende waren of de juiste dingen golden.

'En, hoe zit het met jou?'

'Sorry?'

'Jouw beknopte levensgeschiedenis.'

Ze leunde op de bar en draaide zich naar hem toe om op het antwoord te wachten, terwijl ze haar linkerwang in de palm van haar linkerhand legde en haar felle groene ogen hem met levendige belangstelling aankeken. Even tevoren had ze haar vingers door haar haar gehaald, het uit haar gezicht geveegd en in twee zijdeachtige slierten over haar oren laten vallen. Tim herinnerde zich opeens dat hij ergens had gelezen – waarschijnlijk in een van zijn mannentijdschriften die hij na het vertrek van Phoebe uit hun schuilplaats tevoorschijn had gehaald – dat zulk gefrunnik van vrouwen aan zichzelf op oprechte fysieke belangstelling wees. Lichaamstaal was alles, aldus het artikel. Dat bewees onmiskenbaar dat achter de elegante structuren van onze zinnen – die zogenaamde communicatie waar Phoebe zo op gebrand was geweest en die ze uiteindelijk overboord had gezet – mensen niet verder ontwikkeld waren dan de rest van het dierenrijk. Liefde, haat, hoop, angst, begeerte – hier waren geen woorden voor nodig. Het viel allemaal in ogen, handen, ellebogen en benen te zien. Je hoefde alleen maar te weten waar je op moest letten. Tim voelde zich geïnspireerd en bootste haar houding na: elleboog op de bar, hoofd leunend op zijn hand. Hij maakte oogcontact met haar en hield dit vast terwijl hij dichterbij schoof en niet bepaald inspirerend verklaarde dat zijn vader elektricien was geweest, waarna hij heel snel, en naar hij hoopte vol tederheid, zijn mond op de hare legde.

Na de regen zingt het gras. Ik luister vanuit de schaduw van de broodboom, waarvan de grote smaragdgroene bladeren druppen. Boven me bungelt een dikke, knobbelige, groene vrucht, zwaar van het vocht, groot genoeg om me te doden, zegt mijn vader, als hij op mijn hoofd zou vallen. Ik kijk omhoog, bekijk het gerimpelde oppervlak – net het gezicht van een oude man – terwijl ik me afvraag hoe het moet voelen om dood te gaan, of dat is alsof je slaapt, wat je niet kunt voelen. Ik hoor nu te liggen slapen. Het is nu de tijd na de lunch, wanneer de hitte als een kussen op je gezicht ligt en de zwerfhonden in de schaduw liggen, happend naar vliegen. Mijn moeder denkt dat ik op bed lig, onder het windje van de ventilator aan het plafond, terwijl de amah in de rieten stoel zit te knikkebollen, en mijn lunch wat zakt. Ze heeft iemand op bezoek, iemand met een meisje van mijn leeftijd met wie ik zou spelen, maar dat nu ziek is.

Ik loop over het gras, mijn blote voeten zinken in de nieuwe zachtheid, waarbij ze afdrukken achterlaten die niet blijvend zijn. Ik kijk door het gat in het hek en zie de tuin-

man die in een z-vorm naast zijn gereedschap ligt opgerold, met zijn witroze voetzolen naar mij toe gekeerd, zijn magere, zwarte benen als stoffige staken. Om hem heen, half over hem heen, exploderen de bougainvillea en frangipani, als het vuurwerk op de verjaardag van de koningin van Engeland. Ik verveel me, de opwinding van de ongehoorzaamheid is allang verdwenen. Ik denk aan het zieke kind van de vriendin van mijn moeder en vraag me af of ze aardig is. Ik vraag me af of ze mooie poppen heeft met prachtige kleertjes, net als mijn vriendinnetje Freya, die nu naar Engeland terug is gegaan. Ik wil ook in Engeland zijn, vlak bij de koningin die altijd zulke geweldige verjaardagen heeft, bij Freya en haar speelgoed en de zelfgebakken scones van haar moeder.

Mijn huid prikt van de warmte. Mijn haar is nat in mijn nek. Ik zie door het gat hoe de tuinman zich uitrekt, zijn hoofd optilt en naar mij kijkt alsof hij dwars door het hout heen kan kijken. Ik hol terug over het gras. De deur van de werkplaats staat op een kier en ik glip door de opening naar binnen, eerst een been en daarna mijn hoofd en schouders. Het is bijna net zo fijn als vanaf de steiger in de zee duiken — de plons van mijn hete lichaam in de natte koelte. Maar dan blijft er iets steken. Ik trek, maar ik zit vast. Ik hoor de tuinman naar het hek komen. Ik zie zijn oog door het gat turen, draaiend in zijn oogkas, speurend naar problemen. Hij zal mijn amah zoeken en me verklikken. Hij vindt haar aardig. Ze zitten soms samen op de stoep achter het huis het sap van een grote kokosnoot op te drinken, allebei met een rietje, waarbij hun lippen vlak bij elkaar zijn. Ik trek nog harder en hoor het scheuren van katoen. Als ik omlaag kijk zie ik dat een roestige spijker mijn short heeft opengehaald, mijn favoriete gestreepte short. Het voorpand hangt open; de gescheurde randen zijn rafelig en bruin, als een wond.

Ik wil huilen, maar ik wil niet dat ze me vinden. Binnen, in het donker van de werkplaats, is het alsof je door koele vingertoppen wordt gestreeld. Het is heel kalmerend om te worden gestreeld. Mijn amah doet het soms als ik niet kan slapen. Dan strijkt ze met de achterkant van haar ruwe nagels over mijn benen op en neer, waarbij ze een van haar grappige liedjes zonder melodie neuriet.

Ik loop naar de werkbank waar de bankschroef blinkt in het schemerige licht. Ik ben nu groter en ik kan bij het gereedschap dat aan de achterwand hangt. De gedachte dat ze binnen mijn bereik zijn maakt de behoefte om ze aan te raken minder sterk. Zelfs de kleinste schroevendraaier, met zijn keurige punt en kleine houten handvat, ziet er gewoon uit. Ik zucht, met het gevoel dat ik iets heb verloren, en draai me weer om.

Dan pas zie ik hen. Ik zie eerst het wit van haar ogen, heel groot in haar zwarte gezicht. Ze maakt geen geluid wanneer ze haar lippen op het oor van mijn vader drukt. Ik zie de achterkant van zijn hoofd, het haar dat uit de kraag van zijn overhemd omhoogkrult. Hij ligt boven op haar, op de biezen mat naast het poppenhuis waarvan het dak los is geraakt

en dat hij heeft beloofd te zullen repareren. Hij ligt boven op haar en hij beweegt. Zijn broek
zit rond zijn enkels, de panden van zijn overhemd hangen over zijn rug en bovenbenen. Het
moment duurt voort, eindeloos. Ik weet wat ze doen. Ik weet het, omdat Freya het me heeft
verteld, giechelend, terwijl ze onder de rokken van haar poppen wees.

De ogen zijn groter, witter. Wanneer haar lippen bij zijn oor weggaan, houdt hij op met
bewegen en draait zijn hoofd naar me toe. Maar ik hol al weg, de schuur uit, mijn ge-
scheurde short wapperend achter me aan. Ik ren terug over het gras, langs de vlinderachtige
bloembladeren van de planten, langs het gat in het hek. De zon brandt ongenadig op mijn
hoofd. De grond, die nu droog is, is stil en hard, toch heb ik het gevoel alsof ik door de
lucht hol, ondersteboven, gewichtsloos, verdwaald.

Jessica was verbluffend aardig geweest. Ze had hem laat op laten blijven en hem verteld over hoe ze geprobeerd had tien dagen lang alleen
maar fruit te eten, en over een jongen die Darren heette en haar maar
niet opbelde. Het had Sam eraan herinnerd dat hij het vroeger, voordat op school die nieuwe dwaasheid begon over wie er hoeveel van
wie hield, heel goed met meisjes had kunnen vinden. Hij had ooit,
nóg langer geleden, zelfs bedacht dat hij best wel een klein zusje had
willen hebben. George had er een die Matilda heette, met paarse wangen en kluterig haar, die als een slavin alles deed wat hij zei. Ze had
zelfs een keer lijm gegeten omdat George haar dat had gevraagd, en
daarna had ze hem niet verraden, zelfs niet toen George' moeder – een
vreselijk spektakel, met uitpuilende ogen en een vertrokken gezicht –
over doodgaan en maag leegpompen had staan gillen.

Dat was lang geleden geweest, toen George nog wel eens had gevraagd of hij mocht blijven eten. Sam had dit alles vol ontzag gadegeslagen, zowel met betrekking tot het vertoon van loyaliteit tussen broer
en zus (om zo'n bondgenoot te hebben!) als tot al het geschreeuw
– niet alleen van George's moeder maar ook van George zelf, en van
zijn kleine zusje en de broers, die eveneens een duit in het zakje hadden gedaan. En daarna, opeens, als een onweersbui die was wegge-
trokken, of als een taal die iedereen behalve hij verstond, werd er uitvoerig omhelsd en volgde er rust met verse muffins. Toen Sam thuis
was gekomen, had hij meer dan ooit het niet-praten tussen zijn ouders
gevoeld – zijn vader die de krant als een schild voor zich omhoog-
hield, zijn moeder die met een heftige, angstaanjagende precisie de

tafel dekte. Het was als een witte ruis, constant, onzichtbaar, oorverdovend geweest.

Sam hoorde er nu een echo van in het donker van zijn slaapkamer en hij knipte het licht aan. Hij had een favoriet Asterix-album dat voor noodgevallen onder zijn bed lag, maar om de een of andere reden was hij niet in de stemming. In plaats daarvan rekte hij zich uit, zo ver als hij kon, strekte zijn vingertoppen en tenen uit in de hoop dat dit een blijvend effect op zijn lengte zou hebben. Zijn lichaam was onzichtbaar mismaakt, daar was hij van overtuigd. Wekenlang had hij zich elke avond gemeten langs de kinderachtige meetlat achter de deur van zijn slaapkamer (een giraf met een grijnzende bek waar een lange tong uit hing; het ding had daar zo lang gehangen als hij zich kon herinneren). En elke avond was er geen verandering geweest. Na zijn gezellige avond met Jessica had Sam zich echt hoopvol gevoeld, echt láng. Hij had zelfs niet geprobeerd te smokkelen, zoals hij dat meestal deed, maar hij had de palm van zijn hand losjes boven op zijn hoofd gelegd en hem daar gehouden terwijl hij de draai maakte die nodig was om de stand af te lezen. Het was natuurlijk dezelfde een meter vijfenvijftig geweest die het altijd was, precies tot aan het puntje van de grote zwarte neus van de giraf.

Terwijl hij naar het stomme beest keek, met het gevoel dat die hém aanstaarde, voelde Sam zo'n golf van weerzin dat hij in de la van zijn nachtkastje groef, tussen pennenmessen, vuurstenen en andere schatten, naar zijn dartpijltjes. Wiebelend op zijn matras wierp hij ze alle drie achter elkaar door de kamer, waardoor hij de rare getekende kop van de giraf met de voorkant tegen de muur prikte. Zijn moeder zou hem natuurlijk op zijn kop geven – gaten in de muur nu ze het huis wilden verkopen. Sam deed haar binnensmonds na toen hij weer onder zijn dekbed dook. Hij wilde helemaal niet verhuizen, en zij was degene die hem steeds weer hoop gaf over groter worden: binnenkort, beloofde ze altijd, het kan nu elk moment gebeuren, waarmee ze zoals gewoonlijk iets aardigs wilde zeggen inplaats van iets wat echt waar was. Dus je kon er eigenlijk niets van geloven.

Sam sliep bijna toen hij buiten een auto hoorde stoppen. Hij dook achter de gordijnen omhoog en bedacht hoe gaaf die lange rode sportauto van de makelaar naast hun stomme oude Volkswagen leek. Om zichzelf te troosten dacht hij aan de BMW van zijn vader en aan de Saab van Cindy, allebei zwart, allebei met linnen dak. De auto's stonden op de verharde oprit bij hun nieuwe huis, blinkend, gestroomlijnd, als twee leden uit hetzelfde gezin. Ze hadden ook dezelfde fietsen en alle spullen die erbij hoorden: helmen, pompjes, lycra T-shirts en fietsbroeken. Ze hadden Sam een tijdje geleden ook een fiets gegeven, als een vervroegd verjaardagscadeau, had zijn vader gezegd, zodat ze samen tochtjes konden maken. Ze hadden dat nog niet gedaan, maar hij was een paar keer met Cindy op stap geweest, over de wandelweg langs de rivier, wat wel leuk was geweest, maar ook een beetje vreemd, alsof ze speelden dat ze het samen gezellig hadden in plaats van dat het echt zo was.

Sam wachtte, half op de vensterbank nu, met knieën die pijn deden van de kou, terwijl hij zich afvroeg waarom zijn moeder niet uitstapte. Hij deed het gordijn verder open, rekte zich uit om het beter te kunnen zien, en wenste dat hij de laserogen van Superman had, zodat hij dwars door het dak kon kijken. Toen ging opeens het portier aan de passagierskant open en daar was ze, net als altijd, in haar oude zwarte winterjas.

Sam schoof weer onder het beddengoed en trok alles op tot aan zijn kin. Ze zou vast wel boven komen. Want dat deed ze altijd. Dat had ze altijd gedaan, zelfs in de ergste tijd, na veel geschreeuw en gesmijt met deuren, als zelfs het donker haar opgezette ogen niet kon verbergen en hij wist dat de wat zoute smaak van haar kus van het huilen kwam.

Maar nu hadden diezelfde lippen misschien de harige mond van de makelaar aangeraakt... in die tijd in de auto, in die lange minuten. Sam ademde langzaam uit en beet op de katoenen franje van de dekbedhoes. Toen de overloop kraakte, draaide hij zich op zijn zij en begroef zijn gezicht in het kussen. Hij besefte dat hij niets in zijn macht had, geen goede en geen slechte dingen. Het matras wiebelde even toen ze erop ging zitten. Sam verroerde zich niet, zelfs niet toen hij haar lippen over de kruin van zijn hoofd voelde strijken, hem strelend op exact de plek die maar niet voorbij de giraf wilde groeien.

3

Theresa neuriede zacht, zoals altijd als ze bezig was. De curry begon nu gestalte te krijgen, zodat het rijke aroma van gebraden rundvlees en kruiden handig de verflucht maskeerde die uit de zitkamer opsteeg. Naast het fornuis, dat met bruine spetters jus was overdekt, lag de definitieve rekening van de schilder. Door de muur heen kon ze het gedempte gerammel horen van het opvouwen van ladders en het geluid van meubels die werden teruggeschoven.

Met beide handen vol, met kardemom, een verse chilipeper, de druipende pollepel, schoof Theresa met haar tanden de mouw van haar sweatshirt omhoog om op haar horloge te kijken, terwijl ze snel berekende wat ze nog te doen had in het halfuur voor ze de kinderen uit school moest halen. En daarna – Theresa begon luider te neuriën toen haar gedachten nog sneller gingen – zou George aan zijn trompetles moeten worden gezet, in verband met zijn examen volgende week vrijdag. Matilda, haar jongste, moest op luizen worden nagekeken, terwijl de middelste twee, Alfie en Jack, tegenwoordig zo ongeveer bij alles achter hun vodden moesten worden gezeten, van huiswerk tot tandenpoetsen aan toe. Haar twee jongste zonen scheelden slechts vijftien maanden met elkaar en hadden een zodanig stadium van wedijver bereikt – om haar aandacht, om het aantal spaghettislierten dat op hun bord paste, om wie het eerst boven aan de trap was – dat er de tactische vaardigheden van een sluwe diplomaat en een tot het hoogste niveau opgevoerde waakzaamheid voor nodig waren om de vrede te bewaren.

Theresa legde het deksel met een voldane zucht op de ovenschotel. Ze wist dat ze veel met haar leven had kunnen doen. Ze had op school altijd hoge cijfers gehaald en was intelligent en populair. Haar ouders, beiden in het onderwijs, waren hevig teleurgesteld en met stomheid geslagen toen ze niet naar de universiteit wilde maar voor de verpleging had gekozen. Daar had ze ook in uitgeblonken, net zoals ze nu uitblonk in het organiseren van haar grote gezin. Het was als het leiden van een ziekenhuisafdeling of een klein bedrijf – toezicht op projecten, regelen van praktische details, belonen van goed gedrag, proberen het beste uit iedereen te halen, alles te plannen en het overzicht te bewaren. Hoe iemand ooit kon denken dat het moederschap saai of niet uitdagend was, ging haar verstand te boven. Hoewel veel mensen het natuurlijk slecht deden, overal en voortdurend, net zoals veel mensen een rommeltje maakten van het leiden van een bedrijf. Het was verkeerd om te oordelen, besefte Theresa, maar echt, wanneer je keek naar de puinhoop die sommige mensen van hun leven maakten – die lieve Charlotte, bijvoorbeeld – dan was het onmogelijk om niet op zijn minst je zegeningen te tellen.

De curry, die zacht genoeg was om door de kinderen te worden gegeten, was ook groot genoeg om als maaltijd te dienen voor de mahjonggroep, en voor Henry, die zich altijd op een afstand hield bij wat hij haar 'geitenavonden' noemde. Hij stak zijn hoofd dan om de hoek van de zitkamer, met zijn dunner wordende haar een beetje in de war na zijn wandeling vanaf het station, zijn diepliggende blauwe ogen vrolijk halfdicht geknepen naar de verzameling vrouwen rond de kaarttafel met borden en wijnglazen tussen de stapeltjes mahjongstenen, waarna hij vervolgens via de keuken naar de televisiekamer verdween. Later, na het opruimen, zou Theresa hem in slaap aantreffen met de bril op het puntje van zijn neus, zijn kin op zijn borst, de tv zachtjes aan, een krant nog open op zijn schoot. Hij zou onmiddellijk wakker worden, zoals alle dokters zich dat hebben aangeleerd, zich verbazen over het late uur, haar naar boven sturen zodat hij kon afsluiten en de wekker zetten.

Theresa schreef snel een cheque voor de schilder, veegde met haar duim wat klodders saus van de factuur en hield even op met neuriën om te glimlachen bij de scène die zich voor haar geestesoog ontvouwde. Ze hadden natuurlijk hun ruzies gehad, maar zelfs die hadden in de loop van veertien jaar een element van voorspelbaarheid gekregen dat bijna troostvol was. Verreweg de moeilijkste tijd die ze hadden gehad was in het begin geweest, toen Henry als interne arts-assistent vele uren en lange dagen in het ziekenhuis had gewerkt en zij als verpleegster nog bezig was de carrièreladder te beklimmen. Vermoeid, eenzaam, gedesillusioneerd had ze een verhouding gehad met een collega, of liever gezegd, ze was één keer met hem naar bed geweest. Dat had ze bijna onmiddellijk opgebiecht terwijl ze huilend een koffer was gaan pakken. In plaats van kwaad te worden of aan te bieden haar te helpen met inpakken, was Henry dezelfde avond nog met haar naar Parijs vertrokken, waarbij hij haar zo ongeveer naar Gatwick had gesleurd en vandaar naar een hotel dat zo duur was dat ze er maanden over hadden gedaan om hun tekorten weer aan te zuiveren. Als Theresa hierop terugkeek bedacht ze vaak dat dit incident, hoewel in veel opzichten vreselijk en onvergeeflijk, hen had gevormd en gesterkt. Als een paard dat een eerste hindernis raakte die wel wiebelde maar niet viel, zodat hij de volgende keer zijn hoeven hoger optrok, waren ze door die crisis des te sterker met elkaar verbonden.

De schilder was betaald, de zitkamer was afgestoft, de curry had gesudderd, de rijst was gewassen, het strijkgoed opgevouwen, de wasmachine was ingeladen, de vaatwasser was uitgeladen, de wekker gezet, de deur dubbel op slot, en toen Theresa de Volvo de avondspits in stuurde, merkte ze dat haar gedachten weer naar het verbreken van de relatie tussen Charlotte en Martin gingen. Er was voor geen van beiden nog een weg terug, wat natuurlijk triest was maar ook, als ze heel eerlijk was, een beetje jammer. Martin was erg aardig. Vooral Henry kon het goed met hem vinden; ze praatten over computers, keken naar rugbywedstrijden, gingen als mannen onder elkaar joggen in het park. Nu het huwelijk definitief verbroken was, dreigde hij een goede vriend kwijt te raken. Het was nu Rotherhithe en een vrouw die Cindy heette. Een paar dagen geleden hadden ze een uitnodiging gekregen voor een housewarmingparty, een grote, opvallende kaart, bezaaid met prints van champagnekurken en glitter. Toen Theresa die middag met de stofdoek over de schoorsteenmantel was gegaan, had ze zich opeens afgevraagd of ze die kaart niet beter in een la kon stoppen, in elk geval tot de mahjong achter de rug was. Haar eerste loyaliteit gold tenslotte Charlotte. Ze waren acht jaar geleden vriendinnen geworden via de Montessorischool van George en Sam, en een incident met een lekke band op de zuidelijke ringweg, toen ze de waarschuwingslichten aan hadden gelaten en naar een wijnbar waren gevlucht.

Martin en Henry waren pas maanden later in beeld gekomen en toen alleen doordat Charlotte en zij het zo hadden geregeld, waarmee de relatie tot een officieel volwassen niveau was bevorderd, met uitnodigingen voor etentjes en theater. Nu zouden zulke gelegenheden óf een zakenvrouw als Cindy, die tien jaar jonger en kinderloos was – niet de meest waarschijnlijke zielsverwant voor Henry of haar – moeten inhouden of, naar het scheen, een medewerker van een van de meest vooraanstaande makelaarskantoren van Wardsworth.

Terwijl Theresa behendig versnelde en vertraagde tussen de verkeersdrempels op het laatste stuk naar de lagere school van haar dochter, schudde ze vol ongeloof haar hoofd. Om met je makelaar te gaan scharrelen moest je toch wel héél wanhopig zijn. En wat zou Charlotte er uiteindelijk mee opschieten, peinsde ze, behalve een nieuwe relatie waarvoor ze zich uiteindelijk zou moeten inzetten. Waarvoor ze bereid moest zijn mannensokken te wassen en soms belangstelling voor seks moest veinzen op een moment dat je alleen maar een kop thee wilde? Liefde, had Theresa ontdekt, lag aan de andere kant van zulke beproevingen. Het uitzonderlijke lag in de schaduw van het gewone. Er was tijd voor nodig om dit te vinden, om van vertrouwen en toewijding nog maar te zwijgen… Ze greep het stuur nog steviger vast. De krácht om te blíjven. Dat was wat alle huwelijken nodig hadden, en haar vriendin had daar gewoon niet genoeg van.

Terwijl we op het perron staan te wachten, constateer ik hoe fris de andere ouders eruitzien, hoe energiek, terwijl ze met koffers en jongere broertjes en zusjes in de weer zijn, hoe jong ze lijken. Mijn ouders blijven op de achtergrond, zijn anders, onzeker, oud. Vergeleken bij de mooie kapsels van de andere vrouwen ziet dat van mijn moeder er slap en sliertig uit, met grijze strepen in het rood, terwijl mijn vaders ooit zo volle bos haar is geslonken tot een bruine ring die zijn kale schedel omsluit als een te klein nest met één groot ei. Hun kleren zijn ook verkeerd – haar knalgele omslagdoek, zijn roodgestippelde sjaal. Ik bloos omdat ik bij hen hoor.

De sokophouders van mijn nieuwe schoolsokken snijden in de rand onder mijn knieschijven. De stof van mijn rok voelt ruw aan tegen mijn bovenbenen. Mijn vlechten trekken aan mijn schedel. Ik wou dat de trein kwam, dat het afscheid iets was om op terug te kijken in plaats van tegenop te zien. Ik wou dat mijn ouders niet anders waren, maar ik voel nu al het verdriet omdat ik hen mis, vooral hem, met zijn grote liefde vol brede knuffels, zijn spelletjes en zijn grapjes, en die speciale glimlach, die zelfs na twee jaar nog zegt: 'Ik weet dat jij het weet maar we zullen er niets over zeggen.'

We hebben een houtschuur in Constantia, maar ik ga er nooit naar binnen. Het poppenhuis staat, gerepareerd, onberispelijk, op een tafel aan het voeteneind van mijn bed. Door de raampjes met witte kozijnen kan ik nog steeds de poppen zien waar ik zo dol op was, het mannetje dat in een leunstoel zit, zijn magere benen – wol dat rond ijzerdraad is gevlochten – onhandig gebogen, het vrouwtje in de keuken, leunend tegen de miniatuurmangel die ik van opgespaard zakgeld uit een tijdschrift heb gekocht. De lijm van het haar begint los te laten en ze staat wat onecht gebogen, als de pop die ze is. Vlakbij, in een roze houten ledikantje, kijkt het kleine porseleinen gezichtje van een baby – hun baby – over het gazen dekentje, met nietsziende ogen van potloodstippen. Ik zie ze, maar ik wil ze niet langer aanraken. Ze moeten zich alleen zien te redden, net als ik.

In de trein hou ik mijn hoed in mijn schoot. Hij is van stro gemaakt en heeft een blauw lint eromheen. In het midden aan de voorkant zit een insigne met een wapen erop en de woorden 'In Omnibus Veritas'. In het stationscafé heeft mijn moeder, terwijl ze misprijzend naar de grijze thee keek (het stof van de fabrieksvloer, klaagt mijn vader luid, trots op zijn kennis), me uitgelegd dat dit 'Waarheid in alle dingen' betekent. Ze heeft het twee keer gezegd, waarbij ze van mij naar hem keek, alsof ze wist… Maar ze kon het natuurlijk niet weten doordat ze die dag met een vriendin had zitten lunchen, en als ze het wist, had ze er waarschijnlijk niet mee ingestemd naar Afrika te gaan om theebladeren voor druiven te verwisselen, en een vochtige, uitputtende hitte voor een hitte die zo droog is dat hij tot in je botten brandt.

'Ben je nieuw?'

'Ja.' Ik pluk aan het blauwe lint en probeer te glimlachen, alsof nieuw zijn heel normaal en draaglijk is. Het meisje dat de vraag heeft gesteld heeft donkerblauwe ogen en honingkleurig haar dat in zijdeachtige krullen over haar schouders valt. Ze zit tegenover ons, met een tijdschrift op haar schoot. Ze kauwt kauwgum, duwt het tussen haar tanden door naar buiten en zuigt het weer naar binnen. Op haar nagels zijn rafelige restjes rode nagellak te zien. Ze heeft haar hoed achter op haar hoofd geschoven, als een halo. Ze vertelt me dat ze dertien is en dat een blauw lint betekent dat we in hetzelfde huis zitten. Ik ben dolblij nu al een vriendin te hebben, een oudere, knappe vriendin, in hetzelfde huis. Ze zegt dat ze Letitia heet en vraagt dan naar mijn naam.

'Charlotte Boot.'

Ze zwijgt even, en haar blauwe ogen worden groot. 'Boot?'

Ik voel gevaar en kijk opzij, uit het raam. Het Engelse landschap is als een verbleekte foto vergeleken bij de landschappen die ik ken: veel grijs met tinten groen en bruin, als iets wat door een schilder met te veel water aan zijn penselen is geschilderd.

'Boot? Botepoot?'

Ik staar aandachtig naar het groezelige palet van Surrey, op zoek naar iets moois, iets wat zeker is, iets om me aan vast te klampen. Ik kijk haar niet aan, maar ik hoor de verandering in haar stem, iets bijtends, iets wat even scherp is als het mes dat onze oude kokkin in de heuvels had gebruikt, waarmee ze nieuwe kerven maakte in de landkaart van haar hakblok. Gedurende één moment, een gezegend moment, sluit de tunnel van de herinnering zich over me en sta ik naast de kokkin, zie ik hoe de donkere haren op haar arm glinsteren wanneer ze het mes door een ananas haalt, de stekelige kop en daarna de bobbelige buitenkant eraf snijdt. Eén, twee, drie, vier halen, en dan is de sappige, gele binnenkant klaar voor mij om te eten. 'Nee, alleen maar Boot.'

'Tja. Ze hadden je beter Vuurtoren kunnen noemen, of Rooie.' Ze schommelt met haar voet en terwijl ze praat trapt ze met de harde neus van haar schoen tegen mijn schenen.

Een vrouw in een bruin mantelpak en met brede heupen schuift de deur van onze coupé open en vinkt onze namen af op een klembord. Ze geeft een vak dat Godgeleerdheid heet, zegt ze, en ze is adjunct-huismeesteres. Ze glimlacht naar me en zegt dat het leuk is om mij aan boord te hebben en dat ik wel snel mijn draai zal weten te vinden. Ik dwing mijn mond tot een glimlach en hoop dat ze niet weg zal gaan. Maar een minuut later zoeft de deur dicht en is ze verdwenen. Letitia stopt haar voeten onder de bank en richt haar aandacht weer op haar tijdschrift. Ik haal zacht en langzaam adem, terwijl het besef tot me door dringt dat een Engelse kostschool geen schuilplaats zal bieden voor de complicaties van het leven, dat doen alsof het me niet interesseert de enige manier is om het te overleven.

Na een weinig bevredigend gesprek met juffrouw Hornby (nee, Sam was niet zichzelf, ze hielden hem in de gaten), was Charlotte wat afwezig gestemd toen ze met behulp van de kaart naar Chalkdown Road reed. Maar de eerste blik die ze van deze locatie opving was zelfs in het schemerige licht van een middag in maart zó geweldig dat ze van pure vreugde een mep op het stuur gaf, waardoor ze per ongeluk de claxon raakte, wat haar een boze blik opleverde van een jogger voor wie ze had afgeremd om hem veilig over te laten steken.

Het park lag op een minuut lopen; bovendien was het een heel aardige wandeling zo te zien door een slingerende laan met grote witte en grijze victoriaanse huizen met gesnoeide heesters op de stoep en parkeerplaatsen met grind voor kleine, dure auto's. Aan Chalkdown Road zelf stond een bonte verzameling gebouwen, inclusief een ongebruikte en lelijke kerk van rode baksteen en een rij eentonige vierkante flatgebouwen die waren overdekt met graffiti, schotelantennes en betonnen balkons vol roestige oude koelkasten en afgebladderde bloembakken. Maar het was een lange straat en nummer tweeënveertig maakte deel uit van een groepje halfvrijstaande cottages die op enige afstand stonden van al dat lelijks. Er was een keurige voortuin met goedverzorgd gras, omzoomd door massa's bloeiende winterjasmijn – een oogverblindende en welkome hoeveelheid kleur op een dag die met zulke hevige regens was begonnen dat Charlotte had moeten denken aan de grijze moessonbuien uit haar vroege kinderjaren, wanneer de regen zo hevig omlaagkletterde dat er geulen in de grond ontstonden.

Een leuke cottage in Wandsworth, vlak bij het park en slechts iets boven haar budget... Charlotte tuurde met blij ongeloof door de voorruit van haar auto, terwijl haar fantasie op hol sloeg bij de gedachte aan Sam die vrolijk naar school huppelde terwijl ze hem vanaf de stoep uitzwaaide. Misschien zou ze zelfs wel zwichten voor zijn jarenlange smeekbeden om een hond, besloot ze dromerig, niet zo'n onnozele teckel als die van haar moeder, maar een échte hond die sprong en likte en apporteerde en op bevel genegenheid schonk. Alleen al de blijdschap van Sam zou alles de moeite waard maken. En als Sam weer in evenwicht was, zou zij ongetwijfeld zelf ook eindelijk een nieuw begin kunnen maken zoals ze zich dat had voorgenomen, zou ze van haar vrijheid kunnen gaan genieten in plaats van er verstard door te raken.

De binnenkant stelde niet teleur. Terwijl Tim (nu helemaal in zijn rol als makelaar in plaats van mogelijke aanbidder) wat aantekeningen raadpleegde en een aantal cijfers intoetste om het alarm uit te schakelen, huppelde Charlotte de hal rond, slaakte kreten bij elk detail: het glas-in-lood in de voordeur, de lage balken, de glimmend geboende grenen vloerdelen. Aldus geïnspireerd was het gemakkelijk de enigszins versleten keukenkastjes over het hoofd te zien en in plaats daarvan de originele tegels op de vloer op te merken, de handige haken en planken met geschuurde pannen, strengen knoflook, familiefoto's, theekoppen en potten met gedroogde kruiden.

Er waren donkerder balken in de zitkamer en een schouw van zandsteen, die mooi contrasteerde met een inrichting in citroengeel en matblauw. In de invallende schemering was door de openslaande deuren met uitzicht op de tuin een halvemaanvormig terras te zien. Het werd omringd door perken met lavendel en een Japanse kwee met vuurrode bloemen fleurde de achterkant van het huis al net zo op als de winterjasmijn aan de voorzijde. Erachter strekte zich een lang, breed gazon uit dat net als al het andere een gevoel uitstraalde van iets wat gekoesterd, bemind werd. En dit was waar ze voor viel, besefte Charlotte, terwijl ze alles gretig in zich opnam, net als voor de gezellige kamers van het huis en de nabijheid van het park.

Ze was zo opgetogen en in gedachten verzonken dat de aanraking van Tims handen op haar schouders haar overviel, temeer omdat zijn chique gepoetste schoenen geen geluid maakten op het tapijt.

'Ik denk dat ik dit huis wil,' zei ze zacht, en ze leunde even tegen hem aan. Ook al koesterde ze totaal geen illusies, toch vond ze dat het heel plezierig was om iemand te hebben om tegenaan te leunen, om samen mee te eten en samen mee naar huizen te kijken.

'En ik wil jou,' antwoordde Tim, terwijl hij zijn armen om haar middel sloeg. 'Ik heb met smart zitten wachten tot je zou bellen. Je zei dat je zou bellen. Waarom heb je dat niet gedaan?'

Charlotte aarzelde. Ze had niet gebeld omdat ze niet zeker wist of ze wel een nieuwe afspraak wilde maken. Maar toen ze, anderzijds, op straat een formele handdruk van hem had gekregen, had ze zich ook vaag een beetje afgewezen gevoeld en had ze zich zelfs even afgevraagd of haar kussen van de vorige week – onwennig, een beetje verlegen vanwege het leren kennen van een nieuw gezicht – misschien niet aan de verwachtingen hadden voldaan. 'Omdat het niet goed is, Tim, daarom.'

'Niet goed?'

'Ongepast.'

'Onzin. We zijn toch zeker volwassen mensen?' Hij gleed met zijn handen over haar heupen en trok haar nog steviger tegen zich aan. 'Ik dacht... misschien kunnen we als we hier klaar zijn teruggaan naar mijn huis. Ik ben geen slechte kok. Ik kan wel iets bedenken, en dan...'

'Ik kan vanavond helaas niet. Ik ben al bezet.' Ze maakte zich los en draaide zich om.

'O.' Hij keek beteuterd.

'Mijn vriendinnen,' verklaarde ze, iets vriendelijker. 'We spreken om de paar weken bij elkaar af om samen mahjong te spelen.'

'Mahjong? Wat chic.'

'Het is natuurlijk ook om te praten, een beetje een avond van vrouwen onder elkaar, je kent dat wel. Het is een klein groepje maar het zijn goede vriendinnen en ik moet bekennen dat ik niet weet hoe ik zonder hen de afgelopen jaren door had moeten komen... Zeg, heb je er bezwaar tegen als we verdergaan met de bezichtiging?' gooide ze het over een andere boeg, opeens ongeduldig, zowel omdat ze de rest van het huis wilde zien, maar ook omdat ze deze vraag moest stellen – en dan nog wel aan hem – alsof het een soort gunst was.

'Nee, natuurlijk niet.' Tim klakte met zijn hakken en salueerde. 'Geheel tot uw dienst, mevrouw. Alle ongepastheden dienen onmiddellijk te worden gestaakt.'

Charlotte schoot in de lach en stak haar armen op, uit wanhoop om de situatie. 'Hoor eens, Tim, het spijt me. Dit hele gedoe – jij en ik – ik weet gewoon niet of het verstandig is of wat ik ervan verwacht of... Maar ik vind je echt wel aardig,' ging ze haastig verder, toen ze zijn ontzetting toe zag nemen, toen ze bedacht hoe prettig het was geweest om te worden omhelsd, 'en misschien, als we het erover eens zijn dat er geen druk is en zo, kunnen we elkaar binnenkort nog eens ontmoeten. Oké?'

'Oké.' Hij draaide met zijn ogen en trok een gezicht als van een kind dat iets te horen krijgt wat hij allang weet. 'Ik vind je gewoon geweldig, dat is alles. Ik vind je geweldig, en ik ben niet erg goed in het verbergen van mijn gevoelens. Maar het is goed,' voegde hij er opnieuw jolig aan toe, terwijl hij de huissleutels van de ene hand in de andere wierp. 'Het is mijn probleem, niet het jouwe. Ik zal me, zoals ze dat zeggen, tevreden moeten stellen met wat ik kan krijgen.' Hij klemde de sleutels in één vuist. 'En wil mevrouw nu een rondleiding door de slaapkamers of is ze bang dat ik haar met een rugbyzwaai op een matras zal werpen?'

Charlotte giechelde even toen ze zijn hand pakte en de trap opging, die heel steil was, met dunne houten leuningen en een T-splitsing bovenaan, op de overloop. Er waren drie slaapkamers en een badkamer, allemaal gezellig afgewerkt en van goede afmetingen. De achterste slaapkamer had een eigen balkon met bloembakken vol miniatuur-cyclamen en winterviooltjes, en een klein smeedijzeren stoeltje. Toen ze dit zag, toen ze in gedachten zichzelf op dat stoeltje zag zitten, met een boek en een kop thee en vrede in haar hart, draaide Charlotte zich met een ruk om en verklaarde dat ze dit huis tot elke prijs moest hebben, dat ze alles zou accepteren wat mevrouw Burgess bood en dat ze de bank om een lening zou vragen, desnoods Martin om een lening zou vragen, om het verschil te overbruggen. Ze móést het hebben, ratelde ze, terwijl er een blos op haar wangen verscheen. Begreep hij dat?

Tim worstelde met een vlizotrap vanuit een luik in het plafond van de slaapkamer. Hij zei dat hij zijn best zou doen en wilde zij het eerst naar boven of moest hij gaan?

'Tim,' smeekte Charlotte, 'kun je dit huis voor me regelen?' Ze trok aan zijn jasje. Die zolder interesseerde haar niet. Dat waren nutteloze ruimten, nodig voor het opslaan van spullen die waarschijnlijk beter meteen naar de vuilstortplaats konden worden gebracht. Ze hield ook niet van de stoffige koelte die er heerste, van het gevoel dat er zich iets onbekends schuilhield. Maar Sam zou het wel leuk vinden, bedacht ze, en ze keek met iets meer belangstelling naar boven. Sam, die niet wilde verhuizen, die te jong was om de zin en het belang van een schone lei voor hen beiden in te zien, zou het geweldig vinden. Als klein kind was zijn meest geliefde schuilplaats de ruimte voor de boiler achter de dakspanten op de bovenste overloop in haar moeders huis geweest. Hij had het hok ontdekt tijdens het verstoppertje spelen, en hij had zich er vaak in teruggetrokken ook als er geen noodzaak was geweest om zich te verschuilen. Hij was dan soms onrustbarend lang weggebleven, maar kwam altijd weer tevoorschijn met vieze knieën en de verdwaasde, triomfantelijke blik van een ontdekkingsreiziger die uit een ver land terugkeerde.

'Goed, ik zal m'n best doen, oké?' beloofde Tim, kennelijk enigszins verbaasd over de dringende toon in haar stem. Hij klopte op de trap. 'En, ga je nog kijken of niet?'

Charlotte schudde haar hoofd. 'Nu niet, dank je. Ik bewaar dit wel voor Sam. En nu ik het toch over hem heb' – ze keek op haar horloge – 'zie ik dat ik echt moet gaan. Ik moet hem ophalen van de naschoolse opvang en hem naar zijn vader brengen, en dan moet ik weer op tijd terug zijn voor vanavond. Ik maak me trouwens een beetje ongerust over hem,' bekende ze, terwijl ze bij de trap vandaan stapte.

'Over wie?' hijgde Tim, die nog steeds probeerde het luik vast te zetten.

'Over Sam,' mompelde Charlotte, die in gedachten terugging naar haar onbevredigende gesprek die middag met de uitermate jonge, beleefd glimlachende, enigszins neerbuigende klassenlerares. Charlotte had zich na afloop van dat gesprek eerder naar de mond gepraat dan gerustgesteld gevoeld, vol ergernis over het gebrek aan invoelend vermogen van een schepsel wier talenten niet verder reikten dan de namen van de vrouwen van Hendrik VIII en hoe die namen in rechte regels op een schoolbord te schrijven, een schepsel wier enige kennis over de jeugd die van haar eigen zeer recente jeugd was.

'Maak je je zorgen over Sam?' hield Tim aan, terwijl hij het stof van zijn pak klopte.

'Ach, laat maar,' zei Charlotte, die toch blij was met dit vertoon van belangstelling. 'Ik heb vandaag een gesprek gehad met zijn juf... Volgens mij gebeuren er vervelende dingen op school. Maar Sam bijt, net als alle kinderen vermoed ik, natuurlijk liever zijn tong af dan dat hij het gedoe en de schaamte van een klacht moet verdragen.'

'Wordt hij gepest, bedoel je?'

Charlotte haalde haar schouders op. 'Misschien. Een beetje.'

Elke mogelijke verleiding om uit te weiden werd de kop ingedrukt doordat de voordeur met een klap dichtviel. Ze keken elkaar even wat schuldbewust aan en haastten zich toen naar beneden om met de eigenares van het huis, mevrouw Stowe, beleefdheden uit te wisselen. Mevrouw Stowe was achter in de vijftig, ze had lichtblauwe ogen en lang, grijs haar dat ze op meisjesachtige wijze met een brede, blauwe haarband uit haar gezicht weghield.

'We wilden juist gaan, maar het is beeldschoon, dank u hartelijk. Misschien wil ik wel...' Charlotte keek even naar Tim, die zich weer de houding van geroutineerde makelaar had aangemeten en zijn stapel papieren onder zijn arm klemde terwijl hij vol belangstelling de uitlopende knoppen bekeek van de roos die rond de voordeur groeide.

'... dat wil zeggen – en ik besef dat dit waarschijnlijk prematuur en onprofessioneel is – maar misschien wil ik wel een bod uitbrengen.'

Mevrouw Stowe glimlachte onzeker. 'Nou, dat is erg aardig, maar zoals ik hoop dat meneer Croft heeft uitgelegd, was dit echt een onofficiële bezichtiging. Mijn man met name overweegt nog steeds om het zelf te verkopen. Het is eigenlijk...'

Voor ze haar zin kon afmaken had Tim het bestuderen van de roos opgegeven en maakte hij op soepele wijze een eind aan het gesprek door afscheid te nemen met bedankjes en beloften om te bellen.

'Ik begrijp er helemaal niets van,' jammerde Charlotte, zodra ze buiten gehoorsafstand waren. 'Of het is te koop, óf het is niet te koop.'

'Tja, eigenlijk niet, want mensen kunnen nu eenmaal van gedachten veranderen. En zoals mevrouw Stowe al zei, was het een onofficiële bezichtiging, waarmee ze alleen maar dankzij mijn overredingskracht heeft ingestemd. Een voet tussen de deur zien te krijgen, Charlotte, dat is vaak de sleutel tot succes. Ik zal morgenochtend meteen met haar praten, om te zien wat ik kan doen om de zaak in beweging te zetten, misschien het idee van biedingen onder couvert te opperen...'

'Biedingen onder couvert?'

'Als mevrouw Burgess een bod op jouw huis uitbrengt en jij kunt, zoals je zegt, iets meer geld op tafel leggen, dan zou je in een heel sterke positie verkeren.' Tim kon de joviale toon in zijn stem niet bedwingen. Hij vermoedde dat een van Charlottes reserves ten aanzien van hem het feit gold dat hij sléchts een makelaar was. Nou, hij zou haar wel eens laten zien hoe belangrijk dat kon zijn, hoe hij haar kon leiden en helpen. Dat ze van hem op aan kon. Ze zag er ook heel lief uit, zoals ze daar opgewonden bij haar auto stond, met de wind die dat uitzonderlijke haar van haar door elkaar blies en met een wat wilde blik in haar ogen. Hij vond het zelfs leuk dat ze gecompliceerd was, zowel heet als koud, dat ze hem liet raden, hem uitdaagde. 'Geniet jij nou maar van je mahjong en maak je hier geen zorgen over, oké? Ik bel je zodra ik nieuws heb.' Hij streek even met de achterkant van zijn vingers over haar wang. 'Oké? Dit is mijn werk,' voegde hij eraan toe, in het besef dat hij nu misschien te ver ging, maar niet in staat zich te bedwingen nu hij zo op dreef was. 'Dit is mijn werk, en daar ben ik goed in. Ga nu maar gauw, en heb een gezellige avond. We praten nog wel. En, Charlotte?'

Ze stond even stil, met één voet in haar auto. 'Ja?'

'Wat dat andere betreft... ons... Ik beloof je dat ik niet zal aandringen. Met de hand op mijn hart.' Haar gezicht vertoonde spontaan een hartelijke, opgeluchte glimlach die zijn hart deed opspringen. Hij was de opwinding van de jacht helemaal vergeten, net als de vreugde van het met beleid en geduld veroveren van een prijs.

4

Ik ben drie mensen: de dochter die elke zondag naar huis schrijft met gebabbel over een incidentele lekkere maaltijd, de cijfers van wiskundeproefwerken en de hoop voor de zwemploeg te worden geselecteerd; het stille, roodharige meisje dat Botepoot of Rooie wordt genoemd, dat haar ogen neergeslagen houdt en doet alsof ze slaapt wanneer het plagen begint, waarbij ze de lakens strak tegen haar klamme huid trekt; en ik ben Charlotte, de vriendin van Bella, een meisje dat alleen overdag komt en dat in de klas naast me zit en me voor weekends en korte vakanties meeneemt naar haar huis, waar we met haar moeders make-up spelen en proberen sigaretten net zo vast te houden als filmsterren, terwijl we de rook tussen onze tanden door laten trekken en roze afdrukken van onze lippen op de filters achterlaten.

Bella heeft een oudere broer, Adrian, die klein en forsgebouwd is, met sprietige haren op zijn kin, en oren die uitsteken als handvatten. Ik vind hem aardig omdat hij paardrijdt en omdat hij zich er niets van aantrekt dat hij lelijk is. Zijn ogen zijn felblauw en hebben een plagerige blik. Hij ruikt naar zadelvet en naar paardenmest. Hij noemt me Charlie en hij geeft me allerlei bevelen. Ik haal en breng tuig, emmers, bezems, borstels, met een zingend hart. Tussen de klamme lakens zoek ik troost in dromen over zijn doordringende blik en grote handen. Ze zijn eeltig, met korte nagels vol vuil, en ik verlang ernaar dat hij me ermee aanraakt, me in mijn nek streelt en de lange oranje vrucht van mijn haar ermee omhoogduwt. En bij zulke dromen begin ik te geloven dat er misschien een andere ik is, een vierde, die als een Russisch miniatuurpoppetje in de andere poppetjes zit, wachtend om te worden gevonden.

Het huis in Rotherhithe was alles waarvan Charlotte altijd had gedacht dat Martin het zou verfoeien: het maakte deel uit van een nieuwbouwwijk met een hek eromheen, en het stond in een rij van identieke huizen met uitzicht op een minirotonde die in deze tijd van het jaar was gevuld met strakke rijen tulpen en narcissen. Altijd als Charlotte hier kwam kreeg ze het gevoel alsof ze in een soort volwassen speelgoeddorp kwam, waar grote mensen veilig het verder zo gevaarlijke spel van het leven konden spelen.

Sam beweerde echter dat hij het er leuk vond. Het was 'cool' zei hij, om vanuit zijn slaapkamer de Theems te kunnen zien en geen helm op te hoeven hebben als hij over de rondlopende asfaltpaden van het terrein fietste. En als Charlotte aandrong (voorzichtig, héél voorzichtig, zich beheersend om niet uit te brullen dat de enige moederlijke zorgen die de moeite waard waren háár moederlijke zorgen waren), verklaarde hij dat hij Cindy ook best wel aardig vond. Ze bakte zelf pizza's en hij mocht dan kiezen wat erop ging. Hij mocht van haar drie dvd's tegelijk bij Blockbuster halen en op zondag mocht hij tot aan de lunch in zijn pyjama blijven lopen als hij dat wilde. Charlotte nam zulke brokjes (willekeurige en zeldzame) informatie in ontvangst met zoveel stoïcisme als ze kon opbrengen, en ze moest zich dan inhouden om niet acuut in kookboeken naar recepten van pizza's te gaan zoeken en hele schappen dvd's in haar boodschappenmand te vegen.

Maar Sams geluk was uiteraard het belangrijkste, dat besefte Charlotte en dat had ze altijd beseft. Liever een zoetsappige, toegeeflijke Cindy dan een boze stiefmoeder, hoewel het haar verbaasde dat Martin kennelijk instemde met al dat verwennen – Martin, die haar gedurende zo'n groot deel van het korte leven van hun zoon zoveel verwijten had gemaakt dat ze hem te slap aanpakte, die zelfs op een bijzonder afschuwelijke nacht Sams slaapkamerdeur op slot had gedaan om te zorgen dat het kind niet steeds hun slaapkamer binnenkwam. Toen het huilen begon, had hij ook haar deur op slot gedaan, haar in bed vastgehouden en was tekeergegaan over opvoedingspraktijken die hij op de televisie had gezien. Hij had haar gezegd dat de maat nu vol was, dat ze moest kiezen: voor hem of tegen hem. Alsof hij degene was die verdriet had in plaats van hun kind van zes, dat vreselijk overstuur aan de andere kant van de overloop lag te jammeren.

Charlotte had gekozen. Dat was niet moeilijk geweest. Ze was bij Sam in bed gekropen en daar de hele nacht gebleven, zichzelf voorhoudend dat hij haar nodig had, ook al was hij binnen enkele seconden in slaap gevallen en had zij wakker gelegen, luisterend naar het bonzen van haar hart, tot de vogeltjes waren begonnen te zingen.

'Oké, we zijn er,' kwetterde Charlotte, in een poging opgewekt te klinken, toen ze naast Cindy's Saab op het asfalt parkeerde. 'Heb je je tandenborstel bij je?'

'Mám!'

'Nou, vergeet dan niet om hem te gebruiken.'

'Mám!'

'George is al een tijd niet meer bij je komen spelen, hè?' probeerde ze vervolgens, in een poging de sombere stemming waarin hij elke dag thuiskwam wat op te klaren, ook als hij niet naar de naschoolse opvang was geweest. 'Ik zie Theresa vanavond. Zal ik soms iets voor jullie afspreken?'

Sam produceerde een geluid dat 'nee' moest betekenen.

'Nee… dank… je… mam,' verbeterde Charlotte streng, en ze hees zijn tas uit de kofferruimte en kuste hem vervolgens op zijn hoofd om het standje af te zwakken. Op hetzelfde moment ging het licht aan in de keuken die uitkeek op de oprit, waardoor de ruimte als een flakkerend tv-scherm tot leven kwam. Cindy, in een roze velours joggingbroek en een wit T-shirt, haar blonde haar in een modieuze sprietige knot, liep door de keuken met haar rug naar hen toe en pakte iets uit een kast. Charlotte bleef onwillekeurig staan kijken naar de slanke, honingkleurige arm, naar de weelderige welving van de bustelijn, de keurige slanke taille. Freya, herinnerde ze zich opeens, had een pop gehad die Cindy heette, met golvend geelblond haar, parelmoeren knopjes in haar oren, roodgelakte nagels en een buste die zo puntig en hard was dat als ze eens ophielden met spelen en aan het vechten sloegen, Cindy vaak de eerste keuze van wapen was.

Maar toen ze elkaar op de stoep begroetten, viel het Charlotte op dat die nieuwe partner van haar man er niet zo popperig volmaakt uitzag als anders. Hoewel ze glimlachte als altijd en 'lieverd' zei tegen Sam, die verbazingwekkend – ergerlijk – genoeg niet ineenkromp en een van walging vertrokken gezicht vertoonde maar slechts met een verlegen glimlach antwoordde, zaten er donkere kringen onder haar ogen en moest een dikke laag make-up verscheidene pukkels op haar gezicht verbergen. Charlotte, die als altijd haast had om terug te vluchten naar de beschutting van haar auto, voelde zich desondanks geroepen te vragen of alles goed met haar was.

'O ja, prima hoor, dank je. Een beetje een drukke week gehad op kantoor. De markt is erg onrustig – niemand heeft enig idee waar het naartoe zal gaan. Ik ben blij dat het vrijdag is. Hé knul, leuk je weer te zien.' Ze aaide Sam over zijn bol en schonk Charlotte de doordringende glimlach waarmee ze elke ontmoeting van hen had afgesloten: fel, scherp, opgewekt. Het was zo'n blik waarbij er niets anders opzat dan je terug te trekken.

'Tot ziens, Sam, gedraag je.' Charlotte woelde even door zijn haar en riep: 'Tot zondagavond', terwijl hij wegholde. Daarna vertrouwde ze Cindy, op veel zachtere toon, toe dat ze Martin dit weekend even moest spreken.

'Je kunt hem bellen wanneer je maar wilt, Charlotte, dat weet je.'

'Ja... Ik... Natuurlijk. Dank je.'

'Maar ik zal het tegen hem zeggen, als je dat wilt.'

Charlotte knipperde tegen de felle glimlach terwijl ze werd overmand door een heftig, duizelingwekkend gevoel van onrechtvaardigheid. Deze vrouw had een verhouding met haar man gehad, ze deelde nu permanent het bed met hem en speelde moeder over háár kind. Ze had de laatste broze resten van het geluk van Martin en haar vertrapt door zich beschikbaar te maken voor hem. En nu zaten ze hier met bij elkaar passende auto's in hun huis in Speelgoeddorp het gelukkige gezinnetje te spelen, terwijl zij worstelde met de gruwelijke realiteit van geld, huizen, ouderschap... Het was onverdraaglijk. Martin zei altijd dat ze met hem moest overleggen over alles wat met Sam te maken had, maar hij maakte het haar bepaald niet gemakkelijk. Wegbrengen en ophalen vormde nooit een goede gelegenheid om te praten, en aan de telefoon klonk hij óf gejaagd en afstandelijk óf sloop er oude vijandigheid in het gesprek waardoor ze van hun onderwerp af raakten.

Maar toen ze eenmaal een beleefd afscheid had opgebracht, ging het gevoel over, net als een aanval van misselijkheid, en bleef er medelijden over. Cindy mocht Martin van haar houden, en hij haar. Hun huwelijk was een mislukking geweest. Ze was veel beter af nu ze zonder hem verderkon, véél beter.

Ze had juist het begin van de oprit bereikt toen Martins zwarte BMW de hoek om kwam. 'Hoi.' Hij stapte snel uit en trok zijn aktentas achter zich aan. Hij haalde een hand door zijn haar, wat hij altijd deed wanneer hij geagiteerd was.

'Hallo.'

'Je hebt hem al afgezet?'

'Ja, net. Ik heb haast, ik ben op weg naar Theresa.'

'Goed. Tot zondag dan.'

Ze stonden een eindje bij elkaar vandaan. Martin aan de ene kant van zijn auto terwijl Charlotte een paar stappen achteruit naar haar auto deed. Zijn haar, dat nog steeds jeugdig blond was, begon zichtbaar dunner te worden en van zijn voorhoofd terug te trekken, maar toch leek hij fysiek in betere staat dan jaren het geval was geweest: de broek van zijn pak hing losjes om zijn heupen en zijn bovenlichaam straalde een kracht en zelfverzekerdheid uit die nieuw leken.

'Misschien iets vroeger dan anders... Ik hoop dat dat kan. Vier uur, bijvoorbeeld?' voegde hij eraan toe.

Charlotte beet op haar lip toen ze de gemakkelijke oplossing van instemmen afwoog tegen een innerlijke kreet van protest omdat zomaar werd aangenomen dat zij zich zou schikken. Ze zou zondag naar haar moeder gaan. Als Sam vroeg werd teruggebracht, betekende dit dat ze voortijdig uit Kent naar huis moest komen en ook nog iets fatsoenlijks voor Sam te eten moest maken. 'Mag ik vragen waarom?'

Ze zag dat hij zich schrap zette, alsof hij zijn evenwicht moest bewaren tegen de nadering van een grote golf of een harde windvlaag. 'Cindy en ik zingen sinds kort in een koor. De repetitie is zondag om vijf uur. Voor die tijd moet ik Sam afzetten en hier weer terug zijn.'

Charlotte kon een smalend gesnuif niet bedwingen. 'Jíj in een kóór?'

'Zeg nou alleen maar even of dat gaat,' mompelde Martin, die zijn aktetas tegen zich aan drukte, bijna beschaamd, alsof ook hij diep in zijn hart het ongewone besefte van de oude Martin die zij zo goed had gekend: een hartstochtelijk liefhebber van punkrock en Led Zeppelin, die nu zijn hese bas toevoegde aan de klassieke formaliteit van een koor. 'Kan ik Sam zondag wel of niet om vier uur terugbrengen?' Hij klemde zijn kaken opeen en wierp een verlangende blik in de richting van een verlicht raam waarvandaan Cindy even aanstellerig had gezwaaid om hem te begroeten, waarna ze was verdwenen.

'Ja, ja, ik denk het wel,' stemde Charlotte in. Haar ongeloof maakte plaats voor vermoeidheid. 'Vier uur. Ik zal zorgen dat ik er ben. Ik ga die dag bij mam lunchen... dan ben ik waarschijnlijk blij dat ik een excuus heb om weg te kunnen,' voegde ze er berouwvol aan toe.

'Juist ja... Nou, bedankt.'

'Maar ik moet wel met je praten,' riep ze toen hij zich omdraaide om naar het huis te lopen. Al haar zorgen over Sam kwamen opeens weer bij haar boven, samen met de vage angst bij het vooruitzicht hem misschien geld te leen te moeten vragen.

Martin zette zijn aktentas op de stoep en sloeg zijn armen over elkaar. 'Ik dacht dat je haast had.' Cindy, die zorgvuldig niet uit het raam keek, was weer in de keuken terug. Naast haar kon Charlotte nog net het verwarde hoofd van Sam ontwaren en daarna een kleine hand van haar zoon met afgebeten vingernagels en vlekken van een viltstift erop, die naar iets wees.

'Heb ik ook. Maar ik bedoelde morgen... aan de telefoon. Het gaat over Sam.'

'Nou, dat vermoedde ik al. Waarom kun je me dat in hemelsnaam niet nu vertellen?' Het begon heel licht te motregenen, bijna als een soort nevel die langstrok, met druppels die glinsterden wanneer ze in de lichtbundels kwamen die vanuit het huis schenen. Martin stapte naar achteren onder de beschutting van zijn portiek.

Charlotte hield haar handtas boven haar hoofd en dook naar haar auto. 'Niet nu, ik heb echt geen tijd.'

'Charlotte!' De lettergrepen vlogen als raketten door de lucht, scherp en kwaad. 'Als het belangrijk is, vertel het me verdomme dan nú!'

Charlotte kromp ineen toen alle narigheid uit het verleden opeens weer bovenkwam: achterdocht, vijandigheid, het verlangen om vrij te zijn. 'Morgen, Martin. Ik bel je wel.'

Even later verscheen Martin op het verlichte toneel van de keuken, met een arm om Cindy's ronde, witte schouders en een hand woelend door het zachte stro van Sams haar. Man, vrouw en kind: de volmaakte menselijke driehoek. Maar niet echt volmaakt, verbeterde Charlotte zichzelf haastig, terwijl ze het sleuteltje omdraaide en de motor startte, want Sam was niet hún kind, Cindy had er vermoeid uitgezien en Martin zou op een dag genoeg van haar krijgen – als hij dat al niet had.

Op weg naar Theresa stopte ze bij een slijterij in de winkelstraat. Toen ze met een fles rioja naar buiten kwam, zag ze op het trottoir aan de overkant een bekende gestalte met een rode muts met pompon.

Achter hem liep een lang, mager meisje met kroezig rood haar, haar schouders opgetrokken onder een schoolblazer die een paar maten te groot was. Even later, toen Charlotte verder reed, zag ze het tweetal opnieuw, bezig in een zilverkleurige Mercedes te stappen. Ditmaal lachten ze, en wel met zoveel enthousiasme, dat ze zich afvroeg hoe het zou zijn geweest als Martin was gestorven in plaats van ontrouw te zijn geweest, of het einde van een huwelijk gemakkelijker te accepteren was wanneer de dood er de oorzaak van was in plaats van menselijk falen.

Er stond die avond een volle maan, groot en meloengeel. Hij stond zo laag aan de hemel dat George, die er door het bovenste raampje van de badkamer naar keek, zich voorstelde dat het ding als een reusachtige frisbee over de boomtoppen rolde. Hij had van zijn moeder het bevel gekregen zich eens goed te wassen en ze beschikte over het wonderbaarlijke vermogen om zulk soort zaken goed in de gaten te houden terwijl ze ogenschijnlijk geen aandacht aan hem besteedde. Geen douche, een bád, had ze gezegd, alsof ze zijn geheime trucje kende van kranen openzetten en wat water over zijn haar spetteren als hij geen tijd had of niet in de stemming was. Hij was die avond ook niet in de stemming geweest, maar ze was de badkamer binnengezeild voordat hij kans had gezien de deur op slot te doen, en ze had de kranen opengedraaid en zoveel van haar speciale badschuim in het water gekieperd dat toen hij in het bad stapte er een grote golf schuim over de rand van de kuip op de vloer gleed.

Eigenlijk was het wel lekker, moest George erkennen, zoals hij nu in het schuim lag, veilig voor het geklier van zijn jongere familieleden en het akelige geroezemoes van de voorbereidingen van zijn moeder voor het eten. Patties moeder, Naomi, was er al en zat nu op de bank met een glas wijn dat George voor haar had moeten inschenken terwijl zijn moeder zijn kleine broertjes fouilleerde op mahjongstenen. Ze lagen nu boven in bed met de belofte van een pak slaag als ze Matty wakker maakten, die zo vreselijk had gekrijst bij haar controle op luizen dat ze zelfs wat van haar avondeten had uitgekotst. Alfie was er vol belangstelling bij neergehurkt om zijn broertjes op de onverteerde bonen erin te wijzen (Matty lustte de curry niet), wat wel heel erg

goor was geweest, maar ook heel interessant, tot hun moeder had gezegd dat als ze het zo graag wilden bekijken, ze het net zo goed ook
even konden opruimen.

George was snel zijn trompetles gaan doen en hij had veel langer ge-
oefend dan anders, uit angst dat zijn moeder dit dreigement zou uit-
voeren. Toen ze zachtjes de kamer weer was binnengekomen, deed hij
of hij niets merkte en speelde het stuk opnieuw, ook al was het de eerste keer heel goed gegaan. Maar in plaats van over de kots te beginnen,
of over zijn foute noten, had ze met haar zachtste, liefste stem gezegd
dat het haar speet als ze hem te veel op zijn nek had gezeten over het
muziekexamen en of hij het leuk vond als hij volgende week vrijdag
een vriendje te logeren mocht hebben om te vieren dat het achter de
rug was, en wat dacht hij van Sam?

Daarna was het een beetje fout gegaan omdat George nee had gezegd – niet tegen het idee van een vriendje te logeren te hebben, maar
tegen Sam. Waarop alle moederlijke vriendelijkheid was overgegaan in
een preek over wat Sam doormaakte en het helpen van vrienden in tijden van nood, tot George zo ongeveer had willen zeggen dat als zij
Sam Turner zo graag wilde, zij hem dat toch zeker zelf kon vragen? Hij
had dat natuurlijk niet gezegd – een grote mond opzetten tegen zijn
moeder was nooit een goed idee – en toen werd hij gered door de bel
van de voordeur en het gedoe van helpen met het inschenken van
wijn.

Toch was het niet eerlijk, peinsde George nu, terwijl hij luidruchtig
tussen zijn tanden door op het natte washandje zoog, dat zijn moeder
probeerde hem een slecht gevoel te geven over wie hij als vriend koos.
Sam was vroeger wel oké geweest, lang geleden, in de tijd dat iedereen met iedereen speelde. Maar nu wilde niemand hem meer. Hij was
een ongelofelijke sukkel geworden, en dat werd nog erger doordat hij
niets bijzonders had om mee voor de dag te komen: hoeveel zijn vader
verdiende, wat voor mobieltje hij zou krijgen, wat zijn score bij com-
puterspelletjes was. Bovendien loog hij waarschijnlijk over zulke dingen. En dan dat gedoe over zijn ouders die gingen scheiden. Alsof hij
de enige was die dat overkwam. Rose, het nieuwe meisje in hun klas,
had een moeder gehad die dóód was gegaan. Dát was pas erg. Dat
maakte veel meer indruk. Als Theresa had gezegd dat hij aardig moest

doen tegen Rose Porter, had hij waarschijnlijk zijn best gedaan, want de gedachte zijn eigen moeder te moeten verliezen, hoe bazig en kattig ze ook kon zijn, was zo afschuwelijk dat hij er echt beroerd van werd als hij zelfs maar probeerde zich zoiets voor te stellen.

Maar in de praktijk leek de moederloze Rose niet veel hulp nodig te hebben. Ze was zo'n eng meisje dat op de voorste rij zat en altijd haar hand opstak om overal antwoord op te geven en dat in de pauze met haar neus in een boek zat. Ze was even lang als een aantal jongens in haar klas, met een warrige bos rood haar, een huid zo wit als zonnebrandcrème en met blauwe ogen die je zo fel konden aanstaren dat het leek of ze dwars door je heen keek naar iets wat achter je stond. Ze had die morgen samen met Sam een oefening voor toneel moeten doen (een stomme oefening, waarin de één een boom en de andere de wind moest zijn) en ze had er daarbij zo woest en groot uitgezien, met zoveel minachting voor Sams pogingen tot geblaas rond haar als takken uitgestrekte armen, dat George bijna medelijden had gekregen met zijn vriendje van vroeger.

Maar niet genoeg medelijden, vond George, terwijl hij een golf water op de vloer morste toen hij uit het bad krabbelde, om die slome sukkel zomaar op vrijdag te eten te vragen.

Beneden in de zitkamer had Naomi gezelschap gekregen van Josephine, wier modieuze, kortgeknipte haar donker en nat was van de regen, maar die er desalniettemin heel verzorgd uitzag in een marineblauw broekpak met hoge hakken. Theresa liep bedrijvig tussen hen heen en weer en zette schaaltjes met vegetarische hapjes neer, schonk hun nog wat wijn in en controleerde de speeltafel, die van zijn gebruikelijke opbergplaats achter de piano tevoorschijn was gehaald en klaarstond voor die avond. De mahjongstukken waren veilig uit de broekzakken van haar zoontjes gevist en lagen nu allemaal keurig opgestapeld in het twee lagen hoge vierkant dat nodig was voor het begin van het spel. In het midden, als twee loszittende tanden, lagen de verbleekte, misvormde dobbelstenen die hoorden bij het mahjongspel (dat ze een paar jaar geleden in een opwelling op een rommelmarkt had gekocht), met een boekje met de spelregels, dat bij elkaar werd gehouden door plakband dat zo oud was dat het vies bruin was geworden en de meeste kleefkracht had verloren. Naomi, die lang genoeg met haar glas wijn alleen was gelaten om in een opwelling het boekje op te pakken en dit te bestuderen, waarschuwde haar vriendinnen nu dat ze serieus van plan was een van de moeilijker spelen met meer punten te proberen.

Josephine kreunde. 'Ik kan die dingen nooit onthouden. Ik haal mijn winden en mijn draken altijd door elkaar, en sommige bamboes zijn net bloemen.'

'Het is net als met kaarten, Jo, verschillende kleuren, extra punten voor winden en draken, en we moeten dat gedoe met die noordenwind er deze keer echt eens bij hebben, Theresa.'

'Wat is dat voor ding?' vroeg Theresa afwezig, met haar gedachten meer bij de curry die veel te droog leek te worden, terwijl de rijst, die in de bovenste oven warm werd gehouden, er klonterig en kleverig uit begon te zien.

'Ik snap helemaal niets van dat gedoe met die noordenwind,' klaagde Josephine, terwijl ze haar lange benen uitstrekte en zich met zichtbaar genot in de diepe vouwen van de sofa nestelde, met haar handen om haar glas wijn op haar buik. Ze had onder de medewerkers van haar managementconsultancybureau de reputatie zeer intelligent, meedogenloos en onvermoeibaar te zijn, maar zulke avondjes vond ze uitermate ontspannend. Haar vriendinnen wisten heel goed dat die noordenwind haar geen klap kon schelen, evenmin als de vraag of ze bamboes en bloemen door elkaar haalde. Voor ze aan mahjong meedeed was ze lid geweest van een boekenclub, maar dat had voor haar te veel op hard werken geleken: venijnige, vaak intellectueel gefrustreerde vrouwen, die hoogdravende betogen afstaken en moeilijk deden over belachelijke meningen die je moest aanhoren en respecteren – alsof dat van énig belang was. Zij las tegenwoordig Dick Francis, of flodderboekjes over vrouwen die gingen winkelen en veel seks hadden. 'Ik heb trouwens altijd gevonden dat de zuidenwind belangrijker zou moeten zijn dan de noordenwind. Omdat die fijner is, mílder... O, wat zou ik daar nu een zin in hebben.' Ze zuchtte en trok een scheef gezicht. 'Maart is zo'n akelig lange maand, met Kerstmis als verre herinnering en nog maanden en maanden te gaan tot de zomervakantie. Ik doe mijn best om met Pasen iets te regelen, maar Paul zegt dat hij geen tijd vrij kan maken.'

'Dat zegt Paul altijd, en dan weet jij hem toch over te halen,' zei Theresa sussend, terwijl ze op de klok keek en zich afvroeg waar Charlotte bleef.

'Graham heeft deze zomer een congres in Dubai,' zei Naomi, die naar de schoorsteenmantel liep om daar de uitnodiging van Martin en Cindy te bekijken, die Theresa door alle huiselijke drukte was vergeten te verstoppen. 'Hij probeert het zo te regelen dat ik ook mee mag.'

'Met Pattie en de tweeling?'

'Zover ben ik nog niet.'

'Maar bij congressen krijg je nooit tijd om samen met je man door te brengen,' verklaarde Theresa. 'Ik weet dat Graham in de bankwereld zit en niet in de geneeskunde, maar het is allemaal hetzelfde liedje. Uiteindelijk krijg je meer van de jongen van de roomservice te zien dan van je eigen partner.'

'Dat is misschien ook wel eens leuk, voor de afwisseling,' grapte Josephine, met een twinkeling in haar bruine ogen.

Ze schoten allemaal in de lach, verenigd in een ontspannen soort gezelligheid die geen werkelijk dreigement betekende voor echtgenoten of roomservicejongens, maar slechts een simpele erkenning was van het feit dat ze vrouwen waren en nog jong genoeg om een beetje over de beperkingen van de huwelijkse staat te klagen.

Voor Charlotte was dit echter niet langer een punt, peinsde Theresa, terwijl ze naar het raam liep om de straat in te kijken, en ze vroeg zich af of dit een feit was waarover zij na nog een paar slokken wijn misschien toch nog iets van jaloezie kon voelen. Roomservicejongens, makelaars – Charlotte kon in haar staat van verse single gewoon haar gang gaan. Theresa keek omlaag naar haar borsten: een beetje te slap en te royaal sinds ze kinderen had gekregen, maar toch aantrekkelijk gepresenteerd in haar favoriete blauwe, met kant afgezette topje, en ze probeerde even zich een knappe jongeman voor te stellen, het tegendeel van Henry die volslagen kippig was zonder bril, die haar decolleté kuste. Toen dacht ze aan haar zwangerschapsstriemen, aan de grote moedervlek op haar bovenbeen waar ze nodig naar moest laten kijken, aan de slappe huid rond haar heupen, en het vertrouwde gezicht van haar man kwam weer duidelijk in beeld. Met zes kilo te zwaar, achtendertig jaar oud, was ze allang niet meer op haar best, en iedere nieuwe minnaar zou dat zien. Henry daarentegen, bedacht ze blij, had haar op haar best gekend, net zoals zij hem had gekend voor hij een bril had, een krakende knie en een buikje dat zwol of slonk afhankelijk van zijn mate van zelfdiscipline. Voor haar zou er altijd die eerste waardevolle herinnering zijn om op terug te vallen, de herinnering aan de knappe, jonge, net bevoegde chirurg, die haar had uitgenodigd voor een rugbywedstrijd en die na afloop haar droge, ijskoude lippen had gekust en had gezegd dat hij haar, nu hij haar had gevonden, nooit meer zou laten gaan.

'We zullen zonder Charlotte moeten beginnen,' verklaarde ze; ze liet het gordijn zakken en draaide zich om naar de kamer.

'Misschien is ze bij haar nieuwe man,' opperde Josephine, met een zijdelingse blik op Naomi, meestal haar trouwste bondgenoot in de groep.

'O, maar ik vind dat we Charlotte alleen maar moeten aanmoedigen,' riep Naomi, wapperend met de uitnodiging zodat er een sneeuwbui van glitter op het tapijt dwarrelde. 'Denk je niet dat het heel moeilijk moet zijn om bij afspraakjes een beetje zelfvertrouwen te voelen als je bijna veertig bent en op zo'n manier bent bedrogen?'

Josephine draaide met haar ogen. 'Bedoel je Martin en Cindy?'

'Uiteraard.' Naomi zette de uitnodiging voorzichtig weer terug. 'En alle anderen. Bedenk wel dat Charlotte dacht dat er nog anderen waren.'

De drie vrouwen zwegen een tijdje terwijl ze terugdachten aan de verhalen vol kommer en kwel over het huwelijk van de Turners, zoals ze met toenemende verbittering en frequentie in de loop der jaren door Charlotte waren verteld. Moeilijk, harteloos, ontrouw – Josephine had hem al snel de bijnaam Martin het Monster gegeven, en zij had de eerste pogingen gedaan om Charlotte over te halen bij hem weg te gaan. Maar toen had Martin eindelijk meegeholpen op een ouderavond van school en had ze een beminnelijke, knappe man met bezorgde ogen en een snelle glimlach gesproken. Ze had de bijnaam op slag laten vallen en hoewel ze Charlotte bleef steunen, was ze opgehouden met haar te vertellen wat ze moest doen.

'Maar Charlotte heeft nu toch zeker haar makelaar om voor haar te zorgen, dus alles gaat goed, nietwaar?' hield Josephine aan, terwijl ze haar plaats aan de tafel innam, vastbesloten met minstens een van haar vriendinnen door te gaan op dit onderwerp. 'En ze is mooi om te zien,' riep ze uit, enigszins ongeduldig toen niemand reageerde. 'Het zou toch zeker niet eerlijk zijn om zo knap te zijn én gelukkig?'

'Jo, je bent weer vreselijk,' zei Naomi goedmoedig, terwijl ze naast haar ging zitten.

'Laten we even gooien om te bepalen wie er de Noordenwind wordt,' beval Theresa, met een duistere blik in hun beider richting. 'Dan ben ik zowel mezelf als Charlotte.'

Met een precisie die onmogelijk van tevoren geregeld had kunnen zijn arriveerde Charlotte op de stoep juist toen Henry zijn sleutel in het slot van de voordeur stak. Doordat haar komst op deze manier onaangekondigd bleef, hoorde ze, terwijl ze haar jas uittrok, via de halfopen deur van de zitkamer haar naam noemen. Henry hoorde dit ook, hij keek even verschrikt en blafte snel een onnodig luide reprimande toen het hoofd van George door het hekje van de overloop te zien was. 'Jij hoort allang in bed te liggen.'

George draaide met zijn ogen en zei toen trots: 'Moet je kijken, pap.' Waarna hij zijn tong over zijn bovenlip omhoogduwde tot hij het puntje zijn neus raakte.

'Heeft Sam ook zulke manieren?' vroeg Henry grijnzend zodra zijn zoon weer naar bed was verdwenen.

'Dit kunstje beheerst hij niet. Maar hij kon vroeger allebei zijn voeten achter zijn hoofd steken en dan een koprol door de kamer maken.'

'Allemachtig, wat knap!' Henry grinnikte en duwde de deur van de zitkamer verder open. 'Alstublieft, dames, het ontbrekende lid van uw club.'

Het duurde even voor de drie vrouwen reageerden, ongeveer zoals de stilte voor het applaus bij een onduidelijk einde van een opvoering. Het was voldoende om Charlotte ervan te overtuigen dat zij inderdaad het onderwerp van gesprek was geweest en om haar een vaag, onredelijk gevoel te geven van buitengesloten te zijn, een gevoel dat aanhield ondanks de hartelijke begroetingen die volgden.

Ze hadden het waarschijnlijk – begrijpelijk – over Tim gehad, en ze was een beetje overgevoelig, vermoedde ze. Ze probeerde haar best te doen om te genieten van de gebruikelijke chaos van het spel met instortende muren en Josephine die 'pung' riep bij elke keer dat ze 'kong' moest roepen, en weer een heerlijke curry van Theresa om alles plezierig te laten verlopen. Het feit dat zij geen man had maakte haar natuurlijk wel anders, besefte Charlotte, vol verbazing dat het zo lang had geduurd voor dit gevoel tot haar was doorgedrongen. Ze hield haar nieuws voor zich en probeerde zichzelf en het knagende gevoel van afgezonderd te zijn kwijt te raken in de vrolijke stroom anekdotes die over de tafel heen en weer ging om. Maar het gevoel bleek alleen maar erger te worden: gezinsleven, gezinsvakanties, gezinsproblemen, echtgenoot zus en echtgenoot zo. Het was alsof alle drie haar vriendinnen een andere taal spraken.

Ten slotte werd ze gered door Theresa, die haar blik opving en haar aankeek, terwijl ze er gastvrij op aandrong dat hun cottage in Suffolk (die ze een paar jaar geleden van Henry's ouders hadden geërfd) zowel met Pasen als in de zomer tot Sams en haar beschikking stond, als ze daar zin in hadden. Waarop Naomi, na te hebben voorgesteld het spel te staken en weer in gemakkelijke stoelen te gaan zitten, met roerende bezorgdheid informeerde hoe het er met Tim voor stond.

'Ik ben pas één keer met hem uit geweest, en dat is eerlijk gezegd een beetje in een waas verlopen,' bekende Charlotte, die genoot van alle hartelijkheid en zich schaamde over haar eerdere twijfels. 'We zijn naar een vreemd Spaans restaurant geweest waar we gezouten amandelen en allerlei hapjes vol olijfolie hebben gegeten. Ik geloof dat het wel gezellig was, maar daarna heb ik me, toen we thuiskwamen, door hem in de auto laten kussen, en dat heeft hem het idee gegeven dat er écht iets tussen ons gaande was en ik heb hem vandaag proberen duidelijk te maken dat dit niet het geval is, maar nu heeft hij een werkelijk perfect huis voor me gevonden, op Chalkdown Road, dus durf ik hem ook niet zomaar de bons te geven.'

'Een huis!' riep Theresa uit, boven het gelach van de twee anderen uit. 'Maar dat is fantastisch nieuws. Als je tenminste ook een koper voor je eigen huis hebt…' Ze zweeg en keek om zich heen naar de pasgeschilderde muren en zorgvuldig gekozen meubels van haar zitkamer, en ze bedacht hoe erg ze het zou vinden om er afstand van te moeten doen.

'Dat is het punt. Het ziet ernaar uit dat ik dat heb. Ze heet mevrouw Burgess en Tim is ervan overtuigd dat ze het graag wil hebben.' Charlotte kwebbelde maar door, blij met het gevoel zich eens goed te kunnen ontspannen, eindelijk weer deel uit te maken van haar oude clubje. 'Het is meer een cottage dan een huis – prachtige winterjasmijn in de voortuin en een slaapkamer met balkon en twee leuke glas-in-loodraampjes in de hal. De eigenaar zei dat ze misschien niet met Tims kantoor in zee willen gaan, wat voor hem natuurlijk jammer is, maar wat voor mij niet het einde van de wereld hoeft te betekenen nu ik weet waar het staat en hoe graag ik het wil hebben. En het zou voor Sam heel goed zijn om een nieuwe start te maken. Hij zou natuurlijk lopend naar school kunnen en we zitten dan zo dicht bij het park dat we misschien zelfs een hond kunen nemen...'

'Hela zeg... een hónd?' riep Theresa, en ze hief beide armen om de woordenvloed te onderbreken. 'Maar hoe moet het dan met je baan in de boekwinkel? Bovendien heb je de pest aan honden.'

'Correctie: ik heb de pest aan mijn moeders hond omdat hij saai en vadsig en verwend is. En mijn baan bij Ravens is slechts parttime. En Sam heeft altijd graag een hond willen hebben. En op dit moment heeft Sam het...' Charlotte zweeg abrupt. Ze besefte met enige verbazing dat ze veel te veel had gedronken, en ze zette haar wijnglas voorzichtig neer. Ze had op het punt gestaan, stomme geit die ze was, om over het onderwerp te beginnen dat ze zich juist had voorgenomen te mijden. Juffrouw Hornby had gezegd dat ze de vinger aan de pols hielden. Martin zou het daar ongetwijfeld mee eens zijn. Het laatste dat zij wilde was dat deze lieve vriendinnen zouden denken dat nu ze haar handen weer vrij had, ze nog steeds redenen zou vinden om ongelukkig te zijn; dat nu het ene grote probleem was opgelost, ze meteen een andere bron van zorgen had gevonden. En hoe zou het trouwens klinken, als ze de moeders van Pattie en George, Sams oudste vrienden, vertelde dat ze iets van pesterijen vermoedde? 'Sam is nog steeds heel... onevenwichtig,' maakte ze haar verhaal verslagen af, terwijl ze om zich heen keek naar haar handtas.

'Het zal wel goedkomen met Sam,' zei Theresa sussend. 'Hij moet gewoon nog... zijn draai zien te vinden. Dat is alles.'

'En kinderen passen zich zo gemakkelijk aan,' merkte Josephine vrolijk op. Ze schoof haar voeten weer in haar schoenen en knikte naar Naomi, die beloofd had haar een lift naar huis te geven.

'Zeg dat wel,' vulde Naomi aan. Ze pakte haar tas van de rugleuning van de stoel en stond op.

Na hen te hebben uitgezwaaid controleerde Theresa de staat van de wc beneden voor ze Charlotte er binnen liet gaan, en ze zocht haar man op in de televisiekamer.

'Ik slaap niet,' zei hij hees, wiebelend met de twee voeten die ze over de armleuning van de sofa zag steken. 'Is de kust weer veilig?' Hij gluurde over de rugleuning alsof hij een soldaat was die de rand van de loopgraaf verkende.

'Sst,' vermaande Theresa vriendelijk. Ze legde haar wijsvinger tegen haar lippen. 'De anderen zijn weg maar Charlotte zit op de wc. Ik wil haar uitnodigen voor een lunch op zondag, samen met Sam.'

'Natuurlijk.' Henry schoof zijn vingers onder zijn bril en wreef in zijn ogen.

'Want George en Sam schijnen ruzie te hebben en als ik hen hier uitnodig, helpt dat misschien om het probleem op te lossen. En ook al deed Charlotte vanavond haar best, toch heb ik het gevoel dat ze behoorlijk in de put zit.'

'Jij zult het wel het beste weten, liefste.'

'Inderdaad. En als je tevoorschijn wilt komen voordat Charlotte vertrekt, adviseer ik je eerst je gulp dicht te maken. Je weet dat ik graag je zaakje bewonder, maar ik weet niet zeker of Charlotte mijn enthousiasme zal delen.'

Een paar meter verderop zat Charlotte in de slecht verlichte, krappe wc met haar knieën zo ongeveer tegen de deur, terwijl ze steun zocht bij de wasbak. Aan beide zijden hingen de muren vol met ingelijste collages van gezinsfoto's die handig waren uitgespreid als een verzameling verstrooide speelkaarten, tandeloze babygezichtjes en wankelende dreumesen, toonden Henry met een boller gezicht en een grote bos haar, Theresa lachend en zwanger in een wijde Laura Ashley-kiel achter een buggy. De beelden bewogen en werden wazig, beklemden haar. Moeizaam kwam ze overeind en bekeek haar gezicht in het spiegeltje boven de wasbak, kneep in haar wangen en trok aan haar lippen, uit wanhoop over haar bleke teint. 'Je lijkt wel een spook,' siste ze, en ze klemde zich weer aan de wasbak vast omdat ze opnieuw wankelde. 'Een lelijk spook.'

Toen ze zich weer de hal in waagde, trof ze Theresa en Henry met hun armen losjes om elkaars middel, lachend om iets. Met een kalme, behoedzame stem, terwijl ze een nieuwe, nog heviger golf van duizeligheid bedwong, verklaarde ze dat ze haar auto graag de volgende dag kwam ophalen en dat ze een taxi wilde bellen als hun dat schikte, en of zij misschien een nummer hadden maar dat ze natuurlijk haar eigen telefoon zou gebruiken. Ze stak haar hand in haar tas en tastte erin rond, maar vond slechts sleutels, een spiegeltje, haar portemonnee en een rafelige tampon. Toen kwam de vloer van de hal omhoog en moest ze steun zoeken bij de muur, waarbij ze een prent van boshyacinten die naast de trap hing een duw gaf. 'Sorry... Ik geloof dat ik een beetje...'

'O arme lieverd,' riep Theresa, en ze snelde naar haar toe en sloeg haar armen om haar heen.

In de moederlijke zachtheid van de omhelzing van haar vriendin deed Charlotte haar ogen dicht en heel even voelde ze zich zo intens op haar gemak dat ze regelrecht in slaap had kunnen vallen. Toen ze haar ogen weer opendeed, snelde de vloer van de hal voorbij als een donkere, woeste rivier.

'Arme lieverd,' suste Theresa, en ze streelde Charlottes schouderbladen met dezelfde tederheid die Matilda's huilbui van een paar uur geleden ook tot bedaren had weten te brengen. 'Je ziet er moe uit. Maar doe geen moeite voor een taxi, Henry brengt je wel even naar huis, hè Henry?' Ze wisselde over het hoofd van Charlotte een blik met haar man en keek hem woest aan toen hij met zijn ogen rolde.

'Natuurlijk.' Henry hing de boshyacinten recht en pakte zijn jas.

Een paar minuten later zat Charlotte ineengedoken op de passagiersplaats van de Volvo, met haar voeten ingeklemd tussen een plastic tas vol bibliotheekboeken en een paar bemodderde voetbalschoenen. 'Sorry voor dit alles.'

'Geeft niet.'

Charlotte sloeg haar armen om zich heen en draaide haar nek een beetje heen en weer om het bonzen in haar hoofd te verlichten. 'Gaan jullie erheen?'

'Sorry, wat bedoel je?'

'Het feest. Het feest van Martin en Cindy. Gaan jullie erheen? Ik heb de uitnodiging gezien.'

'O… dat.' Henry gaf gas en reed door een rood licht, in de hoop op deze manier te ontkomen aan het onmiskenbare, onbegrijpelijke gevaar van vrouwelijke emoties.

'Niet dat ik er bezwaar tegen heb,' zei Charlotte, en ze zette zich schrap toen de plotselinge snelheid van de auto haar in haar stoel naar achteren drukte. 'Ik trek me er echt helemaal niets van aan,' voegde ze eraan toe, waarna ze in tranen uitbarstte.

'O lieve help, och arme… Charlotte.' Ze stonden opnieuw voor een rood stoplicht, dat deze keer onmogelijk viel te negeren.

'Let maar niet op mij,' hijgde Charlotte, verwoed haar tranen afvegend. 'Dit overkomt me de laatste tijd wel vaker – niet alleen wanneer ik dronken ben. Het valt niet uit te leggen. Ik heb niets om over te huilen, helemaal níéts. Ik ben bijna veertig, ik ben een vrije vrouw, ik hoor me te kunnen beheersen.' Ze wiegde naar achteren toen Henry opnieuw versnelde, deze keer vanuit stilstand. 'Ben jij ooit wel eens ongelukkig wanneer je daar geen reden toe hebt, Henry?' snikte ze. Ze probeerde door een waas van tranen naar een zakdoekje te tasten, maar vond alleen maar de tampon.

'Natuurlijk wel. Dat heeft iedereen wel eens. Alsjeblieft.' Hij nam een hand van het stuur en trok een verkreukelde maar schone zakdoek uit zijn jaszak.

'Dank je. Heel lief van je. Iedereen doet heel… lief.' Ze bette haar ogen en snoot luidruchtig haar neus. 'Ik hou hem wel om hem te wassen… Dank je, Henry.'

'Daar zijn we dan,' zei Henry, enigszins opgelucht. Hij hield stil voor het verkeerde huis en moest toen voorzichtig langs de stoep naar een veel donkerder gedeelte van de straat rijden. Hij parkeerde dubbel, met de bedoeling er weer snel vandoor te kunnen gaan, maar toen hij de stilte van de nog open gordijnen en het tuinhekje dat piepend aan een halfafgebroken scharnier bungelde tot zich door liet dringen, parkeerde hij toch op een open plek. 'Ik breng je wel even tot aan de deur,' verklaarde hij nors, een beetje nijdig vanwege Charlotte. Hij had geen partij gekozen, dat probeerde je niet te doen als vrienden gingen scheiden. Maar Martin had een hoop op zijn geweten, peinsde hij grimmig. Hij pakte Charlotte bij de elleboog toen ze uit de auto stapte en bleef haar stevig vasthouden op het onregelmatige tegelpad naar de voordeur. 'Heb je je sleutels?'

'Jawel… hier ergens.' Ze schudde met haar tas, die rinkelde. 'Nogmaals bedankt, Henry.' Ze hield haar gezicht omhoog voor een kus, die braaf werd gegeven. En toen, vanwege de ijzige stilte van het smalle huis met de donkere ramen – de plotselinge glimp die hij opving van alles wat zij doormaakte – sloeg hij zijn armen om haar heen en drukte haar stevig tegen zich aan. Wat op zich prima en broederlijk en hartelijk was, behalve dat Charlotte een kleine zucht slaakte en zich zo heftig tegen hem aan drukte dat hij zijns ondanks de broosheid van haar slanke gestalte en het vogelachtige snelle kloppen van haar hart voelde. O lieve help, dacht hij, niet om de redenen waarom hij die kreet in de auto had gebruikt, maar omdat ze aantrekkelijk en hulpbehoevend was en omdat hij nooit eerder op die manier aan haar had gedacht. O lieve help. Koperkleurig haar, een vage citroengeur in haar nek – welke man zou zich niet zo hebben gevoeld?

Slap, dronken, verward, klampte Charlotte zich aan hem vast tot Henry de sleutels uit haar hand had gewrikt en haar naar de open deur had geloodst. Hij stak zijn hand naar binnen en deed het licht aan, waarbij hij zijn voeten en een zo groot mogelijk deel van zijn lichaam op de stoep hield, en de neiging weerstond haar te helpen toen ze worstelde met de mouwen van haar jas.

'Welterusten dan maar.'

'Welterusten Henry, en dank je wel.' Eindelijk ging de jas uit, maar tijdens dit proces werd een stuk blote schouder onthuld, evenals een behabandje van verwassen lichtgrijs. Henry was ervan overtuigd dat zelfs het meest verleidelijke satijnen bandje hem minder van zijn stuk zou hebben gebracht. Op de een of andere manier had dit stukje ondergoed hem, net als de donkere, starende ramen van het huis, de ogen geopend voor een totaal nieuwe versie van de vriendin van zijn vrouw – als aantrekkelijk, alleenstaand wezen dat veel onrecht was aangedaan.

Maar ze stond niet echt alleen, bedacht Henry hoofdschuddend toen hij over het paadje naar zijn auto terugliep. Ze had immers Sam, en een stel hechte vrienden en vriendinnen, onder wie zijn vrouw en hijzelf. Maar hij had toch even een steek van aantrekkingskracht gevoeld, een onwillekeurig gevoel, typisch mannelijk waarschijnlijk, of zoiets zou Theresa zeggen als hij het haar ooit zou bekennen.

Wat uiteraard krankzinnig zou zijn, peinsde Henry toen hij zo'n twintig minuten later het hoofd vol donkere krullen van zijn vrouw kuste, terwijl hij naast haar in bed schoof. Toen ze zei dat hij lang was weggebleven, antwoordde hij dat hij door een samenzwering van rode stoplichten was opgehouden.

5

Langzaam maar zeker wordt mijn haar voller en krijgt het een donkerder, kastanjebruine gloed. Ik word lang. Ik krijg borsten. De jongens kijken me na. Ik ben geaccepteerd geraakt. Ik leer mijn oksels en de dunnere lichte haartjes op mijn benen te scheren. Ik pluk mijn donkere wenkbrauwen tot dunne boogjes en toon mijn kuiten in korte rokjes, panty's en suède puntlaarsjes. Adrian begint vervelend te worden, in mijn weekends bij Bella hangt hij altijd om me heen met zijn brede gezicht vol hoop en teleurstelling. Bella en ik verliezen onze belangstelling voor de stallen en vervangen smeekbedes om paard te mogen rijden door onderhandelingen over hoe laat we 's avonds uit de stad thuis mogen komen. We luisteren naar de Boomtown Rats en Genesis, gebruiken elkaars lipstick en overhoren elkaar schei-kundeformules en Franse woordjes.

In het eerste trimester, waarin ik vijftien word, krijgt Letitia uitpuilende ogen, wordt ze broodmager en gaat van school. Ik ben nu Charlie voor iedereen. Ik ben vrij.

Mijn ouders zullen met Kerstmis terugkeren naar Engeland. Mijn vader heeft te horen gekregen dat hij een zwak hart heeft en zijn kantoorwerk en toezicht op de wijngaarden moet vervangen door rust. Bella komt twee weken bij me logeren, in mijn laatste vakantie in Constantia. De warme wind waait hard door het dal en blaast ons haar over ons ver-hitte gezicht wanneer we naast het zwembad liggen. We wachten tot mijn moeder gaat winkelen en mixen dan cocktails van wodka, martini en citroensap, die we met rietjes uit hoge glazen drinken. We plakken allebei een diersticker op onze buik en zien onze huid eromheen roze worden. Die van Bella is een kat, de mijne een slak. We roken en roddelen over onze vriendinnen, onze leraren en onze families. Bella vertrouwt me toe dat ze bij wis-kunde-examens spiekt door formules op de binnenkant van haar ellebogen te schrijven. Ze vertelt dat ze een keer, tegen het eind van een lange dag jagen, kleine samentrekkingen van genot voelde diep in haar onderlichaam. Ze zegt dat ze onze Engelse docent aardig vindt, niet meneer Coots, die grammatica geeft, maar juffrouw Garth, met wie we Jane Eyre heb-ben bestudeerd. Ze slurpt van haar cocktail, zonder me aan te kijken. Ik zeg dat juffrouw Garth knap is om te zien, en dat haar geheim bij mij veilig is, dat ik goed ben in geheimen bewaren. Maar ik besef dat ik ook iets terug moet doen. De ene confidentie tegenover de andere. Ik heb maar één geheim dat me echt na aan het hart ligt, dat nog steeds brandt, opgestookt door de fluweelbruine ogen van de vrouw die elke dag komt schoonmaken en koken. Ze heet Charity en ze houdt mijn vader nauwlettend in de gaten, draaiend met haar brede heupen in haar felgekleurde jurken en haar roze hielen kletsend tegen haar slippers wanneer ze met de dweil over de vloer gaat.

Ik heb dit geheim, maar ik vind dat ik het niet kan vertellen, zelfs niet aan Bella, die open als een zachte verlepte bloem naast me op een ligbed ligt, zelfs niet met het aangenaam zwevende gevoel van onze wodka-cocktails.

Dus vertel ik Bella in plaats daarvan dat ik mijn moeder haat. En terwijl ik die woorden uitspreek, besef ik dat ze waar zijn. Ik haat haar om de afwezige blik in haar groene ogen, om de slapte van haar armen als ze me omhelst, om de beduimelde romans waarmee ze haar gezicht afschermt wanneer ze op de sofa rust, of midden op de dag in het midden van haar brede bed met baldakijn. Ik haat haar omdat ze me, zo slecht voorbereid, naar de grauwe luchten, grijze leien daken en doorweekte hockeyvelden van Engeland heeft gestuurd. Maar ik haat haar bovenal om haar onwetendheid, om de staat van niet weten waarin ze met mijn vader samenleeft. Zelfs in de ergste Afrikaanse hitte zijn haar vingers, haar gezicht ijzig koel, afstandelijk, afwerend. Als ze zo tegenover mij doet, hoe moet ze dan wel niet tegenover hem doen? Waar is het streven om lief te hebben en te worden bemind? Waar is haar hart?

Op de laatste dag van de vakantie peuteren we onze stickers eraf en slaken kreten van verrukking over het witte silhouet op onze buik. Dat van Bella, dat iets minder beschermd is geweest tegen de gevolgen van baden en wassen, is een beetje vaag geworden, vooral rond de staart, maar het mijne is een perfecte witte tekening van een slak, met zijn mooie en stevige ronde huisje en met voelsprieten die gericht staan als pijlen die hun doel kennen.

Het tumult over de verhuizing naar Engeland schijnt eeuwig te duren. Het huis in Tunbridge Wells is naar verluidt klein, dus moeten we veel spullen verkopen. De rimpels op het verweerde gezicht van mijn vader worden dieper. Misschien omdat hij nog zoveel mogelijk profijt wil hebben van zijn zwakker wordende hart werkt hij harder – in elk geval meer uren – dan ik me kan herinneren; hij gaat van huis wanneer de zon nog maar net aan de horizon begint te branden en komt thuis als de duisternis zo zwart is als pek en de wind koud. De dutjes van mijn moeder worden steeds langer terwijl Charity bij open kisten neerknielt en vloeipapier vouwt rond de hoeken en welvingen van onze aardse bezittingen.

Wanneer de kaken van de verhuiswagendeuren dichtklappen, voel ik dat er iets onherroepelijk wordt afgesloten. Bij het afscheid van het personeel is mijn vader degene die huilt. Hun toekomst is onzeker, legt hij me uit. Ze hebben geen spaargeld zoals hij, geen pensioenvoorzieningen of beleggingen, geen zekerheid van een dak boven hun hoofd. Charity, *zie ik, staat een eindje bij de anderen vandaan, haar in gele tulband verpakte hoofd geheven, haar zwarte ogen gericht op een punt ergens tussen de nog groene hellingen van de heuvels en de ruige toppen van de hogere horizon erachter.*

Er is nog een laatste storing in het huis, waardoor we een paar nachten in een klein hotel moeten doorbrengen. De muren tussen onze slaapkamers zijn dun. Ik luister naar het op en neer gaan van hun geruzie, waarmee ze zacht beginnen, aanzwellend tot een luid misbaar, en weer zacht eindigend, als in een lied. De slak vervaagt, wordt onzichtbaar, verdwijnt in mijn huid.

Op zaterdagavond voelde Charlote zich nog steeds zo gammel dat ze, toen ze Theresa belde om haar dank voor Henry's hoffelijkheid over te brengen, het vermoeden uitte dat een virus in plaats van een overmaat aan alcohol misschien de oorzaak was geweest. Maar als reactie had Theresa zo luid geschaterd dat ze deze gedachte weer snel inslikte, behoorlijk opgelaten over wat Henry bij thuiskomst moest hebben gemeld. Charlotte kon zich nog maar flarden herinneren van wat er was gevolgd: ze had zich aan de trapleuning vastgeklampt om boven te komen, ze had vreselijk geknoeid bij de wastafel, en ze was diverse keren met bonzende slapen en een van zweet doordrenkt nachthemd wakker geworden.

Jason, die op zaterdagmorgen met zijn partner Dean om beurten de boekwinkel bemande, de goedhartigste van de twee, had slechts één blik op haar hoeven werpen om naar het magazijn te wijzen, waar een gemakkelijke stoel en een pot verse koffie stonden. Desondanks was het slechts dankzij een aantal pijnstillers dat Charlotte die morgen was doorgekomen, zich ergerend aan de zwermen klanten die door het voorjaarszonnetje naar buiten waren gelokt in plaats van hen enthousiast te begroeten zoals anders. De meesten waren op weg naar cafés of naar het park en hadden buggy's en kleine kinderen bij zich. Meestal vond Charlotte het leuk om wanhopige ouders te verrassen door verborgen of onwaarschijnlijke schatten uit de kleine afdeling voor jonge lezers op te diepen. Die morgen echter had ze zich aan de kassa vastgeklampt en liet ze het aan haar baas over om zich voor de klanten uit te sloven terwijl zij zich hevig concentreerde om geen vergissingen te begaan met het pinapparaat, dat nieuw was en allerlei mededelingen liet zien waar ze niets van begreep.

Het hoogtepunt van deze beproeving was een telefoontje van Tim geweest, om aan te kondigen dat mevrouw Stowe nog steeds aarzelde – wat veelbelovend leek – en dat mevrouw Burgess de vraagprijs op haar huis had geboden en een bouwkundig onderzoek wilde laten verrichten. 'En wat dacht je van een etentje?' had hij er ondeugend aan toegevoegd. 'Heb ik dat al verdiend?' Charlotte, die merkte dat Jason aandachtig vanuit de verste hoek van de winkel meeluisterde, nieuwsgierig en kritisch aangezien haar prestaties die dag zo zichtbaar onder de maat waren gebleven, had 'ja natuurlijk' gefluisterd en beloofd hem terug te zullen bellen.

In plaats daarvan was ze na het nuttigen van een beker soep weer in bed gekropen en had veertien uur geslapen. Ze was de volgende morgen versuft wakker geworden, met de dubbele last van het besef dat ze Martin nog steeds niet had gebeld en dat ze de lunch in het gezelschap van haar moeder zou moeten doorbrengen.

'Ben je alleen?'

'Je bedoelt zonder Sam?' schimpte Martin.

Charlotte aarzelde. Ze was nog steeds misselijk en ze hoorde muziek op de achtergrond, om haar er ook nog eens aan te herinneren dat haar man vaak gesprekken had willen voeren met luide muziek erbij, zeggend dat hij luisterde naar wat ze zei maar ondertussen met een voet of een vinger meetikkend, zodat ze begreep dat zijn aandacht in eerste instantie het ritme van de geluidsband gold in plaats van haar stem. 'Ik maak me zorgen dat hij op school wordt gepest.'

'O ja? Daar heeft hij me niets over verteld.'

'Ach, dat zal best. Ik bedoel, zoiets doe je niet, hè?'

'O nee?'

'Martin, luister je wel?'

'Natuurlijk luister ik. Heb je het er op school over gehad?'

'Ja, ik heb vrijdag met juffrouw Hornby gesproken. Ze zei dat hij wat stiller was dan anders, dat ze de boel in de gaten zouden houden.'

'Nou, dan is dat dus geregeld.'

'Precies. Mooi. Stom van mij om erover te beginnen.'

Hij zuchtte diep. 'Charlotte, word nou niet meteen kwaad, hè? Hoor eens, ik weet dat kinderen die elkaar pesten een onderwerp is dat je zeer ter harte gaat…'

'Nee, Martin, je weet helemaal niets,' had ze gesnauwd. Ze had opeens gewenst dat ze alles wat hij van haar wist uit kon wissen, alle kleine dingen die hij onvermijdelijk in de loop van twintig jaar te weten was gekomen. 'Sam is zichzelf niet. Ik kén hem, en hij is zichzelf niet.'

'Maar dat viel toch te verwachten?' zei Martin langzaam. De muziek was afgelopen en liet een afgrond van stilte na. 'We moeten allemaal onze houding opnieuw bepalen, inclusief Sam. En hij is bijna dertien, dat is een moeilijke leeftijd. Verder zit het hem dwars dat hij zo klein blijft, dat heeft hij aan Cindy verteld. Ik heb met hem gepraat, hem uitgelegd dat ik pas op mijn veertiende een groeispurt heb doorgemaakt, dat sommige jongens heel vroeg beginnen en dat het bij andere veel langer kan duren.'

'Ja. Nou ja, dat is mooi,' had Charlotte toegegeven, het Cindy-aspect van het verhaal pogend te negeren, de gedachte dat Sam zich naast haar op bed had opgerold, of misschien op de sofa, en zijn hart had uitgestort.

'Was er nog iets anders?'

'Misschien moet ik wat geld van je lenen,' flapte ze eruit, niet in staat een intelligente of subtiele benadering van dit onderwerp te bedenken 'Ik heb een huis gevonden. Het is maar een cottage van twee onder één kap, maar het is duurder omdat het vlak bij het park is. Ik heb eindelijk een koper voor ons huis weten te vinden, maar ik kom misschien nog tekort.'

Een ogenblik van onmiskenbaar verbijsterde stilte werd gevolgd door een ongelovige lach. 'Het spijt me, Charlotte, maar... nee. We hebben net alles geregeld, weet je nog?'

'Ik had het over een léning.'

Hij lachte opnieuw, nu vriendelijker. 'Hoor eens, dat gaat echt niet. Cindy en ik hebben een grote nieuwe hypotheek boven op alles wat ik al voor Sam en jou moet ophoesten. Financieel gesproken sta ik met mijn rug tegen de muur – ik dacht dat je dat wist. Ik kan me gewoon niet voorstellen,' vervolgde hij, met opnieuw een ondertoon van smalend ongeloof, 'dat jij echt kunt denken dat ik in staat zou zijn om te helpen.'

'Ik ook niet,' antwoordde Charlotte kalm, terwijl ze bedacht dat er altijd nog een bankdirecteur was en dat er manieren waren om iets in het leven gedaan te krijgen als je het maar graag genoeg wilde.

Een hevige regenbui had een legertje slakken uit de bloemperken naar de fantasiebestrating van het pad naar haar moeders voordeur gelokt. Charlotte stapte er voorzichtig op haar hoge hakken tussendoor. Ze dacht na over de afschrikwekkende gedachte je huis op je rug mee te moeten dragen, in plaats van je los te rukken van de ene plaats en op zoek te gaan naar een ander huis dat je beter paste.

Halverwege het pad bleef ze staan om naar de vertrouwde zwart-met-witte gevel in namaak-tudorstijl te kijken, terwijl ze zich herinnerde hoe fysiek verpletterd haar vader had geleken vanaf het moment dat hij er zijn intrek in had moeten nemen. Het was natuurlijk zijn hart, zijn verzwakte hart, maar Charlotte, die bij elke rit naar huis aan hem moest denken, was ervan overtuigd dat er diep in zijn binnenste iets was gestorven als gevolg van de gedwongen overplaatsing van Afrika naar Engeland. Hij was in de tuin gaan werken, maar op een wat onsamenhangende manier, en omdat het hem in staat stelde aan één stuk door zijn filterloze Player's-sigaretten te roken zonder de voortdurende reprimandes van haar moeder te moeten aanhoren. Zijn overige bezigheden bestonden uit slapen en televisiekijken, vaak gelijktijdig, met een halflege beker thee of een gin-tonic vol ijs balancerend op de armleuning van zijn stoel.

Haar moeder daarentegen – alsof alleen de Afrikaanse hitte haar van haar energie had beroofd – had nieuwe levenslust weten te vinden. Ze was lid geworden van het Women's Institute en van een bridgeclub en ze ging regelmatig naar de kerk, waar ze werd ingeroosterd voor koffieochtenden en bloemschikken. 's Avonds, als hij in zijn eentje voor de televisie zat, diende ze het eten op een dienblad op, dekte dit als een tafeltje, compleet met servet, glas water, peper en zout, en een klein bord met brood en boter, terwijl ze zelf vaak aan de keukentafel at met de radio aan. Er waren ook afzonderlijke bedden geweest, een paar smalle eenpersoonsbedden naast elkaar, en toen opeens, in een onbewaakt ogenblik, waren er afzonderlijke slaapkamers, elk aan een kant van de overloop. Toen hij zelfs te zwak werd om te tuinieren, had Jean deze taken ook een tijdje op zich genomen, uitgedost met groene rubberlaarzen en een zonderlinge hoed met slappe rand, en was ze haar rozenstengels te lijf gegaan met een zakelijk fanatisme dat weerspiegeld werd in haar gelaatsuitdrukking.

Tegenwoordig hield een zekere Bert de tuin bij en kwam ene Prue op vrijdagmorgen het huis schoonmaken. Uit wat Charlotte had gezien behandelde haar moeder hen met een gênante bazigheid, de rol van koloniale meesteres met meer overtuiging spelend dan Charlotte haar ooit had zien doen toen er nog een excuus voor was geweest.

Charlotte zag de vitrage in de voorkamer bewegen, maar ze wist dat er van haar werd verwacht dat ze zou aanbellen. Ze had zich zorgvuldig gekleed op een manier die geen kritiek zou oproepen: een mooie bruine rok, hoge hakken, een wollen jasje. Nadat ze op de bel had gedrukt trok ze de zoom van het jasje recht terwijl Jasper, de teckel, kefte en haar moeder, hevig zuchtend, de grendels van de deur schoof.

'Hallo, mam... Ik heb wat narcissen voor je meegebracht. Je ziet er goed uit.' Charlotte stapte over de hond heen en kuste de zachte, bepoederde wang voor ze de bloemen gaf.

Jean schudde haar hoofd. 'O ja? Ik heb geen idee waarom. Het gaat helemaal niet goed met me. Dokter Fairgrove zegt dat hij zich ernstig zorgen over me maakt, dat als ik er niet opuit móést om voor mezelf en die lieve Jas te zorgen, ik waarschijnlijk te stijf was geworden om te lopen. Ik gebruik mijn stok steeds vaker,' vervolgde ze terwijl ze de narcissen weer aan Charlotte gaf en een aluminium stok uit de paraplubak achter de deur viste. 'Ik word erg moe als ik hem niet gebruik.'

'Arme ziel,' mompelde Charlotte. Ze deed haar best om geen verwijt in het getik van de stok op het linoleum te horen toen ze haar moeder naar de keuken volgde. Ze richtte haar blik op de nu enigszins kromme rug van haar achtenzeventig jaar oude moeder, bij wie de vroegere elegantie nog altijd zichtbaar was in de dunne benen – zo dun dat haar panty bij de enkels rimpelde. 'Hm, dat ruikt lekker.'

'Het is alleen maar kant-en-klare vis – kabeljauw in heldere saus.' Jean zette de stok tegen de keukentafel, lichtte het deksel op en fronste. 'Het wordt me tegenwoordig gewoon te veel om te koken. Ik heb natuurlijk nooit echt leren koken tot je vader en ik teruggingen naar Engeland. Voor die tijd was het niet nodig.' Er was een afwezige, dromerige toon in haar stem gekomen. 'Niet nodig,' herhaalde ze smachtend, en ze bukte zich – langzaam, stijfjes – om Jasper van de vloer te tillen en de zijdezachte zwarte vacht tussen zijn oren te krabben.

Charlotte zocht een vaas voor de bloemen en trok toen de besteklade open om de tafel te gaan dekken. 'Ik ben ook niet zo'n geweldige kokkin,' bracht ze haar moeder droog in herinnering. 'Misschien zit het wel in de genen.'

'Onzin, liefje, je zou het gemakkelijk kunnen leren, zelfs nu nog.' Jean begon behendig met een vork in de pan met aardappels te kloppen. 'Mannen vinden het fijn als er voor hen wordt gekookt. Het oude adagium dat het de weg naar hun hart is, is maar al te waar. Neem dit nu, bijvoorbeeld.' Ze hield een vork omhoog, met de nu romige puree. 'Naast de aardappels heb je hier zout, peper, boter, melk en – het allerbelangrijkste – een ei voor nodig. Dat zijn de ingrediënten, puree is geen product van hemelse interventie.'

Charlotte zette zich schrap, haalde diep adem en ging toen verder met het neerleggen van de placemats en het bestek. Op de placemats stonden winterse taferelen afgebeeld met dorpsbewoners die schaatsten en hout sprokkelden en die ze, zolang ze zich kon herinneren, als kind op andere tafels had klaargelegd voordat de kleuren waren verschoten, toen het vilt eronder sponzig en groen was geweest in plaats van dun en grijs.

Toen ze even later van de vis at, die zacht en smakelijk was in een te zoute saus, deed Charlotte haar best om belangstellend te luisteren naar het geprat over het effect van het veranderlijke voorjaarsweer op de gezondheid van Jean Boot en het feit dat een nieuwe aanval van aanstelleritus van de ongelukkige Prue betekende dat het huis nodig moest worden gestoft. 'Ik weet zeker dat de arme Prue zo gauw mogelijk weer zal komen helpen,' merkte Charlotte voorzichtig op, en ze keek naar de smetteloze kast naast de tafel, waarin de mooiste serviesstukken pronkten die huiselijke ongelukken en de gevaren van verzending over de wereld hadden overleefd.

'Maar dat is niet goed genoeg, Charlotte. Je hebt nou eenmaal mensen nodig op wie je kunt vertróúwen. En mijn bed – ik vind het vreselijk als mijn bed niet wordt verschoond.'

'Dat kan ik wel doen als je dat wilt.'

'Zou je dat echt willen doen, lieverd?' Jean glimlachte voor het eerst sinds de komst van haar dochter en ze ontblootte de kleine, parelachtige tanden waarop ze nog steeds, terecht, zo trots was. 'Dat zou heel lief zijn.' Ze duwde even tegen de witte krullen van haar permanent, terwijl haar blauwe ogen schitterden van dankbaarheid.

'Geen punt.' Charlotte voelde dat haar geduld opraakte, precies zoals ze dat van tevoren had geweten. Wat het allemaal nog erger maakte was dat ze weer misselijk begon te worden, ze dacht eigenlijk dat ze weer moest overgeven. Ze schoof haar half opgegeten aardappelpuree en vis naar de rand van haar bord en legde haar mes en vork neer.

'Heb je geen honger?'

'Niet erg, helaas. Ik ben eigenlijk een beetje…'

'Jasper! Alsjeblieft, lieverd. Kijk eens wat die stoute Charlotte voor je heeft laten staan.'

Charlotte beet op haar lip en sloeg haar armen over elkaar toen haar bord voor haar neus werd weggehaald en op de vloer werd gezet. De tekkel klom uit zijn rieten mand en draafde naar zijn lekkere hapje, waarbij zijn te lange nagels, gespleten van ouderdom, hoorbaar over het linoleum schraapten.

'Ik heb gebak als toetje. Een lekkere Moskovische taart – heb je daar wél ruimte voor?'

'Een klein stukje, alsjeblieft, mam, ja graag,' mompelde Charlotte terwijl ze probeerde niet te zien hoe de roze tong van de hond de stukjes vis verwerkte, wanhopig over hoe je je zo gevangen kon voelen door iemand die je zo goed kende. 'Maar ik kan helaas niet lang blijven. Martin brengt Sam vandaag alweer vroeg terug.'

'Charlotte – neem me niet kwalijk – maar is er echt geen hoop meer voor jullie tweeën?' barstte Jean los, terwijl ze beide armen opzij zwaaide om haar verbijstering kracht bij te zetten.

Charlotte staarde naar haar stuk taart, dat aanzienlijk was, veel groter dan het stuk van haar moeder, met een lijmachtige laag rode jam die door het midden liep. Ze dacht met ongewoon verlangen aan de madeira waaraan ze meestal werd onderworpen, die was tenminste rechttoe rechtaan, niet te zoet, hoewel ook die in je keel kon blijven steken.

'Charlotte?' Jean stak haar taartvorkje omhoog. Dit, besefte Charlotte, was haar idee van een moederlijk moment.

'Mam…' Ze vouwde haar servet op en streek met haar vingers over de vouw. 'Onze echtscheiding is definitief uitgesproken. Martin woont nu bij iemand anders.'

'Dat weet ik, liefje, maar...'

'Iemand met wie hij al tijdens ons huwelijk een verhouding had...'

'Jawel... maar dat heeft hij altijd ontkend, nietwaar? Hij zei toch dat het alleen maar vriendschap was? Dat belachelijke briefje, hè?' Ze prikte met haar vorkje in de lucht. 'Een kind – een jongen – heeft zijn vader nodig...'

Charlotte voelde het draaierige gevoel terugkomen. Ze drukte de rand van haar vorkje door het stuk taart, zodat de jam eruit droop.

'Elk huwelijk heeft zo zijn ups en downs, Charlotte.'

'Jij spreekt uit ervaring, hè, mam? Want...'

'Want wát?'

Charlotte probeerde te slikken. De taart zat in brokken achter in haar keel. De een of andere diepe beschermende reflex had de rest van de zin gesmoord. Een reflex die verband hield met de uitdrukking op haar moeders gezicht, dat nu vertrokken was van ontzetting en van iets anders... Angst. 'Ik bedoelde alleen maar... ups en downs... Ik... Neem me niet kwalijk, ik geloof dat ik...'

Ze holde met de hand voor haar mond de trap op en via de overloop naar de badkamer. Jasper stoof opgewonden achter haar aan en duwde met zijn neus tegen haar hielen. Ze had geen tijd meer om de deur dicht te doen of aan iets anders te denken dan de rand van de wc-pot.

'Jasper, wégwezen!'

Vanuit haar ooghoeken zag Charlotte hoe de wandelstok de hond de gang in duwde en de deur werd gesloten. Ik ben alleen, dacht ze, god-dank. Maar even later liep de kraan en daarna werd haar haar naar ach-teren geveegd en werd er een nat washandje zacht tegen haar voor-hoofd gedrukt.

'Arm kind. Ziezo, dat is beter. Een slokje water zal je helpen. Ik vond al dat je er een beetje pips uitzag. Ik hoop dat het niet door de vis kwam.'

Charlotte ging rechtop zitten en schudde haar hoofd terwijl ze haar neus in een stuk wc-papier snoot en zelfs een glimlach wist op te brengen. 'Ik ben al een paar dagen niet lekker,' zei ze hees. 'Ik hoop dat ik je niet heb aangestoken.'

'Ik laat me nooit aansteken,' was Jeans reactie. 'Daar zorgt mijn lever-traan wel voor.'

'Gedver.' Charlotte greep het handdoekenrek vast om overeind te komen. 'Ik word onpasselijk van dat spul, zelfs wanneer het in capsules zit waarvan ze zeggen dat er geen smaak aan zit.' Ze veegde nog eens met het washandje over haar gezicht. Ze voelde zich een stuk beter en was zich er vaag van bewust dat ze dit moment wilde rekken. Maar haar moeder stond alweer halverwege de overloop met het aanbod om even te gaan liggen als ze daar behoefte aan had en het bevel om niet beneden te komen voor ze zover was.

Charlotte spoelde haar mond, fatsoeneerde haar haar met een stof-fige schildpadden kam van achter uit het badkamerkastje, waarna ze met behoedzame stappen door de gang naar de linnenkast liep, waar ze uit sentimentele overwegingen even stopte en een snelle blik wierp op de ruimte onder de dakspanten waar Sam zich altijd zo graag had verstopt. Op hetzelfde ogenblik zag ze in hoe dwaas het was om met anderen dan Sam zelf over zijn problemen te praten. Ze zou het die avond doen, nam ze zich voor, hoezeer hij ook mocht tegenstribbelen. Als er iets akeligs gaande was, moest ze dat uit hem zien te krijgen.

Toen ze haar moeders bed had verschoond en de gebruikte lakens netjes opgevouwen in de wasmand had gedeponeerd, liep ze naar wat ooit haar vaders kamer was geweest, maar ze veranderde van gedach-ten en ging terug naar de trap. Zijn spullen waren al lang geleden naar liefdadigheidswinkels gebracht. Het bed zou vlak en leeg zijn, het zou er alleen maar naar meubelwas ruiken. Het enige aandenken dat was overgebleven was de oude foto die op de vensterbank stond van hem tussen de theestruiken, met de hand boven de ogen tegen de zon, en twee arbeiders naast hem met grijnzende, stoffige gezichten, een uit-puilende zak op hun rug, en haar moeders handschrift onderaan: *Reggie op Ratnapura*. Charlotte kende de foto zo goed dat ze geen behoefte meer had om ernaar te kijken.

Beneden was Jean in de keuken bezig de placemats af te vegen, met de radio luid aan.

'Het spijt me...'

'Geeft niet. Je voelt je niet lekker. Je kunt maar beter naar huis en naar bed gaan.'

'Ik heb je bed verschoond.'

'Dank je, maar ik had me anders ook wel weten te redden, hoor.' Ze zette de radio uit en hing de vaatdoek over de rand van de gootsteen.

'Uiteraard,' zei Charlotte. Ze pakte haar tas. 'Ik ga dan maar. Trouwens, misschien ga ik verhuizen.'

'O ja? Ik dacht dat je dat plan had opgegeven.'

'Bijna, maar...' Charlotte liet de zin hangen en waarschuwde zichzelf naar buiten te gaan nu de lucht tussen hen nog redelijk geklaard was. 'Maar dat laat ik je natuurlijk nog wel weten.'

Op de stoep duwde Jean haar een boodschappentas in de hand. 'Dat is voor je verjaardag.'

'Mijn verjaardag? Maar dat duurt nog maanden,' lachte Charlotte. 'Ik zie je vast nog wel voor die tijd.'

'Kan best, maar ik zou het vervelend vinden als ik het vergat, en je kunt tegenwoordig niet van de post op aan.'

'Nee... Nou, bedankt.' Charlotte gluurde in de tas.

'En het is tenslotte je veertigste.'

Charlotte trok een zuur gezicht. 'Vertel mij wat.'

'Je gaat zeker een groot feest geven, hè?'

'Dat betwijfel ik.'

'Het feest dat je voor Martin hebt gegeven was echt geweldig.'

'Ja, ja, dat was het,' mompelde Charlotte, terwijl ze haar haastig op de wang kuste en vlug het pad af liep, zo gretig om weg te komen dat ze de slakken vergat en er twee vertrapte voor ze ze in de gaten kreeg.

'Hartelijke groeten aan Sam,' riep Jean toen ze bij het hekje was. 'Geef hem een kusje van oma.'

Sam deed de oordopjes van zijn draagbare cd-speler in voor de rit terug naar Wandsworth. Het ding zat in een hoes die vastzat aan een riem, zodat je ermee rond kon lopen terwijl je luisterde naar wat je wilde, maar elke keer dat Sam ermee probeerde te lopen, hikte de muziek, zelfs wanneer hij kleine stapjes nam en probeerde niet te diep adem te halen. Het was een stom flutapparaat, hij begreep niet dat hij er een jaar geleden zo blij mee had kunnen zijn. Wat hij nu werkelijk wilde was een iPod, net als die van Cindy, maar net toen hij haar zover had dat ze zou zwichten, had zijn vader zich ermee bemoeid en gezegd dat hij hem pas met zijn verjaardag kon krijgen en alleen als hij zijn best deed en braaf was en een goed rapport had, blablabla.

Maar op zijn schoot in de auto deed de cd-speler het goed. Zijn moeder, wist hij, zou op zijn hoofd hebben getikt en gezegd: 'Is daar iemand thuis?' Of een van haar andere grappige opmerkingen om te proberen hem het apparaat af te laten zetten en in plaats daarvan tegen haar te praten, maar zijn vader was daar heel cool in. Hij had die middag zelfs gevraagd of hij een cd van hem mocht horen, en hij had met zijn vingers op de maat geklikt en gezegd dat het niet slecht was, wat natuurlijk een beetje stom was, maar toch ook wel aardig. Behalve dat hij een paar minuten later naast hem op het tapijt lag, een en al belangstelling om te horen of op school alles goed ging, wat het opeens allemaal een stuk minder leuk maakte en Sam deed beseffen dat dat vingerknippen gewoon weer zo'n nepvertoning was zoals volwassenen die opvoerden als ze iets van je wilden en begonnen te slijmen om hun doel te bereiken.

De wereld zag er anders uit met muziek, interessanter, beter. Zelfs torenflats en natte, grijze luchten, en files waarvan zijn vader behoorlijk gestrest raakte (met vingers die op het stuur trommelden, voortdurend op zijn horloge kijkend, aan zijn haar trekkend, alsof hij wilde dat dat nog meer uitviel), leken veel beter met de Gorillaz die tussen zijn oren dreunden. Sam wou dat hij voor het gezeik op school net zo'n filter kon gebruiken. Met muziek in zijn hoofd was hij ervan overtuigd dat hij niets zou merken van de smalende opmerkingen over zijn kleine gestalte, wanneer hij in de kleedkamer in zijn onderbroek stond, of de minachtende blik van die rare Rose Porter bij die afschuwelijke toneelrepetities, of de nieuwe manier waarop George ging zitten, half met zijn rug naar hem toe en zijn arm wijd om zijn werk te bedekken of – bijna het ergst van alles – die moederlijke vriendelijkheid van juffrouw Hornby. *Was dat een lekker hapje, Sam? Wat goed dat je je puntenslijper hebt gebruikt! Kom alsjeblieft na schooltijd eens naar de schaakclub, we zouden het erg leuk vinden als je lid werd!*

Alsof hij een speciaal geval was. Alsof hij een stomme sukkel was die extra moest worden beschermd. Bij de naschoolse opvang op vrijdag had ze zelfs een arm om hem heen geslagen – waar iedereen bij was – en ze had die arm er zo lang laten liggen dat hij haar het liefst een stomp had gegeven. *Verheugde hij zich op het weekend? Vond hij de Tudors leuk? Als hij problemen had, moest hij meteen naar haar toe komen.* Het was echt gestoord, en Sam had zowel aan haar als aan al die anderen die aan de bibliotheektafels om hem zaten te gniffelen de schurft. Maar praten mocht niet, en tegen de tijd dat zijn moeder hem kwam halen waren ze allemaal weg, behalve Rose, die zoals gewoonlijk met haar hoofd over haar werk gebogen was blijven schrijven en schrijven, alsof de woorden gewoon samen met de inkt uit haar pen waren gevloeid, zonder door te strepen of de behoefte om dood te gaan van verveling, zoals hem zo vaak overkwam.

'Sam, lieverd, ik had gedacht dat we misschien samen iets konden gaan eten, een pizza of zo, lijkt je dat wat?'

Zijn vader was weggereden in een lawaaierige wolk uitlaatgassen waarvan Sam wist dat dit te maken had met het vingergetrommel en het harentrekken op de heenreis. Cindy en hij zouden samen gaan zingen, en Cindy wilde niet te laat komen. Dat had ze een paar keer gezegd tijdens het gedoe op de valreep om zijn spullen bij elkaar te zoeken. Hij was een sloddervos, net als zijn vader, had ze geplaagd. Zijn vader had een zuur gezicht getrokken om aan te geven dat hij deze opmerking niet grappig vond. Alsof haar kleren altijd netjes in de wasmand belandden, had hij geantwoord, waarop Cindy een duidelijk niet plagend bedoelde opmerking over natte handdoeken en de afwas had gemaakt, waarna ze de kamer was uit gegaan en de deur heel zachtjes achter zich dicht had gedaan, wat naar het gevoel van Sam erger was dan eens flink dichtsmijten. Het volgende moment was zijn vader ook de kamer uit gegaan en was het helemaal stil geworden in het huis en had Sam de tv aangezet om dit niet te hoeven horen of om te veel na te moeten denken over het feit dat hij degene was die zijn sokken naast de sofa had laten liggen en dat alles daardoor gekomen was. Een paar minuten later waren ze weer naar de zitkamer gekomen, hand in hand. Maar Cindy's ogen waren dik en rood geweest en bij het gedagzeggen bij de deur had ze de vingers van zijn vader tot het laatste moment vastgehouden en nog eens gezegd hoe belangrijk het was om niet te laat terug te zijn.

Sam schudde plechtig zijn hoofd en verklaarde dat ze de vorige avond ook al pizza hadden gegeten waarbij ze, net als anders, zelf mochten kiezen wat erop ging, en hij had ananas en paprika en ham gekozen.

'Paprika?' riep ze uit, alsof het iets was wat verboden was. 'Sinds wanneer lust jij paprika?'

'Sinds altijd.' Sam haalde zijn schouders op. Ze zaten in de keuken. Ze had hem appelsap ingeschonken ook al had hij daar niet om gevraad, en ze had voor zichzelf een kop thee ingeschonken, die ze nu in beide handen hield en tegen haar borst drukte alsof ze zich eraan moest warmen.

'Wat dacht je dan van een hamburger met frietjes?'

Sam keek haar achterdochtig aan en schudde opnieuw zijn hoofd. Hij was nog maar net thuis, en de gedachte weer ergens anders naartoe te moeten gaan, zelfs al was het voor de zeldzame traktatie van friet, had weinig aantrekkelijks voor hem. 'Misschien kunnen we pasta eten,' zei hij ten slotte, na diep te hebben nagedacht, in het besef dat ze aardig probeerde te zijn. 'Met die saus die ik zo lekker vind,' hield hij aan. 'Die zonder klontjes.'

'Met die saus... natuurlijk. Dat is precies wat we moeten hebben.' Ze kwam meteen in actie en deed kasten open en begon met pakjes en pannen en blikjes te rommelen.

'Maar ik heb nog niet echt honger,' bekende hij. 'Cindy had chocoladetaart gebakken.'

'Echt waar? Wat geweldig dat ze zo goed kan koken.'

'Jij kookt ook lekker,' zei Sam met een klein stemmetje.

'O lieverd...' Charlotte zette de pannen neer, liep door de keuken om hem een zoen op zijn hoofd te geven, waarna ze weer achter haar thee ging zitten, nu stralend. Ze schraapte haar keel. 'Ik heb iets heel spannends om je te vertellen. Ik wilde wachten tot ik zeker wist dat het mogelijk was, maar ik heb een heel leuk huis vlak bij het park gevonden, en veel dichter bij St. Leonard's...'

'Waarom moeten we verhuizen? Ik wil helemaal niet verhuizen.'

'Nou ja, zo denk je er nu natuurlijk over, maar wacht maar eens tot je het hebt gezien...'

'Ik wil het niet zien.' Sam zag hoe ze haar beker langzaam neerzette, precies in het midden van de natte kring die de onderkant op de tafel had gemaakt.

'Ik zou het je graag willen laten zien,' zei ze resoluut. 'Misschien van de week een keer, na school. We kunnen gewoon, zomaar, een keertje gaan kijken. Er is een zolder – een echt grote zolder, met een eigen ladder. En we zouden... ik bedoel, met het park zo dichtbij, zouden we misschien een... hond kunnen nemen. Zou je dat leuk vinden, Sam? Misschien zouden we even tot Kerstmis moeten wachten, maar... maar een puppy die helemaal van jou is?'

Sam draaide zijn appelsap rond, zonder haar aan te kijken. Hij wist dat ze had verwacht dat hij een gat in de lucht zou springen. En voor een deel wilde hij dat ook. Een hond, helemaal van hem! Eindelijk! Maar aan de andere kant was hij kwaad, voelde zich in een hoek gedrukt.

'Dat noem je omkopen,' zei ze glimlachend. 'Een hond voor een huis. Geen slechte ruil, wel?'

'Misschien.'

'Nou, denk er maar eens over,' zei ze kordaat en opgewekt, alsof ze dacht dat ze deze slag had gewonnen.

Sam schoof zijn stoel naar achteren en stond op, maar ze reikte over de tafel en gebaarde hem weer te gaan zitten. 'Wacht eens even, jongeman, ik heb je twee dagen lang niet gezien. Ik vind dat ik nog minstens een paar minuten heb verdiend.' Sam leunde tegen de stoel. Hij ging niet weg maar wilde laten zien dat hij ook geen zin had om verder te praten. De behoefte hieraan verschrompelde nog verder toen ze aankondigde, alsof dit een reden tot grote vreugde moest zijn, dat ze volgend weekend bij George thuis zouden gaan eten. 'En Theresa heeft gezegd dat we in de paasvakantie hun cottage in Suffolk mogen lenen,' ging ze vrolijk verder. 'Is dat niet geweldig? Ik dacht dat je het misschien leuk zou vinden om een vriendje mee te nemen. Het hoeft niet per se George te zijn, het mag wie dan ook zijn.' Ze maaide wijd met haar armen, alsof hij de hele wereld had om uit te kiezen.

Sam probeerde te glimlachen, maar dat lukte niet. Hij vond het vreselijk hoe ze, net als alle volwassenen tegenwoordig, voortdurend haar best deed om van alles uit hem los te krijgen, om hem de juiste dingen te laten zeggen, te laten vóélen.

'Sam, lieverd...' Haar stem klonk nu heel zacht en ze staarde hem strak aan met haar groene ogen. 'Gaat alles goed met je? Echt goed?

Ik bedoel, er zijn toch geen dingen gaande waar ik van zou moeten weten, hè?'

Sam gaf de stoel zo'n harde duw dat deze naar voren kantelde en tegen de tafel klapte voor hij weer op alle vier de poten stond. Omdat hij de behoefte voelde iets anders te doen, iets waarbij hij haar niet aan zou hoeven kijken, greep hij een appel uit de fruitschaal en nam een flinke hap.

'Sam, lieverd,' drong Charlotte voorzichtig aan, 'dit is een heel gewone vraag, en ik stel hem alleen omdat ik me een beetje ongerust maak...'

'Ja, maar jij – iedereen – stelt me steeds vragen,' sputterde hij door de appelstukjes heen, die zacht en smakeloos waren, 'en ik heb er genoeg van, ik heb verdomme genoeg van dat klótegezeik...'

Ze sprong binnen een seconde overeind, alsof de zitting van haar stoel een elektrische schok had gegeven. 'Wáág het niet zulke taal te gebruiken.'

'Ik waag het verdomme wel,' schreeuwde hij, 'ik ben dit klotegezeik zat!' En daarna, omdat hij huilde en omdat hij niet wist wat hij aan moest met haar vreselijk boze gezicht en om de nog vreselijker woorden die hij had gezegd, smeet hij de appel weer in de fruitschaal en rende de keuken uit. Hij holde de trap op, met drie treden tegelijk, waarbij hij op de leuningen steunde, met gloeiende pijn in zijn bovenbenen. Op de bovenste verdieping daverde hij zijn slaapkamer binnen en liet zich op het bed vallen, waarna hij het dekbed over zich heen trok zodat hij alleen nog maar het bonzen van zijn hart hoorde en duisternis zag.

De tijd leek stil te staan en toen heel traag verder te gaan. Het was warm onder het dekbed en hij kreeg niet genoeg lucht. Sam spitste zijn oren om het geluid van voetstappen te horen, maar er kwam niets. Hij zou sterven door een gebrek aan zuurstof, besloot hij, terwijl hij het katoen van het dekbed in zijn vuisten klemde en met een steek van vreugde bedacht hoe erg ze dat zouden vinden. Allemaal. Voor altijd en altijd. Dat zou ze leren. Hij stelde zich voor hoe zijn moeder zijn levenloze lichaam onder het beddengoed zou aantreffen en dan zou jammeren en op haar borst zou timmeren, net als de vrouwen in lange, zwarte jurken die hij in films had gezien. Hij stelde zich voor hoe zijn moeder het op school zou vertellen, aan George en aan Rose – hoe vreselijk schuldig ze zich zouden voelen – en hoe zijn vader op z'n neus zou kijken omdat hij nee had gezegd tegen een iPod. Het zou geweldig zijn, behalve natuurlijk, besefte Sam terwijl hij rechtop ging zitten en het dekbed van zich af schudde, dat hij als lijk natuurlijk niet van die vertoning zou kunnen genieten.

Buiten was de motregen overgegaan in een flinke bui. Even later stak een harde wind op die de regen tegen het raam naast zijn bed deed kletteren, zodat het glas in de sponningen trilde. Het maakte zo'n lawaai dat Sam niet merkte dat Charlotte naar boven was gekomen tot ze het licht aandeed. Hij knipperde tegen de felle gloed en trok het dekbed weer over zijn schouders. Daar gaan we weer, dacht hij, daar gaan we verdomme weer. 'Sorry.' Hij probeerde het woord uit te spuwen, maar het klonk slechts zacht gefluisterd, onhoorbaar tegen het geroffel van de regen.

'Ik heb de giraf van de muur gehaald, heb je dat gezien?' Ze liep naar de lege ruimte waar eens het kinderachtige meetlint op de muur had gehangen, en ze streek met haar vingers over de muur, heel voorzichtig, alsof ze hem streelde. 'Er is iemand die er raketten op heeft afgevuurd. Kijk, er zitten nog drie gaten, hier en hier en hier. Arme giraf, hij moest echt worden gered,' zei ze zacht, en ze draaide zich half om zodat hij de glimlach op haar gezicht kon zien. 'Ik dacht dat we hier nu misschien die klok die jij zo mooi vindt konden ophangen, je weet wel, die in de logeerkamer, waarvan je het binnenwerk kunt zien. Die heb je altijd toch mooi gevonden?'

Sam knikte, heel langzaam.

'Soms geeft het niet als je vloekt, Sam, soms mag het. Maar met "verdomme" moet je heel voorzichtig zijn.'

Sam voelde zijn hele lichaam gloeien. Het woord klonk vreselijk uit haar mond. Hij wou dat hij het niet had gezegd.

'Ik ga nu eten koken. Kom maar naar beneden wanneer je klaar bent.'

Charlotte sloeg haar armen over elkaar toen ze de kamer uit liep, blij dat hij het wit van haar vingers niet kon zien waar die haar ellebogen hadden beetgegrepen, blij dat hij niet kon weten hoelang ze had ge-

oefend op wat ze moest zeggen, hoe wanhopig ze haar best had gedaan om zelfs geen echo te laten ontstaan van het gevoel van ver-
vreemding dat ze niet alleen als kind had moeten verduren maar ook
diezelfde dag nog bij de lunch, nu ze negenendertig jaar en negen
maanden oud was, gezeten aan de keukentafel van haar moeder.

Ze liet de deur op een kier staan en liep naar beneden, wensend dat
ze iets of iemand had om naar terug te keren, in plaats van naar de lege
benedenverdieping van het huis. Ze kookte de pasta en verwarmde de
inhoud van de pot met niet-klonterende saus als een robot, verzonken
in overpeinzingen over de zich herhalende patronen in het leven en de
waakzaamheid die geboden was om er weerstand aan te bieden.

Liggend te midden van de grote bergen van het geurigste, lekkerste
badschuim, met haar haar uit haar nek omhooggespeld en met de
radio zachtjes spelend aan de haak boven haar hoofd, dacht Theresa na
over de verrukkelijke rust van een late – maar niet té late – zondagavond. De eerste helft van de dag was een ware heksenketel geweest,
waarbij ze had geprobeerd de kerk en een rugbywedstrijd van George
rond de zondagse lunch te plooien, met Henry die dienst had, twee
jongere zonen die naar twee verschillende verjaardagsfeestjes moesten
worden gebracht en gehaald en Matilda die moest overgeven zonder
dat dat door hoesten was veroorzaakt. Maar toen was de middag rustiger verlopen en zelfs heerlijk vredig geworden, alsof er een sluier van
een parallelle wereld was gelicht, waarin de kinderen languit op de
vloer legpuzzels maakten en boeken lazen terwijl haar man erop had
gestaan de afwas te doen, zodat zij kon genieten van de ongekende
luxe van koffiedrinken na het eten en de zondagskranten lezen. Zelfs
toen George de televisie aanzette voor zijn Play Station hield hij het
volume zo laag en was zo royaal om zijn broertjes ook een beurt te
gunnen, dat er niets van het gebruikelijke misbaar ontstond. Matilda
had een paar uur op de sofa liggen dommelen en had daarna, in plaats
van jengelend wakker te worden, in de hoek van de zitkamer een pop-
penziekenhuis ingericht en behoefde geen verdere aandacht, buiten
een doosje pleisters en af en toe een vertoon van medeleven met haar
ziekste plastic patiënten.

Om acht uur zaten Henry en zij samen sandwiches met rundvlees en ingemaakt zuur te eten terwijl ze keken hoe een rechercheur een reeks gruwelijke moorden in een dorpje moest oplossen. Dit was waar je het allemaal voor deed, peinsde Theresa terwijl ze zich nog dieper in het schuim liet zakken, zo'n moment van rust dat je verzoende met alle stormen. Maar Henry was niet helemaal in orde, besefte ze, terwijl ze hem aandachtig volgde toen hij de badkamer binnenkwam en zich bij de wasbak begon te wassen. Hij was een beetje stil, afwezig.

'Ik vraag me af of we de arme Charlotte misschien toch een virus hebben doorgegeven, hoewel ze nu weer beter lijkt.' Ze moest haar stem verheffen boven het gespetter van de kranen, die Henry zoals gewoonlijk te ver had opengedraaid zodat hij de voorkant van zijn pyjama nat spetterde.

'Wie? Charlotte?'

'Nee, Matty. Zij lijkt nu beter, maar misschien heeft zij iets aan Charlotte doorgegeven. Weet je nog dat ik je vertelde dat Charlotte dacht dat ze misschien ziek was geweest in plaats van dat ze alleen maar een kater had? En Matty is een paar dagen niet lekker geweest.'

'Eh... ja.' Henry legde zijn bril voorzichtig op het zeepbakje en pakte een washandje, dat hij over zijn gezicht legde. Hij hield zijn hoofd achterover zodat de washand zijn neus en ogen bedekte.

'Henry? Is alles goed daaronder?'

Hij haalde de washand weg en keek haar aan. 'Natuurlijk. Uitstekend. Hoe dat zo?'

'Omdat je de afwas hebt gedaan zonder met de pannen te smijten of tegen de kinderen te schreeuwen dat ze moesten helpen,' zei Theresa droog. 'Héél ongewoon.'

'Help me eraan te denken dat ik het niet nog eens doe.'

'Zeg, doe niet zo flauw!' Theresa greep een handdoek en klauterde uit het water. Ze stapte over de badmat heen, ging achter hem staan en legde haar kin op zijn schouder. 'Ik heb er te veel heet water in laten lopen en nu ben ik helemaal rood en zweterig.' Ze trok een scheef gezicht naar haar spiegelbeeld, met haar wangen rood naast het bleke gezicht van haar man, en slierten vochtig haar die op haar voorhoofd plakten. 'Hou je nog een beetje van me?'

'Natuurlijk.' Henry glimlachte, draaide zijn gezicht opzij en drukte een kus op haar neus voor hij zijn tandenborstel pakte. Hij poetste hard

en grondig en deed ook de hoekjes waarvoor de mondhygiëniste hem
zo had gewaarschuwd. Theresa stapte terug op de badmat en trok de
handdoek over haar rug heen en weer voor ze op de rand van de wc
ging zitten om zich tussen haar tenen af te drogen. Er zaten roze vlekken op haar huid van de warmte van het bad. Haar armen en benen
waren nog goedgevormd en stevig, maar haar buik vertoonde sinds
Matilda, de zwaarste van hun viertal bij de geboorte, zilverkleurige
striemen en hing onder haar navel in een extra vouw. Een bad laat op
de avond, wist Henry, was een teken dat ze heel ontspannen, heel gelukkig was, en dat het bedrijven van de liefde tot de mogelijkheden
behoorde, mocht hij daar aanstalten toe maken. Na zoveel jaar was dit
besef als een zwijgende taal. Hij wist dat ze in de stemming was voor
seks, net zoals zij wist dat hij niet helemaal 'zichzelf' was. En dat was
iets om je over te verheugen, bracht Henry zichzelf in herinnering, terwijl hij zijn mond afveegde en naar de slaapkamer verdween: communicatie, begrip, zulke elementen vormden de hoekstenen van een
langdurige liefde. Hij zette zijn boek rechtop tegen zijn knieën – een
gebonden biografie van een politicus die maakte dat zijn armen pijn
deden als hij probeerde het vast te houden – en begon te lezen. Een
paar minuten later kroop Theresa naast hem en sloeg haar armen om
zijn middel.

'Je wilt niet echt nog lezen, hè?'

'Hmmm?'

Ze legde haar mond tegen zijn arm en blies tot zijn pyjama nat was
en zijn huid gloeide. 'Alsjeblieft,' zei ze, en ze smakte voldaan. 'Een hete
aardappel, omdat ik van je hou.'

'Dank je, lieverd.' Henry keek haar vertederd aan over de rand van
zijn bril. 'En hou je nog steeds van me als ik tot het eind van het hoofd-
stuk doorlees?'

Ze glimlachte naar hem terug, te ontspannen en te slaperig om hier
aanstoot aan te nemen. 'Misschien.' Ze draaide zich op haar andere zij,
trok haar knieën op tot borsthoogte en deed haar ogen dicht. 'Trouwens, Charlotte en Sam komen volgende week zondag. Ik dacht dat ik
voor de verandering misschien eens eend zou kunnen klaarmaken…
Wat vind je?'

'Verrukkelijk.'

'En ik heb gezegd dat ze de cottage mocht lenen.'

Henry keek op van zijn boek. 'Wanneer?'

'In de paasvakantie... voor een week.' Haar stem klonk nu doezelig. Ze sliep bijna.

'Best.' Henry richtte zijn blik weer op de bovenkant van de pagina. Hij had geen enkel woord in zich opgenomen. *Sir William presenteerde zijn bevindingen in het Lagerhuis alvorens terug te keren naar zijn club. Sir William... Sir William.* Henry tuurde, stelde zijn blik scherp en tuurde nogmaals, hij zag niet de zware gestalte van de hoofdpersoon van zijn boek, maar Charlotte Turner, slank, met een blanke huid en golvend kastanjebruin haar, en groene ogen die zowel treurig als hoopvol stonden. Als hij haar niet had gevóéld, had hij vast geen probleem gehad. Maar hij had haar wél gevoeld in die luttele seconden in zijn armen. En nog belangrijker, hij had de behoefte in haar gevoeld, en dat had bij hem een deur geopend die hij niet meer dicht kon doen: een deur die naar een ruimte vol fantastische scenario's had geleid. Stel dat hij haar steviger had vastgehouden, of langer, of haar naar binnen had gebracht, of haar uit haar jas had geholpen, of had aangeboden thee voor haar te zetten of wijn in te schenken of...

Henry draaide zich op zijn zij en deed zijn bedlampje uit. Hij kwam nu hevig in de verleiding om zijn armen om zijn vrouw heen te slaan, maar ze sliep al – heel diep en onmiddellijk, zoals altijd. En het zou trouwens wel heel onjuist zijn geweest, bedacht hij ongelukkig, om zijn armzalige, heimelijke lust te botvieren op uitgerekend de persoon die onrecht werd aangedaan. En waartoe zou zo'n lust ook kunnen leiden, anders dan tot een catastrofe van veelvoudig verdriet? Theresa had hem één keer bedrogen, en de pijn daarvan kon hij dertien jaar later, als hij zich concentreerde, nog steeds zijn hart voelen doorboren. Haar vergeven was instinctief geweest en daarna heel moeilijk, maar het was hem gelukt. Ze zouden iets dergelijks nu niet overleven. Een dronken slippertje misschien, maar niet met Charlotte... Charlótte! Allemachtig, was hij nou helemaal gek geworden?

Henry worstelde in het donker met het beddengoed, hij lag te draaien en te trekken tot de uitputting hem overmande en hij wijdbeens als een gewonde strijder tussen de lakens in slaap viel.

6

Bella gaat er een jaar tussenuit, maar ik heb het gevoel dat het niets meer zou zijn dan dat — een leemte, een niets, opvultijd. Op aanraden van een leraar probeer ik met succes op de universiteit van Durham te komen om Engelse literatuur te studeren. Mijn moeder biedt aan me er met de auto naartoe te brengen. Ik laad de auto in op de avond voor we vertrekken, waarbij ik beddengoed rond de dozen en koffers prop, en rond mijn stereo en een gitaar die ik heb gekocht maar waar ik niet op kan spelen. Mijn vader kijkt toe vanuit zijn stoel bij het raam van de zitkamer, waar hij nu het grootste deel van de dag doorbrengt, met een plaid over zijn knokige knieën. Zijn grote handen, waarvan de vingers van de linkerhand viesgeel zijn gevlekt, liggen verkrampt in zijn schoot, zonder de sigaretten die hij niet langer kan roken. Zijn adem gaat hijgend en piepend; zijn ogen, donker en met zware oogleden, liggen diep in de oogkassen.

De volgende morgen vroeg staat hij bij de voordeur met een kleine tas aan zijn voeten. Hij gaat ook mee, zegt hij. Het is een grote gebeurtenis, daar wil hij deel aan hebben. Hij glijdt met zijn blik van mijn moeders gezicht naar het mijne en zijn diepliggende ogen kijken ons uitdagend aan. Ik moet de auto weer anders inpakken, op de achterbank een plaats voor mezelf maken zodat hij voorin kan zitten. Het is een lange rit en het grootste deel van de tijd zit ik naar zijn achterhoofd te staren, waar ik de contouren van zijn schedel door de papierachtige huid kan zien, net als de aandoenlijke plukken zilverachtig haar die nog steeds hun best doen iets te bedekken. De ruimte tussen zijn kraag en zijn haargrens lijkt zo contrasterend zacht, zo absurd jong en kwetsbaar, dat ik het liefst mijn handen daar zou leggen — wat dan ook — om hem te beschermen.

Durham is mooier dan ik had verwacht, met hoge, oude, zandstenen gebouwen, afgewisseld door gladde muren en veel glas van moderne bouwwerken, als twee tijdzones die naast elkaar bestaan. De kathedraal verrijst dominant in het luchtruim met zijn enorme torens, een majestueus herkenningspunt dat maakt dat onze krap bemeten auto, onze levens, klein lijken. Met behulp van dit punt loods ik ons in de goede richting. Ik ben nerveus, maar popel om mijn college op te sporen en snak ernaar dat die twee weggaan. Ze logeren vannacht ergens in een buitenwijk en willen morgenochtend weer vroeg op pad.

Ik raak de kluts een beetje kwijt door alle stopverboden en draai mijn raampje omlaag om om hulp te vragen aan een meisje met een rond gezicht, gehuld in een houtje-touwtjejas. Ze heet Eve, zegt ze, en er is een parkeerplaats aan de achterkant en is dit mijn eerste trimester en welke studierichting en tot straks. Ik draai het raampje weer omhoog met een opgewekt hart en denk terug aan dat akelige afscheid op het perron, negen jaar geleden, die vage, meisjesachtige hoop. Ik ben erg blij dat ik nu ouder ben, gewapend, beter voorbereid.

Het is bitterkoud. Ik voel de hulpeloosheid van mijn vader wanneer hij zijn schouders optrekt tegen de ijzige wind en naar het uitpakken van de auto kijkt. Mijn moeder, met een doos boeken in haar armen, draagt hem op voorzichtig te doen, de leuningen vast te houden. Ik volg hen, de handgrepen van mijn tassen snijden in mijn vingers. Ik zie wraak in haar energie en wil dit compenseren. Als hij boven is, gaat zijn adem hijgend en gierend. Mijn moeder marcheert langs hem heen en stort zich omlaag voor een volgende lading.

'Ik heb iets voor je,' zegt hij. Hij gaat op de rand van het bureau zitten en grijpt langzaam, voorzichtig, in de binnenzak van zijn jasje. Wanneer ik de broosheid van die beweging zie, de trillende vingers, word ik opeens overmand door het sterke gevoel – een bijna volstrekte zekerheid – dat dit ons laatste samenzijn zal zijn. Er ligt een zachtheid in zijn ogen die me zegt dat hij dit ook weet. 'Iets…' Hij haalt een envelop tevoorschijn, wit en dik, en kijkt er aandachtig naar. Ik staar eveneens, met bonzend hart. Want ik weet wat zulke enveloppen op zulke momenten kunnen betekenen. Ik heb George Eliot en Jane Austin en Thomas Hardy gelezen: gewijzigde testamenten, bekentenissen op een sterfbed, vereffende rekeningen. Ik ken alle mogelijkheden en voel me er klaar voor, voel dat ik recht heb op een kans hier een versie van te ondervinden. Mijn keel is dik – omdat hij stervende is en omdat ik vrees voor wat er in deze brief zal staan – maar ik ben ook opgewonden. Dit wordt de afsluiting. Ik ga met mijn tong langs mijn lippen.

'Later openmaken,' zegt hij hees.

Ik omhels hem teder. Ik vind het akelig dat ik zo lang ben op mijn hakken, zo stevig van bouw tegen zijn magere borst. Ik druk mijn lippen op zijn ruwe wang, wensend dat ik iets van mijn jeugd en kracht kon overbrengen om hem gezond te maken. In al mijn achttien jaar kon ik niet meer van hem hebben gehouden, en ik zou hem dat vertellen als ik mijn stem durfde te vertrouwen.

Omdat mijn moeder, met een strakke mond en samengeknepen ogen, de snoeren van mijn stereo rond haar enkels bungelend, de kamer weer binnenkomt, schuif ik de bovenste lade van het formica bureau open en laat de envelop erin vallen. Dat ik van zijn bedrog wist, is een last geweest, maar ik weet ook dat dit ons heeft verenigd in een geheim, bijna aangenaam bondgenootschap. Wij zijn de cirkel die sluit, mijn moeder staat erbuiten.

Later, als Eve vraagt of ik een kopje koffie kom drinken, sla ik dit bijna af. Haar kamer is verderop in de gang, een knus hol van lampen en wandkleden, posters en kussens. Ze praat over faculteiten, clubs en mentoren, en ze presenteert zelfgebakken sprits bij de koffie. Ik knik en glimlach, eet en drink, schuldbewust dat ik mijn aandacht er niet bij kan houden.

Als ik eindelijk terug ben in mijn kamer, doe ik de deur op slot en steek een sigaret op voor ik naar de lade loop. Ik inhaleer diep, vol genot over de bedwelmende opwinding, het drama van het moment. De lade klemt even, schiet dan los. Ik leg de sigaret op de rand van het bureau en steek mijn vingers onder de flap van de envelop. De rand van het papier snijdt in mijn huid, maar ik sla er geen acht op, laat de druppels bloed achteloos vallen.

Erin zit een A4'tje, met slechts één enkele zin erop, gevouwen rond vier biljetten van vijftig pond. 'Voor extraatjes', staat erop, 'veel liefs, papa.'

Ik staar er verbijsterd naar, schud dan de envelop, alsof er zo misschien nog een verklaring, verontschuldiging, rechtvaardiging, blijk van berouw uit zou vallen. De biljetten zijn nieuw, vers van de drukkerij, en de randen ervan zijn scherp genoeg om nog meer sneetjes in mijn hand te maken, als ik zo onvoorzichtig zou zijn. Verderop in de gang kan ik het gedempte geluid horen van muziek, voetstappen en gepraat, als andere studenten arriveren. Mijn kamer voelt daarbij vergeleken heel erg leeg, een wereld binnen een wereld. Ik vouw het geld in mijn portemonnee en grijp de dichtstbijzijnde doos om te beginnen met uitpakken.

Het eerste voorwerp dat ik vastpak is mijn baboesjkapop, die sterk ruikt naar de verse laag vernis die mijn vader – in een deerniswekkende poging tot een zinnige bezigheid – onlangs per se had willen aanbrengen. Ik kijk even naar het peinzende gezicht en besef dat we helemaal niet zo verschillend zijn, met alle lagen in ons binnenste, ons pantser om ons te beschermen en ons te laten overleven.

Ik sluit mijn stereo aan en vis een willekeurige lp uit de doos op het bureau. Give me hope, help me cope… zing ik mee terwijl ik bezig ben, me bewust van de golven van teleurstelling die langzaam overgaan in een meer verstilde reflectie. Met tweehonderd pond kan ik veel extra's doen: met bont gevoerde laarzen kopen, gitaarles nemen, of op zoek gaan naar net zo'n houtje-touwtjejas als Eve, tegen de gure noordenwind. Het is heel goedgeefs, en toch ben ik teleurgesteld. Ik had zoveel meer gewild. Niet noodzakelijkerwijs veel woorden, maar genoeg om iets van een bevestiging over te brengen van de waarheid waar ik al die jaren geleden onder het gloeiendhete dak van de schuur op was gestuit. Er was misschien een band geweest, maar ook zoveel verdriet, zoveel angst. Ik kan nog steeds het trillen van mijn knieën voelen nadat ik weggehold ben over het dorre gras. Weet hij dat? Heeft hij het ooit geweten?

Ik ruk mijn portemonnee open en kijk weer naar de bankbiljetten, ten prooi aan een plotselinge duistere angst – veel erger dan de teleurstelling – dat ze misschien een poging vormen om mijn stilzwijgen te garanderen als hij er niet meer is. Ik draai het volume hoger, ga luider zingen, in de hoop dat deze angst vanzelf verdwijnt. Zo zou hij nooit denken. Hij zou ongetwijfeld beseffen dat mijn discretie nimmer voorwaarden heeft gekend, dat ik zelfs op zevenjarige leeftijd begreep dat ik zowel de fictie van mijn eigen leven als die van hem moest veiligstellen.

Toen Tim terugfietste van de sportschool liet hij op rechte stukken het stuur los, terwijl hij met een combinatie van evenwichtsgevoel, wilskracht en de binnenste spieren van zijn bovenbenen op het rechte pad wist te blijven. Hij voelde zich uitgelaten, magistraal, uiterst voldaan, als altijd na een goede training. Het was de laatste zondag in maart en het voorjaar was in volle gang, wat te zien was aan alle bloemen die hij onderweg tegenkwam, alle paletten aan kleur die over de tuinmuren, uit bakken en uit hangmandjes golfden.

Bij het tuincentrum moest hij het stuur weer vastgrijpen om een botsing te voorkomen met een vrouw die een kruiwagen vol zakken potgrond en perkplanten naar de open bagageruimte van een dubbelgeparkeerde stationcar duwde. Van een lege, drijfnatte jungle van een paar weken geleden was het centrum nu veranderd in een bijenkorf. De vrouw had een klein kind bij zich, dat gevaarlijk rond de wielen van de kruiwagen huppelde en zich niets aantrok van bevelen om op de stoep te blijven. Tim keek hen woest aan toen hij remde. Verwende middenklassevrouwen met kinderen en auto's waar ze niet mee om wisten te gaan... je zou ze het liefste neermaaien. Charlotte was natuurlijk ook een middenklassevrouw, maar ze was zo te zien niet typerend voor de soort. Dat was een van de dingen die hem zo aan haar bevielen: hoewel ze zich in een een zeker sociaal milieu bewoog, leek ze er niet echt deel van uit te maken. Er was iets hulpeloos aan haar, iets hulpeloos, en misschien was dat juist daarom wel heel aantrekkelijk. De enige echte reserve die Tim ten aanzien van haar had was dat jochie, Sam. Hij had het maar al te vaak gezien: volmaakt gezellige vrouwen die door hun nageslacht werden bedorven. Hoewel het met Phoebe alleen al de gedachte aan het krijgen van kinderen was geweest die alles had bedorven. Vóór hun huwelijk was ze net zoals hij tegen het hele gedoe geweest. Maar twee jaar later moest hij regelmatig het pakje pillen in de lade van haar nachtkastje controleren om te zien of ze geen geintjes uithaalde.

Maar aan de andere kant, redeneerde Tim, terwijl hij een paar versnellingen terugschakelde voor de steile klim op het laatste stuk van de weg, werd een vrouw die al een kind had vast minder snel broeds, vooral eentje van bijna veertig, met een mislukt huwelijk achter de rug en een blik in haar ogen die erop wees dat ze wist hoe je het leuk kon hebben. Tim hijgde zwaar terwijl hij de pedalen rondtrapte. Hij móést haar hebben. Hij had genoeg van het zich alleen maar indenken hoe het zou zijn. Hij moest het voor elkaar zien te krijgen.

Eenmaal thuis aangekomen (een halfvrijstaand huis met drie slaapkamers, dat in de drie jaar sinds hij het had gekocht zo'n vijftig mille in waarde was gestegen), zocht Tim verlichting door snel en woest te masturberen terwijl hij onder de striemende straal van zijn powerdouche stond. Daarna ging hij in zijn favoriete stoel zitten en stelde een plan van aanpak op. Zoals altijd als hij onder druk stond, krabbelde hij zijn gedachten neer in de vorm van een lijstje. Prioriteit nummer één, zowel voor zijn werk als uit eigenbelang, was mevrouw Stowe. Ze had beloofd nog eens met haar man te zullen overleggen maar ze had zijn laatste telefoontjes niet beantwoord. Tim was ervan overtuigd dat als hij de dialoog maar gaande kon houden, hij de zaak tot een goed einde zou weten te brengen. Mevrouw Burgess deed het daarentegen prima. Ze had zich een happige koper betoond en wachtte nu het rapport van het bouwkundige onderzoek af alvorens een voorlopig koopcontract voor Charlottes huis te tekenen. Hoera. Dat punt was alvast binnen.

Tim dronk uit de waterfles die hij in de sportschool had gekocht. Een liter na de training was zijn doel, hoewel hij dat zelden haalde. Hij dronk liever iets met een beetje prik en smaak, het soort waarvan je door je neus ging boeren. Maar hij leek nu eenmaal ook jonger dan zijn tweeënveertig jaar en hij was vastbesloten zijn uiterste best te doen om het zo te houden. Water was goed voor de bloedsomloop en de huid, en hij had een geweldige dorst gekregen. Zijn buikspieren klopten nog steeds van de inspanning van twintig extra herhalingen. Hij had zich een beeld van Charlotte voor de geest gehaald om hem erdoorheen te helpen: naakt en schrijlings op hem gezeten, met de uiteinden van haar geweldige haar kriebelend in zijn gezicht, met zachte mond en vol bewondering. Het had goed gewerkt.

Het volgende punt van zijn lijstje was Charlotte zelf. Ze had hem het vorige weekend teruggebeld, maar alleen om te zeggen dat ze ziek was. Verder contact dat verband hield met het huis was via zijn assistente Savitri gelopen. Waar dit sommigen misschien toch wat somber zou hebben gestemd, beschouwde Tim, blakend van zelfvertrouwen als gevolg van alle endorfinen, dit eerder als een nieuw aspect van iets wat een geweldig aangename uitdaging leek te zijn. Hij zou haar die middag opbellen, besloot hij, en hij zou optimistisch doen over de voortgang met het huis, hij zou naar die jongen vragen – ja, dat zou werken – naar dat gedoe met het pesten, en natuurlijk naar háár. Tim stopte even om op zijn pen te kauwen en na te denken over hoe hij dit het beste kon aanpakken. 'Verjaardag 8 juni', schreef hij na een paar minuten op, zeer voldaan dat hij dit belangrijke detail uit zijn dossier had weten op te diepen. Een knappe gescheiden vrouw van tegen de veertig die stond te trappelen om te verhuizen, met een chagrijnig zoontje in haar kielzog en zonder veel afleiding buiten wat gezelschapsspelletjes met vriendinnen en een parttimebaantje bij twee ouwe nichten in een boekwinkel. Allemachtig, als hij daar zijn voordeel niet mee zou kunnen doen, begon hij echt een sukkel te worden.

Tim was diep in gedachten verzonken. Hij spoot zoveel water zijn keel in dat hij door zijn neus moest boeren toen de telefoon ging. Charlotte was aan de lijn. 'Tim, het spijt me, ik had eerder willen bellen maar er was van alles en nog wat… en nu is het zondag en dat is waarschijnlijk…'

'Prima,' vulde Tim opgewekt aan, met oren die knapten toen hij slikte. 'Echt prima.' De waterfles was uit zijn hand geglipt en er ontstond een donkere vlek op het Indiase zijden vloerkleed dat Phoebe graag had willen hebben en dat hij had geweigerd af te staan. 'Prima,' herhaalde hij. Hij besefte dat de dingen op het lijstje, zijn heldere denken, geheel onderuit waren gehaald bij het geluid van Charlottes stem. 'Ik heb trouwens nog steeds goede hoop wat mevrouw Stowe betreft, zéér goede hoop. Ik weet hoeveel dat huis voor jou betekent,' voegde hij er teder aan toe.

'Dank je wel… en Tim, wat dat eten betreft…'

Aha. Eindelijk. Tim gleed van de stoel op de vloer, strekte zijn benen en leunde met zijn hoofd achterover tegen het kussen van de zitting. 'Ik hoopte dat dat de reden van je telefoontje was, dat je het niet was vergeten.' Met gebruik van beide voeten had hij de waterfles rechtop weten te zetten. Voorzichtig, zei hij tegen zichzelf. Kalmpjes aan.

'Natuurlijk niet, maar ik wilde voorstellen dat we misschien moeten wachten tot het... tot onze zakelijke transacties zijn afgehandeld voordat...'

'En ík vind dat het slechtste idee dat ik ooit heb gehoord,' viel Tim haar in de rede, en hij ging in paniek rechtop zitten.

'Maar je zult moeten toegeven dat het toch wat...'

'Eén etentje, Charlotte, als vrienden onder elkaar. Dat zal toch zeker geen bedreiging vormen voor de wereldvrede, wel?'

Zeer tot zijn opluchting schoot ze in de lach. 'Nou ja, ik denk dat dat geen kwaad kan.'

'Misschien is het zelfs wel leuk?' plaagde hij.

'Hm, ja, ik...'

En toen was het jochie er opeens. Kennelijk was hij zomaar de kamer binnengekomen. De vrolijke toon was op slag uit haar stem verdwenen. 'Sorry, Tim, maar ik moet nu echt gaan. Sam en ik zijn bij vrienden uitgenodigd voor de zondagse lunch.'

'Zullen we dan donderdag afspreken?' stelde Tim haastig voor. 'Bij mij thuis, om acht uur? Ik weet zeker dat Jessica vrij zal zijn, ik zal haar nu meteen bellen. Het adres is trouwens Ferndene Drive nummer drieënzestig. Bij het tuincentrum linksaf, je kunt het niet missen.'

Hij verbrak de verbinding terwijl hij zich al voorstelde hoe het zou zijn. Geen kleverige barkrukken en knoflookrijke hapjes deze keer. Hij zou het Franse kookboek gebruiken dat hij ooit aan Phoebe had gegeven en haar niet één keer had zien gebruiken. Hij was goed in koken als hij zijn best ervoor deed. Drie gangen, de beste wijn, bloemen op de tafel, schemerige verlichting, zachte muziek, hij zou haar eens even geweldig inpakken. Ze was mooi, chic, een beetje geheimzinnig, het zat haar even tegen in het leven. Je kon je nauwelijks een wezen voorstellen dat meer behoefte had aan, meer recht had op, een man die zich voor haar uitsloofde. Jessica zou beslist vrij zijn. Jessica was altijd vrij. Met die puistjes en dat gebit was dit geen wonder. Hij zou nog wat bijleggen bovenop wat Charlotte betaalde, en hij zou het meisje waarschuwen dat het misschien een latertje werd, haar beloven dat het de moeite waard zou zijn.

Het zonlicht dat door het raam naar binnen viel maakte het werken bij de kassa zo warm dat Charlotte aan Dean vroeg of ze de verwarming niet konden uitzetten. Haar werkgever, die was gearriveerd met zijn gezicht voor de helft achter een kasjmieren sjaal verborgen, hevig snuffend, had haar somber aangekeken.

'Laat maar. Ik doe mijn trui wel uit,' zei ze haastig, en ze stapte zo ver mogelijk bij de rand van het vierkant zonlicht vandaan en trok het betreffende kledingstuk uit.

'Mooie kleur, trouwens,' zei Dean hees, wijzend naar de trui die wat uit model was geraakt door te veel excursies naar de wasmachine, maar nog wel een mooie kleur groen had. 'Precies iets voor jou.'

'Dank je,' mompelde Charlotte, wetend dat hij dit compliment gaf omdat hij zich beroerd voelde, terwijl ze bedacht hoeveel gemakkelijker Jason in de omgang was. Ze ging verder met het uitpakken van een doos bestellingen, terwijl ze zich weer verbaasde over de herhaalde klacht van haar werkgevers dat ze zo'n moeite hadden om zich staande te houden tegenover de supermarkten, terwijl ze geen zichtbare pogingen deden om te bezuinigen. Naast enkele buitengewoon extravagante ideeën over vervanging van radiatoren werd de winkelpui, geheel overbodig, opnieuw geschilderd in Wedgwood-blauw in plaats van citroengeel, en Dean had onlangs aangekondigd dat de fraaie, veelbelopen houten vloer moest worden belegd met chintz-achtig beige tapijt, waarvan Charlotte wist, omdat ze de offerte had gezien, dat dit enkele duizenden ponden zou gaan kosten.

Maar ze had nog maar één uur te gaan, troostte ze zichzelf, toen ze de doos met boeken in de steek liet om af te rekenen met een man die een eeuwigheid had lopen snuffelen en niets anders dan een verjaardagskaart had gekocht. Nog zestig minuten en dan had ze een paar uur voor zichzelf voor ze Sam uit school moest halen. En verder was er haar etentje bij Tim om naar uit te kijken. Met enige verbazing besefte Charlotte dat ze daar écht naar uitkeek. En waarom ook niet? De man was vrij, had de juiste leeftijd, was attent, grappig, aantrekkelijk – perfect gezelschap voor een vrouw in haar positie, zonder enige belangstelling voor iets serieus of langdurigs. Toen hij maandag had opgebeld om te bevestigen dat Jessica kon komen oppassen, had hij haar diverse keren aan het lachen gemaakt met grapjes vol zelfkritiek over dat hij zich op de sportschool te veel had uitgesloofd en nu een wandelstok nodig had om uit bed te komen. Hij had ook naar de lunch van afgelopen zondag geïnformeerd en had oprecht meelevend geklonken toen ze geantwoord had dat ze er niet erg van had kunnen genieten en hoe vreemd en schokkend dit was omdat Theresa en Henry zulke goede vrienden waren. Iedereen die het genoegen smaakte van haar gezelschap hoorde daar verdomde dankbaar voor te zijn, had hij geprotesteerd, wat een vreemde opmerking was geweest maar toch ook wel heel aardig.

'Nog steeds te warm?' vroeg Dean, toen de deur rinkelend dichtviel achter de man met zijn verjaardagskaart.

'Nee, ik...'

'Toch geen opvlieger, mag ik hopen?' plaagde hij, als vervolg op een eerder gesprek dat ongewild op het onderwerp leeftijd en verjaardagen was gekomen.

'Niet dat ik weet,' antwoordde Charlotte, die even in de verleiding kwam hier aanstoot aan te nemen, maar daar niet toe kwam doordat het grapje werd gevolgd door een hevige hoestbui. 'Zeg, het gaat echt niet goed met jou.'

'Het gaat best. En het is niet druk.' Dean bette zijn mond met een tissue en verdween in het magazijn.

Eenmaal alleen merkte Charlotte dat haar gedachten terugkeerden naar de tekortkomingen van de lunch van de vorige dag. Het vervelende onderwerp van haar verjaardag was toen ook ter sprake gekomen. Henry en Theresa hadden er zelfs ruzie over weten te krijgen, waarbij Henry, met zijn mond vol pruimentaart, had gezegd dat zulke mijlpalen belangrijk waren en beslist gevierd moesten worden en dat als ze hun hulp wilde bij het organiseren ervan, ze dit maar hoefde te zeggen. Waarop Theresa had geantwoord dat ze uiteraard met alle genoegen een feest voor haar beste vriendin wilde organiseren, maar wat een onzin allemaal, want was eenenveertig niet even belangrijk als veertig en wie kon het allemaal wat schelen?

Charlotte had zich verstrikt gevoeld in een verwarrend, onbekend spervuur van non-communicatie terwijl ze zich er ongemakkelijk van bewust was dat Sam onnodig wild met zijn benen onder de tafel heen en weer zat te schommelen en George niets anders deed dan zijn broertjes en zusje dwarszitten, zodat ze in de verleiding was gekomen haar nederlaag te erkennen en te vertrekken. In plaats daarvan waren ze vertrokken voor een gezamenlijke wandeling in het park. Maar zelfs dit was geen succes gebleken, met Theresa die te druk bezig was om de ritsen van de anoraks van haar jongere kinderen open en dicht te doen en driewielers en autopeds bijeen te drijven om een fatsoenlijk gesprek te kunnen voeren, en de jongens, die even halfslachtig naar elkaar uithaalden en vervolgens in tegengestelde richtingen waren verdwenen.

Het enige opgewekte lid van het gezelschap was Henry geweest, die gedurende de hele wandeling naast haar was blijven lopen en data had genoemd waarop zij de cottage kon lenen en om te zeggen dat hij daar rond dezelfde tijd een studieverlof had gepland. Toen Charlotte had aangeboden haar plannen te wijzigen, had hij geprotesteerd dat met het losse apartementje erbij, het helemaal niet uitmaakte als er twee stel bewoners waren, dat ze nauwelijks van elkaar hoefden te weten dat de ander er was.

'Het is maar een getal, liefje,' zei Dean, toen hij met een glas water terugkwam en vol leedvermaak Charlottes verdwaasde blik zag.

'Wat? O... dat.' Charlotte schoot in de lach. 'Iedereen schijnt het nodig te vinden mij er voortdurend aan te herinneren, maar het kan me echt helemaal niets schelen. Ik stond aan iets heel anders te denken.'

'Hoor eens, jij ziet er zo geweldig uit, lieverd,' hield Dean aan. 'Je maakt je toch zeker geen zorgen, hè? Die jukbeenderen, dat haar. Jij bent zo iemand die áltijd in trek zal blijven.'

Charlotte stak haar hand in protest op. 'Allemachtig, nog even en je biedt me een salarisverhoging aan.'

Ze stonden nog te lachen toen de telefoon ging. Dean nam op en gaf de hoorn toen aan haar, terwijl hij geluidloos 'De school' zei, met een iets minder vrolijke blik.

'Mevrouw Turner? U spreekt met juffrouw Brigstock van St. Leonard's. Het spijt me dat ik u tijdens uw werk moet storen.'

'Juffrouw Brigstock?' In de loop van de vier jaar dat Sam op deze school zat was Charlotte nog nooit door het schoolhoofd gebeld. Het was een bijdehante dame van in de vijftig met wallen onder haar ogen en een onflatteus geometrisch kapsel, misschien een beetje rechttoe rechtaan, maar zeer toegewijd. Ze beperkte de communicatie gewoonlijk tot wijdlopige inleidingen op ouderavonden.

'Mevrouw Turner, er heeft zich helaas een incident voorgedaan. Ik zou het bijzonder op prijs stellen als u even naar de school zou kunnen komen.'

'Een incident?' Charlottes verbazing ging over in ongerustheid. 'Wat is er gebeurd? Is alles goed met Sam?'

'Ja, met Sam gaat alles prima. Maar we zouden graag willen dat u nu even kwam, als dat schikt.'

'Nu?' Charlotte keek steels naar haar werkgever, die deed alsof hij in de verste hoek van de winkel iets aan de molen met kaarten moest veranderen. 'Nu meteen?' herhaalde ze onnozel.

'Als u daar geen bezwaar tegen hebt. Ik verzeker u dat alles goed is met Sam,' voegde ze er op vriendelijker toon aan toe. 'Maar ik geef er de voorkeur aan alles uit te leggen als u hier bent.'

Charlottes handen trilden toen ze de hoorn neerlegde. 'Dean, het spijt me, maar...'

Haar werkgever draaide al met zijn ogen en gebaarde naar de deur. 'Ga maar. Het is wel goed. Ga nu maar. Maak je maar geen zorgen. Het is toch stil.'

Pas nadat de winkelbel weer tot zwijgen was gekomen, zag Dean dat ze de groene trui was vergeten. Hij raapte hem op en vouwde hem netjes, terwijl hij zich afvroeg hoe het moest zijn om als ouder al die angsten te moeten doorstaan, om buiten je partner een ander wezen te hebben om te koesteren en om je zorgen over te maken. Hij had een tijdlang graag een kind willen adopteren, maar Jason had nee gezegd en hadden ze soms niet genoeg aan elkaar? In plaats daarvan hadden ze twee jonge siamese katjes gekocht.

Dominic Porter deed zijn best om zijn lange ledematen in een schijnbaar ontspannen houding op de gladde leren bank tegenover het bureau van juffrouw Brigstock te plooien. Afschuwelijk meubilair maar een goede vrouw, peinsde hij. Hij dacht terug aan hun eerste bezoek aan de school, toen ze heel terecht haar aandacht op Rose had gericht in plaats van op hem, toen ze zo'n oprechte belangstelling voor de antwoorden van zijn dochter aan de dag had gelegd en die antwoorden behendig de richting van het gesprek liet bepalen, dat Rose zich had opengesteld zoals hij haar dat nog nooit bij een volwassene had zien doen, zelfs niet in de tijd dat alles goed was geweest met Maggie en ze niets anders hadden gehad om zich over op te winden dan heel alledaagse dingen, zoals slecht weer, rond zien te komen van één salaris, en in welke kleur de hal moest worden geschilderd.

Rose had zich daarna uiteraard weer gesloten, als een soort exotische bloem die een heel bijzonder patroon van bloeien had – zelden, heimelijk, of wanneer dit het minst werd verwacht – maar het had Dominic wel vertrouwen in de school gegeven en in de moeilijke beslissing om de sprong te wagen en weg te gaan uit de boerderij in Hampshire waar Maggie zoveel van had gehouden en naar Londen te verhuizen. Zo'n verandering halverwege het schooljaar was verre van ideaal geweest, maar toen ze eerder juist omwille van Rose niet waren verhuisd, had Dominic opeens ingezien hoezeer ze daar samen opgesloten waren, hoezeer ze watertrappelden en als gevolg daarvan bijna verdronken: elke plooi in de zelfgemaakte gordijnen, elke snuisterij, de geur van Maggies kant van de kleerkast (jasmijn, of wat het ook maar mocht zijn dat ze altijd had gebruikt), dit alles was een grote troost geweest in de eerste maanden maar daarna werd het steeds pijnlijker om te verdragen. Zonder haar had het heen en weer reizen ook geen zin gehad. Maggies ouders hadden een tijdje geholpen, maar daarna was er een reeks lieve, onhandige au-pairmeisjes geweest om het gapende gat te vullen tot hij 's avonds uit de trein stapte. Desgevraagd zei Rose altijd dat ze de meisjes aardig vond, dat ze het niet erg vond dat hij laat thuiskwam, maar sinds haar moeder was overleden was ze een meester geworden in het geven van goede antwoorden en Dominic had geleerd haar niet altijd te geloven.

Omdat hij als vrijgezel ooit een flat op Trinity Road had gehuurd, in de buurt van zijn broer die vlak bij Garratt Lane woonde, had Dominic voor Wandsworth gekozen. Het was net zo'n goede plek als elke andere om een nieuwe start te maken. St. Leonard's was het resultaat van een zoekpoging op Google en voldeed aan de criteria van klein, gemengd en dicht bij een aardige, betaalbare woonwijk. Niet lang nadat hij de school had gevonden had hij bovendien uit onverwachte richtingen goede berichten over de school gehoord, zoals van een oude vriendin van Maggie, een achterneef, en het meisje in de kapsalon van Farnham, dat altijd het haar van Rose knipte en dat een oom had die twintig jaar lang leraar op die school was geweest.

Relaties waren heel troostvol, peinsde Dominic, terwijl hij opstond en weer ging zitten op de rand van de gladde bank toen juffrouw Brigstock binnenkwam. Ze werd gevolgd door een slanke blonde vrouw met een dienblad met spullen voor de thee, en daarna door Rose, met sokken die rond haar magere enkels waren gezakt, terwijl haar blauwe ogen nerveus heen en weer gingen.

'Is alles goed met je, liefje?' Ze was vlak naast hem gaan staan zonder hem aan te raken. Rose knikte, hees haar sokken op en plukte toen aan de velletjes rond haar nagels.

'We hebben, geloof ik, nog twee stoelen nodig,' constateerde het hoofd. 'Gillian, wil jij daarvoor zorgen?'

De jonge vrouw liep haastig weg en kwam even later terug met twee plastic stoelen die ze tegenover de bank neerzette.

'Rose, liefje, wil je wat limonade?'

Rose schudde haar hoofd, ging naast haar vader op het randje zitten en schoof toen naar achteren op de diepe zitting, waarbij haar blote huid op het leer piepte.

'Dank u wel voor uw komst, meneer Porter. Wat een geluk dat u thuis was. U bent huizen aan het bezichtigen, geloof ik? Hopelijk met succes?'

'Dat gaat wel, dank u.'

Ze presenteerde een kop thee, die Dominic dankbaar aannam. Hij was nu nerveus omdat Rose nerveus was. Hij kon het in golven van haar voelen uitgaan.

'Zoals ik al aan de telefoon heb gezegd,' ging juffrouw Brigstock verder, 'verkeert Rose niet in problemen, absoluut niet.' Ze keek stralend naar Rose, die haar armen over elkaar had geslagen en haar hoofd boog, alsof ze uit het zicht wilde verdwijnen tussen de zwarte kaken van de bank. 'Maar er heeft zich een vervelend incident voorgedaan en ik geloof stellig in het in de kiem smoren van problemen, dus ga ik jou, Rose, nu vragen ons in je eigen woorden exact te vertellen wat er is gebeurd.'

Een paar deuren verderop in de gang werd Charlotte, ademloos, verhit, bezorgd, met haar autosleutels nog in haar hand, een kamertje binnengelaten met daarin Sam, die in kleermakerszit op de grond zat, en een jongeman met weinig donker haar, die voor hem op zijn hurken zat. De man richtte zich op zodra Charlotte verscheen en glimlachte breed, terwijl hij zijn hand uitstak. 'Dag, mevrouw Turner, ik ben Philip Dawson, schooldecaan.'

'Decaan?' Charlotte keek van de man, over wiens aanstelling op de school ze zich vaag iets uit een brief herinnerde, naar Sam, die in plaats van haar te begroeten zijn gezicht naar de muur keerde. 'Lieverd?' Ze liet zich op haar knieën naast hem vallen, nog steeds ongerust maar nu ook een beetje opgelucht. Hij was gelukkig ongedeerd. En hoe vreselijk het 'incident', zoals het hoofd dit met typerend politie-eufemisme had uitgedrukt, ook mocht zijn geweest, was er, nu alles openlijk werd behandeld, in elk geval hoop op een fatsoenlijke oplossing. Dat de schooldecaan er zo snel bij was gehaald, betekende kennelijk dat de school dit ook dacht. 'Arme lieverd. Is alles goed met je? Vertel me eens wat er is gebeurd... Vertel het aan mama.' Ze sloeg een arm om zijn opgetrokken schouders.

'Sam?' drong de decaan vriendelijk aan. 'Het is waarschijnlijk het beste als je dit zelf vertelt.'

'Ik heb helemaal níéts gedaan,' schreeuwde Sam, met zoveel boosheid dat Charlotte ervan schrok.

'Zal ik het dan maar aan je moeder vertellen?'

Sam haalde zijn schouders op, zonder een van hen aan te kijken.

'Ja graag, doet u dat,' mompelde Charlotte, en ze ging staan. Ze was zich er vaag van bewust dat de toestand niet zo eenvoudig was als ze had verwacht.

De decaan schraapte zijn keel. 'Sam heeft zich helaas niet erg aardig gedragen tegenover een meisje in zijn klas, een zekere Rose, die...'

'Dat is niet mogelijk,' onderbrak Charlotte hem kalm, en ze streek even over Sams springerige krullen. Het haar voelde zacht en koel aan, de schedel gloeiend heet. 'U begrijpt het niet. Het is wekenlang andersom geweest. Ik weet niet of het dat meisje Rose was of...'

Philip Dawson schudde zijn hoofd en glimlachte spijtig. 'Tijdens de lunchpauze vandaag...' Hij zweeg en keek naar Sam. 'Hé, makker, je zou dit echt beter zelf kunnen vertellen.' Toen Sam roerloos bleef zitten, met zijn hoofd nog steeds opzijgedraaid, in een ongemakkelijke poging tot onzichtbaarheid, zuchtte hij en ging verder. 'Tijdens de lunchpauze vandaag heeft Sam Rose Porter aan haar haar getrokken en haar geschopt.'

Charlotte slaakte een hees lachje van opluchting. 'Dan moet ze echt iets vreselijks hebben gezegd.'

'Ze zegt zelf van niet. Ze zegt ook dat er nog een andere keer is geweest, toen Sam haar arm op haar rug gedraaid had en...'

'Ik geloof hier niets van.' Charlotte stond op het punt om in tranen uit te barsten, maar ze wist dat ze kalm en flink moest blijven. 'Sam is degene die het moeilijk heeft gehad, die hulp nodig heeft, niet dit meisje. Ik heb er zelfs met zijn lerares over gesproken omdat ik wist dat er iets niet goed ging.'

'O zeker. Er is íéts niet goed, en we gaan Sam helpen dit te veranderen...'

'Waar is juffrouw Brigstock? Ik wil nú met haar praten.'

'Ik zal u zo naar haar toe brengen, mevrouw Turner. Op dit moment is ze in gesprek met Rose en haar vader. We zullen dit samen uitzoeken. Probeert u alstublieft kalm te blijven,' voegde hij eraan toe, met een snelle blik op Sam.

Charlotte haalde diep adem en voelde een enorm verlangen naar de aanwezigheid van Martin. Ze kon dit soort dingen niet in haar eentje af, dat kon ze echt niet. Hij zou resoluut zijn zonder hysterisch te worden. Hij zou weten wat hij moest doen, hoe je deze sjofele jongeman met zijn zachte Ierse stem, zijn te lange haar en zijn innemende glimlach moest aanpakken. Hou voet bij stuk, zei ze tegen zichzelf. Blijf bij de waarheid. 'Sam zou nóóit opzettelijk iemand anders pijn willen doen...'

'Er zijn enkele kinderen die zullen bevestigen wat Rose ons heeft verteld, mevrouw Turner,' onderbrak hij haar vriendelijk. 'En er was ook nog een sms'je, een heel onaardig bericht.' Hij zweeg om dit tot Charlotte te laten doordringen en voegde er toen, op een toon die zodanig van mededogen was doordrongen dat hij suggereerde dat, hoewel hij gewapend was met het zwaard van de waarheid, een deel van hem aarzelde om de laatste klap toe te dienen, aan toe: 'En we hebben videobeelden van het incident van vorige week...'

'Videobeelden?'

'Alle scholen hebben tegenwoordig camera's, uit veiligheidsoverwegingen. We hebben ze nagekeken. Het spijt me, maar wat Rose ons heeft verteld lijkt de waarheid te zijn.'

Charlotte wendde zich om om haar zelfbeheersing te herwinnen. Ze drukte haar gezicht in haar handen. De decaan liet zich naast Sam op zijn knieën vallen. 'We zullen dit samen oplossen, hè makker? De eerste stap is dat je eerlijk zegt dat je het hebt gedaan. Daarna moet je natuurlijk tegen Rose zeggen dat het je spijt, moet je beloven haar vriend te zijn – wat je nu meteen kunt doen – en daarna kun je het achter je laten. En verder zullen jij en ik één keer per week, of vaker als je dat wilt, een praatje met elkaar maken over hoe alles gaat en hoe jij je voelt. Het is moeilijk, dat weet ik. Jullie knulletjes hebben een hoop aan je hoofd, hè?'

In de loop van deze toespraak had Sam zijn hoofd langzaam omgedraaid om de decaan aan te kijken. Toen Charlotte over haar vingertoppen heen gluurde, zag ze zowel de vriendelijke lichaamstaal van de man als de beschaamde capitulatie in haar zoons reactie hierop. Dus hij had deze vreselijke dingen gedaan. Dus hij wérd niet gepest maar was zelf degene die pestte. En dat was onacceptabel en ze zou ervoor zorgen dat Sam dit besefte. Maar het enige wat Charlotte in die luttele momenten wilde doen, was toch de decaan opzijduwen, Sam bij de hand grijpen en weghollen, terug door de gang met het bruine linoleum, langs de klaslokalen, de ingelijste werkstukken van handenarbeid en berichten over brandweeroefeningen, naar een veilig oord zonder verdriet, woede, angst en al die andere ontelbare struikelblokken op de weg naar een toestand van onwaarschijnlijk geluk.

Charlotte kende bepaalde trucjes om in slaap te komen, vervolmaakt in jaren van strijd tegen perioden van slapeloosheid. Tellen hielp, niet van schaapjes, maar van dagen: tot Kerstmis, tot Sams verjaardag, haar verjaardag, haar volgende menstruatie en die erna, ervan uitgaand dat de cyclus achtentwintig dagen duurde en niet zes- of zevenentwintig, zoals soms het geval was. Als ze geluk had sloeg de vergetelheid toe voor ze het had uitgerekend. Verder waren er de witte tabletjes, die ze had bemachtigd bij een wanhopig bezoek aan haar huisarts, in de laatste slopende fase met Martin, toen ze op gênante wijze had gehuild en verwarde taal had uitgeslagen over haar man die het met een ander hield. De dokter, de minst aardige in de praktijk, met een nasale stem en de neiging met zijn balpen tegen de rand van het bureau te tikken, had relatietherapie voorgesteld en een recept voor Temazepam voorgeschreven, dat hij en zijn collega's bij diverse volgende consulten hadden verlengd.

De werkzaamheid van de pillen, de vreugde te weten dat er verlichting voorhanden was, was voor Charlotte niets minder dan een openbaring geweest: één keer slikken en het afschuwelijke nachtelijke geruzie, of even erg, de verstikkende stilte van het niet-ruziën, de onzichtbare, ondoordringbare muur van het niet-aanraken, was verdwenen. Behalve dat wakker worden in het versufte besef van de realiteit steeds moeilijker was geworden, alsof je dan in de nachtmerrie belandde waarvoor het daglicht juist uitkomst moest bieden.

Die donderdagavond draaide Charlotte zich op haar zij, schoof het laatje van haar nachtkastje open en haalde voor het eerst in tien maanden het bruine potje tevoorschijn. Het was nog steeds niet te laat om de grimmige beelden van die middag uit te wissen, beelden die haar nu levendiger voor de geest stonden dan ze ze in haar verwarde staat had ervaren – Sam, die gedwee, verslagen, de slappe hand van het meisje had geschud terwijl de volwassenen toekeken, net zo ongemakkelijk als de manier waarop zij de vader de hand had gedrukt, dit alles tegen de achtergrond van gemompelde gemeenplaatsen en beleefdheden. En waarom juist deze twee? had Charlotte toen, en daarna nog vele malen wanhopig gedacht. De man met de dode vrouw, die haar huis afschuwelijk had gevonden, en die stuntelige dochter met haar broze, broodmagere armen en benen vol sproeten. Waarom had Sam niet een minder zielig wezen gekozen, het een of andere kauwgumkauwende, te dikke ventje met flaporen en varkensogen?

Na alle verzoeningen en geruststellingen – dat Sam ook steun nodig had en die zou krijgen – was Charlotte niet in staat geweest het gevoel van zich af te schudden dat het falen van haar zoon om zich fatsoenlijk te gedragen, ook haar falen was. Als hij ongelukkig was, moest dat ook haar schuld zijn. Niemand zei dit ronduit, maar ze kon wel voelen dat ze het dachten. Toen ze Sam mee naar buiten loodste, langs de glimlachende en begrijpende gezichten, terwijl ze een houding van waardigheid probeerde aan te nemen, besloot Charlotte dat ze nog liever voor een vuurpeloton ging staan dan iets dergelijks nog eens mee te moeten maken.

Eenmaal thuis had ze Sam, die bleek en uitgeput was, niet tot praten in staat, voor de televisie laten eten voor hij naar bed ging. 'Ze mag me niet,' was zijn enige uitleg geweest tijdens deze rituelen. 'Niemand mag me.' Hij was onmiddellijk in slaap gevallen, na eerst een groezelige witte zeehond uit de verzameling speelgoeddieren op de plank boven zijn bed te hebben gevist en die onder zijn kin te hebben gestopt.

Charlotte was op haar tenen naar beneden gelopen en had Martin opgebeld, maar ze had alleen maar Cindy's zangerige stem gehoord die meldde dat geen van beiden op dit moment aan de telefoon kon komen. Daarna had ze Tim gebeld om hun afspraak af te zeggen. Ze gaf de reden heel kort en plompverloren door, te uitgeput om zich te bekommeren om de vraag hoe dit allemaal klonk. Daarna had ze voor zichzelf wat witte bonen op toast gemaakt en had ze net de eerste hap naar haar mond gebracht toen Martin terugbelde.

`Heb je die videobeelden gezien?' snauwde hij. 'Heb je die gezien?'

'Nee, ik heb er niet eens naar gevraagd,' had Charlotte gestameld. 'Ik... Sam... Sam heeft deze dingen echt gedáán, Martin. Hij heeft het arme meisje een sms gestuurd dat ze moest oprotten. Hij heeft alles toegegeven en hij heeft gezegd dat het hem spijt. Hij heeft deze dingen echt gedaan.'

Ze kon hem diep horen ademhalen, vaag maar duidelijk, de stilte voor de storm.

'Vertel me dan maar eens hoe,' ontplofte hij, 'hoe jij de situatie zo catastrofaal verkeerd hebt kunnen inschatten. Te denken dat iemand anders lelijk tegen Sam deed terwijl...' Op dat moment had Charlotte zich uit zelfverdediging in gedachten volledig afgezonderd, weg van zijn stem en het bord koude bonen, naar een veilig plekje binnen in haar hoofd.

Zeg dat wel: hoe. Charlottes arm voelde zwaar toen ze het plastic potje schudde en het weer terugzette. Ze hadden haar op de been gehouden toen ze absoluut op het dieptepunt was beland. Als ze er nu weer haar toevlucht toe nam, kwam dit neer op een erkenning dat ze weer zo diep was gezonken, dat ze zelfs zonder een ijskoude, vijandige, bedriegende echtgenoot de schuld te kunnen geven nog altijd niet in staat was vrede te kunnen vinden, dat ze nog steeds overal een puinhoop van maakte.

Die nacht, zonder slaap, kende verschillende fases. Het gezoem van de auto's kwam met onderbrekingen. Twee katten voerden een duet vol hoog gejank uit. Een lawaaierige groep jongelui schreeuwde, lachte en schopte tegen blikjes. Het duister werd dichter en dunde daarna uit tot een gespikkeld grijs toen de maan met de wolken kat-en-muis speelde. De uitputting bracht een soort maniakale helderheid met zich mee. Dus zij had het bij het verkeerde eind gehad, ze had het beste van haar kind gedacht in plaats van het slechtste, ze had echo's van haar eigen diepste angsten gezien in plaats van die van hem. Nou en? Dat betekende alleen maar dat zij ook menselijk was. En de school was er ook voor verantwoordelijk – die klassenlerares met haar haar als van gesponnen suiker en haar mierzoete glimlach, om van Martin nog maar te zwijgen...

Charlotte ging rechtop zitten en deed het licht aan. Ze kneep haar ogen halfdicht tegen de felle gloed, tastte naar de telefoon naast het bed en belde Martin op zijn mobiele nummer. Het was asociaal vroeg, maar hij zette zijn telefoon 's nachts toch altijd uit en het enige dat ze wilde was haar hart uitstorten in een bericht, terugvechten zoals ze dat eerder had nagelaten, om uit te leggen wat geen uitleg zou horen te behoeven; dat Sams gedrag betekende dat hij inderdaad ongelukkig was, zoals ze had vermoed, dat het gevoel van niet bemind te worden maakte dat mensen allerlei vreemde dingen deden, en dat het aan hen als ouders was om hem erdoorheen te helpen.

Ze had het allemaal gezegd, op een afgemeten, scherpe toon zoals ze die in een gesprek niet wist op te brengen. Toen rinkelde de telefoon. Cindy was aan de lijn, ze sprak met een zachte, behoedzame stem. 'Charlotte?'

'Cindy, het spijt me, ik... ik heb zojuist een bericht achtergelaten voor Martin. Ik...' Charlotte keek op haar wekker. Het was halfzes. Buiten in de donkergrijze duisternis waren de vogels begonnen te zingen.

'Over Sam?'

109

'Natuurlijk, ja. Het spijt me geweldig dat ik je wakker heb gemaakt. Ik dacht dat zijn telefoon uit zou staan.'

'Het geeft niet, ik was toch al wakker.'

'O ja?' Charlotte wachtte, bedacht op boosheid.

'Wat een akelige toestand met Sam. Ongelofelijk. Hij is zo'n lieverd.'

'Ja. Ja, dat is hij.'

'Zal ik dan maar vragen of Martin je terugbelt?'

'Ach, ik heb dat bericht achtergelaten, maar ja, graag.' Charlotte aarzelde. Ze moest een absurde opwelling onderdrukken om Cindy te vragen of alles goed met haar was. Ze klonk alsof ze niet in orde was.

'Tot ziens dan maar.'

'Tot ziens, Cindy.'

Charlotte deed het licht uit en trok het dekbed weer tot haar kin. Het bed leek opeens enorm groot. Ze stak haar voet uit naar de ijzige ruimte van wat eens Martins kant was geweest en ze dacht terug aan hoe heerlijk het was geweest om met koude tenen naar een warm been te zoeken. Hadden Cindy en Martin problemen? Ze liet die gedachte zweven, probeerde hem van alle kanten te bekijken om haar emoties te testen. Onder druk kon Martin onuitstaanbaar zijn. En Cindy had er de laatste tijd wat pips uitgezien. Misschien herhaalden de patronen zich daar ook. Getroost viel Charlotte ten slotte in slaap, ze omarmde de kussens aan de lege kant van het bed en verwarmde ze aan haar borst.

Boven lag Sam diep in slaap tot hij wakker werd door pijn in zijn blaas. Hij nam zijn zeehond mee naar de badkamer en zette hem op de rand van de wc. Hij bleef met een half oog naar de besnorde snoet kijken terwijl hij plaste. Het was een lekker gevoel, zo lekker dat hij voor deze ene keer heel voorzichtig deed met de druppels en zelfs de moeite nam om na afloop zijn handen te wassen. Hij wist dat er van hem werd verwacht dat hij zich vreselijk zou voelen, omdat hij vreselijke dingen had gedaan. Tegen Rose, die stomme Rose, die zo goed was in het doen alsof ze een boom was, die hem aankeek alsof hij er niet was. Waaróm? Dat was alles wat ze wilden weten, alsof er voor alles een reden moest zijn, terwijl dat meestal niet zo was, terwijl de meeste dingen gewoon vanzélf gebeurden. Hij had haar niet echt pijn gedaan, hij had alleen maar even geknepen en aan haar arm gedraaid en een stom sms'je gestuurd, voornamelijk om te zien hoe ze zou reageren – en misschien ook om haar een beetje te laten merken dat hij er ook was.

Sam draaide zich om naar de deur en herinnerde zich toen de zeehond. Het ding keek hem aan met kleine, zwarte oogjes, glinsterend en begrijpend. Hij pakte het beest en gleed met zijn neus over de zachte vacht. Het rook naar zijn bed, waarschijnlijk naar hém. Het was een lekkere lucht, vond Sam, en hij stopte zijn neus er nog dieper in terwijl hij dacht aan de vreemde zeepachtige geur van de lakens bij George thuis. Hij dacht ook even aan Rose, dat hij haar tegen zijn borst had gedrukt en dat ze naar pepermunt rook, warm was. Hij had haar geen pijn willen doen. Echt niet. Sam drukte zijn gezicht in de zachte buik van de zeehond en liet de groezelige vacht zijn tranen en de sliert snot uit zijn neus opnemen.

Terug in bed keek hij hoe de lange metalen wijzers van zijn nieuwe klok schokkerig over de wijzerplaat draaiden, en hij wenste dat er een manier was om ze tegen te houden, een manier om het nooit morgen te laten worden, en tijd om naar school te gaan. Hij besefte dat er geen kans was op uitstel. Hij had zijn moeder nog nooit zo kwaad gezien – de ijzige stilte in de auto, haar mond als een rechte streep, haar ogen die vuur schoten. Maar nog veel erger was de blik in haar ogen geweest, in het kantoortje van het schoolhoofd, toen ze glazig had gekeken en haar mond nerveus had getrokken, net als bij hem als hij probeerde niet te huilen. Sam had vurig gehoopt dat ze dat niet zou doen. Bij al het gepraat en het hoofden schudden en het sorry zeggen was dat het enige waar hij aan kon denken. En ze had niet gehuild. De vloeistof langs haar oogleden was zichtbaar, maar was nooit over de rand gestroomd en als haar lippen trilden, beet ze erop.

Opeens ging de deurbel, het leek wel secondelang. Sam wilde graag zijn best doen en sprintte daarom de trap af. Hij prutste met de sloten, sleepte de stoel in de hal naar de deur om bij de bovenste grendel te kunnen.

'Voor je moeder, denk ik,' zei de bezorger. Hij knipoogde toen hij een grote bos gele rozen overhandigde. 'Verjaardag zeker? Laten we hopen dat ze van je pa zijn, hè?'

Sam deed langzaam de deur dicht. Het was toch niet de verjaardag van zijn moeder? Hij dacht diep na, en wist wel niet precies de datum te bedenken maar hij herinnerde zich wel dat de feestelijkheden meestal plaatsvonden in de zomervakantie. En het was nog niet eens Pasen geweest, dus dat zat wel goed. Hij liep naar de trap, met het boeket voorzichtig in beide armen. Hij wist dat het niet van zijn vader kon zijn, maar hij hoopte ook dat die makelaar met de baard het niet had gestuurd.

'Sam, wie was dat?'

'Eén moment.' Het laatste stukje trap nam hij met twee treden tegelijk, aangespoord door het besef dat bloemen, van wie ze ook afkomstig mochten zijn, haar waarschijnlijk een goed humeur zouden bezorgen.

Aanvankelijk leek alles heel veelbelovend. Toen Charlotte de rozen zag, ging ze met een kreet rechtop in bed zitten en scheurde de envelop open, alsof het inderdaad een verjaardagscadeau was – het spannendste cadeau dat ze ooit had gehad. Terwijl ze het briefje las, snoof ze dromerig aan de rozen en liet zich toen weer in de kussens zakken met een onnozele glimlach op haar gezicht. Ze waren van Tim Croft, bekende ze, nog onnozeler, hoewel Sam, met een toewijding die zijn klassenlerares nieuwe hoop zou hebben gegeven, daar al zelf achter was gekomen door het briefje ondersteboven te lezen: *Veel liefs van Tim. Volgende week vrijdag eten? Ik geef nooit op.*

Maar zodra Sam het voorstel om niet naar school te hoeven had ingediend, werd haar gezicht wit en hard. Ze schoof de bloemen opzij en zei dat daar geen sprake van was, dat hij in bad moest en daarna moest ontbijten, vervolgens twee brieven moest schrijven, één aan het hoofd van de school en één aan Rose Porter, en dat als hij daar een probleem mee had, ze er nog een paar meer voor hem zou weten te bedenken.

'Goddank hebben we besteld,' merkte Henry de volgende avond op, toen hij zich met Graham en Paul een weg baande door de menigte, naar de richel waar de barkeeper had beloofd de champagne neer te zullen zetten. De fles was opengemaakt en in een ijsemmer gezet, naast zes flûtes en twee zakjes pinda's. Zijn metgezellen, die net als hij verhit en uitgedroogd waren door het te hoog ingestelde verwarmingssysteem van het theater, wreven zich waarderend in de handen terwijl Henry inschonk.

112

'Vinden jullie niet dat we eigenlijk op de dames moeten wachten?' zei Paul voorzichtig, kijkend in de richting van het bordje van de toiletten.

'Meneer maakt een geintje,' spotte Graham, die dankzij een afscheidsfeestje van een collega, waardoor hij bijna te laat was geweest en wat hem een vernietigende blik van zijn vrouw had opgeleverd, enkele glazen op de anderen voorliep en een stuk dorstiger was. 'Je weet hoe de dames-wc's zijn, er staat áltijd een rij. Volgens mij hadden ze het alle drie gewoon op moeten houden, hun benen gekruist moeten houden tot het eind van het vijfde bedrijf. Als ze daar nog veel langer blijven, zullen we serieus moeten overwegen hun deel voor onze rekening te nemen.'

'Wat vinden jullie van het stuk?' vroeg Henry. Hij pakte een handje pinda's terwijl hij zich voornam het broodmandje over te slaan als ze straks in het restaurant zaten.

'Hij is wel goed. Maar van haar weet ik het nog niet zo zeker. Een beetje...' Graham fronste zijn wenkbrauwen, op zoek naar het juiste woord, terwijl hij in een plotselinge flits Naomi voor zich zag zoals ze de vorige avond wankelend beneden was gekomen na een vierde poging om de tweeling onder de wol te stoppen. 'Hysterisch, vind ik. Ze overdrijft het vreselijk, alsof ze naar de toneelschool is geweest en ons dat wil laten weten.'

'Ik vind dat het hele stuk is óvergeïnterpreteerd,' beaamde Paul, met een autoriteit die voortsproot uit het feit dat hij, ondanks zijn carrière in de accountancy, in Cambridge cum laude was afgestudeerd in de Engelse taalwetenschap. 'Het verhaal schijnt erdoorheen, dat is altijd zo bij Shakespeare, en ze dikken het aan als in de eerste de beste soap.'

'Ha, daar zijn ze.' Henry zwaaide toen de hoofden van Theresa, Josephine en Naomi in de deuropening aan de andere kant van de bar in zicht kwamen. Hij zag dat zijn vrouw het groepje voorging door de menigte. Hij constateerde dat ze zich die avond met bijzonder veel zorg had gekleed, in een kantachtig zwart topje dat was ontworpen om een verleidelijk beetje huid en beha te tonen, en een fluwelen rok die mooi wijd over haar knieën viel. En ze had ook haar hoogste hakken aan, die waarvan ze beweerde dat ze er een doof gevoel van in haar tenen kreeg. Ze had deze hele outfit ongetwijfeld binnen vijf minuten bijeengezocht, tussen het voorlezen van verhaaltjes voor het slapen gaan, het geven van instructies aan de oppas en het niet vergeten van de theaterkaartjes.

Kortom, hij bofte geweldig met zo'n vrouw, zei Henry tegen zichzelf, terwijl hij glazen presenteerde toen de vrouwen arriveerden, en hij bedacht hoe schitterend ze er allemaal uitzagen in hun mooie kleren, hoe zulke avonden, met hun kostuums en gepraat, net minitoneelstukken op zich waren. Hij herinnerde zich op hetzelfde moment dat Theresa aan het begin van de tweede akte haar hand op zijn knie had gelegd, juist toen de acteur met het zwarte gezicht, die Othello speelde, luidkeels had verkondigd dat 'onze liefde en geborgenheid horen toe te nemen. Zelfs wanneer onze dagen lang worden.' Henry had geantwoord door zijn hand braaf, kortstondig, over de hare te leggen, terwijl hij zich verbaasde over die verhipte intuïtie van haar om precies op dat moment om geruststelling te vragen, juist omdat ze aanvoelde dat hij niet in de stemming was om die te geven. Was het goed kennen van een andere persoon ook liefde? vroeg Henry zich opeens af. Was het zo eenvoudig?

'Wat is het toch akelig, hè,' zei Josephine gretig, 'te weten dat alles verkeerd zal aflopen. Net alsof je een botsing in slow motion ziet.'

'Ach ja, de fatale tekortkoming.' Graham keek de andere vijf veelbetekenend aan. 'Die hebben we toch zeker allemaal?'

'En wat is die van jou dan, Graham?' plaagde Josephine, zoals gebruikelijk heel ad rem. 'Vertel op, je bent hier onder vrienden, weet je.'

Naomi's man krabde zich in zijn kortgeknipte donkere haar, in een vertoon van diep nadenken. 'Eens even kijken, te hard werken in het belang van anderen... een neiging tot zelfopoffering...'

'Ja, precies,' mompelde Naomi in haar glas.

Theresa bekeek aandachtig het gezicht van haar man. Er zat een spikkeltje op zijn wang, misschien wat zout of een kruimel van de pinda's. Zijn ogen waren van vrolijkheid een eindje dichtgeknepen, zijn grote, vriendelijke mond bewoog ontspannen tussen glimlachen, eten en praten. Hij duwde de brug van zijn bril over zijn neus omhoog en trok aan een oor. Hij was zoals hij altijd was. En zij was een trut. Een verwende trut met zoveel zegeningen in haar leven dat ze zich de luxe kon veroorloven gepikeerd te zijn omdat er een paar weken lang niet

de liefde met haar was bedreven, en jaloers te zijn op Charlotte – uitgerekend op Charlotte – alleen maar omdat Henry tijdens een zondagse wandeling veel aandacht aan haar had besteed terwijl Theresa de
brave huismoeder had moeten spelen met het snuiten van snotneuzen,
het overeindzetten van omgevallen driewielers en het oplossen van
ruzies tussen de jongens. Henry had haar moeten helpen, en dat had
ze hem ook boos verteld zodra Charlottes Volkswagen reutelend van
hun voordeur was weggereden. Hij had sorry gezegd en zij had gezegd dat het wel goed was.

Maar het was niet goed, want er waren nog andere dingen waar
Theresa zich niet toe kon brengen ze te noemen. Zoals het flirtzieke
geplaag aan tafel over Charlottes leeftijd, en het belachelijk royale
aanbod dat zij een feest voor haar veertigste zouden geven (een
feest!), en later in de week de zorgvuldig gerepeteerde vraag of ze
Charlotte ook niet mee hadden moeten vragen naar het theater. Vroeger zouden ze Martin en Charlotte hebben meegevraagd, had hij be-
toogd, waarbij hij eruit had gezien als George wanneer die om meer
tijd op zijn PlayStation smeekte, of om een tweede portie ijs, met een
strak trekje rond zijn ogen, alsof hij tegen iets heimelijks moest strij-
den, dus was het toch niet eerlijk om Charlotte buiten te sluiten alleen maar omdat ze alleen was? Of Martin en Cindy, had Theresa teruggekaatst. Waarom zouden ze hen dan niet in plaats daarvan of
eveneens vragen? Dat had hem de mond gesnoerd. Maar daarna was
ze naar de keuken verdwenen en had de potloodstrepen in de grote
agenda naast de telefoon gezien – dunne, onschuldige strepen die
langs de bovenkant van de data van de paasvakantie liepen. 'Studieverlof' had hij erboven geschreven, wat betekende dat hij zich, als
altijd, terug zou trekken in Suffolk. Maar ze wisten allebei dat Charlotte ook rond die tijd in Suffolk zou zijn – er stond ook ook een
streep in de agenda voor haar. Toen Theresa van de ene pijl naar de
andere had gekeken, had ze opeens een onvermijdelijke botsing in
die paden gezien. 'Studieverlof' en 'Charlotte' waren voorbestemd
elkaar te kruisen. Net als het kijken naar de ramp in slow motion op
het toneel, zoals Josephine dat zo raak had omschreven, bedacht ze
ongelukkig, terwijl de champagne in haar slapen klopte toen ze terugliepen naar hun plaatsen.

Maar toen op het toneel het valse, fatale bewijs van Desdemona's zakdoekje zijn smerige werk deed begon Theresa zich een stuk beter te voelen. Wat je zag, en wat de waarheid was, waren volstrekt verschillende dingen. De les die de ongelukkige Othello je kon leren was dat te veel angst en fantasie konden maken dat juist die ramp zich voltrok die je nou net wilde vermijden. Het enige wat echt van belang was, was vertrouwen. De rest kwam vanzelf. Voor de tweede keer die avond zocht ze Henry's hand, om haar vingers tussen de zijne te vlechten: de mooie, lange vingers, chirurgenvingers, waar ze altijd zo van had gehouden. Zijn handpalmen waren een beetje klam, maar het was erg warm in het theater. 'Vaarwel, kalme geest,' kreunde Othello, 'vaarwel, geluk.' Maar niet voor mij, nam Theresa zich stellig voor, en ze trok haar hand weg omdat ze bespeurde dat Henry werd gestoord door de aanwezigheid ervan. 'Ik rammel van de honger,' fluisterde ze in plaats daarvan, en ze duwde haar onzekerheden ver weg. 'Ze moeten eens opschieten met dat vijfde bedrijf.'

Later, in het restaurant, begon ze uit zichzelf over het dilemma van Charlotte en de theaterkaartjes, heel ontspannen en zelfverzekerd. Er volgde een levendige discussie, met daarin opgenomen het probleem van de gespleten loyaliteit jegens gescheiden vrienden en hoe het beste met alleenstaande vrienden om te gaan. Daarna werd het gedrag van de arme, in ongenade gevallen Sam ook nog eens opgepakt en uitvoerig behandeld, te midden van veel gemompel vol afschuw, ongeloof en medelijden... Dat uitgerekend de moederloze Rose werd gepest door die kleine Sam. Het gesprek raakte doordrongen van het soort leedvermaak dat onder hechte vrienden niet op zijn plaats hoort te zijn.

Theresa zag in dat dit niet hoorde, maar ze bracht het niet op dit een halt toe te roepen. Ze zou doen wat ze kon om Charlotte te helpen, via beïnvloeding van George (ze had alweer een preek afgestoken over je vrienden bijstaan in tijden van nood) en haar eigen vermogen tot vriendelijkheid. Ze was erg op die vrouw gesteld ondanks haar verwarde gedrag en zwakke punten. Maar op zijn minst voor deze avond gold dat de veiligheid van haar eigen positie binnen deze veilige cirkel van vrienden, aan de zijde van haar man, veel belangrijker was. Dus liet ze het gesprek verder rollen, was ze blij met het instemmende gemompel toen het punt van het uitlenen van de cottage ter sprake kwam en vertelde ze zelfs dat Henry tijdens zijn gekoesterde studieverlof rekening moest houden met deze overlast. Ze keek even naar haar man terwijl ze dit zei, en voelde zich bemoedigd door zijn instemmende gekreun en de bereidheid haar recht aan te kijken.

7

Zes weken na het begin van mijn eerste trimester, en de stad is veranderd in een maanlandschap vol sneeuw. De kathedraal verrijst onder een dikke laag rijp, als een enorme bruidstaart uit al dit wit. De klok slaat wanneer ik erlangs kom en de slagen klinken gesmoord en onzeker in de sneeuwstorm. Ik draag mijn nieuwe met bont gevoerde laarzen en een houtje-touwtjejas. Ik ben laat en moet me haasten voor de auditie. De sneeuw plakt in ongelijke klonters aan mijn zolen en maakt me traag, brengt me uit mijn evenwicht. Het is zeven uur en ik moet nog bijna een kilometer lopen.

Ook al ben ik laat, toch schuif ik mijn capuchon naar achteren en kijk omhoog naar de klokkentoren, terwijl ik troost en betekenis zoek in deze nieuwe, mysterieuze schoonheid. Maar het enige wat ik zie is een kerk, bedekt met sneeuw en groter dan die waar ik tien dagen geleden voor stond, kokhalzend door de wierook terwijl mijn moeder beefde onder haar sluier en geluiden maakte waarvoor ik me geneerde en waarvoor mijn vader zich ongetwijfeld zou hebben gegeneerd als hij in staat was geweest om door de houten zijkanten van de kist heen te kijken. Hij zou die wierook ook niet hebben gewild, of iets van die andere rooms-katholieke details waar zij zo op had gestaan, maar hij had geen instructies achtergelaten, dus had zij de vrije hand. Het was een dienst voor haar, niet voor hem. En toch huilde ze aan één stuk door. Ik stond met droge ogen zwijgend naast haar terwijl ik me afvroeg of dit hypocrisie of liefde was.

Mijn eigen tranen komen in de eenzaamheid, zoals nu, in de hoekige schaduw van de kathedraal, terwijl de sneeuwvlokken op mijn lippen smelten en de gedempte slagen nog in mijn oren galmen. Mijn gesloten cirkel is verbroken, mijn referentiepunt is verdwenen. Ik heb nu alleen nog haar van wie ik niet hou. Ik heb geen antwoorden. Ik heb geen thuis, alleen een huis dat ik liever niet bezoek. Mijn koers bestaat uit boeken die geen zin lijken te hebben, een zoektocht naar ideeën die ik niet begeer na te streven. Er is geen patroon, geen betekenis. Het is Eve die me, moederlijk, vermanend, bezorgd, uit mijn kamer heeft gejaagd om de auditie bij te wonen. Zij gaat ook, maar ze komt ergens anders vandaan. Net als ik heeft ze nooit eerder toneelgespeeld, maar ze is verliefd op de regisseur en is daarom bereid de verschrikkelijkste dingen te doen alleen maar om dezelfde lucht te kunnen inademen. Ze heeft gezegd dat we hoogstens onszelf voor schut kunnen zetten, dat als we als acteurs worden afgewezen, we altijd nog kunnen aanbieden om attributen te zoeken en decors te schilderen. Ze zei dat het hele leven gaat over jezelf bijeenrapen na een val, over niet bang zijn om naar je dromen te reiken. Waaruit ik heb opgemaakt dat ze echt heel verliefd moet zijn.

Met natte haren, natte ogen, een natte neus, glibberend op mijn klonterige zolen, steek ik het binnenplein van het college over en duw de dubbele deuren open van de zaal waar een schoolbord in de portiersloge me naar heeft verwezen. De deur piept, maar niemand draait zich om. Er staan enkele rijen stoelen, half gevuld, van mij af gericht naar een geïmproviseerd podium dat door twee Anglepoise-lampen wordt verlicht. Een meisje met blauwe strepen in haar haar en knalrode lipstick ligt op haar knieën en krijst een tekst uit het script: 'Ja, we weten allemaal wat jij voor mij hebt gedaan!' Haar stem is geforceerd, rauw, op fascinerende wijze overdreven. Toch wordt mijn blik niet naar haar getrokken, maar naar de man die boven haar staat. Lang, warrig, rossig haar, met slanke heupen in een strakke spijkerbroek, erboven een haveloze zwarte trui waarvan de mouwen tot boven de ellebogen omhoog zijn geschoven. Met een van de lampen pal achter hem schijnt het licht door zijn haar. Wanneer hij beweegt word ik verblind. Ik hou mijn handen boven mijn ogen en tuur. Ik had gedacht dat hij auditie deed voor Jimmy, maar hij bedankt het meisje en roept dat ik moet gaan zitten.

Ik loop op de tast langs de rij naar Eve, die me een script in de handen duwt.

'Is hij niet hemels?' fluistert ze. 'Is hij niet absoluut hemels? Ik moet hierna, We mogen zelf kiezen wat we doen, zegt hij. Ik doe die scène met de strijkplank, aan het begin. Wat vind jij?'

Omdat ik geen mening heb, knik ik en begin in het script te bladeren.

'Ik heb een Helena nodig,' roept hij, en hij wijst in onze richting. Eve staat op. 'Nee, niet jij. Jij daar.' Zijn vinger is iets naar de linkerkant van mijn borst gericht, naar mijn hart. Ik sta op, schud mijn jas uit, haal mijn vingers door mijn natte massa haar. Ik beweeg me langzaam, ben me van veel dingen bewust, inclusief verbazing over hoeveel er verpakt kan zijn in één enkel menselijk moment. Deze man en ik zullen samen naar bed gaan, weet ik. Ik weet ook dat Eve het weet, dat de verbinding tussen het toneel en mijn stoel, die zo snel is ontstaan en zo sterk is, op de een of andere manier zichtbaar is. Als ik naar het toneel stap, voel ik hoe haar dromen onder mijn voet worden vermorzeld, maar mijn begeerte is te groot om me daarom te bekommeren.

Geluk, leer ik die avond, komt wanneer de vervulling van het verlangen niet alleen de verwachting te boven gaat, maar wanneer dat verlangen gelijktijdig, in gelijke mate, door een ander wordt ervaren. Terwijl we pasta eten en over John Osborne praten, en over de goedkope posters aan de muren van de bistro, over het bestaan als enig kind en of champignons geschild moeten worden, besef ik met juichende zekerheid dat de balans van de vreugde absoluut is. Hij denkt er net zo over als ik. We zullen de liefde bedrijven, maar er is nu al dat verrukkelijke besef van vertragen, het besef dat we de rest van ons leven voor ons hebben. Op mijn aandringen delen we de rekening, lachend om ons wederzijdse onvermogen om met getallen om te gaan, waarbij alledaagse zaken in uitingen van verliefdheid worden omgezet. Voor we weggaan grijpt hij een schoon papieren servetje van een naburig tafeltje en scheurt dit doormidden. Ik schrijf mijn naam en telefoonnummer op de ene helft, en hij de zijne op de andere. Ik kijk naar hoe zijn hand de balpen vasthoudt en verbaas me erover dat ik ooit de naam Martin gewoon heb kunnen vinden, terwijl ik me afvraag hoe zijn tong in mijn mond zal voelen.

Er hing die vrijdagmorgen zoveel nevel, die als rook in flarden door hun armoedige achtertuin trok, dat Dominic, achter zijn eerste kop thee in de tochtige kilte van de keuken van hun huurhuis, zich afvroeg of hij zijn geplande bezoek aan het vliegveld van Redhill niet beter kon afzeggen om in plaats daarvan naar zijn werk te gaan. Boven kon hij de planken van de vloer horen kraken, en het stromen van water toen Rose heen en weer liep tussen de badkamer en haar slaapkamer, terwijl ze zich klaarmaakte op een manier die Maggie met stomheid zou hebben geslagen. Rose, die een wekker zette! Rose, die niet pas op het nippertje uit bed kwam! Die haar tanden poetste zonder dat dit haar werd gevraagd, die een kam door haar weerbarstige haar haalde – ongelofelijk, fantastisch! Zijn vrouw en zijn dochter hadden hevig ruziegemaakt over zulke rituelen, zo hevig zelfs dat Dominic soms blij was geweest als hij met zijn aktetas naar buiten kon ontsnappen. Ze botsten doordat ze zoveel op elkaar leken: intens, obstinaat, eigenzinnig. Net twee tijgers in een kooi. Maar ook heel hartstochtelijk, heel liefdevol. Dominic slikte een hete slok thee door. Dit mocht echt niet, vandaag niet, andere dagen ook niet. Sentimenteel gedoe. Hij slikte nog eens, nu moeizamer.

'Hoi, pap.'

'Hoi, liefje. Ik heb gisteren een pakje Pop-Tarts gekocht, het ligt in de broodtrommel.'

Ze trok het puntige uiteinde van haar neus op, het enige deel van haar gezicht waar de sproeten zo verspreid waren dat haar parelkleurige huid er zichtbaar werd.

'Ik dacht dat je die lekker vond.'

Ze schudde haar hoofd. 'Nu niet meer.'

'Oké.' Dominic goot het laatste beetje thee naar binnen. 'Dan maar cornflakes of zo.' Hij begon pakjes uit de kast te halen.

'Ga je niet werken?'

'Nee.' Hij lachte. 'Hoe kom je daar zo bij?'

Ze haalde haar schouders op, duidelijk niet onder de indruk van de bewondering in zijn stem. 'Je hebt toch zeker je spijkerbroek aan? Dat betekent dat je gaat vliegen of op huizenjacht gaat.'

'Het eerste, wijsneus. Ik hoef niet meer naar huizen te kijken, weet je nog?' drong hij aan, een beetje bezorgd dat ze zoiets kon zijn vergeten. Hij vroeg zich af of dit betekende dat ze het huis toch niet leuk had gevonden, of dat ze dit alleen maar had gezegd om hem een plezier te doen. 'Ze hebben ons bod immers geaccepteerd?'

'Jouw bod, pap,' antwoordde ze hooghartig. 'Het is immers niet míjn geld?'

Dominic besloot de zaak verder met rust te laten. Ze bestudeerde de achterkant van het cornflakespakje, kennelijk niet in de stemming om het gesprek voort te zetten. Maggie was 's ochtends ook nooit zo spraakzaam geweest. Hoewel zij meestal degene was die als eerste naar beneden ging om thee te zetten, waarna ze vaak weer in bed kroop en haar kille tussen zijn benen duwde als ze de liefde wilde bedrijven. Dominic keek uit het raam toen de schaduw van het verlangen neerdaalde en weer optrok, als een geruisloze inwendige storm, maar nu toch gemakkelijker, beslist gemakkelijker.

De mist begon op te trekken, dreef in slierten over het hek en over de takken van de bomen, als dunner wordend haar. In de modder van het kale gazon zat een eekhoorn, zwiepend met zijn staart. Hij keek over zijn schouder, alsof hij wist dat hij werd gadegeslagen. Hij miste Maggie, maar soms miste Dominic alleen maar de seks, een heel basale behoefte, en toch een die verbijsterend gecompliceerd bleek om te bevredigen. Een blind date die door goedbedoelende vrienden uit Hampshire was georganiseerd, had tot een soort verhouding geleid; de vrouw was een knappe, slanke brunette geweest, een gescheiden vrouw met twee kinderen, intelligent, financieel onafhankelijk, een gretige minnares, royaal, fantasierijk. Dominic had mogelijkheden ge-

zien en zijn beste beentje voorgezet, maar hij was tot de conclusie gekomen dat hij zich eerder een toeschouwer in de relatie voelde dan
een deelnemer eraan. Zelfs tijdens het bedrijven van de liefde had hij
een duidelijk, beschamend besef van afstandelijkheid gevoeld en had
hij na afloop de neiging gevoeld om zich uit haar armen los te maken
en halsoverkop naar huis te gaan.

Dat had hij natuurlijk niet gedaan. Dominic was daar veel te welop-
gevoed voor. In plaats daarvan was hij stil blijven liggen terwijl er een
hoofd op zijn arm rustte en vingers het schild van donker haar op zijn
borst streelden en een niet-vertrouwde stem hem intieme vragen over
liefde en verdriet stelde. Hij had toen beseft dat zijn verdriet een zekere
aantrekkingskracht inhield, de romantiek van een tragedie, een man
die moest worden gered. Hij had zich verzet, wenste geen hulp, dus
had ze op zijn korte antwoorden gereageerd door haar eigen confi-
denties, die onvermijdelijk de teleurstellingen in haar huwelijk behels-
den, over hem uit te storten. Dit alles had Dominic ineen doen krimpen in het schemerlicht van de slaapkamer. Hij was teruggeschrokken
voor het gewicht van alles wat ze met hem wilde delen. Omdat hij zich
na een paar van zulke ontmoetingen een huichelaar voelde, had hij een
punt achter de hele situatie gezet, waarbij hij allerlei gemeenplaatsen
– er nog niet klaar voor zijn, ruimte nodig hebben – had aangehaald
om de aftocht gemakkelijker te maken.

Wat hij nodig had was een onbeschreven blad, peinsde Dominic, en
hij keek de eekhoorn na toen die over een veldje met onkruid rende
en daarna een boom in schoot. Een fris en onbekommerd iemand
zoals Maggie was geweest toen ze elkaar pas hadden ontmoet, vol idea-
len, hoop en goedmoedigheid, met nog steeds het idee dat de wereld
allerlei moois in petto zou hebben in plaats van veel teleurstellingen.
Iemand als het Poolse meisje misschien, dat zijn listige broer onlangs
tijdens een etentje aan Dominics kant van de tafel had geplaatst. Ze was
achter in de twintig, zelfverzekerd, had grote ogen vol levenslust, was
vervuld van een jeugdige gretigheid om het anderen naar de zin te maken, te slagen, trots op haar ongebruikelijke carrière – au pair, secre-
taresse, aankomend producer bij een filmmaatschappij – en ze had een
energie uitgestraald die onmogelijk viel te negeren. Dus hij had ook
cliënten die in films investeerden, had ze uitgeroepen in haar keurige

school-Engels, met de vreugde van iemand die op een geweldig toeval was gestuit, en misschien konden ze daar later bij een lunch eens verder over praten.

'Pap, we komen te laat.'

'Nee hoor.'

'Maar je hebt nog niets gegeten en het is al acht uur en je wordt misselijk als je niets eet voor het vliegen.'

Dominic streelde de wang van zijn dochter. Hij miste het onstuimige wezen dat de eerste tien jaar van haar leven zijn geduld zo op de proef had gesteld. Ze probeerde natuurlijk het gemis van Maggie te compenseren. Zelfs de meest amateuristische zielenknijper zou dat hebben bedacht. Allemaal heel begrijpelijk, maar desalniettemin hartverscheurend. Iets waarvan ze heel veel hield was weggenomen, dus zou ze verdomd goed haar best doen om dat te beschermen wat er over was. Op zijn manier had Dominic dat ook zo gevoeld, en hij had er in de moeilijke tijden heel hard tegen moeten vechten. Hij had haar met rust moeten laten terwijl hij niets liever had willen doen dan haar slungelige, broze, twaalf jaar oude lijf tegen zijn borst drukken en het uit te brullen van verdriet. Het was een nieuw spelletje dat ze speelden, zeurpieten mochten niet meedoen, en Rose was er nog steeds heel goed in. Het was typerend geweest hoe ze dat gedoe met die akelige Sam Turner had aangepakt. Ze had het gewoon voor zich gehouden, omdat ze hem niet ongerust wilde maken, en ze had het rustig bij het onderwijzend personeel gemeld toen het uit de hand begon te lopen, om het vervolgens achter zich te laten zodra de deur van het schoolhoofd achter haar dicht was gegaan. Sam Turner was een sukkel en een oen, had ze tijdens de autorit naar huis verkondigd, en ze zou hem hebben teruggeschopt als ze niet het risico had gelopen dan zelf ook in de problemen te komen.

Voor ze van huis gingen bekeek Dominic de ochtendpost. 'Er is een brief voor jou, kijk.'

'Voor míj?' Rose griste hem de brief uit handen, met een stralend gezicht.

'Van iemand die ik ken?'

Ze negeerde hem, stopte de envelop in de zak van haar blazer, maar ze voegde hem toen toe, met de goedhartigheid die ze van haar moeder had: 'Misschien laat ik hem je later nog wel zien, oké?'

Toen Dominic de M25 overstak, begon de schitterende voorjaarsdag die door de weerberichten was beloofd – heldere lucht, lichte bries, temperatuur tot zestien graden – door de nevel tevoorschijn te komen, als een prachtig olieverfschilderij dat onder een fletse laag aquarelverf vandaan komt. Hij voelde als altijd een diepe weerzin bij de gedachte aan de voorbereidingstijd die nodig was om de zware hangardeuren met zijn schouders open te duwen, de Cessna naar buiten, naar het asfalt te slepen, de noodzakelijke controles uit te voeren alvorens via de radio toestemming te vragen om op te stijgen. Hoewel sommige leden van zijn vliegeniersclub dol waren op zulke technische rituelen, was Dominic slechts mede-eigenaar van het vliegtuigje geworden om de pure vreugde van het in de lucht zijn. Heel kort na het overlijden van Maggie had hij een aantal keren alle veiligheidscontroles uit het boek overgeslagen – rolroeren, hoogteroeren, lichten, olie, gas, de hele handel – en was zonder enige voorzorgsmaatregel over de met gras begroeide startbaan voortgehobbeld met alleen maar de toestemming tot opstijgen. Niemand zou het weten, had hij geredeneerd. Er was niemand die zich erom zou bekommeren. Maar de tweede keer dat hij dit deed, bij een vlucht rond het eiland Wight, was er boven het Kanaal een storm opgestoken. Een halfuur lang had hij uitsluitend op zijn instrumenten moeten vliegen, wat hij zwetend van concentratie voor elkaar had weten te brengen dankzij de lessen voor gevorderden die hij juist met het oog op zo'n noodsituatie had gevolgd. Door elkaar geschud in de kleine cockpit, met de regen die tegen de voorruit kletterde, had hij koortsachtig het vliegtuig verder laten vliegen, met een hart vol verlangen om te overleven, niet alleen voor Rose – natuurlijk voor Rose – maar ook voor zichzelf.

Deze dag stelde Dominics uitstapje hem niet teleur. De lucht was intens blauw, de zon scheen fel, zelfs door zijn zonnebril. Duizend voet lager was de ordelijke kaart van Zuid-Engeland voornamelijk landelijk in plaats van verstedelijkt. Een groen feest voor het oog, een wereld geborduurd met de zilveren draden van rivieren en snelwegen en de donkerder, meer geometrische lijnen van hagen en omgeploegde akkers. Huizen die rond kerkjes waren gegroepeerd, als kiezels rond een rotsblok, met hier en daar de vlekken van smaragd en turkoois van golfbanen en zwembaden.

Dominic zwenkte naar het oosten, langs de onderste rand van de North Downs, waarbij hij de zijkanten van de stuurknuppel tussen zijn handpalmen liet zweven. Rechts in de verte kon hij een dicht, onheilspellend waas van geelgrijs boven Londen zien hangen: smog als gevolg van het hogedrukgebied, vrijwillige menselijke verstikking. Dominic huiverde en wendde het vliegtuig naar het zuiden, blij in staat te zijn dit alles de rug toe te keren. Hij steeg verder, tot de schapen op de velden witte vlekjes waren geworden en de meertjes van de kalkgroeven vingerafdrukken in blauw. Zijn hart, zijn hoop, stegen samen met het vliegtuig. Zo'n juweel van een dag, zo vol schoonheid en belofte. Een dag, peinsde hij, terwijl hij onwillekeurig even moest grinniken, waarop zelfs Maggie misschien bereid was geweest een van haar reisziektepillen te slikken en mee omhoog te gaan.

8

Theresa bleef op een armlengte afstand van de omheining toen ze over de ijsbaan schaatste, hevig haar best doend om te glijden in plaats van te wankelen, zoals het Charlotte een paar meter voor haar lukte. Achter hen, ergens in de bewegende menigte, botsten Sam en George steeds tegen elkaar en tegen de rand van de ijsbaan, alsof dit gespartel bijdroeg aan de opwinding van het proberen op de been te blijven. Charlotte was op aandrang van Theresa een eindje vooruit geschaatst. Ze droeg een blauwe sjaal die wapperde tussen de stralend kastanjebruine waterval van haar haar, en ze had de te rechte rug en benen van een amateur maar was toch sierlijk, omdat ze kennelijk de kunst meester was geworden waar Henry het in skivakanties zo uitvoerig over kon hebben: het verplaatsen van gewicht om momentum te verkrijgen in plaats van alleen maar je benen te bewegen. Het kwam neer op het je kunnen laten gaan, aldus Henry, om je instinct je intellect te laten overheersen. Op zich een mooie theorie, vond Theresa, terwijl ze haar pijnlijke enkels naar de zijkant stuurde om even op adem te komen, maar die hield geen rekening met het belang van zelfbehoud; autorijden, boodschappen doen, de was en muitende kinderen onder controle houden – één dom ongeluk, en de wereld zoals zij die kende stopte met draaien.

Ze stond nog te hijgen toen Charlotte zich over het ijs een weg naar haar toe baande. 'Is alles goed met je? Hou je ermee op? Zullen we gaan zitten? Dit was trouwens een schitterend idee van je, Theresa, om ons uit te nodigen op een dag in de week, zodat de jongens samen kunnen spelen, echt schítterend.'

'Ik wil wel graag een kop thee,' gaf Theresa toe, terwijl ze wenste dat haar motieven voor dit onverwachte uitje even zuiver waren als ze leken. Voor een gedeelte waren haar motieven zuiver: ze vond het gezellig om samen met Charlotte iets te doen, en ze vond dat ze haar kant moest kiezen in het licht van alle roddels die bij het hek van de school nog steeds over en weer vlogen te midden van buggy's, honden en fietsen en waarbij vergeleken haar eigen gekwebbel in het theater vorige week uiterst onschuldig leek. Een vrouw die Charlotte amper kende had het woord 'mishandeling' laten vallen, in een aandachtig luisterende groep die op het einde van de orkestrepetitie stond te wachten, en ze had er veelbetekenend aan toegevoegd dat zulke dingen altijd 'thuis' begonnen. Toen Theresa had gezegd dat dat kletskoek was en dat Sam in wezen een goeie knul was die het even moeilijk had – vreselijk verlegen, van de kaart door de scheiding van zijn ouders – hadden ze niet zozeer beschaamd alswel teleurgesteld gekeken, alsof hun iets leuks was ontnomen.

De samenvatting van George van deze situatie – dat Rose verwaand was en Sam niet goed wijs – had Theresa veel waarschijnlijker en oprechter geleken. Toen haar oudste dit oordeel had geveld, had hij met verfrissende snelheid haar aandacht op iets anders gericht: zijn woede over een gebeurtenis op de reservebank tot een hardnekkig pogen tot onderhandeling over het mogen stoppen met trompetles. Toen Theresa het plan om te gaan schaatsen had aangekaart, had hij zelfs dat als drukmiddel proberen te gebruiken, zeggend dat als zij wilde dat hij vriendjes werd met zo'n sukkel, er ook iets tegenover moest staan. 'McDonald's,' had Theresa gesnauwd, op scherpe toon om haar bewondering te verbergen. 'Friet en kipnuggets na afloop. En wat die muziekles betreft, die kunnen we alleen een trimester vooruit opzeggen, dus zit je er in elk geval tot het eind van de zomer aan vast.'

Het onzuivere aspect van haar uitnodiging aan Charlotte en Sam was iets waar Theresa probeerde niet aan te denken, en hield verband met overlevingsinstincten van een veel lagere en meer berekenende aard dan die welke een belemmering vormden voor haar behendigheid op de ijsbaan. Dicht bij de vijand blijven, zou haar moeder het hebben genoemd. Er waren geen nieuwe aanwijzingen voor ongerustheid, alleen maar die twee potloodstreepjes in de agenda en een gevoel van spanning dat kwam en ging, een gevoel dat soms echt leek en soms ook niet. Maar als er toch iets mocht gebeuren – een ontwikkeling in de verliefdheid of wat het ook maar mocht zijn als het bestond – dan wilde Theresa dicht genoeg in de buurt zijn om het te weten, om het te ruiken, even zeker als een dier zijn ondergang kan ruiken.

'O, kijk eens, Theresa, kijk! Ze hebben zo'n pret. Net als vroeger!' Charlotte zette twee plastic bekertjes met thee neer.

'Het leuke aan jongens,' merkte Theresa droog op, 'is dat ze meestal niet práten maar gewoon dóén, en als dat doen werkt...' Ze gebaarde in de richting van Sam en George, die Charlottes sjaal hadden geleend en die gebruikten om elkaar de ijsbaan rond te trekken '... dan valt al het andere op zijn plaats.'

Charlotte scheurde voorzichtig de hoek van een papieren suikerzakje af en kieperde de inhoud in haar thee. 'Dit is precies wat Sam nodig heeft na de narigheid van vorige week.' Ze zweeg even, schudde haar zakje en zette zich schrap om dat te beschrijven wat ze tot nu toe te akelig had gevonden om aan wie dan ook te vertellen, zelfs aan Martin, hoewel hij na haar bericht van 's ochtends vroeg had opgebeld om zijn excuses aan te bieden, waarbij hij koud maar braaf had gezegd dat als iemand iets te verwijten viel voor het gedrag van Sam, dit inderdaad een punt voor hen beiden was. 'In dat kantoortje van juffrouw Brigstock schenen ze allemaal – Rose, haar vader, de decaan – te denken dat het aan mij lag dat Sam zulke afkeurenswaardige dingen had gedaan...'

'Natuurlijk is het niet jouw schuld.'

'Zal best,' glimlachte Charlotte treurig. 'Het komt natuurlijk doordat hij ongelukkig is geweest.'

'Natuurlijk,' verklaarde Theresa opgewekt. 'Dat weet toch zeker iedereen?'

'En als een kind niet gelukkig is, aan wie ligt dat dan?'

Theresa ving de blik van George toen hij langs hun tafeltje zwierde, achter Sam en de sjaal aan. Ze zwaaide met beide armen, heimelijk blij om de afleiding. Er was dan misschien wel geen sprake geweest van mishandeling op zich, niet zoals die akelige vrouw bij het orkest had gesuggereerd, maar er waren wel problemen geweest in het Turner-huishouden, en Sam had daaronder te lijden gehad. Bovendien had hij bij zijn moeder altijd in het middelpunt van de belangstelling gestaan, en dat was niet goed voor een kind.

'En die van jou zouden zoiets nooit hebben gedaan, hè?' hield Charlotte aan, met volstrekte openheid. 'Jouw kinderen zouden bij Rose nooit een arm omdraaien, hè? En dan uitgerekend bij háár. Het meisje zonder moeder.' Charlotte kreunde. 'Je had eens moeten zien hoe die man me aankeek – de vader. Het was... dódelijk, net zoals ik waarschijnlijk naar hem zou hebben gekeken als het andersom was geweest,' bekende ze somber, en ze liet haar gezicht in haar handen zakken. 'Je weet toch dat hij mijn huis heeft bezichtigd? Of liever gezegd, níét heeft bezichtigd, omdat het hem op het eerste gezicht al niet beviel.'

'Dominic Porter? Nee, dat wist ik niet... Sorry dat ik moet lachen. O lieve help, wat is de wereld toch klein... O lieve help.' Theresa leunde achterover in haar stoel en schudde haar hoofd. 'Maar ik hoop, dodelijke blikken daargelaten, dat hij een beetje redelijk was... Ik bedoel, iedereen weet toch dat kinderen tot van alles in staat zijn.'

'Misschien wel, als zwijgen redelijk is.'

'Hij schijnt niet erg spraakzaam te zijn. Naomi zegt dat ze het diverse keren heeft geprobeerd en dat ze niets heeft bereikt. Arme man, na alles wat hij heeft meegemaakt... Hij werkt voor zo'n grote Amerikaanse bank, maar hij brengt Rose altijd zelf naar school. En hij was deze week ook bij het zwemfeest.'

'Nou, gewéldig, hoor... sorry,' voegde Charlotte eraan toe, toen ze Theresa's blik van verbazing zag. 'Maar alleen omdat hij weduwnaar en een alleenstaande vader is, vindt iedereen hem geweldig of dapper of weet ik veel. Terwijl een alleenstaande moeder, zelfs eentje wier man is gestórven, in plaats van er met een jongere versie vandoor te zijn gegaan, nog niet dezelfde bewondering zou oogsten als ze tien keer deed wat hij doet. Hoewel ik natuurlijk heus wel met hem te doen heb,' ging ze snel verder, 'voor alles wat hij moet hebben doorgemaakt.'

'Zijn broer is die toneelspeler,' zei Theresa, omdat het haar wijs leek van onderwerp te veranderen. 'Benedict Porter, degene die in dat stuk met die hond en die twee dokters speelde. O, en George zegt dat Rose erg verwaand is,' ging ze snel verder, toen ze aan de smalende uitdrukking op Charlottes gezicht zag dat dit misschien een veiliger route naar troost was.

Charlotte fleurde direct op. 'Ik heb je zoon altijd aardig gevonden. En nu vind ik hem nóg aardiger,' zei ze zacht, met een blik op de jongens die nu het spel met de sjaal hadden gestaakt ten gunste van het imiteren van hardrijders, zodat ze nu dubbelgebogen, met de linkerhand op de rug, in het rond reden. 'Dit zal Sam goed doen. Hoewel het de laatste dagen, vreemd genoeg, al een stuk beter met hem gaat. In elk geval is hij kalmer. Ik heb hem een brief aan Rose laten schrijven, wat hij vreselijk vond, maar hij heeft het wel gedaan en na aanvankelijk wat tegenstribbelen gaat hij nu als een lammetje naar school. Die meneer Dawson schijnt wel een goed effect op hem te hebben. Sam is een paar keer naar hem toe geweest, hoewel ik geen idee heb waar ze over praten.' Er ontsnapte haar een onzeker lachje, als gevolg van het idee dat haar zoon zich openstelde voor een vreemde, dat hij zijn hart uitstortte zoals hij het nooit bij haar zou doen.

'Dat met die brief klinkt als een geweldige zet,' verzekerde Theresa Charlotte, toen ze haar sombere gezicht zag. Ze vroeg zich af hoe ze iemand die zo werd gekweld ooit als een serieuze bedreiging had kunnen zien. 'Ik heb geprobeerd meer uit George los te krijgen over de algehele situatie op school, maar zoals ik al zei is het probleem met die mannen dat ze niet práten.' Ze trok een zuur gezicht. 'Maar nu we het er toch over hebben, hoe gaat het met die leuke nieuwe aanbidder van je?'

'Leuke?' Charlotte keek verbaasd op van haar kop thee, ze kon zich niet herinneren iets enthousiasts of onvoorzichtigs over Tim Croft te hebben gezegd.

'De makelaar.'

'Ik weet wie je bedoelt, grapjas. Ik had alleen de indruk dat jij – dat iedereen – Tim als ongeschikt had afgeschreven.'

'Onzin,' verklaarde Theresa, die oprecht van gedachten was veranderd. 'Ik kan niet voor Naomi of Josephine spreken, maar persoonlijk vind ik niet dat het iets uitmaakt wat iemand is. Het gaat er alleen maar om hoe een man zich gedraagt.' Ze zweeg even, toen haar gedachten achterdochtig, met tegenzin, terugkeerden naar de nieuwe, onzichtbare schaduw over haar huwelijk. Natuurlijk zou Henry zich goed gedragen. Dat had hij altijd gedaan en dat zou hij altijd blijven doen. Was hij niet degene geweest die haar weer in het gareel had gebracht, al die jaren geleden? Was zíjn geloof in hun verbintenis niet altijd sterker geweest dan dat van haar? Had hij geen tranen van vreugde gehuild bij iedere glibberige pasgeborene van hen die hij in zijn armen had gehouden, had hij niet gezegd dat haar liefde en haar bevallingen hem volledig hadden gemaakt. Dat kon toch zeker niet veranderen, niet door zo'n onnozele bevlieging, áls er al van een bevlieging sprake was... en waren bevliegingen eigenlijk niet normaal? Was zij ook niet een tijdje een beetje verkikkerd geweest op de jonge muziekleraar die erop had aangedrongen dat George lid werd van de jazzband, had zij zich niet een klein beetje gekoesterd in de lof van de man over de sterke longen en snelle vingers van haar zoon? Ja, ze had het toen echt een beetje te pakken gehad. Maar toen had hij een relatie gekregen met een fluitiste en had hij de school verlaten zonder enig besef te hebben – en terecht – van alle opwinding die zijn donkere ogen hadden veroorzaakt in het hart van een vrouw die alleen maar schuldig was aan oververmoeid zijn en twee keer te kijken waar één keer genoeg zou zijn geweest. Zulke dingen waren normaal, kleine afwijkingen in een ritme, niets waar het hart stil van bleef staan.

Charlotte had zich van haar stoel laten glijden en hurkte bij Theresa neer. 'Volgens mij zitten je veters te los.' Ze schoof de mouwen van haar trui omhoog. 'Als ik ze eens even wat strakker doe...'

Theresa slaakte een kreet en probeerde de schaatsen weg te trekken zonder Charlottes armen te raken. 'Als ze nog strakker zitten, krijg ik gangreen. Mijn bloed wordt nu al afgeknepen, ik voel alleen maar hitte en pijn.'

'Laat eens zien,' hield Charlotte aan, en ze ging op haar knieën zitten en zette Theresa's voet ertegenaan. 'Ja, zie je wel, hij zit hier een beetje te los.' Ze klopte op de enkel. 'En daar te strak. Maar als ik nou eens...' Ze haakte de veters geroutineerd los, trok eraan en knoopte ze toen weer vast. 'Ziezo. Nu de andere alsjeblieft.'

Theresa onderwierp zich zwijgend. De eerste schoen voelde nu aanzienlijk beter. Ze leunde achterover in haar stoel en keek met halfdichte ogen naar haar vriendin, vol genegenheid. 'Je weet toch wel dat je er heel goed uitziet, hè?' flapte ze er opeens uit. 'Je ziet er heel goed uit, en dat betekent macht. Je moet er verstandig gebruik van maken.'

Charlotte snoof smalend, nog steeds met haar hoofd omlaag. 'En jij moet je mond houden – je mond houden en stil blijven zitten.'

Een minuut lang sprak geen van beiden. Charlotte ging verder met de taak die ze op zich had genomen, verbaasd dat een compliment zo als een waarschuwing kon klinken, en om de neiging die mensen tegenwoordig hadden om opmerkingen over haar uiterlijk te maken. Ze had zich nog nooit in haar volwassen leven zo weinig aantrekkelijk gevoeld, zo weinig zeker van zichzelf. Als ze in de badkamerspiegel haar lichaam tussen de plooien van de handdoek zag, met de scherpe punten van haar ellebogen en knieën, de felle, uitbundige bos haar, kreeg ze soms het gevoel dat het lelijke meisje uit haar schooldagen weer tevoorschijn begon te komen, dat ze haar nooit echt achter zich had gelaten.

'Ik bedoelde alleen maar,' hield Theresa aan, 'dat nu je single bent, je de mannen waarschijnlijk van je af zult moeten slaan... Vliegen rond de stroop en zo.'

'Ik ben niet naar een andere planeet verhuisd,' protesteerde Charlotte lachend, terwijl ze de laatste dubbele knoop legde en weer op haar stoel ging zitten. 'Ik ben nog maar net gescheiden.'

Theresa nam een slokje van haar smakeloze, nu lauwe thee, terwijl ze de neiging onderdrukte om te zeggen dat in haar ogen een echtscheiding wél een andere planeet vormde – een ander spel met andere regels, andere prioriteiten. Dat Charlotte door van Martin te scheiden niet alleen het evenwicht van haar eigen leven had verstoord, maar ook dat van de mensen dicht om haar heen, en dat ze dit slechts op eigen risico konden negeren.

'Ik had eerder nou ook niet direct zwermen mannen achter me aan, en nu al helemaal niet,' ging Charlotte opgewekt verder. 'Mijn verleden, waar het mannen betreft...' Ze aarzelde. 'Ach, laat maar.'

'Nee, ga verder,' hield Theresa aan, oprecht nieuwsgierig, aangezien Charlotte nooit veel over haar leven vóór Martin had onthuld.

Charlotte haalde haar schouders op. 'Een aantal stomme vriendjes en toen...' Ze had het plastic lepeltje uit haar lege beker gepakt en boog dit door, alsof ze hevig werd geboeid door de flexibiliteit ervan. 'Toen Martin.' Het lepeltje knapte, Charlotte liet de twee stukken in haar lege bekertje vallen en ging toen op luchtiger toon verder: 'Het feit is, Theresa liefje, dat ik eigenlijk niemand wil, en kun je me dat kwalijk nemen na alles wat me is overkomen? Wat ik wel wil, meer dan wat ook, is mijn eigen leven goed op de rails krijgen en af en toe iets gezelligs doen, en daarom ga ik vrijdag eten bij die "leuke" Tim Croft die zo lief was om me rozen te sturen nadat ik hem had afgezegd vanwege het gedoe met Sam...'

'Rozen?' Theresa klapte van vreugde in haar handen bij het bewijs van zo'n gevorderde staat van romantiek. 'En eten? Maar dat is fantastisch. Ik hoop echt dat je je te buiten gaat aan iets geweldigs om aan te trekken.'

'Nee, dat doe ik niet,' grijnsde Charlotte. 'Hij moet me nemen zoals ik ben, in mijn standby zwarte broek en een gestreken blouse.'

'Ach, bederf het nou niet meteen,' giechelde Theresa, nu oprecht ontspannen, terwijl ze een vinger hief. 'Ik dacht dat je zei dat je iets gezélligs wilde.'

Charlotte trok een scheef gezicht. 'Zoals iedereen me voortdurend onder de neus wrijft, ben ik wél bijna veertig...'

'Ha,' onderbrak Theresa haar nu, vol goede wil en zelfvertrouwen. 'Wat dat betreft was ik nog van plan je te zeggen dat ik Henry's voorstel om jou te helpen een feest te organiseren uitstekend vind.'

'Nee, nee, nee!' riep Charlotte uit, beide handen in de lucht stekend. 'Dank je wel, dat is heel lief, maar zoals ik al heb gezegd toen je lieve man met dat idee kwam, zou ik het vreselijk vinden. Ik zal een tafel in een restaurant reserveren of zo, en dan nodig ik een paar goede vrienden en vriendinnen uit, en misschien – als ik het kan opbrengen – mijn moeder.'

'Nou ja, maar als je nog van gedachten mocht veranderen,' hield Theresa aan. Haar edelmoedigheid kwam nog gemakkelijker nu Charlotte alles had afgeslagen.

'De enige mogelijke verandering zal zijn dat ik helemaal niets doe aan die stomme verjaardag.'

'Nee, dat zal ik niet toestaan. Wat dacht je van dat nieuwe restaurant dat net een prijs heeft gewonnen? Contini's... Nee, Santini's.'

'Theresa, het duurt nog maanden voor het juni is,' smeekte Charlotte.

'Ja, maar zo'n tent is snel volgeboekt, dus laat het niet op het laatste moment aankomen. Kijk, daar heb je de jongens. Die rammelen natuurlijk van de honger. Hebben jullie honger, lieverds?'

George wisselde een nijdige blik met Sam. Hij vond het vreselijk wanneer zijn moeder hem lieverd noemde en hij vond het nog erger als ze zijn vriendjes ook nog eens zo noemde. 'Nog vijf minuten,' schreeuwde hij, en hij gaf Sam een por, waarop hij een por terugkreeg toen ze samen weer naar het ijs vertrokken, moeizaam wiebelend op de punten van hun schaatsen.

Op vrijdag had het weer van eind maart een climax bereikt van zo'n ongewone warmte dat de geleerden nieuwe waarschuwingen publiceerden ten aanzien van de klimaatsverandering en een verbod op het sproeien van de tuin uitvaardigden. Toen Tim, na veel gekreun van zijn zwetende collega's probeerde de verwarming in het kantoor dicht te draaien, hield hij de knop van de thermostaat in zijn hand. Aangezien hij het te druk had om er zelf iets aan te doen, vroeg hij Savitri het verwarmingsbedrijf te bellen terwijl hij zijn mouwen oprolde om een begin te maken met de lijst telefoontjes die hij moest afhandelen vóór een middag vol bezichtigingen. Eén voorjaarsdag met zon, en de huizenmarkt werd krankzinnig. Het gebeurde ieder jaar opnieuw en toch werd hij er elke keer door overvallen.

Tim liep al pratend rond zijn bureau, waarbij hij de telefoon van zijn ene oor naar zijn andere verplaatste en af en toe bleef staan om aantekeningen te maken van getallen en afspraken en nog iets toe te voegen aan de krabbels rond zijn lijstje van ingrediënten die hij moest kopen voor het diner dat hij Charlotte wilde voorzetten. *Biefstuk, champignons, sjalotjes, room, rijst, rucola, kaas en crackers, fruit, champagne, wijn,* BLOEMEN, KAARSEN, de laatste twee artikelen met hoofdletters omdat ze precies het soort belangrijke details vormden dat hij kon vergeten.

Dat hij niet romantisch was ingesteld, was een van Phoebes favoriete beschuldigingen. Voor al zijn tekortkomingen – geen belangrijke data onthouden, niet het juiste op het juiste moment zeggen, niet de voordeur achter zich dichtdoen, geen oog hebben voor nieuwe kleren of kapsels – hadden deze zaken gefungeerd als munitie voor het hoofdthema. Vrouwen vonden dat soort dingen belangrijk, en Tim was vastbesloten, in dit opwindende stadium van een nieuwe relatie, te laten zien dat hij meer dan in staat was hierin te voorzien.

Het kookboek waarin hij het recept had gevonden had hem echter wel een schok bezorgd. Phoebe had het cadeau toch één keer gebruikt, herinnerde hij zich, niet als bron van culinaire inspiratie maar als projectiel tijdens een van hun vele ruzies, door het boek met beide handen van boven haar hoofd door de keuken te smijten, als een voetballer die vanaf de zijlijn een ingooi doet. Tim was behendig weggedoken, en had vervolgens, toen hij weer overeind kwam, zijn hoofd gestoten aan de scherpe hoek van het buffet. In een roes van berouw was Phoebe de keuken door gerend om hem te troosten. Even later waren ze bezig elkaar de kleren van het lijf te rukken en wankelden ze als beginnelingen tussen aanrecht en kastjes heen en weer, tot Phoebe houvast had gevonden bij de keukentafel, waaraan ze zich op haar buik, als een zonnebaadster op een stuk rots, had vastgeklampt. Allemachtig, wat een scène. Allemachtig.

Bij deze ongemakkelijke herinnering – en opwinding – had Tim heel even overwogen een andere bron van praktische hulp voor de avond te zoeken. Maar toen had het recept voor *boeuf Stroganoff* zijn blik getrokken omdat het er zo chic en eenvoudig uitzag. En het was natuurlijk ook wel een beetje mallotig om het niet te gebruiken vanwege een seksuele herinnering aan zijn ex-vrouw. Als hij het goed aanpakte zou hij binnenkort nieuwe, nog betere herinneringen hebben, had hij vol opwinding bedacht.

Na het hoofdgerecht wilde hij kaas in plaats van een toetje serveren. Hij kon de plank met fruit versieren, zoals Phoebe altijd had gedaan bij de zeldzame gelegenheden dat ze gasten hadden gehad – in plakjes gesneden kiwi, een trosje druiven, misschien een paar pruimen – iets waarvan Charlotte en hij konden proeven en wat er mooi uit zou zien. Wat Tim betrof kon er van een uitvoerig dessert geen sprake zijn, niet vanwege eventuele beperkingen in zijn culinaire vaardigheden, maar omdat, hoewel alcohol nog nooit afbreuk had gedaan aan zijn energie, te veel eten, vooral wanneer hij nerveus was, tot allerlei rampen kon leiden: krampen, indigestie of zelfs winderigheid, wat de hemel mocht verhoeden. Afgezien daarvan gleed wijn zo gemakkelijk naar binnen bij het knabbelen van stukjes kaas. En wijn, wist Tim zeker, moest de sleutel vormen tot het bemachtigen van wat hij op het oog had: Charlotte die alle behoedzaamheid liet varen, Charlotte die zich liet gaan.

Alle telefoontjes verliepen soepel tot Tim die telefoontjes kreeg die het meest van belang waren: mevrouw Burgess, die dankzij het verslag van een mierenneukerige opzichter haar bod op Charlottes huis met notabene tienduizend pond wilde verlagen, terwijl mevrouw Stowe bevestigde dat ze zich bij hun onderhandse verkoop wilden houden en niet de diensten van zijn kantoor of welk ander kantoor in Wandsworth dan ook nodig zouden hebben. Ze hadden al wekenlang een bod achter de hand gehad, bekende ze, en haar man was nu boos dat zij had geprobeerd hen beiden ervan af te laten wijken. Tim zette zijn beste beentje voor, hij haalde alle kalmte en charme die hem in het verleden door talloze moeilijke situaties heen had geholpen, uit de kast. Zo'n veertig minuten later echter hadden zijn inspanningen slechts het armzalige compromis bereikt dat beide vrouwen terug zouden bellen als ze van gedachten mochten veranderen. Tenzij er een wonder geschiedde, waren Charlottes kansen op Chalkdown Road zo goed als verkeken.

Tims humeur was zo ver gedaald dat hij twee sets sleutels voor zijn bezichtigingen van die middag vergat en de supermarkt zonder pruimen of crackers verliet. Hij constateerde deze omissies pas op het moment dat hij danig in tijdnood kwam met zijn voorbereidingen voor die avond, toen hij de wacht hield bij een ingewikkelde combinatie van kokende ingrediënten die de basis moesten vormen voor de saus, maar die weigerde te 'reduceren', zoals het recept beloofde. Als gevolg van alle spanning die dit teweegbracht, en door de kookwalm en een haastige, te hete douche, transpireerde hij zo hevig dat hij nu al besefte dat hij een tweede, koudere douche op zijn toch al krappe voorbereidingstijd moest beknibbelen. Hetzelfde gold voor een gestreken overhemd.

Omdat de saus eruit bleef zien als een onappetijtelijke soep – veel, dun, klonterig – zette Tim de brander op vol en was een aantal minuten bezig met rommelen in stoffige uithoeken van zijn kastjes om iets te vinden dat de crackers bij de kaas kon vervangen. Met een open pak verbrokkelde Ryvita tegen zich aan geklemd richtte hij zijn aandacht weer op de kookplaat, waar hij tot de conclusie kwam dat zijn weinig belovende saus eindelijk was 'gereduceerd' tot een onbruikbaar aangekoekte laag gespikkeld bruin.

Beste Sam,

Dank je wel voor je brief. Dat was aardig van je, zelfs wanneer je hem van je moeder moest schrijven. Wat ze vast heeft gezegd. De enige brieven die ik krijg zijn van mijn postzegelclub, wat ik eerlijk gezegd niet erg leuk vind omdat ik ze eigenlijk niet meer wil verzamelen, maar papa wil niet dat ik ermee ophoud. Ik heb er vreselijk veel en ik heb helemaal geen zin om ze in een album te stoppen. Ik zeg tegen mijn vader dat ik dat wel heb gedaan en ik stop alles in een la. Hij zegt dat iedereen hobby's hoort te hebben, maar ik heb niet echt een hobby, behalve schrijven. Dat vind ik écht leuk, ik weet niet waarom. Ik kan ook haken, want dat heeft mijn moeder me geleerd. Mijn vaders hobby is vliegen, en ik geloof dat dat heel cool is, maar ik word altijd luchtziek, net als mijn moeder vroeger.

In ieder geval bedankt voor het schrijven. Het spijt me dat ik je zoveel problemen heb bezorgd, maar je vroeg er zelf om.

Groetjes.
Rose Porter

PS: Vertel niemand dat ik je heb geschreven.

Misschien geïnspireerd door Theresa's heimelijk enthousiasme, besloot Charlotte op vrijdag de veilige zwarte broek en de gestreken blouse overboord te zetten voor een rok van geplet blauw fluweel en een wijd zijden topje. Ze bracht wat groene oogschaduw aan om de felle smaragdkleur van haar ogen te accentueren, schoof haar voeten in een paar schoenen met hoge hak en open hiel en bekeek achterdochtig het effect in haar passpiegel, half in de verwachting de geest van 'Rooie' weer in het glas te zien verschijnen.

Dus zo was het om weer gelukkig te zijn, dacht ze verbaasd, terwijl ze zich eerst de ene kant en daarna de andere uit draaide, vol bewondering voor de wijde rok van fluwelen panden en haar mooie zwarte panty's, waardoor haar magere kuiten en scherpe knieën iets elegants kregen. Dit was léven – genieten van het leven inplaats van voortstrompelen als een zwerver zonder kompas. Ze had eindelijk weer een vaste koers: lieve vrienden en vriendinnen, een aanbidder die rozen stuurde, zicht op een nieuw huis! Sam was heel rustig, te rustig, maar hij zei verder niets over impopulair zijn. En wat nog bemoedigender was, hij had drie paarse sterren gekregen voor uitmuntend werk, en die avond had hij gevraagd – gevráágd! – of hij de volgende week donderdag een extra middag naar de naschoolse opvang mocht, wanneer Charlotte alleen 's ochtends hoefde te werken en zich verheugde op een onderbreking van haar saaie huishoudelijke werk door een uitstapje naar de poort van de school te maken.

Terwijl ze een bandje van haar beha uit het zicht schoof toen ze haastig naar beneden liep, wenste Charlotte zichzelf heel even geluk met haar eigen rol in het bewerkstelligen van deze kleine maar veelbetekenende verandering in het welzijn van haar zoon, door resoluut vast te houden aan het onder ogen zien van de situatie op school, het beslist willen laten doorgaan van het schaatsen terwijl hij eigenlijk niet wilde, door hem niet aan zijn hoofd te zeuren over die decaan. Ze had initiatieven genomen, de leiding genomen, en had alles zelfstandig voor elkaar weten te krijgen.

Jessica kwam deze keer op een fiets en duwde hem de hal in, zodat Charlotte opzij moest stappen toen ze de deur opendeed. Ze droeg een grijze baret die ze tot ver over haar wenkbrauwen had getrokken, waardoor haar dunne haar in pieken rond haar oren naar buiten stak. Op haar rug had ze een zware rugzak die tegen de muur bonsde toen ze met de fiets worstelde.

'Mag ik hem hier zetten? Want ik heb geen slot.'

'Dat is goed,' zei Charlotte en ze greep naar het stuur om te voorkomen dat er nieuwe beschadigingen van het reeds gehavende schilderwerk zouden optreden. 'Sam zit in bad. Daarna moet hij nog huiswerk maken, als je het niet erg vindt om daarop toe te zien…?'

'Geen punt.' Jessica trok de muts van haar hoofd. 'Ik heb zelf ook een heleboel te doen.' Ze zwaaide de rugzak op de vloer en krabde hevig op haar hoofd. 'Die stomme studietaken. Hé, mevrouw Turner, u ziet er écht leuk uit!'

'Dank je.' Charlotte bloosde. 'Ik maak het niet laat,' voegde ze eraan toe, terwijl ze haastig de deur uit ging en zo niet de vrolijke blik in de ogen van de tiener kon zien.

Toen Charlotte bij Tims huis arriveerde, bleef ze even staan om diep adem te halen. Ze kon ruiken dat er iets werd gekookt, iets lekkers.

Martin was nooit erg goed in de keuken geweest – vettige opgewarmde dingen en een enkele ingewikkelde roerbakschotel die ze zelden lekker vond en waarna ze meestal uitvoerig moest opruimen en schoonmaken. Het gaf haar opeens een heel uitzonderlijk gevoel, dat er een man was die haar de eer bewees een maaltijd voor haar te bereiden.

Tim deed de deur zo snel open dat ze vreesde dat hij aan de andere kant had staan wachten, misschien wel door het gehamerde glas naar haar had staan kijken. Hij droeg een roze overhemd dat open was aan de kraag, en een zwarte broek met scherpe vouwen die verdwenen in de ronding van zijn bovenbenen. Terwijl hij bedrijvig rond haar bezig was, haar uit haar jasje hielp en zich verontschuldigde omdat hij nog niet klaar was, zag ze een paar gepoetste zwartleren instapschoenen met kwastjes keurig onder aan de trap geparkeerd staan. Haar gastheer, constateerde ze op hetzelfde moment, droeg sokken noch schoenen. Kleine details – microscopisch klein, onbelangrijk – maar op de een of andere manier irriteerden ze Charlotte. Ze hield niet van kwastjes op schoenen. En er was iets aan de aanblik van zijn blote voeten, waarvan de tenen dicht behaard waren, met de tweede teen opvallend langer dan de grote teen, dat haar ook tegenstond, dat bijna te intiem was, alsof hij informatie verstrekte die haar bereidheid om deze te verwerken te boven ging.

Maar toen ze de keuken binnenging, jojoden haar reacties weer de andere kant uit. Het eten rook lekker en de tafel was prachtig gedekt. Op een blinkend roestvrijstalen fornuis stonden twee pannen te pruttelen, op de tafel stond een vaasje met fresia's, met servetten, wijnglazen, bestek en één enkele rode kaars die al brandde. Ze was nog steeds bezig dit alles in zich op te nemen toen ze achter zich een plop hoorde en Tim haar even later een flûte bruisende champagne in de hand drukte.

'Op jou,' zei hij zacht, en hij keek haar strak aan toen ze klonken, 'en op wat de toekomst mag bieden. Ik sta geheel tot je beschikking.'

'Nou, ik zal zeker op de toekomst drinken,' lachte Charlotte, en ze nam een slokje champagne.

'Het is een beetje een geïmproviseerd maal, helaas,' bekende Tim. Hij zette zijn glas neer en drukte op de knoppen van een miniatuur cd-speler die tussen de broodrooster en de waterketel geparkeerd stond. 'Dat was niet de bedoeling. Hoe komt het toch dat recepten uiteindelijk veel gecompliceerder zijn dan ze eerst lijken? Ik heb een soort sauscrisis gehad, maar ik hoop dat ik dat met room heb kunnen repareren.'

'Het zal vast erg lekker zijn.' Uit de cd-speler klonk een lome ballade, een mannenstem, een zwarte man, droevig, gevoelig, vertrouwd. '*Classic Love Songs*' las Charlotte, terwijl ze de namen bekeek van de artiesten die op de hoes vermeld werden. Ze moest grinniken bij deze plotselinge, duidelijke absurditeit van de mens – meesters in microchips en ruimtereizen – om zoveel creatieve energie te stoppen in het uitweiden over en het proberen te begrijpen van één enkele emotie. Alsof de liefde een raadsel was dat kon worden opgelost als je de juiste benadering koos, terwijl mensen als zij maar al te goed wisten dat het een grillig, wisselvallig, niet vol te houden, onbetrouwbaar gevoel was, afhankelijk van stemming en omstandigheden en bepaalde chemische stoffen in de hersenen, die wetenschappers waarschijnlijk (hoopte ze) ooit in een flesje konden doen zodat je het bij de drogist kon kopen.

'Wat is er zo grappig?'

'Niets.' Charlotte schoof het hoesje wat naar de cd-speler.

'Je ziet er fantastisch uit.'

'Dank je.' In een poging zijn starende blik van waardering te ontwijken, merkte ze dat haar ogen onwillekeurig weer naar de blote tenen gingen.

Toen Tim dit besefte, maakte hij van schaamte een sprongetje, alsof hij de gewraakte voorwerpen aan het zicht kon onttrekken, als dat acrobatisch mogelijk was geweest. 'Sorry – heb een beetje laat gedoucht, kon mijn sokken niet vinden, de rijst kookte over en toen belde jij aan.'

'O, maar het geeft echt niet, hoor,' riep Charlotte uit, terwijl ze bedacht wat voor onnozele hals ze was geweest om hoe dan ook stil te staan bij deze informaliteit, hoe vreselijk stijf en preuts en onwennig ze zich had gedragen in het beter leren kennen van iemand. Ze stond op het punt hem te verzekeren dat het eigenlijk te warm was voor sokken, toen er een dik, wit schuim over de rand van een pan begon te stromen.

Tim kwam onmiddellijk in actie, onder het uiten van verwensingen, terwijl Charlotte hem tactisch haar rug toekeerde en met veel vertoon aan de fresia's ging ruiken en haar champagne naar binnen werkte. Ze popelde om naar de voortgang van de huizenjacht te informeren, maar ze was bang dat dat wat hardvochtig zou lijken. Ze besloot te wachten tot het eten veilig en wel op tafel stond, als zijn zelfvertrouwen was hersteld en de stemming tussen hen wat minder gespannen was, en ze gaf gevolg aan Tims bevel haar glas nog eens vol te schenken.

Maar toen ze knie aan knie boven volle borden aan het tafeltje zaten, met de stoppels van Tims driedagenbaard glinsterend in het flakkerende kaarslicht, voelde Charlotte opnieuw een golf van nervositeit. Ze dronk stevig om haar zenuwen in bedwang te houden, terwijl ze waarschuwde dat ze met een taxi was gekomen en er waarschijnlijk een nodig zou hebben om naar huis te gaan. Tim schonk haar glas nog eens vol en zei dat hij teleurgesteld zou zijn geweest als ze geen taxi had genomen en hoe belangrijk het was om de boog niet altijd gespannen te laten zijn. Er volgde een stilte, die veelbetekenend genoeg was om Charlotte er opnieuw van te weerhouden over mevrouw Burgess of Chalkdown Road te beginnen en in plaats daarvan belangstelling op te brengen voor zijn jeugd met een vader die elektricien was en een moeder die, zo bleek, huizen van andere mensen schoonmaakte.

Tim ontspande zich zichtbaar onder haar aandacht en hij kwam met een verhaal over een duidelijk zoveel moeilijker jeugd dan de hare, dat Charlotte steeds meer met hem te doen kreeg. Tegen de tijd dat de champagne was weggewerkt, samen met een fles rode wijn en de laatste restjes van zijn verrukkelijke stoofschotel van rundvlees met champignons, was ze een aantal malen bijna tot tranen toe geroerd geweest.

'Dus wat gebeurde er toen het bedrijf van je vader failliet ging?'

'Toen werden we op straat gezet omdat we de huur niet meer konden betalen. Ik moest van school af om werk te zoeken. Kijk me maar niet zo medelijdend aan, het was echt niet zo erg. Ik bedoel, we waren nog steeds gelukkig. Ik zie mijn ouders tegenwoordig niet vaak, en mijn zuster werkt me nog steeds op de zenuwen, maar zo heb je dat nu eenmaal met families, hè?'

'O zeker... families...' Charlotte draaide met haar ogen en vroeg zich opeens af of hij iedere ontwikkeling van de situatie aan haar over zou laten, en of zij daar wel toe in staat was. De twijfel bleef voortduren tot Tim de tafel had afgeruimd en een schitterend plateau met kazen en fruit had neergezet. Toen Charlotte een druif wilde pakken, maakten haar vingers opeens contact met de zijne.

'Charlotte.' Hij hield slechts één vinger vast, en streelde die en trok er zacht aan.

Daar gaan we dan, dacht Charlotte, en ze keek als van grote hoogte op de scène neer, zoals Tim en zij aan het tafeltje zaten, met de handen ineengeslagen in het licht van de flakkerende kaars. Daar gaan we dan. Laat het over je komen... Laat je gaan...

'Charlotte, je beseft toch wel wat jij voor me betekent, hè?' Zijn stem was omfloerst, zijn ogen halfdicht. 'Ik moet steeds maar aan je denken. Niet alleen maar één moment of één minuut. Ik heb het geprobeerd, maar ik kan het niet. Toe...'

Nu hield hij haar hele hand vast; hij stond op en leidde haar door een opening die de eetkeuken met de zitkamer verbond. De tocht leek lang te duren. Charlotte ontspande zich wat, ze genoot van het gevoel te worden meegetrokken, te worden overgehaald, de leiding uit handen te geven. Ze kwamen langs een prent van een luipaard die ineengedoken zat in het hoge gras met de hoeken van zijn bek omhooggetrokken waardoor zijn witte snijtanden werden onthuld. Daarna een foto van een jonge vrouw in een korte broek en een wijd T-shirt, met lang, gebleekt haar dat over haar ogen wapperde, mollige knieën en haar voeten begraven in rommelige bergjes zand. Verderop, voorbij Tims arm – nog steeds gestrekt door het haar meetrekken – was een bank, donkerrood, fluweelachtig. Hij was heel zacht om op te liggen, bijna te zacht, en hij zakte onder haar rug als een hangmat in, zelfs nog voor hij boven op haar kwam liggen.

Hij beweegt zich binnen in me en houdt opeens op, steunend op zijn armen. 'Beweeg jij,' zegt hij, 'wanneer je wilt. Beweeg jij.'

Ik lig stil, hou dit moment vast in al zijn volmaaktheid, hou hem vast.

Het heeft maanden geduurd om zo ver te komen, om zo intiem te worden, zo zelfverzekerd. We hebben gekibbeld over de literaire waarde van Ulysses, over Habeas corpus, over staatsopvoeding en of de afwas beter een nacht lang kan staan weken. We hebben elkaars stemmingen verdragen, zijn zwijgende gespannenheid voor een deadline in zijn werk of voor een première, mijn premenstruele gesnauw, mijn chagrijnige humeur voorafgaand aan de plichtmatige noodzaak van een bezoek aan thuis. We hebben gedanst en gewandeld en ach-

ter bussen aan gehold; we hebben gezweet en gekust als we een kater of hoofdpijn of hoest-buien hadden; we hebben geheimen gedeeld en gelachen en gelachen en gelachen, om slechte films, om Eve, om Pete, Martins vriend, om onszelf.

Langzaam duw ik mijn bekkenbodem omhoog en terug. Hij doet zijn ogen dicht. Zijn armen trillen. Het moment gaat verder, zoals het moet.

Hij ademt langzaam uit. Hij houdt zijn ogen op mij gericht wanneer hij zich eindelijk laat zakken en begint te reageren, waarbij hij heel vaak zijn hoofd opzijdraait, als een zwemmer die lucht moet happen. 'Laat me nooit alleen,' fluistert hij. 'Laat me nooit alleen.'

Mijn oor gloeit in de hitte van zijn adem. 'Nooit,' herhaal ik, met een stem die niet meer is dan een zucht, maar met een hart dat luid bonst door de verrukkelijke zekerheid dat we nog maar aan het begin staan, dat het mooiste nog moet komen.

Ik bewaar mijn eerste mijlpaalverklaring voor na afloop, waarbij ik die vier woorden in de zilte vochtigheid van zijn borst druk. Ik zou zijn huid ermee willen brandmerken als dat kon, pal boven de plek waar zijn hart moet zitten. We blijven verstrengeld rustig liggen ter-wijl het zweet afkoelt op onze huid, nagenietend van een serene stemming die fysieke ont-lading lijkt te overstijgen tot een staat van gemeenschap die heiliger voelt dan alles wat ik in de kerk ooit maar bij benadering heb ervaren.

Maar bovenal voel ik me gelukkig. Niemand zou ooit zoveel liefde kunnen voelen en erva-ren, zeker Eve niet, met haar nieuwe verliefdheid op een rugbyster van dertig, of Pete, die vaker van vriendin dan van ondergoed wisselt, en al helemaal niet onze respectievelijke ouders. Martins ouders met hun kinderachtige gekibbel en hun caravanvakanties, mijn ouders met hun nu afgesloten treurige verhaal van gescheiden bedden en afzonderlijke maaltijden, een ge-deeld leven dat is verschrompeld door bedrog. Hoe deze geschiedenis mijn kinderjaren heeft beïnvloed, heb ik in grote lijnen verteld, maar niet in detail. De eens scherpe contouren van de twee gestalten die op de stoffige rietmat liggen, met de haren van mijn vaders blote boven-benen die zwart afsteken tegen het witte achterpand van zijn overhemd, zijn in de loop der jaren vervaagd en ik heb geen wens ze weer scherp voor me te zien. En dat hoeft ook niet, met dit nieuwe systeem van geloof, van liefde die maakt dat lust zin heeft, nu het verloren sprookje van mijn vroegste herinneringen weer tot leven is gekomen.

9

De housewarming van Martin en Cindy vond plaats op een winderige avond in maart toen de temperatuur opeens omlaagdook in iets wat voelde als een laatste poging tot een echte winter voordat de volgende dag de zomertijd in zou gaan. Theresa had de klokken al vooruitgezet, een ietwat paranoïde voorzorgsmaatregel die zijn oorzaak vond in een chaotische overgang in het jaar ervoor, toen ze de jongste jongens op een verjaardagsfeestje had afgeleverd toen het hoofdprogramma ten einde liep en George, die bijna een hele rugbywedstrijd had gemist, de hele middag ontroostbaar in zijn kussen had liggen huilen.

'We hebben helemaal geen sneeuw gehad,' mopperde ze, terwijl Henry in Rotherhithe rondreed om een parkeerplaats te vinden. 'Niet één vlokje, besef je dat wel?'

'Ja, toch wel, in januari − die week dat de cv-ketel het begaf en de verstopte dakgoot de muur in de zitkamer heeft bedorven.'

'Maar dat stelde toch helemaal niets voor? Het was niet eens genoeg om een sneeuwpop te maken. Ik zal nooit vergeten dat de arme Alfie het toch probeerde terwijl de anderen achter het raam stonden te kijken. Uiteindelijk gebruikte hij handenvol modder en was erg overstuur, weet je dat nog?'

'Inderdaad,' mompelde Henry, hoewel zijn gedachten eerder bij Charlotte dan bij hun zoon waren − wensend dat er een manier was waarop zij ook op het feest uitgenodigd had kunnen worden. Hij had haar in geen weken gezien, wat, met Theresa's speurhondenvermogen om problemen op te sporen misschien maar wel zo goed was. Hoewel het gebrek aan contact zijn obsessie nog erger leek te maken. Hij werd voortdurend belaagd door vreselijke, heerlijke, heimelijke gedachten, en met Suffolk voor de boeg hadden ze nu een duidelijke focus. Want hoewel hij deed of Charlottes vakantieplannen hem niet interesseerden, maakte Henry's voorstellingsvermogen nu overuren. Hij koesterde het vooruitzicht van lange wandelingen en koppen thee, en misschien, als de avonden koud genoeg waren, van nestelen voor een vlammend houtvuur, met een paar glazen wijn. Het zou een kans zijn – mogelijk zijn enige kans – om haar beter te leren kennen, erachter te komen of wat hij werkelijk voelde enige waarachtigheid bezat, enige wederkerigheid.

De exacte data voor zijn studieweek schoven nog wat heen en weer in zijn agenda, onder invloed van verplichtingen in de kliniek en Henry's angst zich te verraden. Door deze fantasieën, de onzekerheid, sliep hij slecht, en toch was er een opwinding over de situatie die maakte dat hij iedere dag met veel adrenaline van start ging, wat misschien wel overeenkomst vertoonde (hij had niet net als de meeste van zijn medestudenten geneeskunde geëxperimenteerd) met het gebruik van drugs. Pas aan het begin van de avond werd hij echt moe en kon hij zich slecht concentreren. Zozeer, dat toen Theresa een paar avonden geleden, op een bestudeerd luchtige toon, had opgemerkt dat Charlotte niet langer iets met haar makelaar had en of dat niet typerend was, hij zo'n golf van energie had gevoeld dat hij half had verwacht erdoor van de bank te worden getild.

In plaats daarvan had hij met uiterste zelfbeheersing alleen maar een wenkbrauw opgetrokken en 'Typerend' gezegd, waarna hij haar op een lijzige toon, die op intense onverschilligheid had moeten wijzen, had gevraagd of ze een woord van zeven letters, eindigend op een r, wist te bedenken dat misschien ontdekkingsreiziger kon betekenen.

'Pionier,' had Theresa teruggekaatst, en ze had haar blik weer op de televisie gericht. De ongeduldige manier waarop ze haar benen weer over elkaar sloeg vormde het enige bewijs dat ze iets ongewensts had opgevangen.

Henry had langzaam de letters ingevuld, waarna hij de kruiswoordpuzzel wazig had laten worden. De makelaar – een overdreven manier van leven, met overdreven haar. Hij had die kerel een paar keer gezien, en het feit dat Charlotte hem de bons had gegeven bewees in elk geval de triomf van goede smaak over wanhoop, eenzaamheid, behoefte tot compensatie of wat haar anders in hemelsnaam mocht hebben bewogen om zich met zo'n figuur in te laten. Uiteraard zou ze fouten maken. Ze was stuurloos, alleen en van het soort fragiele schoonheid dat een beschermende impuls opriep zoals Henry dat tot nu toe alleen tegenover zijn kinderen had ervaren. Theresa had nooit zulke reacties teweeg kunnen brengen. Te veel galant of sentimenteel gedrag van een man, ook maar de geringste suggestie dat ze moest worden 'beschermd', was genoeg om haar te laten ontploffen.

En dat was iets om bewondering voor te hebben, bedacht Henry, toen hij in de achteruitkijkspiegel het bleke gezicht van zijn vrouw zag, met haar dat over haar wangen wapperde toen ze hem op een krappe parkeerplaats tussen een Porsche en een stenen muur probeerde te loodsen. En waartoe zou iets met Charlotte trouwens kunnen leiden? Een platonische band? Een heimelijke verhouding? Wéggaan bij Theresa? Dat was ondenkbaar.

Ondenkbaar, en toch deden de mensen het voortdurend. Mensen als Martin, bracht Henry zichzelf in herinnering, toen zijn vriend de deur opendeed, gekleed in een wijde zwarte broek en een antracietkleurig T-shirt. Hij leek tien jaar jonger en grijnsde breed, alsof hij met zijn neus in de boter was gevallen. Cindy zweefde achter hem, verlegen glimlachend, beeldschoon in een zijdeachtige blauwe jurk die onder haar royale boezem bijeen werd gehouden en soepel tot op haar knieën viel.

'Dus dit is wat jullie met "smart casual" bedoelen?' zei Henry beschuldigend, en hij keek van de een naar de ander terwijl hij even een vlaag van medelijden voelde met Theresa, die ongewoon lang had gepiekerd over wat ze aan moest trekken en uiteindelijk voor het meest casual uiteinde van het spectrum had gekozen met een broek die te diep in haar heupen sneed (hoewel Henry dit desgevraagd braaf had ontkend) en waarvan hij wist dat ze er nu hevig spijt van zou hebben.

De bijeenkomst was bescheiden maar heel gelikt, vond Henry, toen een ober hem een glas kir royale in de hand drukte en ze naar de met vast tapijt gestoffeerde woonruimte werden gebracht, die in minimalistische stijl was versierd met hoge, luchtige bloemstukken in de hoeken en grote panelen met moderne kunst aan de muren. Het meubilair was aan de kant geschoven, afgezien van een kleine vleugel waar een groepje vroege gasten omheen stond. Onder hen was ook Sam, die er verfrissend niet-gelikt uitzag in een slobberige spijkerbroek en een verkreukeld groen sweatshirt. Toen hij Theresa en Henry zag, maakte hij zich van het groepje los en holde de kamer door met een brede grijns van opluchting.

'Hoi. Wat vreselijk, hè?'

'Sam!' berispte Theresa hem, grinnikend.

Sam haalde zijn vingers door zijn haar en trok de punten uit om ze goed rafelig te laten lijken, wat die middag heel goed gelukt was, dankzij wat experimenteren met spuitbussen en een tube wax op Cindy's toilettafel. Zijn moeder had geen toilettafel. Ze had haar make-up in de badkamer en haar föhn bewaarde ze in een ladekast. Cindy's toilettafel was daarbij vergeleken een ware schatkamer, net als de aangrenzende badkamer, waar alle richels en planken vol stonden met genoeg badschuim, badzout, scrubs, oliën, conditioners en vochtinbrengende middelen om een kleine drogisterij te bevoorraden. Gewoonlijk was dit verboden terrein voor Sam, zelfs om een plas te doen, maar hij had gebruikgemaakt van een uur alleen — toen Martin en Cindy bij de slijterij drank en glazen gingen ophalen — om uit bijna alle flesjes een lik te proberen.

'Hoe is het met mama?' vroeg Theresa hem. Dit leek haar de veiligste manier om een gesprek te beginnen, maar toen ze aan die makelaar dacht, kreeg ze er spijt van. 'Het was gewoon niks tussen ons,' was Charlottes enige verklaring geweest voor ze het gesprek op Sam had gebracht en had verteld hoeveel gelukkiger haar zoon leek en zich — geheel onnodig — had verontschuldigd voor zijn wonderlijke hardnekkigheid om geen partijtje te willen voor zijn dertiende verjaardag, vorige week. En hij had ook geen vriendje mee willen nemen naar Suffolk, had ze verteld, waarmee ze zonder dit te beseffen Theresa's hoop om George mee te sturen de grond in had geboord.

Sam fronste en frunnikte wat aan zijn haar, alsof de vraag naar zijn moeder hem in verlegenheid bracht.

Toen Henry de aarzeling zag, dacht hij verwilderd: Charlotte is ongelukkig, ze voelt zich net zoals ik, en ze lijdt eronder.

'Met mama is alles prima,' zei Sam ten slotte, 'alleen was die man in de boekwinkel vandaag weer ziek, zodat ze me vroeg hier moest brengen. Ze was boos omdat ze eigenlijk om de zaterdag moet werken, en dan alleen 's ochtends en niet de hele dag.'

'Arme mama. En ik heb begrepen dat je een leuke verjaardag hebt gehad?' ging Theresa opgewekt verder.

'Ja. We zijn naar de nieuwste James Bond geweest en ik heb van papa een iPod gekregen.'

'Fantastisch. Nou ben je eindelijk een tiener, hè?'

Er kwam een ober langs met een dienblad vol hapjes, elk een lilliputterversie van eten dat anders een heel etensbord in beslag neemt. Sam stak zijn hand uit, bedacht toen dat hij hoorde te wachten tot de grote mensen iets hadden genomen, en trok zijn hand snel weer terug. In plaats daarvan schoof hij zijn vingers in de achterzak van zijn spijkerbroek en tastte naar de hoek van de nieuwste brief van Rose:

We gaan binnenkort verhuizen. Ik vind dit huis heel leuk, maar het zal gaaf zijn om niet meer met de bus naar school te hoeven. Ik vind de bus vreselijk. Felix wil altijd naast me zitten, en hij STINKT

Naast het laatste woord had ze een gezichtje getekend met de mondhoeken omlaag en de neus opgetrokken. Sam, die absoluut niet kon tekenen, vond het heel knap en was van plan haar dit in zijn antwoord te zeggen. Omdat ze problemen hadden met de logistiek van postzegels, brievenbussen en het ontwijken van ouderlijke opmerkzaamheid, gaven ze elkaar hun briefjes op school. Dit was een beetje gek, want verder praatten ze eigenlijk nooit met elkaar, in elk geval niet over dingen buiten zinloze zaken als het lenen van puntenslijpers en hoe lang het nog duurde voor de bel ging. Maar Rose was nu eenmaal een beetje gek, dat was ze vanaf het eerste begin al geweest. Ooit was dit een deel van de reden geweest waarom Sam in een opwelling haar arm had omgedraaid, maar nu was het wat hij zo leuk aan haar vond.

Toen het zijn beurt was nam Sam twee minipizza's en drie babyhamburgers van de schaal en propte alles in één keer in zijn mond. De volwassenen verveelden zich nu, kon hij zien. Ze keken over zijn hoofd en draaiden met hun glas. Toen de vader van George opmerkte, terwijl hij zijn vingers aflikte: 'Je bent gegroeid, hè?' antwoordde hij met een zo beleefd mogelijke hoofdknik en maakte toen dat hij wegkwam, op zoek naar zijn vader en naar toestemming om op het grote tweepersoonsbed tv te mogen kijken.

Theresa kreunde. 'Dat had je nou niet moeten zeggen. Je weet dat hij er problemen mee heeft dat hij klein is.'

'O ja? Hoe had ik dat moeten weten?'

'Iedereen weet het.'

'O ja? Ach, arm knulletje. Geen wonder dat hij die problemen heeft. Ik heb trouwens alleen maar gezegd dat hij gegroeid is. En dat ís ook zo... Duidelijk.'

Ze werden van dit onbevredigende maar, vond Theresa, aangenaam normale man-vrouwgekibbel gered door Martin en Cindy, die gezamenlijk, als een siamese tweeling, de groepjes gasten afwerkten. Toen het hun beurt was bespraken ze gevieren uitvoerig het winderige weer en de voordelen van zijden bloemen ten opzichte van gedroogde. Henry voelde de vriendelijke minachting van zijn vrouw voor zowel het triviale gesprek als de kinderachtige onafscheidelijkheid van hun gastheer en gastvrouw. Het was als een radarsignaal, maar hij was de enige die dit op kon vangen. Uitwendig deed ze hartelijk, vriendelijk en enthousiast, net als hij. Toen hij hierover nadacht, en ook over zijn eigen, ernstiger staat van emotionele hypocrisie, herinnerde Henry zich uit zijn schooldagen opeens een citaat van Auden over 'de wijzen die weten dat ze toneelspelen, en de onwijzen die denken dat ze dit niet doen'. Ik ben in elk geval nog goed bij mijn verstand, troostte hij zichzelf, althans voor zover ik weet.

Toen het paar verder liep, plicht gedaan, en Theresa haar minachting onder woorden begon te brengen – konden die twee niet op eigen benen staan? Moesten ze echt zo aan elkaar hangen? Wat bezielde Martin, om met zo'n flodderig T-shirt te lopen? – merkte Henry dat zijn eigen, overeenkomstige kritische reflexen werden afgezwakt in de richting van begrip. Een nieuwe vrouw, een nieuw leven, een schone lei, een tweede kans, opnieuw beginnen... Ja, daar kon hij de aantrekkingskracht heel goed van inzien. Of ze elkaar nou wel of niet overeind moesten houden, het paar leek hem best heel gelukkig. En vaak, bedacht hij treurig, waren degenen die de meeste kritiek hadden op het geluk van een ander ook degenen die zelf het minst tevreden waren.

Af en toe deed de wind de auto echt heen en weer zwiepen. Charlotte merkte dat haar handen het stuur vastgrepen alsof ze met hoge snelheid in haar kleine voertuig reed, in plaats van tegen de stoeprand te zijn geparkeerd, met de motor uit in een lege straat. Ze voelde zich veilig onder het gewelfde dak ervan, met het gebulder van de wind buiten, en ze had het niet te koud, ook al stond de verwarming uit en klonk er een zacht sissend geluid waar lucht naar binnen werd geblazen door de kleine spleet boven het achterraam dat niet goed sloot. En het was heel prettig om zo te zitten kijken hoe de bomen bewogen, hoe de takken heen en weer werden gezwiept, te zien hoe deksels van vuilnisbakken voortrolden, net als de twee pilonnen die op een gevaar in het trottoir hadden moeten wijzen maar die nu op hun zij lagen en tegen het hek van de vervallen kerk aan rolden.

Het laatste beetje licht begon snel te verdwijnen. De bloedrode resten van het zonlicht vormden vegen in de lucht boven de leistenen daken van de huizen en de zwiepende bomen.

Ik zit in een koepel, dacht Charlotte, in een koepelauto. Niets kan me raken. Ik ben alleen, maar ik ben veilig. Verderop had de winterjasmijn die over de muur aan de voorzijde van de cottage viel, gezelschap gekregen van andere kleuren: zuurstokroze rozen en iets blauws – irissen, of waren het violieren? Kon je een huis stalken? vroeg Charlotte zich af. Was dat het wat ze deed: proberen zo dicht mogelijk in de buurt te blijven van iets waar je van hield maar wat onbereikbaar was? Ze had haar eigen huis nu van de markt gehaald, een boodschap bij het knappe Indiase meisje achtergelaten om aan Tim door te geven. Het was natuurlijk een nederlaag, die vreselijk pietluttige mevrouw Burgess met haar waslijst aan gebreken, de beperkingen in haar budget, het verdriet van iets graag te willen hebben wat je niet kunt krijgen, Sams verpletterende gebrek aan enthousiasme. Ze had zich ten slotte overgegeven, haar handen in de lucht gestoken, ze was gezwicht.

Tim had haar een bericht teruggestuurd. *Het spijt me geweldig. Bel me alsjeblieft – wanneer je maar wilt – als je van gedachten verandert.* Wat het huis betreft, natuurlijk, maar Charlotte begreep dat hij ook dat andere bedoelde, dat andere dat was geëindigd op de avond van het etentje, toen de geest van Martin... nee, ze verbeterde haar gedachten, toen de geest van haar liefde voor Martin, die ze zich nog zo goed herinnerde maar die ze zo lang niet meer had gevoeld, uit de rode kussens was opgestegen en haar had gesmoord tot ze het uitgilde. Ze had immers gegild? Er was in elk geval dat geluid geweest, plotseling, schel, schokkend, als het piepen van remmen. En Tim, met een bezweet gezicht, zwaar, grommend, stotend, in de laatste fase van zijn climax, had zich op hetzelfde ogenblik teruggetrokken, zodat de helft van zijn zaad op haar buik viel en de andere helft op de verkreukelde plooien van haar rok.

In een reflex had een diep, vrouwelijk deel van haar zich belaagd gevoeld. Maar het was natuurlijk geen verkrachting, dat besefte Charlotte. In haar pas ontdekte uitbundige staat had ze hem zo ver aangespoord, hem meegevoerd, de arme man, tot het punt dat er geen weg meer terug was, zonder ook maar één moment te beseffen dat haar eigen point of no return in haar binnenste op de loer lag, verborgen achter de nieuwe hoop en het proberen en de wijn.

'Jezus, Charlotte, wat heb ik gedaan..? Heb ik je pijn gedaan... Heb ik?' Onder andere omstandigheden – in afwezigheid van bijvoorbeeld het beeld van haar twintigjarige ik, met haar geliefde boven zich, in zich, klaar om te exploderen van zowel liefde als van fysieke begeerte – had ze misschien voldoende medelijden met Tim gehad om hem op zijn vlezige knie te kloppen en gemeenplaatsen te mompelen, hem toe te staan iets van zijn geknakte waardigheid en trots te redden. Maar Charlotte was zelf te veel geknakt geweest, te zeer neergemaaid door de herinnering aan het verleden, de levende herinnering aan hoe het was geweest om lief te hebben, écht lief te hebben, om iets anders uit te kunnen brengen dan wat gejammer. Tim had zijn broekriem vastgemaakt en snel een doos tissues gepakt; hij had er drie tegelijk uit getrokken, om vervolgens haar buik te deppen als iemand die in paniek een wond verzorgde.

Daarna hadden ze, als de vreemden die ze ook waren, op haar taxi zitten wachten, gehuld in een afzonderlijk, zwijgend niet-bevatten. Toen de taxi laat was, zodat er een tweede keer moest worden gebeld en de kwelling nog langer duurde, had Tim stamelend het slechte nieuws over de beslissing van de Stowes verteld, zeggend dat het ernaar uitzag dat ze al die tijd al iemand anders op het oog hadden gehad om het huis onderhands aan te verkopen. Hij had het haar eerder willen vertellen maar hij had de avond niet willen bederven, maar nu was de avond toch al bedorven. Hij had zijn best gedaan, het speet hem geweldig, maar er kwamen natuurlijk nog andere huizen... andere kopers, verkopers. Hij was toen weer een beetje spraakzamer geworden, misschien aangespoord door het vertrouwde jargon van zijn vak, iets om zich aan vast te klampen te midden van de puinhopen.

Thuisgekomen trof ze Jessica slapend op de bank aan, met haar laptop open, haar boeken verspreid over het tapijt. Het meisje geneerde zich dat ze gewekt moest worden en ze raapte snel haar spullen bij elkaar en verdween op haar fiets in de nacht, met een achterlicht dat op en neer ging toen ze over de verkeersdrempels reed. Charlotte had haar nagekeken en was daarna, met een hoofd dat ijzig, angstaanjagend helder was naar Sams slaapkamer gelopen. Hij sliep ook, met open mond, de sterke, gelijkmatige rij tanden tonend die wonderlijk mannelijk leken bij de nog kinderlijke lippen en zijn kleinejongensachtige, perzikzachte huid. Ze knielde bij het bed en veegde een enkele lok van zijn voorhoofd, nam die tussen duim en wijsvinger en legde hem op zijn hoofd, zijn mooie hoofd met de nieuwe, belachelijk lange, rommelige pony en de geometrische precisie van de kruin, zoveel duizenden strengen, zo'n wonderbaarlijk perfect in elkaar passende cirkel.

Charlotte was het liefst naast hem in bed gekropen, onder het dekbed met de vliegende superhelden. Maar ze kon de wijn in haar adem en op haar huid ruiken, en Tim, ze kon hem ook ruiken – zijn citrus aftershave, zijn zweet, zijn zaad. In haar door de schok veroorzaakte staat van verhoogde nuchterheid besefte ze volledig de twijfelachtigheid van het instinct om Sam aan te raken. De afgrond die zich die avond voor haar had geopend was van haar alleen. Hij had daar op haar gewacht, besefte ze, onzichtbaar en gapend, achter de jaren van klagen, van vrouwelijk misbaar, achter de recente oppervlakkige pogingen om de scherven bijeen te rapen, de beweringen over de behoefte aan onafhankelijkheid. Ze had heel veel van Martin gehouden. Dat was ze vergeten. Dat had ze willen vergeten. De oorzaak van zulke gevoelens liet zich niet in flessen verpakken. Hij was het systeem van haar geloof geweest, haar wéreld. Ze wilde Martin niet terug, maar dat verloren vertrouwen, dat geloof, was iets waar ze echt om rouwde. Zou hij nu hetzelfde bij Cindy voelen? Was het minder echt wanneer je dit twee keer voelde? Was liefde dan toch alleen maar iets wat je je inbeeldde, een bereidheid om iets te geloven? Als dat er niet was, wat was er dan wel?

Charlotte staarde lang naar het lieve, slapende gezicht van haar zoon, het product van eerlijke hartstocht en toch vanaf het begin zoveel simpeler dan dat, zo onverbrekelijk, even gemakkelijk om op te reageren als een glimlach, en duizendmaal dieper. Wanneer waren de problemen begonnen? De afstandelijkheid, het wantrouwen, de wrok – was dat voor of na Sam geweest? En wie had dat briefje toch geschreven? Wie had hun moeizame strijd zo graag tot een eind willen brengen?

Het autootje wiegde opnieuw, deze keer naar voren en naar achteren, alsof een reusachtige boosaardige hand de achterbumper vasthield en probeerde hem op zijn neus te kieperen. Charlotte probeerde niet aan iedereen op het feest te denken – Sam, Theresa en Henry, Naomi, Jo, Paul, Graham, iedereen – behalve zij. Ze probeerde niet aan Martin te denken, Martin die verderging met Cindy, en die nu het ritueel doormaakte van het inwijden van hun huis, waarbij ze mensen uitnodigden, in het openbaar hun relatie verkondigden en bezegelden, ook al, herinnerde ze zich, hadden zij misschien al problemen, vertoonde de relatie al scheurtjes. Poeh! Scheurtjes, poeh! Maar zelfs haar vitriool voelde halfslachtig. Voor vitriool had je energie nodig, en die bezat ze niet.

Onpasselijk, een beetje hongerig, besloot Charlotte dat het tijd werd om een punt te zetten achter haar zielige gekoekeloer en weer eens op huis aan te gaan. Ze zou dat gemene briefje opdiepen, besloot ze flink, terwijl iets van haar vastberadenheid terugkeerde, om dit nog één keer goed te bekijken en het daarna te verbranden. Maar toen ze naar het contactsleutel reikte, verrees er een nieuwe kleur boven de bloemen voor de cottage. Knalrood... de muts met de pompon – weer. Die vreselijke muts, en deze keer ook een bijpassende sjaal die als een strop om zijn nek wapperde. Charlottes mond viel open: Dominic Porter stond op de stoep en schudde de hand van mevrouw Stowe – hij *schudde de hand van mevrouw Stowe!*

Haar volgende gedachte was vluchten. Hij mocht haar niet zien. Deze vreselijke, hatelijke man met zijn hatelijke gezicht en zijn al even akelige dochter kruisten voortdurend, als een stel plaaggeesten, het pad van Sam en haar. Hij mocht haar niet zien. Onverschilligheid, hooghartigheid, vriendelijkheid – wat er ook nodig mocht zijn in de loop van een ontmoeting, ze kon het niet opbrengen, niet nu, ze kon het echt niet.

Ze draaide de sleutel om. De motor maakte zijn knarsende geluid, zijn speciale vreselijke geluid dat hij reserveerde voor ochtenden dat ze laat was, voor middagen dat ze laat was, alsof hij als aanleiding een gevoel van urgentie in haar nerveuze vingers behoefde. Charlotte probeerde het nogmaals, waarbij ze de sleutel woest omdraaide, waarna er een knarsend geluid volgde dat nog erger was dan het eerste, als van metaal op metaal.

Dominic zat met zijn gedachten bij leidingen en bedradingen, bij het nut van connecties (de Stowes, die Benedict kenden, die hun over zijn zoeken naar een huis had verteld), en of het te laat op de dag was om zijn accountant te bellen om te kijken of het tekenen van het contract en de overdracht op dezelfde datum konden geschieden. Het moeizame geknars van de Volkswagenmotor trok echter zijn aandacht. Zelfs toen, op het moment dat hij zich omdraaide om te kijken waar het geluid vandaan kwam, was het niet Charlotte Turner die hij in eerste instantie achter het stuur van het zwarte autootje zag zitten, maar het wazige beeld van de wilde haren van zijn vrouw: Maggie in haar oude zwarte Mini, biddend en smekend dat het ding wilde starten, zoals ze deed met alles wat niet meewerkte, of het nu een persoon of een machine was.

Maar het was Maggie natuurlijk niet. Het haar was langer, gladder, eerder kastanjebruin dan rood, en de ogen waren groen in plaats van blauw en er waren geen noemenswaardige sproeten; deze vrouw was ook veel slanker, met heupen als van een jongen en met lange, soepele vingers die ontworpen leken te zijn om zich rond een fluit te buigen of over pianotoetsen heen en weer te gaan. Dominic hoefde niet naar de auto toe te lopen om deze details te zien. Hij had Charlotte Turner uitvoerig bekeken, niet alleen onder de grimmige omstandigheden in het kantoortje van juffrouw Brigstock, maar nog eerder, in haar kleine vestibule en in de keuken met de op het zuiden gerichte tuin en de ingebouwde afvalbak onder het aanrecht, waarbij hij zichzelf zelfs toen had gewaarschuwd tegen zijn heimelijke, zielige zwak voor een vrouw met rood haar.

'Problemen?' Hij liet zijn hoofd zakken, enigszins uit het veld geslagen omdat ze niet meteen het raampje omlaagdraaide, deze vrouw wier zoon zijn dochter kortstondig had getraumatiseerd (hoewel Rose nu verre van getraumatiseerd leek) en wier lot hij gemakkelijk had kunnen negeren, gezien het aantal belangrijke telefoontjes dat hij moest plegen en de belofte aan Rose om spaghetti bolognese te maken waarvoor hij de ingrediënten nog moest kopen.

'Hij doet dit wel vaker.'

Ze had het raampje nu een eindje laten zakken, maar slechts tot halverwege, alsof ze zich wilde beschermen, naar Dominic vermoedde eerder tegen het woeste weer dan tegen hem. 'Ik sta daar geparkeerd. Ik heb startkabels.'

'Niet nodig.' Ze probeerde het nog eens, en knarste zichtbaar met haar tanden toen de motor opnieuw een kakofonisch geluid liet horen. 'Hij doet dit wel vaker,' herhaalde ze, met zichtbaar stijgende wanhoop. 'Soms, als ik even wacht, hem een moment de tijd geef... doet u alstublieft geen moeite. In het ergste geval kan ik altijd nog de AA bellen.'

'Jawel. De grote redders in de nood. Uitstekend.' Dominic richtte zich op, eerder verbijsterd dan gekwetst dat ze zijn aanbod van barmhartige samaritaan zo afsloeg. Sam was toch zeker vreselijk geweest tegen Rose? Die vrouw hoorde op haar knieën te liggen. En ze leek niet eens op Maggie, besloot hij hetzelfde moment. Totáál niet. En Maggie zou in geen duizend jaar zo vijandig hebben gereageerd op een aanbod voor hulp. Nooit. 'Tot ziens dan maar,' mompelde hij, en hij liep achterwaarts bij de auto vandaan, deels nog steeds onwillig zijn nederlaag te erkennen. Was hij dan zo vreselijk?

'Neem me niet kwalijk... Ik hoop dat u het niet erg vindt dat ik ernaar vraag...' Ze had het raampje nu helemaal omlaaggedraaid en stak haar gezicht naar buiten. Dat, constateerde Dominic, was niet zozeer bleek als wel wit, even wit als die opvallende tanden, en haar ogen, die weliswaar felgroen waren, waren roodomrand, net als bij Rose wanneer ze op het punt stond in tranen uit te barsten. Haar stem was echter heel resoluut en klonk hem tegemoet boven het tumult van de wind uit. 'Maar ik zag toevallig dat u uit nummer tweeënveertig kwam en ik vroeg me af... Kent u mevrouw Stowe? Ik bedoel, dat is kennelijk het geval, maar...'

Dominic stapte terug naar de auto en stopte zijn handen in zijn zakken. 'Ja... of liever gezegd mijn broer kent haar. De dochter van mevrouw Stowe is actrice, en hij is acteur. Ze hebben vorig jaar samen in een productie gestaan. Dankzij dat feit ga ik nu hun huis kopen – we zijn er al weken over bezig geweest, maar nu zijn we er eindelijk uit.' Hij haalde zijn handen uit zijn zakken en wreef ze over elkaar. 'Ze zijn zojuist zo vriendelijk geweest ermee in te stemmen er voor Pasen uit te gaan, zodat ik mijn huurcontract niet hoef te verlengen. Het is een onderhandse verkoop,' voegde hij eraan toe. Hij voelde zich geroepen die toelichting te geven toen hij de uitdrukking op Charlottes gezicht zag, toen ze haar hoofd weer terugtrok in de auto. Als een schildpad die zich terugtrekt, dacht Dominic.

'Ik weet… Ik wist dat het te koop stond. Ik wilde het kopen.' Ze staarde naar de voorruit.

Dominic aarzelde, terwijl hij de implicaties hiervan tot zich door liet dringen. Zijn ene vinger had, op zoek naar warmte in de hoek van zijn jaszak, een gat gevonden, een groot gat, groot genoeg om sleutels door te verliezen, en ook munten van een pond. Maggie zou er onmiddellijk iets aan hebben gedaan – in alles wat met naald en draad te maken had, met wol en handvaardigheid, was ze een tovenares geweest. En koken, dat had ze ook heerlijk gevonden, zo zelfs dat hij af en toe had moeten aandringen om ook eens te mogen koken, waarbij hij haar duidelijk had moeten maken dat het bereiden van voedsel net zo'n grote hobby van hem was als het besturen van vliegtuigen en dat het niet leuk was om elke avond aan het kortste eind te trekken en de afwas te moeten doen. Gekibbel – wie had kunnen denken dat hij dat zou missen? 'Wat een pech… Ik… Het is een erg leuk huis.'

'Ja, ja, het is beeldschoon. Ik had het heel graag willen hebben. Maar het lag qua prijs buiten mijn bereik en het is me slechts onofficieel getoond, en ik heb begrepen dat dat eigenlijk helemaal niet de bedoeling was… Ik bedoel, ik wist van de mogelijkheid van een onderhandse verkoop, maar ik had geen idee dat ze al iemand op het oog hadden.' Charlotte draaide de sleutel nogmaals om in het contactslot en de Volkswagen kwam soepel pruttelend tot leven, zoals dat altijd gebeurde wanneer ze de hoop had opgegeven.

Dominic boog zich dichter naar het raam toe en verhief zijn stem boven het motorgeronk. Hij kreeg het gevoel dat hem te verstaan werd gegeven dat hij moest verdwijnen en dat beviel hem niets. 'Hoor eens, het spijt me, echt.'

'Nee, het spijt mij,' schreeuwde ze terug. 'Ik had niets moeten zeggen. Het geeft niet.' Ze schonk hem een brede, spijtige glimlach, waarbij ze een stel uitzonderlijk fraaie tanden liet zien. 'Veel succes met alles.'

'Er zijn altijd nog andere huizen...' begon hij.

Charlotte schudde haar hoofd, terwijl ze de pook in de eerste versnelling schakelde en in haar buitenspiegel keek. 'Ik heb besloten te blijven waar ik ben en het beste te maken van wat ik heb.' De glimlach was er nog steeds, maar werd nu wat geforceerd, met strakke lippen.

'Geweldig. Veel succes dáármee,' probeerde Dominic, nu een beetje hulpeloos. 'Veel succes, hoor,' mompelde hij toen ze snel wegreed.

Toen hij terugliep naar zijn auto moest hij recht tegen de wind in, zodat zijn ogen traanden en zijn jaspanden fladderden. Gescheiden, met een moeilijk zoontje, en dan zo'n houding, zei hij tegen zichzelf toen de hulpeloosheid in medelijden dreigde over te gaan. Zijn gedachten gingen terug naar de gretige, verbitterde vrouw met wie hij kortstondig – onbevredigend – het bed had gedeeld: al die verhalen, al die bagage, terwijl hij meer dan genoeg had aan zijn eigen problemen. Die vergissing zou hij niet nog eens begaan. Het beste maken van wat je hebt was eigenlijk nog niet zo'n slecht adagium, besloot hij, toen hij achter het stuur van zijn auto schoot en terugdacht aan Charlottes afscheidswoorden. En dat moest hem lukken, zeker nu Rose veel meer haar draai leek te hebben gevonden en ze op het punt stonden samen een nieuwe start te maken in een huis dat hem als het ware in de schoot was geworpen – dankzij Benedict, die beste Benedict, met zijn eigen gecompliceerde leven maar met een onuitputtelijk vermogen om licht te werpen op de levens van anderen. Het was ook dankzij zijn geweldige, listige broer dat hij boven op deze zegen de intelligente, beeldschone Poolse vrouw meer binnen zijn bereik had. Ze heette Petra en ze had onlangs een bericht voor hem achtergelaten over een lunch, waarbij ze iets in de omgeving had voorgesteld aangezien ze buiten de studio's in Battersea aan het werk was – als het hem gelegen kwam, als hij tijd had, als hij zin had, misschien ergens in de komende weken, of maanden als hij het druk had. Het was een lang bericht geweest; de te lange zinnen, het formele Engels hadden zowel op een aandoenlijke onzekerheid als op ware belustheid geduid.

Het vooruitzicht hierop in te gaan was heel opwindend, moest

Dominic voldaan erkennen. Hij blies zijn handen warm terwijl de verwarming van de auto op gang kwam. Hij zou Benedict vragen of hij hem iets goeds hier in de buurt kon aanbevelen. Hij zou eens in zijn kantooragenda kijken of hij een rustige dag kon vinden. Misschien kon hij wat werk mee naar huis nemen, Rose uit school halen, wat papieren voor de verhuizing bij elkaar zoeken... Ja, een goed plan, iets om zijn tanden in te zetten. Dominic haalde diep adem. Hij was er soms van overtuigd dat hij vergat adem te halen. Hij haalde zich Petra's frisse, intelligente gezicht voor de geest, haar zijdezachte haar dat in een boblijn was geknipt, de lange benen. Hij was dól op lange benen. 'En het wordt tijd om verder te gaan, lieveling,' mompelde hij. Hij wierp nog een laatste bewonderende blik op zijn toekomstige huis. 'Dat is echt zo.'

Beste Rose,

We gaan niet meer verhuizen. Daar ben ik blij om, want het betekent dat mama minder gestrest doet en dat ik niet steeds mijn kamer netjes hoef te houden. Het enige wat jammer is, is dat ze had gezegd dat we een hond zouden nemen als we gingen verhuizen, dus ik denk dat we dat nu niet doen. Het andere vervelende is dat we hier van alles moeten laten schilderen en opknappen en rommel moeten opruimen en zo. Op dit moment moet ik eigenlijk dingen uitzoeken die ik weg wil geven, zoals oud speelgoed en zo. STOM! En ik moet ook mijn tas pakken omdat we weggaan. STOM! Het is maar naar Suffolk, naar het huis van George z'n vader. We zijn daar al een keer eerder een weekend geweest, en het regende de hele tijd. Sorry, dat deze brief zo STOM is.

Sam

PS: Ik heb voor mijn verjaardag een iPod gekregen, nieuw beltegoed voor mijn mobieltje en een hele vracht spelletjes voor mijn PlayStation.
PS. PS: Je kunt echt heel goed tekenen.

Sam vouwde zijn brief tot een klein, dik vierkant en vroeg zich af of hij de enige jongen in de hele wereld was die in de paasvakantie zijn school zou míssen. Je kon zoiets onmogelijk hardop zeggen. Net zo goed als je onmogelijk hardop kon zeggen dat de persoon aan wie hij, zoals iedereen wist, eerst zo de pest had gehad, op de een of andere manier – hoe? – in een vriendelijk penvriendinnetje was veranderd. Briefjes sturen naar de malloot van de klas – niet alleen impopulair maar bovendien een méísje – daar zou hij echt mee voor paal staan.

Het grappige was echter dat het Sam voor het eerst niets kon schelen als hij voor paal zou komen te staan. Door het gedoe met Rose – het gedoe met de níéuwe Rose – en omdat hij met zijn schoolwerk zijn beste beentje voor moest zetten, probeerde hij niet langer met het clubje van George aan te pappen, waarop hij tot zijn verbazing ontdekte dat zij nu met hem wilden aanpappen. Het was krankzinnig, net alsof je iets kreeg wanneer – of omdat – je het niet meer wilde hebben. In de laatste week voor de vakantie had George zelfs laten doorschemeren dat als er ook maar een kleine kans was om onder het nieuwe plan van zijn moeder om bij zijn oma in Cornwall te gaan logeren uit te komen, hij graag een uitnodiging wilde hebben om mee te gaan naar Suffolk. Hij had daar op de zolder een vlieger liggen die hij nog nooit had opgelaten, zei hij, en er was een plek in de duinen die hij Sam wilde laten zien, een prachtige schuilplaats. Hij had er haastig een tekening van gemaakt, met pijlen en kruisen, alsof hij een begraven schat moest aangeven.

Sam miste de briefjes en tekeningen van Rose. Maar hij miste vooral de opwinding van het stiekeme afgeven, de blikken over hun boeken heen en achter de rug van anderen langs, het heerlijke warme gevoel van samen iets te hebben waar niemand van wist, zelfs meneer Dawson niet, aan wie hij van alles en nog wat had verteld maar met wie hij nu niet meer hoefde te praten, tenzij hij dat zelf wilde.

Sam bleef op de overloop staan, opeens bang voor hoe zijn laatste poging tot geschreven communicatie zou worden ontvangen. Het laatste briefje van Rose, dat hem twee weken geleden in handen was geduwd, tijdens een gedwongen nietsdoen op de laatste schooldag, voor een zitting over verloren voorwerpen, was geëindigd met: 'tot ziens na de vakantie'. Alsof ze het alleen maar iets van school wilde laten zijn. En ze had ook helemaal niets gezegd over het uitwisselen van mobiele nummers en dat was een zware klap geweest.

En nu hadden ze alleen nog maar deze middag en dan gingen ze naar Suffolk, waar volgens zijn moeder mobieltjes geen bereik hadden en je voor het posten van een brief de auto moest nemen. Sam boog zich over het traphek en wrong zijn nek in een kronkel om te kijken waar Charlotte precies uithing. Hij had haar voor het laatst de logeer-kamer op de eerste verdieping binnen zien gaan, met in haar armen een grote stapel kartonnen dozen, maar de deur was nu dicht, en ze lag aan de andere kant ervan op haar knieën met haar ene hand in een stoffige, gehavende koffer en met haar andere slierten haar achter haar oren duwend, die onmiddellijk weer tevoorschijn sprongen en voor haar neus bungelden.

'Hoi daar,' zei ze, zonder zelfs maar op te kijken.

'Hoi.'

'Heb je gedaan wat ik je vroeg?'

'Bijna,' jokte Sam en vouwde zijn hand om het briefje. 'Mag ik even wat snoep gaan kopen?'

'Als je je kast hebt opgeruimd en je tas hebt gepakt, ja.'

Sam maakte een geluid dat was bedoeld om als ja te klinken terwijl dit niet helemaal zo was, zodat hij later kon ontkennen dat hij had ge-jokt. Min of meer tot zijn verbazing bleek het te werken, want toen hij naar beneden liep bleef ze doorpraten, niet over het uitzoeken van zijn spullen maar over andere saaie dingen waar ze het al minstens vijf keer over had gehad sinds het ontbijt.

'We moeten vroeg weg, anders staan we in de file. Het spijt me dat het maar vier dagen zijn, maar ik moet terug om in de winkel te hel-pen omdat Dean nog steeds zo ziek is. En niet lang nadat we terug zijn komt je peettante logeren — heb ik je dat al verteld?'

'Ja hoor. Eve, die jou zomaar e-mails begon te sturen en die ik nooit heb ontmoet omdat ze in Boston woont,' lepelde Sam op, en hij sprong op de trapleuning en terwijl hij losliet zette hij zich schrap voor het gebruikelijke standje, maar hij vond het glijden te leuk, om nog maar te zwijgen van de kans om een envelop uit de la van het buffet te halen terwijl zij nog boven was.

'En de vader van George heeft beloofd de sleutels te komen brengen voor we morgen vertrekken,' ging ze verder, alsof hij niets had gezegd en niet over de trapleuning gleed, 'en dat is heel aardig van hem.' Ze keek op haar horloge. 'En Sám...'

Nu komt het, dacht hij, terwijl hij in volle vaart over de leuning gleed, een onderdeel van een seconde voor hij de lastige laatste sprong op de vloer van de hal moest nemen, om op het kleed verder te glij-den als hij dat goed deed. Nu komt het.

'Als je toch naar het winkeltje gaat, wil je dan ook wat brood kopen – gesneden, bruin of wit, net wat je onder je roerei wilt.'

'Ja hoor,' hijgde Sam, verbaasd omkijkend naar de trap. Hij had het zachte kleed van de hal gemist maar was veilig op handen en voeten terechtgekomen. Zij lag nog steeds op haar knieën over de koffer ge-bogen en zong zachtjes terwijl ze kleren en papieren tevoorschijn haalde en in stapeltjes legde. Ze was daar nu al dagen mee bezig, als iemand die wél ging verhuizen, in plaats van te hebben besloten dat niet te doen.

Een paar kilometer verderop liep Theresa beduidend doortastender heen en weer tussen kasten en een grote koffer die snel gevuld raakte. Och-tendjassen en pantoffels – het huis in Cornwall was tochtig – speelgoed en spelletjes voor het geval het regende (het ging vást regenen), rub-berlaarzen en regenjacks, en voor iedereen minstens één van de zelfge-breide truien die in de loop van het afgelopen jaar in jiffy-zakken waren gearriveerd. Alfie en Jack zouden hun trui dragen, geen enkel punt, maar George begon op zijn dertiende begrijpelijk bezwaar te maken tegen het dragen van bobbelig, felgekleurd breiwerk, zelfs om zijn grootmoeder, van wie hij heel veel hield, een plezier te doen. Terwijl Matilda... The-resa zuchtte in vertederde wanhoop bij de gedachte aan de nieuwe, hardnekkige modebewustheid van haar dochter van zes. Sinds ze haar schooluniform niet hoefde aan te trekken begon ze iedere morgen kle-ren uit haar ladekast te smijten, met de dolmakende ontevredenheid van een tiener. Alleen artikelen die roze waren of met glitter bezaaid, waren nu in de gunst; en aangezien dit haar in wezen beperkte tot haar ballet-kleding en een paar te grote kledingstukken uit de verkleedkist, waren er die vakantie weinig ochtenden zonder scènes verlopen.

Naomi, die onverwacht op de thee was gekomen en de tweeling maar niet Pattie had meegebracht en was gebleven tot ver in de tijd die Theresa voor het inpakken had bedoeld (ze zou die avond vertrekken), had gezegd dat het half april was, overwegend zonnig, dus wat maakte het uit als een kind met een tutu naar de supermarkt ging? Theresa had lachend gezegd dat het inderdaad niets uitmaakte, afgezien van pedofielen en longontsteking en het feit dat de betreffende tutu een etiket 'uitsluitend met de hand wassen' droeg, wat veel extra werk betekende bij de al omvangrijke klus van de gezinswas.

En leiding, dacht Theresa nu, terwijl ze op de koffer ging staan omdat deze te vol was. Het niet toestaan van tutu's in de supermarkt maakte deel uit van alles beheersbaar houden binnen de grenzen van een chaos waarvan ze wist dat die haar zou overspoelen als ze de teugels liet vieren. En aan de manier waarop de tweeling die middag de beest had uitgehangen dreigde die chaos Naomi te overweldigen. Leiding. Die zou ze nemen waar ze de kans kreeg tegenwoordig, dacht ze grimmig en ze knielde op het deksel en siste verwensingen toen de inhoud tussen de zijkanten van de rits naar buiten puilde.

'Kan ik misschien een handje helpen?'

'Henry... Nee, ik bedoel ja... Ja graag.' Ze kwam van de koffer af en keek hoe haar man hem op hun bed hees en met brute kracht de rits dichttrok.

'Ziezo. Klaar.'

'Klaar. En jij?' Zeven weken en twee dagen, dacht ze, zeven weken en twee dagen sinds hij me voor het laatst heeft aangeraakt. Met zijn lippen ja, losjes zoentjes voor en na het werk, voor en na het slapen, vaderlijk, ontoereikend. En er was geen protest gekomen omdat ze in haar eentje naar Cornwall zou gaan, geen enkele opmerking over overwegen of wensen dat hij dat verhipte studieverlof zou opgeven om met haar mee te gaan. 'Was Charlotte het ermee eens dat jij de sleutels langs brengt?'

'O ja, zeker, prima. Ze vond het heel komisch dat we daar geen van allen aan hadden gedacht.'

Inwendig vond Theresa het eerder belachelijk klunzig dan grappig van hen allemaal. Bij een haastige lunch had ze Charlotte de vorige week goede raad gegeven over het laatste lastige deel van de reis, had ze zich bij voorbaat geëxcuseerd voor de kuren die de verwarmingsketel kon hebben, maar had ze er niet één keer over nagedacht hoe haar vriendin door de voordeur moest zien te komen. Charlotte, die druk bezig was met het verwensen van Dominic Porter omdat hij haar perfecte huis had ingepikt en met de toenemende hoeveelheid werk in verband met de voortdurende slechte gezondheidstoestand van haar werkgever, had er ook niet aan gedacht. Ze was vervuld geweest van een nieuwe, bijna maniakale energie en ratelde over nu echt verdergaan, over puzzelstukken die op hun plaats vielen, over haar vastbeslotenheid haar best te doen om te blijven waar ze was. Ze was ook drammerig geweest ten aanzien van de volgende mahjongavond en ze had erop aangedrongen dat zij de gastvrouw zou zijn, ondanks uitvoerige opknapplannen voor haar huis en een mogelijk samenvallen met het bezoek van Sams onbekende peettante. Eve en zij zouden wel samen spelen, zei ze, om het aantal hetzelfde te houden.

Theresa, die weinig zin had in een buitenstaander in hun gezellige clubje, iemand die het aantal verpestte, die beleefdheid en inspanning zou vergen, had even gemerkt dat ze de vertrouwde versie van haar vriendin miste: de vriendin die voortdurend steun, goede raad en medelijden behoefde. Jarenlang had ze zich superieur gevoeld aan Charlotte, besefte ze met enige verbazing. Superieur, zelfvoldaan, gelúkkig getrouwd, en ze miste dat een beetje.

Het was Henry geweest die als eerste de omissie van de sleutels had opgemerkt, en hij had zijn sleutelbos voor haar neus laten bungelen toen Naomi eindelijk was vertrokken en Theresa broccoli stond af te gieten en zich afvroeg waarom ze zich tot vier uur rijden in de avond had verplicht terwijl zes, zelfs met files de volgende dag, waarschijnlijk veel minder stressverwekkend was geweest. 'Duh...' had Henry uitgeroepen, waarmee hij een imitatie gaf van George, die een imitatie van Homer Simpson deed, met twinkelende ogen van voldoening omdat hij degene was die deze tekortkoming had opgemerkt. Hij had vervolgens snel – uitgelaten, zo leek het Theresa – aangeboden Charlotte te bellen om af te spreken wanneer hij de volgende morgen de gewraakte voorwerpen aan haar zou overhandigen. Zijn eigen plannen hielden in dat hij er een dag later met de trein naartoe zou gaan en dat hij nog een paar dagen zou blijven nadat zij weer naar Londen terug waren gegaan. De hele familie had alles zo vaak doorgenomen, met zoveel aandacht voor details, dat Theresa de meeste zinsneden van haar man over dit onderwerp woordelijk kon herhalen... Hij zou zich in de dependance *verschansen* om eens *spijkers met koppen te slaan* voor zijn nieuwste publicatie, om energie en *inspiratie* op te doen, zoals hij die *altijd* opdeed in het vakantielandschap van zijn kinderjaren.

'Komisch?' herhaalde Theresa mat, terwijl ze het woord met moeite uitbracht en haar eigen edelmoedigheid verwenste, toen ze Charlotte in eerste instantie de cottage had aangeboden, waardoor deze hele belachelijke situatie was ontstaan.

'Eigenlijk,' ging Henry luchtig verder terwijl hij zijn rug naar haar toegekeerd hield bij het op de grond zetten van de koffer, 'stelde Charlotte voor dat in plaats van een dag te wachten en met de trein te gaan, ik morgenochtend met haar meerijd als ik de sleutels kom brengen, wat eigenlijk heel praktisch is.'

Theresa begreep onmiddellijk dat dit heel praktisch was, akelig en praktisch. 'Geweldig. Wat aardig van Charlotte.' Ze liep achter Henry aan naar beneden, overmand door tegenstrijdige gevoelens. Aan de ene kant de oude instinctieve angsten van een vrouw, aan de andere kant het besef van de zinloosheid van het zoeken naar problemen die er niet waren, waardoor ze juist gingen bestaan. Er waren eerder dorre perioden in hun seksleven geweest. Dat stelde niets voor. Een huwelijk was een reis, een lange reis door een steeds weer veranderend terrein, door stemmingen, fases, kleuren. Het was een voortdurende beweging. *Vertrouwen* was de constante. En liefde, uiteraard. 'Ik hoop alleen… ik bedoel, ik maak me een beetje zorgen dat…' stamelde ze.

'Ja?' Henry bleef bij de deur van de zitkamer staan en keek haar aan over de rand van zijn bril – die niet zo vies was als meestal, zag Theresa, maar keurig gepoetst, zodat zijn azuurblauwe ogen goed uitkwamen. 'Wat?'

'… bezorgd of jij wel zult kunnen werken… als je zoveel afleiding om je heen hebt. Zou het niet beter zijn om gewoon thuis te blijven, met het huis voor jezelf? Je zou de telefoon eruit kunnen trekken en…'

'Dat zou niets worden,' viel hij haar in de rede, waarna hij er iets vriendelijker op liet volgen: 'Je weet hoe hopeloos het voor me is om hier tot iets te komen.'

'En kun je trouwens zomaar een dag eerder weg? Ik bedoel, je hebt het toch zo druk?' hield ze moeizaam aan.

'Dat is geen probleem. Ik heb al ruimte in mijn agenda gemaakt. Hoor eens, Tessy, als je om de een of andere ondoorgrondelijke reden liever hebt dat ik me bij het oorspronkelijke plan hou en met de trein ga, dan moet je dat zeggen.'

'Nee, je hebt gelijk, dat zou niet praktisch zijn.'

'Tessy?' Henry zette zijn bril af, zoals hij dat vaker deed tijdens momenten van hoog huiselijk drama, en keek haar scherp aan. 'Is alles goed met je?'

Theresa schoof naar hem toe, legde de zijkant van haar gezicht tegen zijn borst en voelde de knoopjes van zijn overhemd in haar wang drukken, door zijn trui heen, een oud, geliefd, dun kledingstuk. 'Het spijt me. Ik zie er een beetje tegenop om vanavond nog naar Cornwall te rijden, dat is alles. Ik ben erg moe, ik had dit gewoon niet af moeten spreken.'

'Nou, ga dan morgenochtend,' stelde hij voor, een beetje ongeduldig.

Theresa bewoog zich weer wat bij hem vandaan en schudde spijtig haar hoofd. 'Nee, je weet hoe mama is. Ze vindt het vreselijk als plannen worden veranderd. Ze zal opblijven, met een zaklantaarn bij de hand en met een van haar zelfgemaakte soepen en de koekjestrommel. Als ik nu wegga, zijn we er tegen elf uur,' ging ze resoluut verder, weer even kordaat als altijd, en ze riep naar boven dat de kinderen hun laatste spullen moesten pakken en beneden moesten komen.

En wat zou Charlotte in hemelsnaam – vooral in deze nieuwe fase van er flink tegenaan gaan – met haar Henry willen, trouwens? peinsde Theresa, die zich veel opgewekter voelde toen ze over de A404 snelde, terwijl de wederwaardigheden van Harry Potter de aandacht van twee van haar kinderen in beslag nam en de andere twee lagen te slapen. Een afwezige dokter met slechte ogen, een uitdijend middel en een enigszins harige rug. Ze schoot hardop in de lach, wat haar een blik van verbijsterde ergernis opleverde van George die geen woord van het verhaal over neerduikende lijkenpikkers wilde missen.

En wat zou Henry aan de andere kant met Charlotte willen beginnen? Een vrouw die het zoeken naar een huis en het beginnen van een relatie op zo'n idiote manier de mist in kon laten gaan? En dan bovendien de beste vriendin van zijn vrouw? Als hij écht een beetje in haar geïnteresseerd was, zou hij toch zeker niet zo opvallend doen door tegelijk met haar naar Suffolk te willen? Natuurlijk niet. Die samenvallende strepen in de agenda hadden daar blijk van gegeven, ze hadden niet het bewijs gevormd van list en bedrog. Theresa gaf een mep op het stuur. Ze was een dwaas, een onnozele dwaas.

Zonder zich iets aan te trekken van de twee niet-slapende reisgenoten liet ze Stephen Fry opeens stoppen en mikte haar telefoon bij George op schoot, met de opdracht het nummer van thuis in te toetsen. 'Goede reis morgen. Ik hou van je,' zei ze zacht zodra ze Henry's lage stem vernam.

'Jij ook, Tessy,' antwoordde hij. 'Jij ook.'

Charlotte had een leuke droom, een geweldige droom, waarin ze op zoek was – niet naar het geniepige briefje van degene die het beste met haar voorhad, het briefje dat had gemaakt dat ze in dozen ging zoeken en daarna eens goed was gaan opruimen – maar iets veel beters, veel belangrijkers, iets wat ze in haar droom had begrepen, maar nu niet meer. Ze werd wakker toen ze op het punt stond het betreffende voorwerp te vinden. In het pikkedonker buiten was een eenzame vogel begonnen aan een jolig dageraaddeuntje. Hij herhaalde steeds hetzelfde riedeltje, alsof hij hoopte dat een paar slaperige kameraden mee zouden gaan doen. Terwijl Charlotte daar lag, na die mooie droom die zomaar was afgebroken, bedacht ze dat ze toch wist waar dat briefje was, en ze was er zo zeker van dat ze niet de onmiddellijke behoefte voelde om uit bed te springen en het na te kijken. Ze vouwde in plaats daarvan haar handen achter haar hoofd en lag een paar minuten na te denken over de stille, onverwachte ommekeer in haar stemming, in de twee weken sinds die afschuwelijke vierentwintig uur die waren begonnen op Tims sponzige vuurrode sofa en die waren geëindigd in het vernederende staren naar het huis op Chalkdown Road nummer tweeënveertig.

Ze moest zelfs nu nog blozen om haar melodramatische gedrag. Maar er was geen twijfel over mogelijk dat er tijdens dit akelige gedoe iets was veranderd. Toen ze naar huis was gereden, met Dominic Porters blik van hulpeloos medelijden nog op haar netvlies, had wat als een vaag voornemen was begonnen zich versterkt tot iets wat veel op inspiratie leek. Voor ze het goed en wel in de gaten had, stonden er twaalf zwarte vuilniszakken te wachten om naar de vuilstortplaats te worden gebracht en lag er een lijst met aanbevolen schildersbedrijven naast de telefoon. Daarnaast waren haar werkzaamheden zodanig uitgebreid nu ze zoveel alleen moest doen en ze ook nog naar Suffolk zou gaan, dat Jason een assistente voor haar had ingehuurd. Het meisje heette Shona en had tot dusver meer belangstelling getoond om over Deans ziekte te roddelen ('pleuritis, me reet') dan te leren hoe ze met creditcards moest omgaan of hoe ze op de computer naar boeken moest zoeken. Ze zorgde soms eerder voor meer werk dan voor minder, maar Charlotte was zich er desalniettemin van bewust dat de aanwezigheid van deze stuntelige hulp haar bij wijze van contrast het gevoel gaf heel capabel te zijn. Tijdens het invoeren van bestellingen, controleren van voorraden, veranderen van de etalage, overleggen met twee plaatselijke auteurs over boekpresentaties, was ze zich gaan afvragen waar ze vroeger haar tijd mee had gevuld. Ze was eindelijk weer eens met iets substantieels bezig, met iets anders dan met Sam en met haar zorgen over wat andere mensen van haar zouden vinden en waarom de allesbepalende relatie van haar leven was misgelopen.

Toen de eenzame vogel zweeg, glipte Charlotte uit bed en liep blootsvoets naar de logeerkamer. In het nachtkastje daar lag uit haar studietijd een gehavend exemplaar van Wordsworths *Prelude*, samen met een paar paperclips, een lege inktpatroon en een balpen met erop de naam van het eerste bedrijf waarvoor Martin had gewerkt toen hij ten slotte toneelregie had verwisseld voor computers en een baan van negen tot vijf. Het briefje stak uit het boek, net zoals ze had verwacht, tussen twee pagina's die vol slordige onderstrepingen en vervaagde potloodaantekeningen stonden. *Verrukkelijk was het die dageraad om in leven te zijn, maar jong te zijn was hemels.*

'Mam, wat doe je daar?'

'Ik zou jou hetzelfde kunnen vragen, jongeman,' kaatste Charlotte terug, terwijl ze het briefje haastig in zijn schuilplaats propte en de lade dichtdeed. Jong zijn was hemels geweest. Dat hoorde zo. Wordsworth had daarmee de spijker op de kop geslagen, net zoals hij het verdriet over het moeten missen van zulke sensaties ook zo duidelijk had beschreven — ze had dat ooit geweten, ze had er essays over geschreven, maar ze had zich nooit voorgesteld dat ze het aan den lijve zou ondervinden. 'Heb je honger?'

Sam wreef met zijn knokkels in zijn ogen, als een kind dat letterlijk zijn ogen niet kan geloven. 'Mam, het is vier uur in de nacht.'

'Ik weet het, ik weet het.' Charlotte pakte de ochtendjas, een oude van Martin, die aan de binnenkant van de logeerkamerdeur hing en

167

slechts aan de zwarte zak was ontkomen doordat ze hem over het hoofd had gezien. 'Dat roerei vulde niet erg, hè? Ik dacht...' Ze streek even over haar kin en fronste haar wenkbrauwen. 'Ik dacht, misschien, omdat we een lange autorit voor de boeg hebben, kunnen we twéé keer ontbijten, en nu beginnen met toast en honing – of jam – en dan zal ik theezetten, maar misschien wil jij liever warme chocola. Ga eerst je ochtendjas halen,' riep ze, toen Sam de deur uit holde.

Charlotte deed het licht uit en verliet de kamer. Ze had er behoefte aan gehad dat briefje nog eens te zien, al was het maar om haar te herinneren aan de kleine rol die het had gespeeld in de ondergang van Martin en haar. Hoe intens verliefd ze ooit ook waren geweest, er waren járen van problemen geweest, bracht ze zich grimmig in herinnering, jaren van kibbelen, over Sam, over haar achterdocht, over Martins ontkenningen. Dat akelige briefje was alleen maar de spreekwoordelijke druppel geweest die de emmer deed overlopen, die iets had laten instorten wat toch al op het punt van instorten stond. De enige onbeantwoorde vraag was de identiteit van de persoon die zozeer 'het beste met haar voorhad' dat hij of zij dat briefje had geschreven. Martin had altijd ontkend er iets van te weten. Heel even had ze Jo verdacht, die in een bepaald stadium heel erg anti-Martin was geweest en die, omdat ze in de city werkte, hem zeer wel met Cindy kon hebben zien uitgaan. Maar zelfs dat leek nu nauwelijks van belang. Niets was meer van belang. Het was voorbij.

Charlotte liep langzaam naar beneden, zich ervan bewust dat geluk net zoiets was als kwikzilver, dat het, als je het te veel bestudeerde, buiten je bereik glipte. In plaats daarvan richtte ze zich op het heerlijke geluid van gerinkel in de keuken, en van het gefluit van Sam. Het was een onsamenhangend, vals getjilp – Martin had zijn muzikale genen niet doorgegeven – maar net als het gezang van de vogel in het donker, verhief het haar hart zelfs boven alles wat woorden van de geweldige dichters van het Lake District teweeg hadden kunnen brengen.

10

Toen Henry arriveerde stonden Sam en Charlotte met hun koffers in de hal, terwijl ze op hun horloge keken en probeerden te bedenken wat ze konden zijn vergeten. Toen de bel ging, dacht Sam opeens aan George' tekening van de schuilplaats, die nog steeds in het zijvak van zijn schooltas zat, en hij holde naar boven.

Henry zette een zware leren weekendtas neer en boog zich naar voren om een kus op Charlottes wang te drukken, wat hij zo ferm deed dat Charlotte, denkend dat de begroeting voorbij was, zich even erg opgelaten voelde toen bleek dat hij verwachtte dat ze haar andere wang ook zou aanbieden.

'Dit is erg aardig van je,' zei ze zacht, terwijl ze zich afvroeg waarom hij een weekendtas bij zich had. Ze vond het ook een beetje vroeg in de morgen voor zulke hoffelijkheden. 'Om de sleutels te vergeten! En jij moest helemaal met een taxi komen,' riep ze uit toen ze de taxi weg hoorde rijden. 'Wat vreselijk onhandig voor je.'

Henry zag er helemaal niet uit alsof hij iets onhandig had gevonden. Hij zette zijn handen op zijn heupen, onder de panden van zijn bruine corduroy jasje en grinnikte. 'Theresa heeft de auto. Ze is gisteravond met de kinderen naar Penrith vertrokken. Naar haar móéder,' voegde hij er met een zuur gezicht aan toe.

'Ja, dat heeft ze me verteld.' Charlotte zocht in haar handtas naar haar portemonnee. 'Ik moet je de kosten vergoeden of zo, en we brengen je natuurlijk weer thuis of naar het station, net wat je wilt.' Ze keek weer naar de weekendtas. 'Ik had er eigenlijk op aan moeten dringen bij jullie langs te gaan om die stomme sleutels zelf op te halen, omdat jullie één auto hebben – ik heb er gewoon niet aan gedacht.'

'Alleen zou dat hebben betekend dat jij een lange reis moest beginnen met eerst de verkeerde kant uit te gaan. Bovendien…' Henry aarzelde even. 'Bovendien heb ik mijn plan een klein beetje gewijzigd.'

'O ja?' Achter haar gleed Sam van de trapleuning af en zeilde naar de voordeur op het aangenaam gladde kleed van de hal. 'Hallo, dokter Curtis.'

'Hallo, Sam. Hoe is het ermee?'

'Goed, dank u.'

'Mooi zo.'

'Je plan?' herhaalde Charlotte.

'Alleen als jij er geen bezwaar tegen hebt natuurlijk, maar ik dacht dat ik misschien…' Nu was het Henry's beurt om naar de tas te kijken, hopend dat zijn leugentje tegen Theresa niet voor niets zou zijn geweest.

'Dat je nu met ons meegaat… natuurlijk!' riep Charlotte uit, en ze sloeg haar handen in elkaar. Ze was oprecht blij met het vooruitzicht van volwassen gezelschap onderweg, om nog maar te zwijgen van een volwassene die het overbodig maakte om Theresa's instructies te onthouden over hoge bruggetjes, uithangborden van pubs en goed links houden om gevaarlijke wildroosters te vermijden. 'Ik begrijp niet waarom ik er zelf niet op ben gekomen. Het is net als met het vergeten van de sleutels,' kwebbelde ze, terwijl ze Sam de voordeur uit dreef en Henry uitvoerig bedankte toen hij galant naar binnen dook om hun koffers te pakken. 'Ik weet niet of Theresa het je heeft verteld, maar ik heb het de laatste tijd erg druk gehad met de winkel en zo. Ik zit steeds met mijn gedachten bij andere dingen.'

'Ja, ze vertelde zoiets. Ze zei ook dat je je huis van de markt had gehaald,' merkte Henry op, en hij trok iets harder aan zijn veiligheidsriem dan strikt noodzakelijk was bij de onwelkome herinnering aan de makelaar.

'Ja, ik had er niet goed over nagedacht,' bekende Charlotte opgewekt, en ze zwaaide terug naar meneer Beasley terwijl ze wegreden. 'Ik dacht dat ik om een nieuw begin te maken ook van omgeving moest veranderen, maar daar gaat het eigenlijk niet om. De mensen zeggen vaak hetzelfde als er iemand is gestorven, hè?'

'O ja?' mompelde Henry, met zijn aandacht gericht op de lange welving van Charlottes bovenbeen in haar spijkerbroek, en het luxueuze vooruitzicht van uren – dagen – met zo'n aanblik in zijn onmiddellijke nabijheid.

'Dat het na zulke trauma's altijd beter is om te wachten, het stof te laten neerdalen en dan te kijken hoe je je voelt.'

'Papa is toch zeker niet dóód!' snoof Sam smalend, bezig met de draadjes van zijn iPod. Verderop in de straat kon hij de postbode zien, die magere kale met het oorbelletje, die soms naar hem knipoogde. Hij moest erdoor aan Rose denken, aan zijn brief, die nu op weg was, hoopte hij, naar Trinity Hill 13. Tenzij ze al verhuisd waren. Sams hart begon te bonzen. Zouden ze al verhuisd kunnen zijn? Naar dat huis waar zijn moeder zo gek op was geweest? Londen stond vol huizen, en dan moesten ze uitgerekend hetzelfde huis kiezen. Zij was woest geweest, maar Sam had het ongelofelijk gevonden, en ook wel een beetje leuk, als een teken dat Rose en hij voorbestemd waren om vriendschap te sluiten.

'Hé, ik dacht dat jij veilig ingeplugd zat in dat nieuwe apparaat van je,' verweerde Charlotte zich, horend aan zijn gesnuif dat hij niet geschokt was. 'Voor zover ik weet verkeert je vader in een uitstekende gezondheid.'

'Maar als hij wél dood zou gaan,' hield Sam aan, afgeleid van de mogelijkheid van verkeerde adressen, 'zouden wij dan rijk worden?'

Charlotte schoot in de lach en draaide met haar ogen naar Henry, die vol bewondering teruggrijnsde om haar humor, om hoe goed ze met alles wist om te gaan. Hij hield ook van de manier waarop ze reed, besloot hij: rustig, veilig, heel anders dan Theresa, die kruipers opjoeg, tussen de camera's snelheidslimieten overschreed en over het algemeen veel commentaar van medeweggebruikers kreeg.

'Nee, Sam, echt niet. Maar misschien zou je een kleinigheid krijgen – zijn horloge of misschien zelfs zijn kostbare cd-verzameling,' plaagde Charlotte, terwijl ze even in het achteruitkijkspiegeltje naar haar zoon keek, blij met de nieuwe ontspannen verhouding tussen hen, opnieuw bewezen bij hun nachtelijke feestmaal van sneetjes toast, waarbij ze boter en honing op hun ochtendjas hadden gemorst terwijl ze hun voeten warmhielden onder de kussens van de sofa. Ze hadden naar twee cricketteams in felgekleurde trainingspakken aan de andere kant van de wereld gekeken, tot Sam in slaap was gevallen en zij zijn

171

dekbed om hem heen had gestopt en toen weer naar bed was gegaan en op het rinkelen van de wekker had gewacht. 'Het meeste zal trouwens wel naar Cindy gaan. Als je meer wilt weten, zul je het hem zelf moeten vragen, nietwaar? O, reken maar dat papa dat leuk zal vinden,' besloot ze vrolijk, blij dat ze Martin niet langer om geld of iets anders hoefde te vragen, dat ze alle intensiteit, goed en slecht, achter zich had gelaten. Hij mocht van haar al zijn aardse bezittingen aan Cindy nalaten, háár zegen had hij – als alles tenminste goed ging en Cindy niet ook naar zijn creditcardafschriften ging snuffelen, wanhopig op zoek naar bewijsstukken.

Londen uit komen was een fluitje van een cent met Henry, die de weg wees. Binnen een uur zaten ze op de A12, waar ze gestaag honderdtien reed zonder iets in te halen behalve een enkele trage vrachtauto, en met een zon die zo fel scheen dat ze Henry vroeg haar oude gekraste zonnebril uit het handschoenenkastje op te diepen. Toen de Volkswagen het onheilspellende geratel liet horen dat hij voor lange ritten bewaarde – één keer toen ze net de snelweg hadden verlaten en nog een keer toen ze vaart minderde voor de beruchte hoge brug – lachte Henry om haar gekreun van wanhoop en beloofde hij haar bij terugkeer in Londen het nummer te geven van een geweldige monteur.

'O Henry, je bent echt gewéldig, dank je!' riep Charlotte uit, met even een gevoel van gemis – niet van Martin zelf, maar van iets van de mannelijke onbevreesdheid die hij in hun relatie had ingebracht. Ze kreeg hetzelfde gevoel toen Henry uit de auto sprong om het zware hek met vijf dwarsbalken aan het eind van de kleine oprit van de cottage open te doen en daarna weer toen hij de bagage met een zwaai uit de kofferruimte haalde en op de stoep zette.

'Je sleutels.' Hij liet ze in haar hand vallen.

'Dank je, Henry. Hartelijk dank...'

'Zal ik die maar even boven zetten?'

'Heus, Sam en ik redden ons nu verder wel.' Charlotte keek geroerd en hulpeloos toe toen hij zich niets van haar aantrok en met hun koffers de korte, smalle trap beklom. 'Ik zal de schakelaar van de boiler gelijk indrukken, zodat jullie gauw warm water hebben,' riep hij. 'En wat wil je met de verwarming? Wil je die aan hebben? Of misschien pas vanavond? Of denk je dat de open haard genoeg is? Er moeten nog houtblokken in de schuur liggen, maar ik zal het even controleren. De aanmaakblokjes liggen onder de kranten in de mand naast de haard.'

'Henry, toe, je hebt echt al genoeg gedaan,' zei Charlotte op verontschuldigende toon toen hij weer beneden kwam. 'We zullen ons prima redden. Ik weet dat je werk te doen hebt en we willen... we zúllen je echt niet voor de voeten lopen. Ik heb het Theresa beloofd – de dependance is jouw domein en wij zitten hier. Dat Sam en ik hier mogen bivakkeren is echt ongelooflijk aardig van jullie, en ik zou het reuze vervelend vinden als ik het gevoel kreeg dat we je storen.'

'Doe niet zo gek.' Henry had zijn bril afgezet en poetste de glazen met de zoom van zijn trui.

'Ik denk dat we maar eens gaan uitpakken,' ging Charlotte verder, 'en daarna lopen we naar dat beroemde, goedvoorziene postkantoortje in het dorp en doen daar boodschappen. Zeg me wat ik voor jou mee kan brengen – dat is al het minste wat ik kan doen, gezien het feit dat ik geen huur mag betalen.'

Henry zette zijn bril weer op en stopte zijn handen in zijn zakken terwijl hij door het raam van de hal naar zijn eigen weekendtas keek, die nog steeds naast de auto in het grind stond. 'Misschien loop ik wel mee, als je dat goedvindt... Het is lekker om even de benen te strekken na zo'n lange rit. Geef maar een klop op de deur als je klaar bent. Weet je,' – hij keek Sam aan – 'George heeft ergens nog een grote vlieger liggen. Als er meer wind komt kunnen we misschien proberen hem op te laten, als je dat wilt.'

Sam keek even naar zijn moeder voor hij antwoord gaf. Hij wilde zeggen ja, graag, maar hij was bang dat dat misschien niet het goede antwoord was, gezien haar kleine toespraak over geen overlast bezorgen. 'Ja, George heeft gezegd dat ik die wel mocht gebruiken,' begon hij voorzichtig, en vervolgde haastig: 'Maar ik heb waarschijnlijk niet veel hulp nodig.'

Henry lachte hartelijk. 'O, neem maar van mij aan dat je hulp nodig hebt. Dat soort vliegers is een ramp om in je eentje op te laten. Tot straks dan maar.' Hij liep grinnikend weg.

Ik doe mijn ogen open en daar staat het biezen mandje. Het staat op het geïmproviseerde onderstel waar ik me een beetje zorgen over maak omdat het zo wiebelt. Erboven hangt het scheve hemeltje dat ik zelf heb genaaid en opgehangen, in een poging de mand er minder uit te laten zien als iets wat voor wasgoed is bedoeld en meer als een van de verfijnde wiegen zoals die in mijn zwangerschapstijdschriften staan afgebeeld.

Ik ben nog verdoofd van vermoeidheid en laat mijn ogen dichtvallen. Slapen is nu een nieuwe obsessie in ons leven, iets wat zeldzaam en kostbaar is, iets waar we voor moeten vechten. Het is zaterdagmiddag, een uur na de vorige voeding, na een nacht zonder rust. Eve komt op de thee, zodat we haar kunnen vragen peettante te zijn. Achter me, van me weg gerold, ligt Martin ook te slapen, met één arm over zijn hoofd, zijn vuist tegen zijn oor gedrukt alsof hij de volgende kreet niet wil horen. Later word ik me er vaag van bewust dat Eve in de kamer is, gebogen over de mand, met een bos tulpen in haar armen. Martin staat naast haar, met zijn armen over elkaar geslagen, glimlachend en trots.

'We willen dat jij peettante wordt,' fluistert hij.

Eve slaakt een gesmoorde kreet en wappert met haar bloemen. 'Grote goden,' fluistert ze terug, 'ik breng er vast niets van terecht. O, dank je wel.' Ze slaat haar arm om hem heen terwijl ze op hun tenen weglopen.

Een tel later, naar het schijnt, laat Sam zijn hulpeloze gehuil van pasgeboren baby horen, het gehuil dat mijn melk doet toeschieten. De mand piept als ik hem eruit til. Terwijl hij drinkt vouw ik mijn hand rond zijn zachte, donzige hoofd, met een prop in mijn keel van blijdschap. Ik heb alles wat mijn hartje begeert. Alles.

'Wanneer mag ik jouw films zien?'

'Eh... ik denk als je vijftien bent, tenzij ik word ingehuurd voor het volgende Narnia-kassucces. Dat zou leuk zijn.' Benedict plukte een grassprietje en kauwde erop terwijl hij zijn nichtje aandachtig aankeek. Ze lagen languit op hun zij in het park, met hun hoofd op hun onderarm, en ze keken naar elkaar over de resten van een in de supermarkt gekochte lunch.

Rose trok een zuur gezicht. 'Ik vond de vorige helemaal niet leuk, het zag er allemaal zo nep uit, vooral Aslan.'

'Ik denk niet dat zelfs de knapste, dapperste leeuwentemmer van de wereld een échte leeuw zoiets zou kunnen hebben laten doen, hè?'

'Is het omdat er veel seks in voorkomt en jij je kleren moet uittrekken?'

Benedict schoot in de lach. 'Ik neem aan dat we weer terug zijn bij het punt van mijn laatste film die voor boven de vijftien is, in plaats van Aslan?'

'Nou, is dat zo?' Rose groef met haar nagel in de grond, vlak onder een kruipende mier. Een aardbeving voor hem, dacht ze, en voor mij gewoon een spikkeltje modder.

'In de laatste krijg je inderdaad mijn achterwerk te zien,' bekende Benedict vrolijk.

Rose giechelde. 'Gedver.'

'Precies. Ik had het zelf niet beter kunnen uitdrukken. Blijf er zo lang mogelijk vandaan, is mijn advies.' Benedict grijnsde en aaide zijn nichtje even over haar wilde bos oranjekleurig haar, waarbij hij als altijd de neiging moest bedwingen om haar te vertellen dat ze een schepsel van woeste, uitzonderlijke schoonheid was. Hij draaide zich op zijn rug en keek met samengeknepen ogen naar de lucht, die eveneens van uitzonderlijke schoonheid was, een vlakke, blauwe zee die met voortsnellende zeilen was bezaaid. Hij was dol op april, met alle frisheid en de stralende belofte van zomer. 'Dus die nieuwe school van jou is nu wel draaglijk?'

'Jawel.' Rose groef dieper, op zoek naar de mier, die was verdwenen. 'Eigenlijk wel goed. Er is een jongen die ik wel aardig vind.'

'Wat een bofferd,' antwoordde haar oom, die in tegenstelling tot de meeste volwassenen die ze kende, altijd onverwachte dingen zei, dingen die het gemakkelijker maakten om met hem te praten. 'Ik hoop dat híj weet hoe geweldig hij boft.'

'Ja, dat denk ik wel.' De mier was weer tevoorschijn gekomen, boven op het bergje modder, en hij stond op zijn achterpoten als een ontdekkingsreiziger die vanaf de top van een berg stond te turen. 'We schrijven elkaar brieven, dat is alles.'

'Brieven? Wat ben jij toch een verrassend meisje. Zul je alsjeblieft nooit veranderen?'

'Gekkie! Tuurlijk niet.' Rose legde de mier voorzichtig op de nagel van haar vinger en blies hem toen weg.

'Je ziet eruit alsof je het koud hebt, liefje. Zullen we gaan?'

'Ik heb het niet koud.'

'Jawel. Kijk maar naar je knieën, die zijn helemaal paars.'

Rose ging rechtop zitten en bekeek haar knieën. 'Die hebben altijd zo'n kleur.'

'Toch moeten we nu gaan, anders krijg ik van papa op mijn falie omdat we in het park zijn blijven lummelen tot jij blauw van de kou zag en omdat ik je ongezonde dingen te eten heb gegeven en niet heb opgelet of jij je wel achter je oren hebt gewassen of wat ik nog meer had moeten doen.'

'Gekkie,' zei Rose weer, en ze duwde hem met beide handen tegen zijn borst, waarop Benedict twee achterwaartse koprollen maakte voor hij overeind sprong.

'Ik aanbid je dochter,' merkte hij later die avond op, toen hij tegenover Dominic zat die behendig met stokjes uit een doosje van aluminiumfolie rundvlees, zeewier en noedels at.

'En zij aanbidt jou,' antwoordde Dominic. Hij bleef gretig eten, waarbij hij de druppels saus met de rug van zijn hand wegveegde. 'Bedankt voor al je hulp.'

'Acteurs in ruste hebben zo hun nut,' merkte Benedict droog op. Hij pikte behoedzamer in het afhaalgerecht, als altijd bang om te veel calorieën binnen te krijgen. 'Trouwens, ze schijnt een soort vriendje te hebben gekregen.'

Dominic keek hem met open mond van verbazing aan terwijl de stokjes met een verse lading in de lucht bleven steken. 'Weet je het zeker?'

Benedict knikte.

'Grote hemel.'

'Niks "grote hemel". Ze schrijven elkaar bríéven, potdorie. Is dat niet aandoenlijk?'

Dominic schudde vol verbazing zijn hoofd. Hij herinnerde zich de handgeschreven envelop waarvoor Rose uiteindelijk nooit een verklaring had gegeven.

'En nu we het toch over relaties hebben…' Benedict zweeg even, leunde achterover in zijn stoel en schoof wat kartonnen dozen opzij om zijn voeten neer te kunnen leggen. 'Heeft Petra nog contact opgenomen?'

Dominic schoof enkele noedels in zijn mond en sloeg zijn ogen op naar het plafond. 'Je bent een ongelofelijke bemoeial, weet je dat?'

'Dat ben ik inderdaad.' Benedict glimlachte en richtte zijn grote bruine ogen met lange wimpers op Dominics gezicht. 'Ik heb Maggie ook voor je gevonden, nietwaar?'

Het duurde even voor Dominic antwoord gaf. Zijn broer zat te vissen, wist hij, door met opzet Maggie ter sprake te brengen. Dat deed hij wel vaker, omdat hij wilde peilen hoe hij eraan toe was, hoever hij zich na die drie inktzwarte jaren had hersteld. De meeste mensen durfden zoiets niet te doen. 'Ja, dat klopt, klootzak die je bent, en dat was genoeg gekoppel voor een heel mensenleven, dank je zeer. Maar om je vraag te beantwoorden, omdat je die zo vriendelijk stelt, op je gebruikelijke fijnzinnige wijze, je Poolse aankomende filmsterretje Petra en ik hebben telefoontennis gespeeld, waarbij we boodschappen voor elkaar hebben achtergelaten en elkaar zijn misgelopen. Het was de laatste keer mijn beurt en ze heeft me nog niet teruggebeld... Maar ik blijf volhouden,' beloofde hij, en hij wiebelde met zijn stokjes en lachte om de bezorgde trek op het gezicht van zijn broer. 'Het gaat goed met me, Ben,' ging hij met zachte stem verder. 'Echt waar.'

Benedict, die zijn adem had ingehouden, slaakte een zucht van opluchting. 'Mooi zo, want ik heb je een voorstel te doen. Een zakelijk voorstel.'

'Grote hemel, man, heb meelij. Mijn vrouwen, mijn huis, allemachtig...'

'Daar heb ik me verder niet mee bemoeid, het was gewoon gezond verstand. Katies ouders wilden een snelle verkoop van een fantastisch huis en jij moest snel iets kopen om uit dit krot weg te komen. Sorry, maar het is echt armoedig. Dat heb je zelf ook honderd keer gezegd.' Benedict sloeg zijn handen in elkaar en legde ze achter zijn hoofd terwijl hij zich nog dieper in de sofa liet zakken. 'Rose schijnt trouwens heel enthousiast te zijn over de verhuizing. Ik heb begrepen dat ze morgen komen inpakken? Gefeliciteerd.'

'Waarom praat ze wel tegen jou en niet tegen mij?' barstte Dominic uit. Hij liet zijn noedels staan en greep naar zijn flesje bier.

'Omdat ik een buitenstaander ben,' antwoordde Benedict rustig. 'Omdat ze mij niet als een hond heeft zien janken, omdat er niets tussen ons is behalve mijn aanbidding.'

Ze zwegen een tijdje en lieten de waarheid van deze constateringen tot zich doordringen. Ergens in de straat ronkte een motorfiets en sloeg toen af.

'En homo's zijn altijd goed met vrouwen,' grapte Benedict. Hij trok zijn voeten van de salontafel en begon de dozen te stapelen. 'Dat moet je inmiddels toch wel weten, broer.' Hij bleef even naast Dominics stoel staan en kuste hem boven op het hoofd. 'Zelfs degenen die niet uit de kast zijn gekomen en dit ook nooit zullen doen, uit angst publicisten, agenten, fans en bejaarde ouders een hartaanval te bezorgen. Is er nog bier?'

'Uiteraard. Neem er voor mij ook eentje mee als je toch loopt…'

'Oké, dat zakelijke voorstel, voor de draad ermee,' drong Dominic aan toen ze met succes – wedijverend – de kroonkurken in de prullenmand hadden gemikt. 'Ik weet dat je popelt om het me te vertellen.'

'Laat mij even mijn verhaal doen, ja?' zei Benedict overredend, en hij zette de lege flessen op een rijtje in het midden van de tafel. 'De belangrijkste punten om in gedachten te houden zijn' – hij schoof een fles uit de rij – 'dat jij nooit plezier hebt gehad in je werk in de City, maar dat je een baan nodig hebt. In de tweede plaats' – hij schoof de tweede fles naast de eerste – 'dat je, in elk geval de komende jaren, meer tijd wil hebben voor Rose, en ten slotte' – hij boog zich naar voren, liet al zijn attributen in de steek en sloeg zijn handen ineen – 'dat hoewel je leeft en je gedraagt alsof dit niet zo is, je feitelijk dankzij diverse jaren met City-bonussen voldoende geld hebt om eens te overwegen een risico te nemen en te investeren.'

'En laten we evenmin vergeten,' grapte Dominic, 'dat jij een klootzak vol overdrijving bent, met te veel tijd omhanden.' Hij haalde met een theatrale zucht zijn vingers door zijn haar. 'Oké, laat maar eens horen, maar hou het kort. Sommige mensen hebben een afschuwelijke baan waar ze vreselijk vroeg voor uit de veren moeten.'

Er dreef, net als iedere morgen, een dunne sliert nevel rond de muren van de dependance en het stevige houten hek dat de cottage tegen de omringende velden beschermde. De bomen, met hun kruinen vol bloesems en frisse groene bladeren, waren als standbeelden die tot aan hun middel in een zee van melkachtig water stonden. Dit betekende mooi weer, geen slecht weer, bracht Charlotte zich in herinnering, toen ze met haar eerste kop thee in de hand vanuit haar slaapkamerraam het uitzicht bewonderde, en ze dacht terug aan het enthousiaste verhaal van Henry over Suffolk en het begin van de zomer, hoe de kilte van een heldere nacht onder de warme lucht van een heldere dag bleef steken waardoor er bij het aanbreken van de dag een fonkelende laag dauw te zien was die steeds dunner werd naarmate de zon hoger kwam. Hij kon goed over zulke dingen vertellen, met een intense belangstelling die maakte dat je geboeid raakte. Hij moest een goede arts aan een ziekbed zijn, besloot ze, terwijl ze in haar hete thee blies, met die perfecte combinatie van belangstelling en vriendelijkheid die zo weinig dokters wisten op te brengen. Ja, als zij ooit longkanker mocht krijgen als gevolg van het samen met Bella in haar tienerjaren paffen van sigaretten uit ramen en op ijzige brandtrappen, dan was Henry beslist degene die ze moest hebben.

Charlotte was aan deze korte vakantie begonnen met weinig meer dan een vaag verlangen om even weg te zijn – voor wat afwisseling, voor wat meer slaap, om enige afstand te kunnen nemen van de recente verwikkelingen in haar leven in Londen – maar ze had tot haar verbazing gemerkt dat Sam en zij hadden genoten. Ze hadden nu nog maar één hele dag voor de boeg en ze wenste dat het er tien of twintig waren. Het viel niet te ontkennen dat dit voornamelijk door Henry kwam. Henry, tegen wiens aanwezigheid ze van tevoren een beetje had opgezien maar die iedere dag had opgevrolijkt met vliegeren, vangen van krabben en kennis over de beste wandelingen en pubs, en hoe je een haardvuur moest aanleggen dat hoog opvlamde in plaats van te smeulen. Tot op zekere hoogte voelde Charlotte zich natuurlijk bezwaard. De arme man was nauwelijks toegekomen aan werken, maar iedere keer dat ze hierop wees, had hij met nadruk verklaard dat hij nog tijd genoeg had als Sam en zij waren vertrokken en dat hij zich dan veel beter kon concentreren omdat hij zo goed uitgerust was. Veel van het voorbereidende werk verliep trouwens in zijn onderbewuste, had hij verklaard, terwijl hij kauwde op de wat smakeloze stoofschotel die ze de vorige avond had klaargemaakt, zodat zelfs wanneer hij niet boven zijn papieren zat, zijn brein toch met de problemen worstelde en die daardoor gemakkelijker op te lossen waren wanneer de noodzaak tot volledige aandacht er was.

Toen Charlotte een trui over haar nachthemd aantrok, ontwaarde ze het onderwerp van deze overpeinzingen tot aan zijn knieën in de nevels, op weg naar het schuurtje dat hij groots als garage betitelde. Een paar minuten later kwam hij weer tevoorschijn, met aan de hand een grote, ouderwetse fiets met een kapotte mand aan het stuur en twee lege banden. Charlotte zag dat hij de fiets ondersteboven zette op het zadel en energiek de banden erafhaalde en de binnenbanden naar buiten begon te trekken. Ze stond op het punt zich om te draaien toen hij naar haar slaapkamerraam omhoogkeek en zwaaide.

Charlotte maakte het raam open en stak haar hoofd naar buiten, waarbij ze even haar adem inhield toen ze de kille ochtendlucht voelde. 'Een beetje vroeg om zoiets te doen, hè? En dat met al die mist – het verbaast me dat je iets kunt zien,' riep ze lachend.

Henry grijnsde en hield zijn hand boven zijn ogen alsof hij tegen een verblindend licht in moest kijken. 'Het is net als met duisternis, je kunt er veel gemakkelijker doorheen kijken als je er zelf in zit. En als jij morgen met je auto weg bent, zal ik die fiets misschien nodig hebben.'

'O lieve help, vast wel. Zou een kop thee helpen? Ik wilde net water opzetten.'

'Reken maar. Thee. Geweldig.'

'En toast?'

Henry kreunde en greep naar zijn buik. 'Toast. Hemels.'

'Komt zo.' Charlotte deed het raam weer dicht, trok een paar sokken aan en was al halverwege de trap naar beneden toen ze zich omdraaide om – omwille van het decorum – haar spijkerbroek aan te trekken. Tien minuten later zaten ze tegenover elkaar aan de keukentafel, met een bord beboterde toast, wat potjes jam en de cottagetheepot, die de grappige vorm van een vierkante koe had en waarmee onmogelijk goed viel te schenken.

'Sta me toe – jaren van oefening. Je moet gewoon één snel gebaar maken.'

Charlotte giechelde toen Henry's poging resulteerde in een plens gemorste thee die nog groter was dan de plens die zij had gemaakt. 'Ik zal even een doek pakken.' Ze liep snel naar de gootsteen en slaakte toen een kreet omdat iets in haar linkeroog, wat eerst als een lichte irritatie had gevoeld, opeens echt pijn deed.

'Wat is er?'

'Niets. Ik heb iets in mijn oog. Waarschijnlijk toast. Eén moment.' Charlotte trok aan haar bovenste ooglid en knipperde hevig. 'Ziezo, dat is beter. Nee, toch niet.' Ze knipperde nog harder, zodat haar oog traande. 'Verdorie, ik moet een spiegel hebben.'

'Nee, wacht, laat mij even kijken.'

Charlotte legde een hand over haar oog en was al halverwege de deur toen Henry haar de weg versperde. 'Ik ben heel goed in dit soort dingen. Ik heb zelfs een schone zakdoek bij me – *voilà*.' Hij trok een keurig opgevouwen blauwe zakdoek uit zijn achterzak en schudde er zwierig mee. 'Even stil blijven staan... Kijk eens naar links... Naar rechts... Omhoog... Aha, daar hebben we het... Ziezo... Niet bewegen... Niet...' Henry, die doorgaans met het scherpste scalpel kalm en vaardig omging, moest nu het beven van zijn vingers en knieën bedwingen toen hij het ooglid omhoogduwde. Hij had het gewraakte zwarte spikkeltje ontdekt, maar hij kon alleen maar haar oog zien, haar prachtige oog, dat hem als een roosvenster in tinten groen en bruin en zwart toeblonk. En de eerste aanblik van haar die morgen stond hem ook nog steeds voor de geest, met haar warrige massa haar toen ze haar trui aantrok, de glimp van haar borsten door de dunne stof van haar nachthemd heen.

Charlotte, die als een brave patiënt geduldig stond te wachten, met haar gezicht omhooggekeerd, voelde zich aanvankelijk alleen maar een beetje ongemakkelijk. Maar toen, net als bij een briesje dat van richting verandert, werd ze zich bewust van iets anders, van iets wat niet klopte, helemaal niet klopte. Henry stond in haar oog te kijken en zij probeerde naar het plafond te kijken, probeerde niet te knipperen, waarbij ze zich richtte op de capriolen van een dikke vlieg in de buurt van een spinnenweb. Alles was net zoals eerst, en toch... ook weer niet. Want er hing opeens spanning in de lucht, spanning en verwachting en een atmosfeer die zo zwaar was dat ze hem had kunnen snijden. Charlotte was nog bezig deze verandering tot zich door te laten dringen, in de hoop dat hij weer zou verdwijnen naar de onzichtbare, verbijsterende plaats waar hij vandaan was gekomen, toen Henry, die het spikkeltje behendig met een punt van zijn zakdoek had verwijderd, beide handen om haar achterhoofd legde en kreunde: 'Charlotte... O hemel, Charlotte.'

Even kon Charlotte niets uitbrengen. Henry's ogen, die door de glazen van zijn bril enigszins werden vergroot, waren gesloten, met trillende oogleden. De aanblik hiervan, zo kwetsbaar, zo duidelijk in de verwachting van fysiek genot, was wonderlijk ontroerend. Hij zou haar gaan kussen, en een deel van haar wilde dit ook. Ja, echt. Goede, lieve Henry, die drie onbaatzuchtige dagen lang als een vader voor Sam was geweest en die zo goed voor haar had gezorgd, hun beiden dingen had laten zien die ze nooit hadden geweten. De gezinsvakanties met Martin waren vaak in zo'n strijdtoneel veranderd, met de arme Sam als middelpunt, vaak als reden, voor de ruzies en ook de troost wanneer alles uit de hand was gelopen.

Henry had ook een heel aantrekkelijke mond – dat had Charlotte meer dan eens gedacht – royaal, speels, soepel, perfect om te kussen. En nog belangrijker, hij was aardig, écht aardig. En als hij nu iets in haar zag, op deze verbazingwekkende, onverwachte manier, moest zij – de onafhankelijke partij zonder bindingen – dan echt de zware, pijnlijke rol op zich nemen van hem weg te duwen? Het leven was zo'n puinhoop. Je mocht toch zeker wel het geluk grijpen waar je kon, proberen uit iedere seconde wat vreugde te persen, te leven in het moment?

Henry voelde de mogelijkheid van een wisselwerking en noemde opnieuw haar naam terwijl hij haar gezicht naar zich toe trok. Hun lippen waren slechts luttele centimeters van elkaar verwijderd toen er twee dingen heel snel achter elkaar gebeurden: Charlotte, die weer bij haar positieven kwam, stapte pardoes achteruit en Henry's telefoon rinkelde in zijn broekzak.

'Dat is Theresa.' Hij staarde ontmoedigd naar het apparaat, zonder te reageren.

'Moet ik soms met haar praten?' opperde Charlotte.

'Nee... Ik...' Henry bleef naar de telefoon kijken hoewel deze nu was opgehouden met rinkelen. Zijn schouder deed nog pijn waar Charlotte hem had weggeduwd: resoluut en scherp als door een schot uit een pistool. 'Charlotte, om hier samen te zijn geweest met jou is... Ik...'

'Je bent een idioot,' siste ze. 'Net als ik.'

'Nee, jij niet, echt niet...'

'O Henry, word eens volwassen en hou op met die spelletjes. Ik ben hier in goed vertrouwen naartoe gekomen, zonder vooropgezette bedoelingen behalve om er even tussenuit te zijn met Sam. Het is geen moment in me opgekomen dat... Grote goden, al dat gedraai om ons heen, al dat vriendelijke, behulpzame gedoe... Ik kan er geen woorden voor vinden.'

'Charlotte.' Henry's knieën dreigden het nu echt te begeven en hij zocht steun bij het oude grenenhouten buffet dat van zijn moeder was geweest en waarop nog steeds haar favoriete vaas van geslepen glas stond. 'Charlotte, mijn gevoelens voor jou – ik dacht dat je die kende... Ik dacht dat je... de afgelopen dagen...'

'Gevoelens?' snoof Charlotte smalend, te kwaad om nog vriendelijk te kunnen doen. 'En hoe zit het dan met Theresa's gevoelens? Ze heeft dit niet verdiend, Henry. Bovendien weet ik dat je van haar houdt, dat weet ik zeker, want ik heb het in de loop der jaren maar al te vaak gezien – ik heb het gezien en ik ben er jaloers op geweest, want hoewel ik ooit van Martin heb gehouden is het fout gegaan door zijn volslagen onvermogen om tróúw te zijn' – ze spuwde het woord uit – 'en hoewel ik blij ben dat ik nu niet meer getrouwd ben omdat we er zo hopeloos en wederzijds afschuwelijk van werden, ben ik de afgelopen tijd gaan inzien wat de omvang was van wat we hebben weggegooid. En als ik het weer terug kon krijgen, zou ik het graag willen... Echt, verdómd graag.'

Charlotte stond met gebalde vuisten voor hem, hijgend, en met vuurspuwende ogen. 'Bel Theresa nu in godsnaam terug. Misschien was het dringend.'

'Dringend?' Henry klampte zich aan de rand van het buffet vast nu hij worstelde met deze nieuwe ontzetting naast Charlottes verpletterende vijandigheid: al die broosheid, al die bedwelmende hulpeloosheid, waar waren die gebleven? Maar ze had helemaal gelijk – dat Theresa in de vakantie om acht uur 's ochtends belde, betekende dat het heel dringend moest zijn. Hij draaide zich om en belde, bang om de stem van zijn vrouw te horen en om wat ze in zijn stem zou kunnen beluisteren.

Charlotte stond op de stoep voor de deur te huiveren, eerder van de reactie dan van de kou, toen Henry uit de keuken naar haar toe kwam met de telefoon in zijn hand. 'Theresa belt niet voor mij maar voor jou. Je mobieltje stond uit.'

'Nee, niet waar, ik had alleen het signaal uitgeschakeld,' mompelde Charlotte, te zeer ontdaan om hem aan te kijken.

'Er is iets met je moeder, Charlotte.'

'Mijn moeder?' Nu had hij haar aandacht. 'Mijn moeder?' herhaalde ze, terwijl Henry bleef staan, bijtend op zijn lip, zijn gezicht verkrampt in een ondoorgrondelijke wirwar van emoties.

'Ze schijnt helaas te zijn gevallen. Alsjeblieft.'

Henry liep weer naar de fiets terwijl de twee vrouwen met elkaar praatten. Die stond nog steeds naast de dependance op zijn kop, met de binnenbanden die slap naar buiten hingen. Langzaam, voorzichtig, terneergeslagen, begon hij ze te betasten en uit te rekken, om met zijn handige doktersvingers naar gaatjes te zoeken. De botsing van fantasie en werkelijkheid – Charlottes afschuw, Theresa's telefoontje – waren als de ergste fysieke pijn geweest. Hij voelde het nog steeds in het pompen van zijn hart en in de gewaarwording van niet op het grind van de oprit van de cottage te staan, maar op twee afzonderlijke tectonische platen; zijn leven was doormidden gebroken en hij stond schrijlings boven de steeds breder wordende afgrond, waarvan hij zeker was erin te zullen vallen en alles te verliezen wat hij ooit had gewild en wat hem dierbaar was.

De mist was opgetrokken, de vlakke bruin-met-groene lappendeken van de akkers en de wazige grijsblauwe strook van de zee erachter strekten zich voor zijn ogen uit. Henry keerde de kapotte fiets de rug toe en staarde voor zich uit tot de kleuren wazig werden, verslagen dat zelfs zo'n geliefd en vertrouwd uitzicht geen troost kon bieden.

11

Voor Sams tweede verjaardag koop ik in de supermarkt een stel papieren bordjes, bekers, servetjes en toeters met Mickey Mouse erop. Er komen vijf speelkameraadjes uit de speelzaal op de thee en ik heb een taart gebakken die bij het afkoelen zo in elkaar zakte dat ik de holte met Smarty's heb opgevuld, er een laag glazuur overheen heb gedaan en de taart een schatkist heb genoemd. De camouflage is om tegemoet te komen aan de scherpe blikken van de andere moeders; Sam is nog te jong om te weten wat een piraat is, of diens buit. Hij spartelt om uit het supermarktkarretje te komen maar is dan stil van verbazing, niet door de papieren afbeeldingen van de muis maar door het gekraak van het cellofaan eromheen.

De schoonheid van mijn kind beneemt me nog altijd de adem. Zijn haar is witblond, met een rand kroezige krulletjes die van zijn kruin naar zijn nek loopt. Martin maakt vaak grapjes dat hij daardoor net een meisje lijkt en dat we zijn haar kort moeten knippen. Maar vooral die krulletjes maken dat ik stapelgek op hem ben. Ik zou nog liever mijn eigen hand afhakken dan die krulletjes afknippen. De zeldzame keren dat Sam slaperig is, draait hij zijn vingers in die krullen terwijl hij op zijn linkerduim zuigt. Martin heeft hier ook graag commentaar op, hij zegt dat Sam zal opgroeien met een kale plek op zijn hoofd en scheve tanden en dat we hem die gewoonten moeten afleren voor het te laat is.

Ik weet dat Martin alleen maar plaagt, maar ik kan er tegenwoordig maar moeilijk om lachen. We zitten niet langer op dezelfde, vanzelfsprekende golflengte als vroeger. Vóór Newcastle was het Birmingham en dáárvoor Leeds. De computerbedrijven veranderen, worden groter, maar wij hebben meer geld, meer ruimte nodig. Ik krijg te weinig slaap en heb te weinig vrienden. Bella is in Australië gebleven en Eve, die in Amerika haar fortuin zoekt, laat zelden iets van zich horen. Soms krijg ik het gevoel alsof ik alleen maar Sam heb.

Ik blijf bij de kassa staan om hierover na te denken, terwijl ik me afvraag of zulke gevoelens normaal zijn na acht jaar samen en alle drukte van het moederschap. Martin zou meer seks willen, dat weet ik, maar ik ben vaak te moe om te reageren (darmkrampjes, pijn van doorkomende tandjes, oorontsteking, eczeem, kroep — Sam benut het hele scala aan mogelijkheden om de nachtrust te verstoren).

'Wat een schatje!' roept het meisje achter de kassa, en ze houdt haar hoofd schuin naar Sam, die de verpakking kapot heeft gebeten en nu op de servetjes zit te sabbelen. 'Hallo, schat!' Ze zwaait en Sam, die met zijn beentjes trappelt, lacht stralend terug.

Maar die morgen hebben we de liefde bedreven, breng ik mezelf in herinnering, en ik dring mijn zorgen naar de achtergrond terwijl ik de tassen uit het karretje til en Sam in de auto zet. Voorzichtig, als altijd, in verband met ons kind dat op mijn aandringen (voor het gemak) aan het voeteneind van ons tweepersoonsbed geparkeerd staat, streelden en bewogen we enigszins heimelijk, maar er was weer een glimp van de oude, innige saamhorigheid. Na afloop zei ik dat het me speet dat ik zo zelden in de stemming was, en Martin zei dat hij het begreep en dat ik me geen zorgen moest maken. Ik vertelde ook, voor het eerst, hoe belangrijk het voor mij was – gezien mijn verleden – om een goede moeder te zijn, en hij zei dat hij dat ook begreep.

Later, beneden, toen Sam met zijn lepel tegen de zijkanten van zijn kinderstoel sloeg zodat er kloddres pap op de muur belandden, trok ik vertederd Martins das recht en herinnerde hem aan de verjaardagsvisite. Hij kuste me op de lippen en zei dat hij het voor geen goud wilde missen, waarna hij Sam liet zwaaien en 'Dag, dag' liet zeggen voor hij bij wijze van afscheid zijn duim omhoogstak naar de hobbelige schatkist waarop nu twee kaarsjes stonden en een met lovertjes bezet kaartje met '2 jaar!'

Maar als het feestje begint, is hij er niet. De vrouwen. De vrouwen stellen me gerust en tonen begrip, tussen het verschonen van vuile luiers en het afvegen van kindertranen door. Ik wil op Martin wachten, maar de tijd dringt en het lawaai wordt steeds heviger. Mijn vriendinnen beginnen inmiddels aan de hapjes en wisselen anekdotes uit over kleine huiselijke drama's en zeggen: 'Haast je niet.' Maar ze moeten om vijf uur naar huis. Het geeft niet, zeg ik tegen mezelf en ik slik pijnstillers tegen een bonzende hoofdpijn voordat ik het wachten opgeef en op zoek ga naar lucifers. 'Het geeft niet,' zeg ik hardop en glimlach dapper naar de gezichten rond de tafel terwijl ik Sam uit zijn kinderstoel til en hem help de twee vlammetjes uit te blazen.

Terwijl ik de resten van het feest overzie komt Martin binnenhollen. Hij veegt het haar uit zijn ogen, zijn das wappert over een schouder. Hij verontschuldigt zich maar is opgewekt, vol verhalen over treinen die te laat waren en besprekingen die uitliepen. Hij wil wel helpen opruimen, zegt hij, maar hij moet nog werken. Er is een mogelijkheid van promotie naar Londen, als hij het goed aanpakt bij zijn nieuwe baas Fiona, die wiskunde heeft gestudeerd in Oxford en in Harvard is gepromoveerd en die hyperintelligent is. Verhalen over nu laten zien wat hij waard is. Hij neemt zijn aktentas mee naar de zitkamer, maar als Sams gejengel van vermoeidheid te hevig wordt, loopt hij ongeduldig stampend door de hal naar onze slaapkamer en doet de deur dicht.

Een promotie betekent misschien een huis in plaats van een benauwde flat, en dat wil ik heel graag, zelfs als dat weer een verhuizing betekent. Een speelkamer, een tuin, een extra wc. Ik denk aan deze dingen terwijl ik de kledderige resten van de taart in de vuilnisbak veeg en Sam met een zoet lijntje in bad weet te krijgen.

Later die avond volgt de achterdocht, stilletjes, als een dief die op zijn tenen binnensluipt op zoek naar waardevolle zaken. Het is niet de achterdocht van ontrouw — nog niet — maar van emotionele verlating. Een verjaardagsfeestje missen is een klein misdrijf; het is het gemak waarmee het werd gemist dat kwetst: geen telefoontje, geen berouw tonen, alleen maar gepraat over werk, promotie en zijn zo geweldig intelligente baas. Hoe kan er bij zulke prioriteiten ruimte zijn voor liefde, voor Sam of voor mij? Ik schuif wat dichter naar hem toe, snuffel in de haartjes in zijn nek, onder zijn haargrens, op zoek naar geruststelling. Maar er komt geen reactie, alleen maar Martins eigen geur en nog vaag iets anders, iets zoeters — waarschijnlijk het nieuwe doucheschuim dat ik heb gekocht.

Ik draai me om en doe mijn ogen dicht, maar doe ze meteen weer open bij het eerste gesnuif uit het ledikantje. Alles is zoals het moet zijn, zeg ik tegen mezelf. Mijn wereld is veilig, sinds Martin erin is gekomen. En toch ben ik me bewust van een nieuwe alertheid die geen verband houdt met het onregelmatige slaappatroon van ons kind. Het is een alertheid op gevaar, op patronen die zich herhalen, op het verliezen van de liefde, op het verliezen van Martin.

Sam liep gebukt langs het raam van de dependance, klom over het hek dat hij eigenlijk altijd open en dicht hoorde te doen, en pakte een zware tak waarmee hij begon te slaan tijdens het lopen. Hij vond het naar van zijn oma, maar misschien niet zo naar als eigenlijk zou moeten. Een gebroken bot was natuurlijk ernstig, maar het feit dat ze dat had opgelopen toen ze was uitgegleden bij het uit bad stappen, riep onwelkome beelden op van haar oudevrouwenlichaam, glibberig en met kwabben, dat languit op de tegelvloer lag. Hij wist niet zeker of hij zich ertoe zou hebben kunnen brengen om haar aan te raken, zoals Prue, de arme schoonmaakster, vermoedelijk had moeten doen terwijl ze op de ambulance wachtten.

Toen Sam een steviger stok zonder bladeren zag, gooide hij de tak weg en raapte de stok op. Die had een uiteinde zo scherp als een tentstok en er bungelden allerlei uitgroeisels aan, als dikke, grijze wratten. Sam zwaaide ermee en achtervolgde een eekhoorn die haastig een boom in klom, waardoor twee grote zwarte vogels uit de takken tevoorschijn kwamen en met veel vleugelgeklapper opvlogen. Hij schrok ervan. 'Rot op!' schreeuwde hij hen achterna. 'Rot op!'

Sam wist dat hij zich anders over zijn oma zou hebben gevoeld (dat wil zeggen dat hij het erger zou hebben gevonden) als er eerst niet dat gedoe vóór het telefoontje was geweest. Zijn moeder en de vader van George in elkaars armen! Als hij het niet met eigen ogen door de open keukendeur had gezien, zou hij het niet hebben geloofd. En zelfs nu hij het had gezien kon hij het nog steeds niet geloven. Als er zulke dingen konden gebeuren, dan sloeg de hele wereld nergens meer op. Als zulke dingen konden gebeuren, hóéfde het van hem niet meer.

Die kaart van George bleek heel onbruikbaar te zijn, met pijlen en golflijnen die een diepe duinpan naast een afgeknapte boomstam moesten aanduiden. Maar er waren diverse boomstronken en massa's duinpannen. Sam zocht een tijdje, bekeek de kaart onder verschillende hoeken en vroeg zich af of hij de zee soms met de lucht had verward, tot een vrouw op rubberlaarzen, met in haar hand een ballenwerper voor een modderige labrador, hem vroeg of hij soms verdwaald was en of ze kon helpen. Hij schreeuwde van nee, holde terug in de richting vanwaar hij was gekomen en dook weg achter een hoog duin toen ze even niet keek. Sam gluurde over de rand en zag de golven op de kust slaan en zich weer terugtrekken, met achterlating van cirkels van schuim en slierten zeewier. Hij kon nog steeds het duidelijke dubbele spoor zien van zijn voetstappen langs de rand van het water waar het zand zwaar en vochtig was. In tegenstelling daarmee was het zand in de duinen droog en zijdeachtig koel, en het gleed meteen in de kuilen die zijn lichaam maakte zodra hij anders ging liggen.

Toen de vrouw en de hond waren verdwenen draaide Sam zich op zijn rug en bewoog zijn armen op en neer als engelenvleugels. Boven zijn hoofd was de lucht als een koepelvormig plafond, onwaarschijnlijk blauw, onwaarschijnlijk groot. Het is maar een planeet, zei hij tegen zichzelf, zonder god en zonder regels. Het gaf niet dat hij ouders had die waren gescheiden, en een moeder die de vaders van vriendjes kuste. Het gaf niet dat hij een oma had die als een vis op een badmat had liggen spartelen en dat, nu zijn vader het kennelijk te druk had om hem in huis te nemen, hij vast met zijn moeder mee zou moeten naar het ziekenhuis om bij haar op bezoek te gaan.

'Was Theresa maar in Londen,' had Charlotte tussen haar telefoontjes door gejammerd, en haar stemming van algehele wanhoop was nog erger geworden doordat ze het apparaat onder een vreemde hoek had moeten houden om bereik te hebben en om het feit van de drukte op zijn vaders werk. Sam, die zich niet kon voorstellen dat hij de moeder of de vader – vooral niet de vader – van George ooit nog wilde zien, had dat ogenblik gekozen om de kaart van de geheime plaats te pakken en via de achterdeur het huis uit te glippen.

Hij deed zijn ogen dicht en drukte zijn achterhoofd in het zand. Er was maar één persoon die hij echt graag zou willen zien, één onmogelijk geheim iemand die bijna zeker zijn laatste brief niet had ontvangen en die waarschijnlijk zou lachen als hij vertelde wat er was gebeurd. Sam deed zijn ogen open en kneep ze meteen halfdicht toen de zon achter een wolk vandaan kwam en recht in zijn gezicht scheen. Hij ging rechtop zitten en krabde het zand uit zijn haar. Rose zou niet lachen. Hij wist dat ze niet zou lachen omdat ze niet als andere kinderen was. Ze begreep het als er iets ergs aan de hand was, ze wist waar je om kon lachen en waar niet om. Rose hoefde je niet te vertellen dat het leven shit was, want dat wist ze al.

Toen Sam terugkwam bij de rand van het veld, stonden ze daar allebei met hun hand aan hun mond zijn naam te schreeuwen. Toen hij de angst in zijn moeders stem hoorde, begon Sam te hollen, zwaaiend met zijn armen. Een paar minuten later omhelsde ze en kuste hem en riep dat hij dom was en ze zei met een vreemde, gesmoorde stem dat ze de auto moesten inladen en weg zouden gaan.

De vader van George bleef op een afstand staan, met zijn armen over elkaar geslagen, schuddend met zijn hoofd. Toen het drietal weer naar het huis begon te lopen, zei hij zacht: 'Dat was niet zo'n slimme zet van je, makker. Het getij kan hier heel gevaarlijk zijn.'

Sam haalde zijn schouders op en holde vooruit. Toen zijn moeder hem weer had ingehaald zei hij heel snel, uit angst de moed te zullen verliezen, dat hij het echt heel naar vond van oma's ongeluk en dat hij daarom was weggelopen en dat hij natuurlijk naar het ziekenhuis zou gaan als ze dat wilde, maar hij had iemand anders bedacht bij wie hij misschien zou kunnen logeren nu George niet in de buurt was en papa het zo druk had.

'O ja?' Ze keek verbaasd en bijna gelukkig, alsof het onverwachte van zoiets de andere zorgen van die dag had verdreven. 'Wie is dat dan wel?'

Sam mompelde de naam van Rose en sprak hem toen luider uit, terwijl hij haar recht aankeek en haar uitdaagde te lachen of te weigeren. Hij kreeg opeens het gevoel dat zijn kennis van haar vreselijke, afschuwelijke geheim hem macht over haar gaf, de macht om zich ergens niets van aan te trekken.

'Rose Porter? Maar jij... Je was toch...'

'We zijn nu vrienden,' snauwde Sam. 'Haar vader zegt misschien nee, maar ik wil toch dat je het vraagt. Ik weet dat ze niet weggaan omdat ze gaan verhuizen naar dat huis, het huis dat jij wilde.'

'Ja... Daar zouden ze naartoe gaan... Oké... Nou ja, ik denk dat we het kunnen proberen, als ik hun telefoonnummer kan vinden... Sam, lieverd, weet je het echt héél zeker?' Charlotte bleef hem aanstaren, nog steeds verbijsterd, alsof ze hem voor het eerst zag en geen idee had wat ze anders moest zeggen.

Tims morgen was, niet erg veelbelovend, begonnen met een stukje van een kies dat van de rand van zijn tandenborstel in de wasbak floepte. Hoewel het maar een klein stukje was, leek het gat in zijn mond, als hij er met zijn tong aan voelde, vreselijk groot. Tim had wel eens eerder vullingen gehad waar iets van was afgebroken, maar nooit een stukje van zijn eigen gebit, en onwillekeurig deed deze ervaring hem inzien dat hoe hevig hij ook zijn best deed in de sportschool, wat voor prachtige spieren hij ook kweekte, de volgende drie decennia toch in het teken zouden staan van sluipend verlies aan fysieke prestaties, tanden, haren, testosteron en alle andere zaken die het leven de moeite waard maakten.

Met iemand aan zijn zijde om hem door zo'n ongewoon pessimistische bui heen te helpen en zijn ego op te krikken met een uitbundige hoeveelheid seks, had hij het zich vast niet zo aangetrokken. Maar sinds die vreselijke anticlimax van zijn afspraak met Charlotte, was zijn persoonlijke leven tot het absolute nulpunt gedaald. Toen hij de vorige avond op de sofa met een blikje bier naar een Amerikaanse soap had zitten kijken die hij al minstens drie keer eerder had gezien, omringd door de gebruikelijke hoeveelheid huishoudelijke rommel van vuile bekers, oude kranten en kleren die te verkreukeld waren om aan te trekken maar nog niet vies genoeg om in de wasmachine te stoppen, had hij zich zo ellendig gevoeld dat hij zijn laptop had opengeklapt en op Google 'relatiebemiddeling' had ingetikt. Er was een hele waslijst aan mogelijkheden uit gerold – *Perfect Partner, Lonely Hearts, Love4Life, Brief Encounters* – en hoewel uiteindelijk zijn trots als man in combinatie met zijn weerzin om een paar honderd pond te dokken de overhand hadden gekregen, had Tim zich toch gerustgesteld gevoeld dat er zulke mogelijkheden bestonden, voor het geval hij ooit mocht besluiten dat hij ze nodig had.

Iedereen had op zijn tijd behoefte aan een vangnet, had hij zichzelf getroost, en hij had zijn laptop dichtgeklapt en was aan het opruimen geslagen. Hij had zelfs een stofdoek over de poster met het luipaard gehaald en daarna, met meer tederheid, over de ingelijste foto van Phoebe op de Cariben. De foto had zijn prominente plaats alleen maar behouden omdat hij een vieze vlek moest camoufleren. Maar eigenlijk was het een verdomd goeie foto, had Tim bedacht en hij had hem nog eens goed van dichtbij bekeken, om het gezicht van zijn ex-vrouw te bewonderen, en de mooie achtergrond van een smaragdgroene zee en een azuurblauwe lucht. Hoe zou het wérkelijk met haar gaan, had hij zich afgevraagd, in Dorset met – volgens de laatste berichten – een vriendje van een advocatenkantoor, platinablonde highlights in haar haar en paardrijlessen in het weekend? Was Phoebe nu gelukkig genoeg om geen vangnet nodig te hebben? Miste ze hem, net zoals hij haar in onbewaakte ogenblikken miste?

Toen hij bij de balie van de receptie van de tandarts stond te wachten, keerden Tims gedachten beschuldigend terug naar Charlotte. Over achterbakse streken gesproken. Binnen één seconde was hij van minnaar tot verkrachter gebombardeerd – terwijl hij alleen maar haar signalen had gevolgd. Ze had dit natuurlijk niet met zoveel woorden gezegd – voorzover hij zich kon herinneren had ze zich vooral verontschuldigd – maar Tim had het in haar ogen gezien, de beschuldigende gekwetstheid, alsof hij een mes in haar had gestoken in plaats van zijn jongeheer. Hij werd weer kwaad bij de herinnering – ook omdat het hem nog steeds bezighield – en om aan iets anders te denken sloeg hij een van de tijdschriften op de wachtkamertafel open: ONTKENNING, BOOSHEID, ACCEPTATIE — HOE KUN JE HAAR VERGETEN.

'Meneer Croft, ja, we kunnen u er wel tussen passen. Als u me even wilt volgen? We moeten eerst wat papieren invullen.' De receptioniste keek over de rand van haar klembord. Groene ogen, Iers, lichtblond haar — maar een platte boezem én een verlovingsring. Tim begon een beetje genoeg te krijgen van zijn onophoudelijke geloer naar vrouwen, en hij slikte het grapje dat hij bereid was haar overal te volgen in en stapte gedwee langs de andere wachtende patiënten.

Hij zat met zijn mond wijdopen in de stoel, met een pijnlijke kaak en klamme handen terwijl er een tijdelijke kroon werd geplaatst, toen de jolige ringtone van zijn mobieltje het gezoem verbrak van de slaap-verwekkende deunen waarvan Tim had bedacht dat ze eerder een spookachtige dan een kalmerende uitwerking hadden op de ervaringen die hem in die ongemakkelijke leren stoel ten deel vielen.

'Nog een paar minuten, en dan kunt u opnemen, meneer Croft.'

Tim bromde instemmend, een geluid dat weinig verband hield met zijn ware staat van ellende. De beschermende bril die de assistente over zijn gezicht had geplaatst sneed in de bovenkant van zijn linkeroor. Novocaïne bezorgde hem altijd een misselijk gevoel, maar het was nog steeds krankzinnig druk op zijn werk en hij moest in topvorm zijn. Maar wat nog erger was, hij kende geen enkele vrouw die bij hem wilde zijn of zijn lichaam wilde aanraken. Er druppelde zomaar een traan uit Tims linkerooghoek, die over zijn jukbeen naar zijn mond-hoek rolde. Hij likte de traan weg en probeerde zijn evenwicht te hervinden met de boosaardige bespiegeling dat een man met zulke afgrijselijke neusgaten zich eigenlijk twee keer had moeten bedenken voor hij zich voor de tandartsenopleiding had aangemeld.

De telefoon, die inmiddels op de trilfunctie was gezet, ging op-nieuw toen hij met verdoofde lippen probeerde zijn mond te spoelen. En nog eens toen hij bij de receptie bezig was een afspraak te maken voor het plaatsen van de definitieve kroon. Omdat hij de lijst van ge-miste oproepen pas bekeek toen hij weer bij zijn auto terug was, slaakte Tim onwillekeurig een kreet van triomf toen hij zag dat ze van Charlotte waren. Kalm aan, waarschuwde hij zichzelf toen hij het raampje van de auto omlaagdraaide alvorens terug te bellen. Hij haalde diep adem, alsof hij in het zwembad van de sportschool een eind onder water ging zwemmen.

'Tim?'

'Ik zat bij de tandarts,' was alles wat hij kon uitbrengen, toen alle beetjes kalmte of rust vervlogen bij het horen van het vertrouwde, aantrekkelijke geluid van Charlottes stem – en hij bovendien de helft van zijn gezicht en mond niet goed kon bewegen.

'Arme jij, en het spijt me dat ik je lastig moet vallen, Tim, maar ik heb je hulp nodig. Mijn moeder is gevallen en ligt in het ziekenhuis, en het is allemaal te ingewikkeld om uit te leggen waarom, maar ik ben op zoek naar het telefoonnummer van mevrouw Stowe. Dat wil zeggen, ik zoek het nummer van degene die nu in haar huis woont, Dominic Porter. Je herinnert je hem waarschijnlijk wel, de weduwnaar die mijn huis zo vreselijk vond. Onvoorstelbaar, dat uitgerekend hij nou Chalkdown heeft gekregen, maar het is niet anders. Wat is de wereld toch klein en zo, maar hoewel ik daar eerst erg verdrietig over was, doet het me nu niets meer. Hij kán natuurlijk een ander nummer hebben gekregen, maar ik wil het toch proberen, en jij bent mijn enige hoop aangezien ik in Suffolk zit zonder mijn adresboek of de telefoongids.' Ze haalde eindelijk even adem. 'Dus als jij me alsjeblieft aan het nummer van mevrouw Stowe kunt helpen, Tim. Het is een noodgeval, dus ga alsjeblieft niet zeggen dat zoiets eigenlijk niet mag.'

Een vrouw in nood, en dat terwijl hij bijna geen verstaanbare klanken kon uitbrengen... Er zat voor Tim niets anders op dan zijn ellende in te slikken en te doen wat ze vroeg. Hij drukte zijn vingers tegen zijn wang, in een poging het functioneren van de spieren te verbeteren, en wist aldus een antwoord uit te brengen, met de strekking dat hij zijn lijst van contacten zou nakijken en haar het nummer zou sms'en als hij het had. Er klonk een haastig 'Dank je wel' en dat was het dan. Het was helemaal voorbij. Geen hoop, geen verwijten, geen berouw, niets. Tim bleef een paar minuten uit het raampje staren terwijl hij zich afvroeg of hij moest overgeven.

De tekst nam wat tijd om in te toetsen, niet omdat hij een probleem had met het vinden of verzenden van het nummer van mevrouw Stowe, maar omdat hij er nog een aantal dingen aan toe wilde voegen – zoals de onwaarheid dat hij net zo onverschillig tegenover hun mislukte romance stond als zij, benevens een berekenend wraakzuchtig doorgeven van het recente gerucht dat die twee homo's de boekwinkel wilden verkopen. Hij had misschien geen macht over haar hart, maar hij kon haar in elk geval een beetje de stuipen op het lijf jagen. Nu de oudste blijkbaar aids had, zou het stel overwegen eieren voor hun geld te kiezen en zich terugtrekken op hun stekje in Spanje. Ravens Books zou waarschijnlijk worden vervangen door een chic café of door een vestiging van een grote supermarktketen. 'Hierbij tel.nr. Beterschap voor je moeder. Hoor dat je boekwinkel te koop staat. Leven erg druk. T.'

Niet veel meer dan hij hardop had kunnen uitbrengen. Toch drukte Tim met een zeker leedvermaak op 'verzenden' en belde toen Savitri om uit te leggen dat hij niet in staat was om te werken, om vervolgens met een bezwaard hart en een pijnlijke kaak naar huis te gaan. Hij moest naar de sportschool gaan, bedacht hij grimmig, om zijn humeur wat op te fleuren door de endorfines, een beetje te lonken naar de mollige receptioniste met de grote tieten en een lach als van een ezel die werd gewurgd.

Maar toen hij zijn voordeur achter zich dichtdeed, moest Tim steun zoeken bij de muur. Zijn mond stak, en de wortel van zijn kies klopte. Hij kon niet gaan sporten zonder eerst iets te hebben gegeten, maar de tandarts had gezegd dat hij de eerste uren niets mocht eten, en dan nog alleen met de andere kant van zijn mond. Niets smaakt goed met slechts één kant van de mond, niets.

Tim zakte op zijn knieën en bekeek chagrijnig de stapel post op de deurmat. Alle enveloppen waren bruin, maar de bovenste, met nu de vage afdruk van zijn schoenzool erop, was opmerkelijk groot en dik. Nieuwsgierig draaide Tim hem om, waarna zijn humeur tot een nieuw dieptepunt daalde bij het herkennen van de naam van het bedrijf waar hij met zoveel hoop een paar weken geleden het cadeau voor Charlottes veertigste verjaardag had gekocht. Al die goede bedoelingen, al dat geld – het kreng! Maar hij voelde nu geen woede meer, geen kinderachtige boosaardigheid, alleen maar een duizelingwekkende golf van inzicht dat alles voorbij was. Het was voorbij en het was nooit echt begonnen. Acceptatie, net zoals dat stomme artikel in de wachtkamer had gezegd.

Wat betekende dat zijn lijden niet eens origineel was, peinsde Tim grimmig. Het was gewoon een gevoel dat miljoenen mensen meemaakten, een voorbijgaand stadium, geschikt om in glossy tijdschriften te worden behandeld. Hij maakte aanstalten om de envelop in tweeën te scheuren, maar aarzelde toen, terwijl hij zijn tong afwezig langs de vertrouwde geografie van zijn mond liet gaan, op zoek naar het gat. De tijdelijke kroon voelde goed, stevig aan. Het kloppen was overgegaan in een aangenaam soort geprikkel. Het cadeau had heel veel gekost, en misschien zou het bedrijf hem iets terugbetalen. Hij sloeg met de envelop tegen zijn dijbeen toen hij overeindkwam, en hij berispte zichzelf omdat hij zich bijna had laten gaan, dat hij zich bijna door een vrouw in de luren had laten leggen terwijl hij zich had voorgenomen dat nooit meer te laten gebeuren.

Charlotte was scherp op haar hoede voor politieauto's en camera's terwijl ze flink gas gaf op de lege buitenste rijstrook van de A20, tot de wijzer van de snelheidsmeter tegen de honderdveertig kilometer wees. De Volkswagen reageerde gelukkig als een kind dat op een uitje wordt getrakteerd en ging van het gebruikelijke protesterende gepruttel over in laag, gestaag geronk.

Ze had het nog steeds erg moeilijk, omdat ze Sam door de met rozen omringde deur van Chalkdown Road naar binnen had moeten brengen. Ze had helemaal op scherp gestaan, maar was op slag ontwapend geweest toen ze niet door Dominic werd begroet maar door zijn beroemde toneelspelende broer, met zijn opvallende bos verward haar en zijn doordringende bruine ogen. Hij was gekleed alsof het hoogzomer was, met knalroze slippers, een wijde knielange broek en een verkreukeld T-shirt. Hij had zelfs een zonnebril op zijn hoofd, elegant geplaatst tussen de donkere, warrige krullen.

'Dit is bijzonder vriendelijk.'

'Helemaal niet. Rose verveelde zich ongelukkig met mij als haar enige speelkameraad, hè, Rosie?' Hij aaide zijn nichtje over haar haar. Ze stond vlak naast hem in een onhandige pose met naar binnen gedraaide voeten terwijl ze naar de vloer staarde.

Charlotte vroeg zich voor de zoveelste keer af of ze deze hele, twijfelachtige regeling niet beter kon opgeven. Na enige begrijpelijke verbazing en een kort, gedempt overleg met zijn dochter, had Dominic er grif mee ingestemd dat Sam kwam logeren. Maar het meisje zag er nu duidelijk afwerend uit, terwijl Sam zich schuilhield achter de rozen, ergens links van haar. Ze hadden ook een afschuwelijke reis gehad met veel files en een hardnekkig stilzwijgen – zij omdat ze zich ongerust maakte, en Sam, vermoedde ze, omdat ze het nodig had gevonden hem nog eens goed op zijn kop te geven over zijn uitstapje naar het strand.

'Dom had de hele dag thuis zullen zijn, maar er was opeens iets aan de hand op zijn kantoor. Hij laat zich verontschuldigen. Heb je tijd voor een kopje thee?'

'Nee, ik...'

'Koffie? Gin?' Rose en Sam vingen elkaars blik op en giechelden.

'Nee. Mijn moeder... Ik...'

'Natuurlijk. Jezus, wat stom van me. Wat vreselijk akelig, dat ongeluk van je moeder.' Benedict sloeg zijn hand tegen zijn voorhoofd. 'Ik neem aan dat ze in het ziekenhuis ligt?'

'Ja, een gebroken pols, wat kneuzingen. Het had een stuk erger kunnen zijn.' Charlotte greep Sam bij de arm en probeerde hem van achter de eglantier vandaan te trekken, met als enige resultaat een waterval aan witte rozenblaadjes over de stoep. Maar het gegiechel van Rose had heel aanmoedigend geklonken. 'Het zal niet voor lang zijn, waarschijnlijk maar één nacht, nu het dit weekend Pasen is. Ik weet dat het vreselijk vrijpostig is. Mocht ik om wat voor reden dan ook morgen niet terug zijn, dan kan Sams vader...' Charlotte liet de zin bungelen toen ze opnieuw werd overmand door ergernis over Martins gebrek aan medewerking. Nooit eens flexibel kunnen zijn, het werk kwam op de eerste plaats, geen sprake van dat Cindy het kon overnemen – sommige dingen veranderden nooit.

'Dom heeft gezegd dat hij net zo lang mag blijven als jij wilt. Pasen, Kerstmis, allemaal geen punt. Hoi, Sam, leuk je te zien,' voegde Benedict er ontspannen aan toe. Hij dook om de bloemen heen om oogcontact te maken. 'Ik hoop dat je goed bent in vuurtjes stoken. Rosie en ik hebben een beetje opgeruimd in de tuin. Gewoon een klein vuurtje, niets om de buren van streek te maken... of je moeder,' ging hij verder met een brede grijns naar Charlotte, waarna hij een onopvallend knipoogje gaf naar Sam, die met zijn tas de deur door schuifelde.

Onder andere omstandigheden was het misschien opwindend geweest om medeplichtige blikken te kunnen wisselen met een knappe beroemdheid, ook al was het er een die het huis van haar dromen in beslag had genomen, peinsde Charlotte, toen ze naar de linkerbaan schoof om de afslag niet te missen. Deze dag, met zijn onverwachte wendingen, scheen eindeloos te duren. Het leek alweer jaren geleden dat ze die toestand met Henry, in de keuken van de cottage, had gehad, met die vreselijke hoop in zijn knipperende uilenogen en haar nog vreselijker opwelling om erop te reageren. Het leek jaren geleden, en toch kromp haar maag nog steeds van schaamte ineen. Wat was ze toch onnozel geweest om de tekenen niet te herkennen − terwijl ze achteraf bekeken zo duidelijk waren geweest − en alleen maar Theresa's man te zien, Henry te zien, de degelijke, getrouwde Henry van wie je veilig een lift kon accepteren, en met wie je zelfs veilig kon flirten bij een paar glazen wijn of bij een wandeling. Maar het was niet echt veilig geweest. Helemaal niet. Er waren grenzen − en zeker zij had dat moeten weten, zeker zij had ervoor op haar hoede moeten zijn.

Charlotte was zich er terdege van bewust dat het schokkende bericht over het ongeluk van haar moeder geweldig had geholpen, niet alleen om die afgrijselijk pijnlijke situatie te verbreken, maar ook om haar bezig te houden erna. Hoewel ze graag de afleiding van het weglopen van Sam had gemist, had het een opluchting betekend om aan de slag te moeten met opbellen en inpakken, om nog maar te zwijgen van zo'n volmaakt excuus voor een voortijdig vertrek. Waar ze het nog steeds moeilijk mee had was hoe het nu verder moest. Wat ze moest doen met wat er was gebeurd. Henry had zich, met wat haar voorkwam als walgelijk mánnelijke voorspelbaarheid, als een zak gedragen, en ergens kwam het haar voor dat Theresa er recht op had het te weten. Ze was zo trots en sterk, Theresa, het soort vrouw dat van openhartigheid hield, het soort vrouw dat, geconfronteerd met een onverteerbare waarheid, precies zou weten wat ze daarmee aan moest.

Het kostte enige moeite om haar gedachten bij haar moeder te bepalen. Eigenlijk, dacht Charlotte schuldbewust, terwijl ze in haar tasje zocht naar munten voor de parkeerautomaat bij het ziekenhuis, was het bijzonder onaanlokkelijk om aan haar moeder te moeten denken. Ze zou hulpeloos zijn, vervuld van zelfmedelijden, vanwege de kneuzingen en het gips. De situatie zou een vertoon van dochterlijk medeleven bij het bed verlangen, iets waartoe ze zich niet in staat achtte, zelfs zonder de verschrikkingen van die morgen... en verschrikkingen waren het wél geweest – Charlotte verstijfde, met een munt van een pond al in de gleuf, toen haar gedachten weer van Jean weggleden in de richting van die losse opmerking van Tim. Wat zou ze zonder haar baan moeten beginnen? Het zou te wreed zijn als ze die nu zou verliezen, juist op het moment dat ze alles een beetje onder controle begon te krijgen.

Ze had gewoon een moeilijke dag, vermaande ze zichzelf, terwijl ze de munt erin duwde en terugliep om het kaartje in de auto te leggen. Ze zou het gevoel van hopeloosheid niet opnieuw toelaten. Het leven was een kwestie van je door moeilijke dagen heen slaan. Het enige wat zij moest doen was haar hoofd erbij houden, één probleem tegelijk aanpakken, en dan zou het heerlijke nieuwe gevoel van vastberadenheid terugkeren. En op dit moment was haar moeder het probleem dat het meest haar aandacht vroeg. Het bezoek niet te kort maken, de juiste dingen zeggen, een lijstje maken van wat ze uit huis nodig had, de koelkast volladen, controleren of het huis schoon en netjes was – ja, dat kon ze wel. En ze zou ook met de zusters de thuiszorg bespreken, ze zou achter de benodigde papieren en informatie aan gaan, voor het geval er thuis een paar keer iemand langs moest komen als Jean was ontslagen.

Bij de ingang van het ziekenhuis was een groot, cirkelvormig bloembed, een soort groentesoep aan kleuren – duizendschonen, viooltjes, vlijtige liesjes, allemaal fleurig en pas geplant. Charlotte bleef even staan terwijl ze de geuren inademde en probeerde in de juiste stemming te komen. In plaats daarvan gingen haar gedachten echter terug – met een plotselinge, adembenemende kracht – naar het moment dat Henry naar haar toe was gekomen met de telefoon in de hand op de stoep van de cottage. *Ze is dood*, had Charlotte gedacht. *Ze is dood en zo voelt dat nou, en het is niet erg, helemaal niet erg.* Toen ze de rest van de zin tot zich door liet dringen, dat Jean was gevallen in plaats van gestorven, was Charlotte zich bewust geweest van een afschuwelijk gevoel van anticlimax.

Ze voelde zich opeens weer van haar stuk gebracht en haastte zich naar de cadeauwinkel om dit goed te maken. Twintig minuten later arriveerde ze bij de ingang van de afdeling, gewapend met een bos anjers, een zak pitloze druiven en de duurste doos chocola die ze had kunnen vinden.

'Aha, de dochter van mevrouw Boot,' riep de zuster uit toen ze zich had voorgesteld. 'Prachtig! Ik geloof dat ze bijna klaar is voor u. Ik zal even kijken of ik zuster Telson kan vinden om u te helpen haar naar de auto te brengen.'

'Naar de auto? Maar ik dacht…'

'Gelukkig is de breuk niet zo erg als de dokter aanvankelijk vreesde. Eigenlijk heeft haar zelfvertrouwen de grootste klap gekregen. Maar nu er iemand blijkt te zijn om voor haar te zorgen, durven we haar met een gerust hart naar huis te laten gaan. Het herstel verloopt thuis altijd sneller, vooral wanneer er een geliefd familielid in de buurt is. Ze bof toch maar,' vervolgde de zuster stralend. 'Het is ongelooflijk hoeveel kinderen er in zo'n situatie gewoon niets van willen weten.'

'Doen jullie ook aan eieren zoeken?'

'Altijd. Papa verstopt ze. Ik mag niet kijken, maar dat probeer ik natuurlijk wel. Hij maakt het elk jaar moeilijker. Vorig jaar had hij er een in dat ding van de tuinslang verstopt en toen moest ik hem er met een mes uitpeuteren. Het waren er twaalf, maar ik mag er maar drie per dag opeten, dus duurde het vier dagen, vanzelf.'

'Vanzelf,' mompelde Sam, en hij deed een schietgebedje dat zijn oma ziek genoeg en zijn vader druk genoeg zouden zijn om hem dit hele weekend nog bij de familie Porter te laten logeren. Rose wist hoe je van de gewoonste dingen iets leuks kon maken. Zoals het bouwen van de hut waar ze nu in lagen, met koekjes om van te knabbelen, languit op stapels kussens, net als Romeinse keizers. Hij had iets gezegd over de nutteloze kaart van George, en binnen de kortste keren begon ze door het huis te rennen en hem te bevelen kussens en lakens te pakken en trok ze zelf matrassen van bedden. Hun eerste pogingen hadden niet zo goed uitgepakt: de wanden stortten in, er waren te veel kamers. Maar ze hadden het ontwerp ten slotte vereenvoudigd tot een schitterende ruimte met twee afdelingen, die op een bepaalde plaats hoog genoeg was om rechtop op je knieën te zitten zonder met je hoofd het laken van het plafond te raken.

Sam had nooit eerder een meisje meegemaakt dat hutten bouwen leuk vond. Pattie had alleen maar willen tekenen en tv-kijken. Heimelijk vroeg hij zich af of ze inmiddels niet te oud waren voor zulke dingen. Ze waren tenslotte al dertien. Maar Rose, zoals hij al heel vaak had gezien, was op school met haar sterke, hooghartige manier van doen niet het soort meisje dat zich veel aantrok van wat je hoorde te denken of te doen. En Sam kwam tot de ontdekking dat dit maakte dat hij er zich ook minder om bekommerde. Haar vader had die morgen in het park op een bankje de krant zitten lezen terwijl zij een spelletje deden van wandelaars bespioneren, voornamelijk vanaf de takken van een grote boom. Ze had een roze kauwgumbal tevoorschijn gehaald en daarna een platgedrukte sigaret die ze, beweerde ze trots, had gestolen uit een pakje dat haar oom in de binnenzak van zijn jasje had verstopt. 'Hij probeert te stoppen, maar dat kán hij gewoon niet,' had ze gezegd en ze had haar hoofd geschud alsof het iets was om echt heel verdrietig over te zijn, waarna ze Sam had voorgedaan hoe hij zijn handen tot een kom moest vormen terwijl zij een lucifer afstreek. Het vlammetje flakkerde hevig, maar Rose trok tot haar lippen piepten, en weldra begon de punt van de sigaret, te midden van veel gelach en gehoest, te gloeien en konden ze hem aan elkaar doorgeven. Daarna deden ze een wedstrijd kauwgumbellen blazen, die door Rose werd gewonnen met een enorme wiebelende bel die haar scheel deed kijken en op haar neus stuiterde alvorens over haar lippen en wangen te exploderen, zodat er roze stippen tussen al haar bruine sproeten belandden.

Hoe moest je in hemelsnaam een meisje kussen? vroeg Sam zich nu af, terwijl hij toekeek hoe Rose een vierde koekje in haar mond propte en hij, met enige afkeer, terugdacht aan het koude, kledderige gevoel van haar speeksel op het filter van hun gezamenlijke sigaret. Lippen, daar kon hij zich nog iets bij voorstellen, maar tongen... Gedver, zou Rose zeggen. Nee, besloot Sam, echt niet. Hij probeerde aan iets anders te denken, maar toen zag hij in een levendige flits zomaar weer datzelfde beeld terug: de halfopen keukendeur, de armen van George' vader over zijn moeders rug, hun gezichten dicht bij elkaar. Hij legde zijn koekje weer op het bord, hij voelde zich te warm, te akelig om nog een hap door zijn keel te kunen krijgen.

'Wat is er?'

'Niets.'

'Jawel. Je ziet er opeens vreemd uit, alsof je moet kotsen.'

Sam haalde diep adem. 'Kun je een geheim bewaren?'

Rose snoof smalend, zowel om minachting over te brengen als geruststelling. 'Tuurlijk.'

Sam kroop naar het laken dat voor de ingang hing, om te controleren of ze alleen waren, en ging daarna snel in kleermakerszit tegenover haar zitten. Mompelend achter zijn hand probeerde hij het obscene gedoe waarvan hij in Suffolk getuige was geweest te beschrijven – het gedoe dat de vakantie veel meer had verpest dan dat zijn oma op de badmat onderuit was gegaan.

Rose, zoals hij terecht had verwacht, lachte niet. Ze mompelde een paar keer 'Wat goor' en vouwde haar magere benen toen weer netjes over elkaar en veegde met beide handen de springerige krullen uit haar ogen. 'Voor elk probleem bestaat een oplossing – dat zegt papa altijd.'

Sam knikte somber. Het laken boven hun hoofd begon een beetje door te zakken; er bleven plukjes haar van Rose aan hangen terwijl ze zat te praten. 'Ik denk niet,' fluisterde ze, terwijl ze zich naar hem toe boog, 'dat er nog iemand anders is geweest die je moeder aardig heeft gevonden, hè?'

Sam knikte langzaam, en hij trok een zuur gezicht bij de gedacht aan de makelaar met zijn harige gezicht en zijn bos bloemen.

'Vertel me alles,' beval ze; ze rommelde wat en haalde een blocnote tevoorschijn waarop ze, net als een rechercheur op de tv, aantekeningen maakte.

Sam gehoorzaamde zonder aarzelen, niet alleen omdat het enthousiasme en de zelfverzekerdheid van Rose aanstekelijk waren, maar ook omdat ze, waar het hun gebouw van matrassen en lakens betrof, duidelijk in geleende tijd leefden.

Het was een vreemde gewaarwording om zomaar 's middags in de trein te zitten, omringd door schoolkinderen en winkelpubliek dat huiswaarts keerde, in plaats van forensen die zich verscholen hielden achter gratis roddelkranten met een aktentas op hun schoot. Het was er ook onaangenaam warm – het verwarmingssysteem van de spoorwegen was nog niet aangepast aan de kracht van de middagzon, die nu pal door de ramen van de trein scheen. Dominic maakte zijn das los, deed nogmaals een poging om het raam open te krijgen en ging toen weer zitten, met een half verontschuldigende glimlach naar de jonge vrouw tegenover hem, die diverse uitpuilende boodschappentassen bij zich had en die zijn inspanningen om het rijtuig wat koeler te maken had gevolgd met iets wat hij voor bijval had aangezien. Hij probeerde zijn glimlach wat breder te maken, maar haar gezicht verstarde in een masker van achterdocht.

Dominic keek toen maar uit het raam, naar de chaos van pakhuizen en schrootopslag, rijtjeshuizen en winkelstraten. Hij genoot veel meer van het terug zijn in Londen dan hij ooit had gedacht. Hij hield van alle bedrijvigheid, met de vele huidskleuren, religies, en persoonlijkheden die boven op elkaar woonden, die probeerden een bestaan te creëren en die vermoedelijk, net als hij, poogden gelukkig te zijn. Er lag iets nobels in dat pogen, besloot hij, terwijl de trein door en boven Brixton ratelde, waar marktkraampjes volop in bedrijf waren en waar het wasgoed op de balkons van de torenflats wapperde.

Werkloos. Dominic proefde het woord, probeerde voor de zoveelste keer zijn reacties in bedwang te houden, maar voelde niet veel anders dan een verbijsterende sensatie van persoonlijk te zijn afgewezen. Het woord zelf was uiteraard helemaal niet gebruikt, niet door zijn meelevende collega's of door de strakgeklede vrouwelijke directeur die het mandaat had gekregen hem dit besluit mede te delen. Hij werd 'van zijn taak ontheven', hij was 'boventallig', de bank moest efficiënter worden georganiseerd, gestroomlijnd, kostenbesparender werken. Er waren slachtoffers gevallen, hoewel Dominic de enige was die er prat op kon gaan van een vrije dag te zijn teruggeroepen voor dit privilege.

Benedict, die hem onlangs een vriendelijk bedoeld maar absurd zakelijk voorstel had gedaan (dat Dominic onmiddellijk had afgewezen), had gelijk gehad toen hij erop had gewezen dat zijn broer niet erg van zijn baan genoot, maar dat maakte het ongemak van het verliezen van die baan niet lichter te dragen. Het was waar dat hij, in een ideale wereld, graag meer tijd aan Rose zou willen besteden, en dat hij veel spaargeld bezat – hoewel daar de laatste tijd een groot deel van was opgeslokt door de aankoop van het nieuwe huis. Het was prachtig om geen hypotheek te hebben, maar, bedacht Dominic verbitterd, de kosten van het levensonderhoud vergden nog steeds een salaris.

Hij was ook wat verbitterd over de timing van deze verstoting uit de financiële wereld: de inkt onder het koopcontract van zijn huis was amper opgedroogd, zijn dochter begon op school eindelijk haar draai te vinden en genoot op ditzelfde ogenblik van de eerste openlijk erkende vriendschap met een klasgenoot sinds het overlijden van haar moeder (het was natuurlijk wel een heel onverwachte vriendschap, die door louter toeval aan het licht was gekomen, maar zo ging dat nu eenmaal met Rose). Zulke ontwikkelingen hadden veel inspanning gekost, maar nu, met zijn *werkloosheid*, kreeg Dominic onwillekeurig het gevoel dat die inspanningen wat waren ondermijnd. Ze hadden niet naar Londen hoeven te verhuizen. Hij had met hun verdriet en zijn talent om cliënten bij investeringen te adviseren ook naar Schotland of Bath of Timboektoe kunnen gaan.

Dominic drukte zijn aktentas tegen zich aan terwijl hij somber overdacht of het zorgverlof dat hij rond het overlijden van Maggie had opgenomen hem parten had gespeeld. Waarschijnlijk hadden zijn werkgevers sindsdien de messen geslepen, waarbij ze met de mond begrip hadden getoond voor zijn persoonlijke tragedie terwijl ze hem er heimelijk om veroordeelden.

Hij besefte dat hij zijn tas een beetje te stevig vasthield. De vrouw met de tassen keek hem vreemd aan. Hoewel het nog een paar minuten duurde voor hij bij het station was, stond hij op van zijn plaats en ging bij de deuren staan. Hij zou niemand over zijn ontslag vertellen, besloot hij, in elk geval niet tot de vakantie voorbij was. Hij zou het niet aan Rose vertellen en ook niet aan Benedict – zeker niet aan Benedict, die weer bierflesjes op een rij zou gaan zetten en hem zou vertellen wat hij moest doen. Hij moest zich gaan melden bij een wervings- en selectiebureau, maar niet voor dinsdag, wanneer Rose weer naar school ging.

Dominic liep naar huis via de supermarkt, waar hij zijn wagentje vulde met een belachelijke hoeveelheid ovaalvormig snoep in allerlei maten, een paar grote in folie verpakte konijnen en, voor alle volledigheid, een doos met kuikens die 'Vrolijk Paasfeest' piepten als je ze op hun snavel tikte. Het waren min of meer paniekaankopen en hij besefte dat hij in shock verkeerde. Maar er was iets aangenaam roekeloos' aan dit gedrag. Maggie – heel fanatiek op het gebied van zelfgemaakte dingen, minder op dat van traktaties – zou ontzet zijn geweest.

'Uw kinderen vinden dit vast prachtig!' grinnikte de vrouw achter de kassa.

'Ik mag het hopen.' Dominic glimlachte stralend naar haar, een beetje nerveus bij deze onverwachte herinnering aan hun logé. Rose was zo opgetogen geweest toen hij die morgen Charlottes verrassende telefoontje om hulp had gekregen, dat er geen sprake van was geweest dat hij nee had kunnen zeggen, maar nu begon hij zich practischer zaken af te vragen, zoals of Sam wel de gehaktschotel uit de oven zou lusten, en of hij zich zorgen moest maken over het slapen. Rose ging er kennelijk van uit dat Sam in het onderste bed van haar stapelbed zou slapen, maar ze waren een jongen en een meisje, nu tieners, en Sam was bijna zeker de brievenschrijver over wie Benedict had verteld. Wie wist wat ze in hun brieven met elkaar hadden uitgewisseld, of waar ze op hoopten? Heel even kwam Dominic zelfs in de verleiding de vrouw achter de kassa om raad te vragen – ze leek er een van het gezellige, moederlijke soort, oud genoeg om zulke dingen zelf ook bij de hand te hebben gehad.

In plaats daarvan werd hij gestoord door het rinkelen van zijn telefoon. 'Hallo?' Dominic klemde de telefoon tussen zijn schouder en zijn oor, zodat hij verder kon gaan met het inpakken van zijn boodschappen.

'Ha, eindelijk heb ik je te pakken.'

'Petra, inderdaad, om zo te zeggen… alleen sta ik op dit moment bij de kassa van de supermarkt om voor een fortuin aan paaseieren te kopen. Als je me twee minuten geeft…' smeekte Dominic, worstelend met zijn portemonnee, de tassen en de telefoon, met zijn rug naar de caissière, die kennelijk veel plezier had in de vertoning. 'Blijf in de buurt, ga niet weg. Ik bel je over twee minuten terug.'

'Ik wil je zien, Dominic,' zei ze. 'Als je me niet wilt, zou ik graag willen dat je me dat gewoon zegt.'

'Natuurlijk wil ik je,' fluisterde hij. 'Dat wil zeggen, ik wil je heel graag zien. En ik bel je over twee minuten terug om dat af te spreken.'

Het gezicht van de caissière verstrakte onmiddellijk. Van een bedrijvige huisvader was hij in een achterbakse echtgenoot veranderd – dat dacht ze kennelijk, besefte Dominic hulpeloos toen ze zijn bonnetje uit de kassa rukte en het hem in de handen duwde. Hij bedankte haar beleefd maar ze keek alweer stralend naar de volgende klant, om een nieuw gezicht de kans te geven die hij ongewild had verspeeld.

Hij belde Petra terug zodra hij zijn tassen met een zwaai in de auto had gezet, maar kreeg te horen: 'Met Petra, spreek alstublieft een boodschap in.'

Dominic sloeg van frustratie met beide handen hard op het dak van de auto, zodat zijn trouwring tegen het metaal tikte. Op hetzelfde moment besefte hij, met enige verbazing, dat hij was vergeten een gans te kopen. Gans, aardappels, worteltjes, erwten voor de lunch op eerste paasdag… Benedict zou komen, hij had het allemaal al bedacht. Hij moest in een nog grotere shocktoestand verkeren dan hij had gedacht. Een beetje moe trok Dominic zijn telefoon weer uit zijn zak, maar bleef toen naar zijn trouwring kijken. Wit goud, met hun trouwdatum erin gegraveerd. Maggie had hem speciaal voor hem laten maken. Hij stopte de telefoon onder zijn arm, haalde diep adem, deed de ring af en liet hem in zijn achterzak glijden. De ring schoof er gemakkelijk af, zelfs over de knokkel, alsof hij eraan toe was.

'Ik zou je graag willen zien,' verklaarde hij in antwoord op Petra's stem op het bandje, toen hij weer terugbelde. 'Heel erg graag zelfs. Ik zal van nu af aan veel meer vrije tijd hebben en ik zal een lunch met jou als prioriteit nummer één beschouwen. Ik ben iemand die niet gauw opgeeft,' voegde hij eraan toe, voor hij zijn elektronische sleutel in de richting van zijn auto hield en daarna de supermarkt weer in dook.

12

Na de flat is er zoveel ruimte in het huis in Wandsworth dat ik met uitgestrekte armen van kamer naar kamer dans om mezelf, en Sam die achter me aan huppelt, te bewijzen dat we nu kunnen wonen en bewegen en een bestaan kunnen leiden zonder tegen de muren op te botsen. Martin, die nuttiger bezig is met schroevendraaiers en draden van de geluids- installatie, houdt even op om te kijken, en hij lacht met een zorgeloosheid die mijn hart doet zingen. Een verandering van omgeving lost misschien niet alle problemen op maar helpt wel. Zij — wie het ook was (waarschijnlijk Fiona, maar hij heeft nooit iets toegegeven) — is nu ver weg, iets uit het verleden, net als de te kleine flat en de slecht verlichte straathoe- ken en Martins belachelijk lange werkdagen. Ik hou op met dansen en hou mijn adem in wanneer er iets van het verdriet, van de achterdocht, terug dreigt te komen. Werkdagen van vijftien uur... Hij had haar net zo goed thuis kunnen uitnodigen.

We slepen samen met meubels en hangen schilderijen op, balanceren om beurten op de armleuningen van stoelen en roepen aanwijzingen over de juiste plaats van de spijker. Voor het avondeten bestellen we pizza's omdat het fornuis het niet doet; een zekering, denkt Mar- tin, maar hij heeft geen reserve en de winkels zijn dicht. We laten Sam lang opblijven om hem goed moe te maken, en hij mag op pizzakorsten knabbelen en tussen de dozen spelen terwijl wij verder zwoegen met het uitpakken. We vormen weer een team, vind ik, eindelijk. En als Martin de strijd met het snoer van de geluidsboxen heeft gewonnen en een van onze oude favoriete nummers opzet, glip ik in zijn armen met iets van de eerbied van onze aller- eerste keer. We dansen, innig omstrengeld. Een nieuw, zeldzaam volmaakt moment. Ik neem me plechtig voor vol te houden. Niets met Fiona kan ooit zo goed hebben gevoeld, zo hecht.

Bij de verhuizing is een vitale schroef zoekgeraakt zodat we het bed niet in elkaar kun- nen zetten. We vallen op het matras in slaap, te moe om ons erom te bekommeren. Aan de overkant van de gang wordt Sam, die voor het eerst alleen slaapt, midden in de nacht wak- ker en begint te huilen, rammelend aan zijn veiligheidshekje, als een wanhopige gevangene. Martin gromt: 'Laat hem.' Maar ik kan het niet over mijn hart verkrijgen. Natuurlijk niet.

'Hallo lieverd.' Hij slaat zijn armpjes om mijn nek. Ik probeer hem weer neer te leggen, maar dat pikt hij niet. Ik probeer hem wat water uit zijn beker te laten drinken, maar hij blaast en spuugt en lacht. 'Jij stoute, stoute jongen,' berisp ik hem zacht.

'Stout, stout,' praat Sam me na, en hij wrijft met zijn knokkels in zijn ogen, geeuwt.

'Kom dan maar mee.' Ik draag hem naar ons matras en probeer hem aan mijn kant te houden om Martin niet wakker te maken, maar binnen enkele seconden klautert Sam over me heen naar het midden, onbevreesd, onbekommerd, net als iedere vierjarige, met alleen maar oog voor zijn eigen wensen.

Martin wordt wakker en kreunt. 'Hij heeft zijn eigen kamer. Breng hem terug.'

'Doe jij dat maar.'

'Je weet dat dat niet werkt.'

'Je probeert het nooit.'

Even later zijn mijn man en mijn zoontje diep in slaap, allebei op hun rug, hun armen naast zich, alsof ze liggen te zonnebaden in het maanlicht dat door de nog gordijnloze ramen naar binnen valt. Ik voel tranen in mijn ogen prikken, deels omdat ik moe ben, maar vooral omdat mijn geloof terugkeert — mijn geloof in ons, in de vrucht van onze liefde, die tussen ons ligt en ons scheidt maar ons ook verbindt en heel houdt.

Uiteindelijk duurde het een paar uur eer ze het ziekenhuis konden verlaten. Jean moest ergens nog een laatste onderzoek ondergaan en zuster Nelson was in geen velden of wegen te bekennen, zodat Charlotte van de gelegenheid gebruikmaakte om de auto wat dichterbij te zetten en informatie in te winnen over thuiszorg. Ze kreeg het gevoel dat ze alles weer een beetje kon overzien, maar schrok hevig toen de terugkomst van de patiënt op de afdeling werd aangekondigd en ze, toen ze zich omdraaide, een ineengedoken gestalte in een rolstoel zag zitten.

'Mam.' Het woord bleef in haar keel steken.

'De stoel is alleen maar om wat energie over te houden om in de auto te komen,' verklaarde de dienstdoende zuster opgewekt. 'Het gaat heel goed met ons, hè, mevrouw Boot? We zijn vooral erg geschrokken. Nog even, en dan gaat het weer prima. Wat boft u met zo'n liefhebbende dochter die u komt verzorgen!'

Jean liet een vage glimlach over haar gezicht glijden. Haar rechterarm lag in haar schoot, als een los, kostbaar voorwerp, van de vingers tot aan de elleboog in het gips. Ze droeg haar oude blauwe jurk met Paisley-motief, met één mouw opgestroopt vanwege het gips en een verschoten grijs vest dat als een omslagdoek over haar schouders was gedrapeerd. Haar benen waren gehuld in haar gebruikelijke te wijde kousen, haar voeten in oude pantoffels van schapenvacht in plaats van schoenen. Door de kousen heen kon Charlotte een aantal blauwe plekken op haar scheenbenen ontwaren, en één die bijna zwart leek, vanaf haar linkerknie tot boven de zoom van haar rok. Haar haar was, zonder de gebruikelijke verzorging, slap en futloos geworden en hing in slierten om haar hoofd, waardoor haar met levervlekken bezaaide schedel te zien was.

Charlotte stond gespannen te wachten, ervan overtuigd dat het gebrek aan hartelijkheid duidelijk op haar gezicht te lezen moest zijn. Maar Jean keek alleen maar gedwee van haar naar de zuster en mompelde: 'Ja, zeg dat wel.' Haar stem klonk zo vlak en zacht dat het onmogelijk viel te zeggen of dit ironisch bedoeld was of niet.

Terwijl ze een hindernisbaan afwerkten van brandwerende deuren met strakke scharnieren, overvolle gangen en trage liften, merkte Charlotte dat ze dezelfde gemaakte hartelijkheid aan de dag begon te leggen als de zuster. *Straks zijn we lekker weer thuis. Een kop thee en veel rust zullen wonderen voor je doen.* Het was een overlevingstechniek, een stop op alle moeilijke gedachten. Maar inwendig kon ze de angst die ze op de parkeerplaats had bespeurd voelen overgaan in iets veel ergers, in iets wat sterk op weerzin leek.

Ze reed overdreven voorzichtig, waarbij ze naar het ongeluk en naar de prognose informeerde en probeerde niet geïrriteerd te raken door de zwakke, éénlettergrepige antwoorden die ze steeds kreeg. Toen ze voor het huis stilhielden, kwam Prue om de hoek, met Jasper die aan zijn lijn rukte. De hulp leek, niet verbazingwekkend gezien haar nieuwe taken, blij te zijn hen te zien, evenals de hond, die er met fysiek geweld van moest worden weerhouden in de afzakkende kousen te klimmen teneinde een aai over zijn kop te krijgen. Het waren echter de capriolen van haar huisdier die Jean de eerste glimlach ontlokten, en ze praatte er ook tegen, constateerde Charlotte zuur, met allerlei sussende onzin, gedurende hun moeizame, wankele gang naar de voordeur.

Toen Charlotte de volgende morgen in de auto naar de supermarkt vluchtte, slaakte ze een kleine kreet, en daarna een veel luidere, die haar trommelvliezen deed trillen. Sam had gesmeekt bij de Porters te mogen logeren en Martin had opgelucht geklonken. De thuiszorg zou in actie komen, maar pas na het paasweekend. Wat betekende dat ze het nog vier dagen moest volhouden. NOG VIER DAGEN. Een op gedempte toon gevoerd gesprek met Prue had driemaal per week hulp opgeleverd. 'Als ik ervoor word betaald,' had Prue eraan toegevoegd, wat op zich heel redelijk en begrijpelijk was, en wat Charlotte hoe dan ook had verwacht, maar wat haar desalniettemin ineen had doen krimpen. Waar waren de bridgevriendinnen, had ze zich afgevraagd, en de namen op het schema van de bloemen in de kerk? Wanneer had die hectische fase plaatsgemaakt voor dagelijkse contacten met uitsluitend haar hond?

Het gillen hielp. En de supermarkt, in een groot, schoon complex, omringd door cafés en eethuisjes en met gangen zo breed als kleine straten, werkte op de een of andere manier ook kalmerend. Charlotte nam er alle tijd voor, en deed haar best de neiging te onderdrukken naar haar eigen smaak te kopen en in plaats daarvan producten te kiezen met een lange houdbaarheidsdatum of die in de kleine koelkast van haar moeder konden worden opgeslagen.

Toen ze had afgerekend wilde ze het hele gedoe van teruggaan nog even uitstellen en loodste ze haar volgeladen karretje naar het best uitziende café, nestelde zich in een diepe leren stoel, en bestelde een cappuccino en een chocoladebrownie. Ze had beide voor de helft op, terwijl ze in een achtergelaten krant bladerde, toen ze opeens het sterke gevoel kreeg dat er iemand naar haar zat te kijken. Het duurde even voor ze diegene had gelokaliseerd – niet bij de broodjes en de koffiemachines, maar achter haar, aan een ander tafeltje, met een al even volgeladen winkelwagentje ernaast. Cindy. Omdat Charlotte zich had omgedraaid, wist ze een vage glimlach te produceren. Ex-vrouw loopt vriendinnetje van ex-man tegen het lijf – er bestond geen etiquettehandboek voor zulke ontmoetingen. Ze liet de glimlach nog iets langer op haar gezicht rusten, waarbij ze het instinct verwenste dat had gemaakt dat ze zich had omgedraaid.

Cindy's glimlach was al even stijfjes. Zij had geen krant om te lezen, zag Charlotte, en misschien leek ze zich daardoor nog ongemakkelijker te voelen. Ze zag er ook wat verfomfaaid uit, met haar haar in een slordige paardenstaart en een gezicht dat, voor het eerst dat Charlotte zich kon heugen, geen spoortje make-up vertoonde. En wat deed ze in hemelsnaam op Goede Vrijdag in Tunbridge Wells, met een vol winkelwagentje, en waarom zag ze er zo ontredderd uit? Langzaam, met een stijgende nieuwsgierigheid die niet geheel goedaardig was, draaide Charlotte zich nog eens om om naar haar te kijken. Cindy glimlachte opnieuw, nu zelfverzekerder, en toen stond ze op en pakte haar koffiekopje. 'Mag ik even bij je komen zitten?'

Charlotte aarzelde, hevig geboeid, niet door dit voorstel, hoewel het op zich heel bizar leek, maar door de ongehinderde blik die ze op Cindy kon werpen nu ze rechtop stond. Een vreemde, die niet bekend was met het uiterst verzorgde, slanke schepsel dat de belangstelling van haar man had weten te trekken, zou het misschien niet hebben opgemerkt. Maar het was Charlotte onmiddellijk duidelijk dat het nieuwe liefje van haar ex zwanger was, misschien nog niet zo ver – er was onder het T-shirt net het begin van een welving te zien – maar het was voldoende om de eens zo slanke taille te hebben gevuld. Het vormde ook een verklaring voor de lusteloze blik, de donkere kringen onder haar ogen, de wat opgezette kaken – veelzeggende tekenen die, besefte Charlotte, al een aantal weken te zien waren geweest.

Wat kan de wereld er toch anders uitzien… wat onverwacht. Ergens, te midden van de verbazing, voelde Charlotte ook een steek van afgunst. Het had een aantal jaren geduurd eer Sam was gekomen. 'Oké, als je dat wilt,' antwoordde ze strak en ze gebaarde naar de lege plaats tegenover zich, te nieuwsgierig om te weigeren. Cindy, die er beroerd, alleen, zwanger uitzag en die met háár wilde praten. Ze begreep er helemaal niets van. Ze herinnerde zich de klaaglijke stem die Martins mobieltje had opgenomen tijdens de crisis met Sam, en die net zo slapeloos, net zo hulpeloos had geklonken als zij. Deze herinnering bezorgde haar een gevoel van macht. Zij, Charlotte, was niet langer hulpeloos. En ze verkeerde zeker niet in de verbijsterende staat van een zwangerschap, met slap haar en een vlekkerige teint, tobbend over een nieuw, hevig meningsverschil met Martin. Dat lag nu allemaal op het bordje van Cindy, en ze wenste haar er veel succes mee. Je oogst wat je zaait, dacht Charlotte vals toen Cindy ging zitten. 'Heel onverwacht, je hier te zien.'

'Ik logeer bij mijn zuster.'

'O. En ik bij mijn moeder – ze heeft haar pols gebroken.'

'O, wat akelig.'

Dus Martin had er niets over gezegd. Of ze praatten niet met elkaar. Charlotte prutste wat met haar papieren bekertje, nog steeds heen en weer geslingerd tussen de wens om snel een einde te maken aan deze ontmoeting en de ontluikende behoefte om meer te weten te komen. Om nou je vakantie bij je zuster door te brengen – geen wonder dat Martin aan de telefoon zo gestrest had geklonken. Geen wonder dat hij had gezegd dat hij deze keer echt niet kon helpen met Sam. Al haar vermoedens over problemen waren kennelijk juist. Ze zaten een paar dagen niet bij elkaar en Cindy was zwánger. Haar toestand was nu zelfs nog duidelijker zichtbaar nu ze in de stoel was gaan zitten met haar benen een eindje uit elkaar, alsof ze vooruitliep op de laatste maanden wanneer het gewicht zo'n onelegante houding zou vergen.

'Ik ben in verwachting,' flapte Cindy eruit. 'Dat wilde ik je vertellen.'

'Gossie... eh, eigenlijk dacht ik al zoiets.' Cindy vormde zo'n toonbeeld van ontreddering – haar ogen schoten heen en weer, ze sloeg haar benen nerveus over elkaar – dat Charlotte onder andere omstandigheden misschien zelfs medelijden met haar zou hebben gehad.

'Ik hoop dat je het niet erg vindt of zo.'

'Natuurlijk niet.'

'Het is echt vreselijk geweest, de afschuwelijkste zestien weken van mijn hele leven.'

'Echt?' Charlotte hoopte dat ze niet zelfvoldaan klonk. Er kwamen zoveel herinneringen bij haar boven dat ze moeite had om zich te concentreren. Het ouders willen worden had deel uitgemaakt van de eerste, gelukkige tijd met Martin – het gedeelde verlangen, het gezamenlijke doel. Eigenlijk was bij de feitelijke zwangerschap dat eerste vermoeden van afstand ontstaan, besefte ze nu, het sluipende gevoel van afzonderlijke golflengten. Nu ze Cindy er zo grauw en akelig uit zag zien, kwam alles weer bij haar boven. 'Het is een moeilijke tijd. Arme jij,' voegde ze eraan toe. Ze haalde diep adem. Vossen als Martin verloren hun streken niet. 'Ik bedoel...' Charlotte aarzelde. Maar ze herinnerde zichzelf eraan dat een andere, hulpeloze Cindy in omstandigheden verkeerde die alleen zíj zou kunnen begrijpen. 'Ik weet precies wat jij moet doormaken,' zei ze snel, terwijl ze alle verzet opgaf. 'In de tijd dat ik van Sam in verwachting was, begon Martin zich voor het eerst van me terug te trekken. Maar in tegenstelling tot jou had ik geen zusje dat me in huis kon nemen.'

Charlotte vroeg zich af of haar zelfverzekerdheid zo ver reikte dat ze de hand van haar voormalige rivale ging strelen. Ze voelde zich opeens fantástisch, meer dan opgewassen tegen de ruimhartigheid die deze en iedere andere situatie van haar zou kunnen verlangen. Moeders met gebroken polsen, losbandige echtgenoten van vriendinnen, werkgevers met stiekeme plannen – ze lustte ze rauw.

Cindy had een hand voor haar mond geslagen en draaide met haar ogen. 'O nee, Charlotte, je begrijpt het verkeerd. Ik logeer alleen maar bij mijn zusje omdat ik de afgelopen weken kribbig en ziek en huilerig en akelig ben geweest en ik de arme Martin even rust wilde geven. Hij is geweldig geweest, echt geweldig, ondanks alle drukte op zijn werk – zelfs vandaag is hij nog druk bezig. O hemel, daar begin ik alweer te huilen.' Ze wapperde met haar vingers voor haar gezicht, alsof ze hoopte de emotie weer in haar traanbuizen terug te kunnen blazen. 'Ik heb geen moment bedoeld te zeggen… Ik wilde jou alleen maar vertellen – vond dat ik jou persoonlijk moest vertellen – over de baby. We beginnen het nu pas aan mensen te vertellen en Martin was bang dat jij het er moeilijk mee zou hebben.'

Charlotte maakte een gesmoord geluid, bedoeld als lach.

Cindy praatte zacht en kalm door, alsof het misverstand en de huilbui haar hadden ontspannen. 'Het spijt me echt dat je het bij het verkeerde eind hebt. Ik wist natuurlijk wel dat het al lange tijd niet goed tussen jullie was geweest. Martin heeft altijd gezegd…' Ze zweeg abrupt, alsof ze zich opeens weer bewust werd van de context van dit gesprek, van de identiteit van haar zogenaamde vertrouwelinge.

'Wat?' Charlotte had iedere spier van haar lichaam gespannen en zat op de rand van haar stoel, met een geforceerde glimlach op haar gezicht. 'Wat heeft Martin gezegd?'

'Charlotte, ik denk dat ik dit echt niet…'

'Vertel het me alsjeblieft. Ik wil het weten.'

Cindy veegde haar neus af. 'Dat hij je aan Sam was kwijtgeraakt.' Ze mompelde de woorden langs de rand van haar papieren zakdoekje, alsof ze half hoopte dat ze niet over zouden komen.

'Maar…' Charlotte hoorde dat haar stem trilde, terwijl ze met strakke kaken verder sprak. 'Dat is belachelijk… Dat slaat nérgens op.' Ze klampte zich vast aan de rand van de stoel, greep hem met haar knieholten vast. 'Mij kwijtgeraakt aan Sam?'

'Kijk, daar heb je mijn zusje… Ik moet nu echt gaan.' Cindy greep het winkelwagentje en begon, met zichtbare wanhoop, te proberen ermee tussen het meubilair door te manoeuvreren.

Charlotte kon het zusje naar hen toe zien komen, strakke spijkerbroek, wit T-shirt, slank, blond, iets jonger, een kloon van Cindy. 'Martin is een leugenaar. Dat is hij altijd al geweest.'

Cindy draaide zich met een ruk om, terwijl de tranen over haar gezicht stroomden. 'Dat is hij niet. Hij is fatsoenlijk en geweldig en…'

'Fatsóénlijk?' Het was een opluchting om echt te lachen. Het zusje was gearriveerd en keek bezorgd.

'Cindy, wat is er? Wat is er aan de hand?'

'Ja, fatsoenlijk.' Cindy spuwde het woord naar haar terug.

'Kom, dan gaan we, lieverd,' zei het zusje zacht, en ze trok aan het wagentje.

'Ja, fatsoenlijk,' herhaalde Cindy, en ze keek Charlotte weer aan. 'Daar zou ik je een voorbeeld van kunnen geven, als je dat wilt.'

Charlotte ging staan en sloeg haar armen over elkaar. Ze voelde haar knieën trillen. Ze zette haar nagels in haar ellebogen. 'Doe dat, alsjeblieft.'

'Járen heeft het geduurd, járen… dat hij niet met mij naar bed wilde, om jou.'

Alle hoofden werden nu in hun richting gedraaid. Bij de kassa had een groep wachtende klanten de vitrines met sandwiches en gebak de rug toegekeerd en stond verwachtingsvol toe te kijken, als het publiek bij een bokswedstrijd. De jongeman die de koffiemachines moest bedienen leunde met zijn ellebogen op de toonbank, met één vinger afwezig in zijn mond en de andere prutsend aan zijn oorbel, alsof de vertoning tot dusver niet dynamisch genoeg was geweest om zijn onverdeelde aandacht te krijgen. Het zusje had nu zowel het karretje als Cindy's arm stevig vastgepakt, en ze probeerde haar mee te krijgen.

'Denk jij nou echt dat ik dat geloof?' siste Charlotte, met droge mond. 'Martin heeft je zeker aangestoken met al zijn gelieg. Wat treurig. Wat zíélig.' Haar knieën hadden zo gebeefd dat ze nu als verdoofd waren, zodat ze moest gaan zitten. Cindy keek hoofdschuddend naar haar zusje en het tweetal begon zich van haar te verwijderen. Ze had zich staande weten te houden, ze had een vinnig antwoord weten te geven, maar haar gedachten zigzagden wild heen en weer, naar het verleden en weer terug, om alles nog eens te overzien, te verwerken, te proberen een kloppend beeld te vormen. Door dit alles heen, als de klank van een stemvork, bestond de nog steeds onverteerbare mogelijkheid dat Cindy de waarheid had gesproken. Martins onkenningen van ontrouw, haar hardnekkige beschuldigingen – dat had het thema van hun huwelijk gevormd, het patroon dat er vorm aan gaf. Charlottes gedachten wankelden. Er waren natuurlijk verschillende niveaus van ontrouw – er hoefde niet noodzakelijkerwijs seks aan te pas te komen... Ze probeerde deze gedachte vast te houden, maar hij ontglipte haar en liet in plaats daarvan, ongevraagd, een scherp beeld van het gemene briefje achter. *Iemand die het beste met je voorheeft.*

Charlotte greep haar wagentje en rende het café uit, met veel excuses toen ze kleine kinderen en boos kijkende volwassenen omzeilde. Ze hadden de automatische deuren bereikt. Het zusje duwde de boodschappen en Cindy liep ernaast, met één hand aan het wagentje en met de andere beschermend over de kleine welving in haar buik.

'Jíj was het, hè? Dat anonieme briefje, dat was jij.' Charlotte had woede, of op zijn minst verontwaardiging willen overbrengen, maar toen ze deze vraag stelde, klonk haar stem eerder smekend.

'Allemachtig,' begon het zusje.

'Het geeft niet, Lu. Welk briefje?'

Charlotte moest het nog eens uitleggen, terwijl haar energie, haar zekerheid, weer begon te tanen. 'Het verandert er natuurlijk helemaal niets aan, maar ik moet weten,' zei ze hees, 'of jij dat hebt geschreven.'

Cindy aarzelde, met een gezicht dat een masker van kalmte was, terwijl ze zich inwendig haar vreugde herinnerde bij het horen van het gemene briefje en – bovenal – van Charlottes reactie erop, waardoor haar geliefde haar eindelijk in de armen was gevallen. Maar toen ze sprak klonk haar stem hooghartig en beledigd. 'Dat zou ik nooit hebben gedaan, Charlotte. Als je me ook maar een beetje kende, had je dat niet eens gevraagd.'

Charlotte zag de zusjes verdwijnen in de zee van geparkeerde auto's. Ze was blij dat ze het had gevraagd. Heel even voelde ze zich sereen, tot ze er duizelig van werd. Ze had het volste recht gehad om zoiets te vragen. En het deed er niet toe, niets deed er nog toe, nu niet meer.

Maar het was moeilijk om recht te blijven lopen met het winkelwagentje, waarvan de wielen steeds heen en weer zwenkten, terwijl flarden van het gesprek bij haar boven kwamen. *Hij wilde niet met mij naar bed, om jou.* Ook al hield je rekening met de verschillende niveaus van ontrouw, dan leek het toch een onwaarschijnlijke mogelijkheid. Charlotte worstelde met het wispelturige karretje en voelde zich alsof ze daarmee haar herinneringen onder controle probeerde te houden. Zíj was de 'fatsoenlijke' geweest, zoals ze de dingen had verdragen, het Cambridge-genie en alle anderen had vergeven... die anderen vóór Cindy.

Charlotte zette de tassen één voor één in de kofferruimte, bracht het wagentje terug en reed toen langzaam naar haar moeders huis. Toen ze de motor had afgezet bleef ze nog even zo zitten, zonder acht te slaan op het bewegen van de gordijnen aan de voorzijde en op het vage gejank van de teckel. Cindy had natuurlijk maar wat gezegd, gewoon om Martin te verdedigen. Die steek over dat Martin haar aan Sam was kwijtgeraakt maakte daar deel van uit – het was een gemene opmerking, bedoeld om haar een akelig gevoel te geven. Charlotte benaderde de beschuldiging opnieuw, als iemand die de rand van een klif nadert. Ze had van Sam gehouden zoals iedere moeder van haar kind mocht houden. En geen wonder, dacht ze zuur toen het gordijn nu met een ruk opzij werd getrokken en het gezicht van Jean bij het raam verscheen, gespannen en fronsend.

Charlotte stak jolig haar duim omhoog en stapte uit de auto. Nog drie dagen de brave dochter spelen, dat was niet veel op een heel leven. Het was eigenlijk een opluchting om iemand anders te hebben om voor te zorgen, om iets echt praktisch te doen, als afleiding voor het zinloze gepieker en de gemene insinuaties van die hatelijke – zwángere – Cindy. Ze zou zich helemaal inzetten voor deze taak, voor de noodzaak om verzorgster te zijn, in plaats van zich ertegen te verzetten. Aldus opgemonterd zwaaide Charlotte nogmaals toen ze over het pad naar de deur liep, terwijl de plastic hengsels van de boodschappentassen in haar onderarmen sneden, en bedwong ze daarna haar ongeduld gedurende de vele minuten die haar moeder nodig had om haar stok op te zoeken en naar de voordeur te schuifelen.

13

Soms vond Theresa het vreselijk dat een decennium van wonen in dezelfde omgeving het onmogelijk maakte een voet buiten haar voordeur te zetten zonder een bekende tegen het lijf te lopen, maar toen ze die zaterdag voor Pasen terug was in Londen, op weg van de slager naar de bloemist, met Matty in haar kielzog, onbevreesd wiebelend op haar fietsje met zijwieltjes, merkte ze dat ze vol verlangen om zich heen keek op zoek naar bekende gezichten. Natuurlijk waren die nu net even niet te vinden, alleen maar een glimp van Naomi in een passerende auto (met Graham aan het stuur, hij had even naar haar opzij gekeken) en een knikje van Charlottes buurman, meneer Beasley, die op zijn gebruikelijke bankje bij de stoplichten naar de voorbijgangers keek.

Het lag gewoon aan je bui, dacht Theresa. Ze wilde contact met mensen omdat ze zich goed voelde – over het leven, over zichzelf, over Henry. Het uitstapje naar Cornwall was precies geweest wat ze nodig had. Ruimte, rust in het wiebelige oude tweepersoonsbed dat haar omhulde als geen ander, uitvoerige ontspannen maaltijden, niets om zich zorgen over te maken behalve of de kinderen zand naar binnen liepen en of ze één of drie ijsjes hadden gehad. Het hielp haar in te zien hoeveel ze in haar Londense bestaan wist te doen, met vier (vijf, als je Henry meerekende) verschillende programma's die dagelijks afgewerkt moesten worden, om nog maar te zwijgen van haar eigen armzalige bezigheden, die tussen die van alle anderen moesten worden ingepast. Geen wonder dat ze wel eens terneergeslagen was.

Haar moeder, die zoals voorspeld met de soep en de koekjes op hen wachtte, had het onmiddellijk doorgehad en had, na de kinderen snel in bed te hebben gestopt, een flinke scheut sherry in de bekers soep gedaan en rechtstreeks gevraagd wat er aan de hand was. Theresa had 'niets' gezegd en was toen in tranen uitgebarsten, waarbij ze al haar ellendige vermoedens over Charlotte en Suffolk had uitgebrabbeld. Haar moeder had geluisterd, nog wat soep ingeschonken, verklaard, alsof ze het uit eigen ervaring wist, dat gescheiden vrouwen een gevaarlijk ras vormden, en daarna gevraagd wat Theresa's diepste instincten haar over de gevoelens van haar man vertelden.

'Dat hij van me houdt,' had ze gejammerd, terwijl ze uit haar handen had opgekeken. 'En Charlotte… ik mág Charlotte echt heel graag, maar ze is zo vreselijk mooi en dat schijnt ze zelf niet te beseffen.'

'Mooi zo. Dan heb je er goed aan gedaan en dan zal alles weer op zijn pootjes terechtkomen… op de ene of op de andere manier. Bel hem niet,' had ze vervolgens geadviseerd, haar dochter streng aankijkend. 'Val hem niet lastig. Er is daar trouwens toch geen telefoon, hè?'

Maar dit was allemaal op zijn kop gezet toen Theresa contact moest zien te maken (de hulp had Martin te pakken gekregen en hij had, omdat Charlotte niet opnam, ten slotte haar gebeld) om het bericht over het ongeluk van Charlottes moeder door te geven. Henry had een beetje vreemd geklonken, maar ze had zelf misschien ook wel vreemd geklonken, net als de arme Charlotte. Het was al vreselijk om naar een ziekenhuis te worden geroepen, maar Theresa veronderstelde dat het nog een stuk erger was als het onderwerp van de ramp berucht lastig en onvriendelijk was. Hoewel ze zich had verheugd over het opbreken van het verblijf in Suffolk, had ze toch met haar vriendin te doen gehad. En ze had zich, bij haar vergeleken, gelukkig geprezen een moeder te hebben die niet alleen gezond was, maar ook hartelijk en wijs, en die na alle telefoontjes naar East Anglia op haar neus had getikt en veelbetekenend had geglimlacht over het hoofd van haar kleinkinderen heen.

Sindsdien had Henry een paar keer gebeld, om frustratie te melden, een geestelijke blokkade, het instorten van een deel van de omheining en de aankomsttijd van zijn trein die middag. Ze had gelijk gehad, had hij er hees, met tegenzin aan toegevoegd, over het proberen te werken met Sam en Charlotte in de buurt: het hele project was een regelrechte ramp geweest.

Een ramp! Regelrecht! Theresa huppelde even, ook al moest ze nu, tijdelijk, het fietsje, haar dochter, haar tas en een zware boodschappentas met een geplukte kalkoen en twee dozijn worstjes dragen.

Sam kwam als eerste het makelaarskantoor uit, en toen hij Theresa zag, dook hij achteruit de deuropening weer in, zodat hij opbotste tegen Rose, die een kreet slaakte en hem op zijn rug sloeg.

'Daar heb je d'r,' siste Sam, en hij wees naar een plek een paar meter verderop in de straat, waar Theresa nu op haar hurken zat, tussen Matty en het fietsje in, terwijl ze op het kleine, roze, leren zadel sloeg, in een kennelijke poging haar dochter aan te sporen erop te gaan zitten.

'Nou en?' Rose schudde haar bos krullen en stapte naar buiten, het zonlicht in.

'Ik wil die mensen nooit meer zien.'

'Dat zal lastig gaan, hoor.' Ze sloeg haar armen over elkaar en keek hem fronsend aan. 'Bovendien vind je George aardig.'

Zoals zo vaak in een debat met Rose moest Sam zijn ongelijk tegenover haar logica bekennen en hij trok zijn schouders op en stapte naar buiten. Hij wilde trouwens toch maken dat hij wegkwam, voordat meneer Croft terugkwam en de envelop vond die ze op zijn bureau hadden achtergelaten. Het was ook de logica van Rose geweest die daartoe had geleid, en Sam begon snel het vertrouwen erin te verliezen.

Mijn moeder zou het leuk vinden als u haar nog eens uitnodigt. Ze is verlegen en alleen en ze vindt het echt heel gezellig met u. Geef haar alstublieft niet op en vertel niet dat ik dit heb geschreven.

Hoogachtend,
Sam Turner

Rose had de woorden gedicteerd terwijl ze door haar slaapkamer liep te ijsberen en als een gedreven romanschrijfster op een potlood kauwde. Toen Sam even naar haar had gekeken terwijl hij dit opschreef, met een hart bonzend van twijfel en moed, had hij zich wat zorgen gemaakt over de ongewone voorliefde van zijn nieuwe vriendin voor geschreven communicatie. Maar aan de andere kant waren ze zonder die voorliefde nooit goede vrienden geworden en het leek onmogelijk om dat terug te draaien. Bovendien was Rose echt fantastisch in het schrijven – dat wist hij uit haar brieven, om nog maar te zwijgen van de opstellen die hardop in de klas waren voorgelezen. Geschiedenis, Engels, alles waarvoor een reeks zinnen nodig was. En alsof dat nog niet genoeg was, was ze gisteravond laat, toen haar vader hun licht had uitgedaan, langs de ladder van het stapelbed omlaag geklommen met een zaklantaarn tussen haar tanden en een gedeukte schoenendoos vol papieren die gedichten bleken te zijn – hele rissen, en allemaal opgeschreven in haar keurige, kleine blokschrift.

Sam was ervan overtuigd dat hij geen zinnig of passend commentaar zou kunnen geven, en hij had het eerste het beste gedicht gepakt en dat in radeloze stilte gelezen. Waarop Rose diverse andere gedichten had gepakt en de verzen hardop was gaan voorlezen. Ze waren allemaal op rijm en gingen over mensen die ze kenden, en ze waren zo ondeugend en grappig dat ze uiteindelijk het dekbed in hun mond hadden moeten stoppen om hun lachen te smoren.

'En dan hebben we deze nog,' had ze gezegd, en ze had een stuk papier van de bodem van de doos gepakt. 'Deze is heel anders.' Haar stem was veranderd – was hoog en gespannen geworden – zodat Sam vermoedde dat hier geen beddengoed aan te pas hoefde te komen. Ze had de zaklantaarn uitgeknipt, had zijn hand gepakt – en daarbij echt hard in zijn vingers geknepen, alsof ze boven een afgrond bungelde en hij haar eruit moest halen. Toen had ze het gedicht opgezegd, met het papier in haar hand, hoewel het te donker was om het te kunnen zien en ze het kennelijk uit haar hoofd kende. Het ging over een meisje wier moeder steeds magerder was geworden en daarna was gestorven, en het stond vol met korte, gebroken zinnen die niet eens rijmden.

Omdat Sam nu nog minder wist wat hij moest zeggen toen ze klaar was, greep hij haar hand nog steviger vast, steviger dan hij ooit iets had vastgehouden, zelfs steviger dan haar elleboog bij hun stomme gevecht. Een paar seconden later had ze zich losgerukt en was de ladder weer opgeklommen. Sam was naar zijn gevoel urenlang op zijn rug blijven liggen. Hij voelde zich opgelaten en wilde dat ze iets zou zeggen, tot het tot hem doordrong dat het gelijkmatige geluid dat van boven kwam, betekende dat ze in slaap was gevallen.

Het duurde een tijdje voor hij haar voorbeeld kon volgen. Hij had medelijden met Rose, vanzelf, maar hij had ook medelijden met zichzelf, omdat hij een moeder had van wie hij blij was dat ze nog leefde, maar die hij – sinds donderdagmorgen – ook flink haatte. Die haat was nieuw en op een bepaalde manier ook heel spannend. Het gaf hem een gevoel alsof hij haar niet nodig had, alsof hij vrij was. Maar dan schoot hem het beeld van zijn moeder met George' vader weer te binnen en voelde hij zich weer even warm en misselijk en machteloos als toen hij door het veld naar het strand was geheld, pompend met zijn armen omdat hij zich tegen de wind in moest worstelen.

Het krankzinnige plan van Rose was iets geweest waar hij zich aan had vastgeklampt, iets wat hem uiteindelijk had geholpen om te kunnen slapen.

'Hoe zit het anders met jouw vader?' snauwde hij, toen ze naar de hoofdstraat liepen. 'Heb je hem ooit met iemand zien vrijen?'

Rose bleef staan, zette haar handen op haar heupen en staarde strak naar de kauwgumklodders op het trottoir. Sam hield zijn adem in, in de stellige overtuiging dat hij over een soort onzichtbare grens was gestapt. Maar toen ze opkeek, grijnsde ze afwerend. 'Natuurlijk niet. Na mijn moeder wil hij niemand anders meer.'

'Oké. Juist.' Sam zweeg nederig en streek met zijn vingers over de bovenkant van een lage stenen muur. Hij schopte met zijn sportschoenen door de doorweekte bergjes gevallen bloesemblaadjes die in de straat langs de bomen lagen. Theresa was nergens meer te bekennen. Sam richtte zijn hoofd verder op, hij was hier blij om, en hij was ook blij dat hij daar met Rose liep. Hij keek op de klok op zijn mobieltje. Ze hadden nog twintig minuten voor ze met haar vader hadden afgesproken voor de lunch in het café met die grote bergen taartjes in de etalage. De oom zou die middag terugkomen om een barbecue te organiseren, had hij gezegd, precies op de nog zwartgeblakerde plek waar ze eerst de dozen hadden verbrand. Sam kon zich niet herinneren wanneer hij ooit zoveel plezier had gehad. Hij miste zijn ouders helemaal niet. Zijn moeder niet, dat sprak vanzelf, en zijn vader niet omdat een telefoontje om vrolijk Pasen te wensen was uitgedraaid op een hoop gezeur over een concert van het koor van Cindy en hem, en over hoeveel het voor hen beiden zou betekenen als hij erbij was, ook al was het niet zijn soort muziek, en dat ze na afloop heel geweldig zouden gaan eten, bla-bla-bla.

Sam liep wat langzamer zodat Rose hem in kon halen. Ze treuzelde verschrikkelijk en ze floot een ingewikkeld deuntje dat al haar energie en aandacht leek op te eisen. Twiet, twieterde-twiet. Het was een vreselijk geluid. Ze leek zo net een eekhoorn, vond Sam. Hij schoof wat dichterbij toen ze weer naast hem liep, en hij zag tot zijn verbazing dat ze niet zo lang was als hij had gedacht en dat als hij een beetje op zijn tenen ging staan, hij haar bijna recht in de ogen kon zien.

'Hou mijn hand maar vast,' zei ze, tussen het fluiten door, zonder opzij te kijken.

Sam deed wat hem werd gezegd, niet zoals de vorige avond, maar met heel losse vingers, zodat hij zich gemakkelijk los kon maken als dat nodig was.

Ik lig op de vloer en staar omhoog naar de stoffige welvingen van de centrale kolom waarop onze eetkamertafel steunt. Hoewel hij de voordeur zachtjes dicht heeft gedaan, kan ik de fysieke naschokken van Martins vertrek voelen. Ik draai me op mijn rechterzij en pluk aan een restje opgedroogd eten op een tafelpoot. Dit laat een lelijk wit litteken achter wanneer het loslaat, zodat ik wou dat ik ervanaf was gebleven.

Het is de vooravond van onze vijftiende trouwdag. Boven mijn hoofd ligt, uit het zicht, het restant van het etentje dat ik had georganiseerd om deze dag te vieren: broodkorsten, vegen chocolademousse, rijstkorrels, stukjes stilton, druivenpitten; voor een slechte kok heb ik goed werk geleverd. Vier gangen, vier echtparen, levendige conversatie over scholen en rentetarieven en wat de beste plaats was om in Frankrijk met vakantie te gaan — een vertoning van zoveel normaal gedrag dat ik er af en toe bijna zelf in ging geloven.

Bij het afscheid op de stoep, met Theresa en Henry en de rest van hen, met maskers van hoffelijkheid op hun plaats toen we hun complimenten in ontvangst namen — over het eten, de gezelligheid, het bereiken van deze mijlpaal — vroeg ik me even af of doen alsof misschien de sleutel was, of als Martin en ik maar lang genoeg deden alsof we gelukkig waren, dit uiteindelijk werkelijkheid zou worden. Maar daarna, toen de deur achter hen dicht was gevallen, kwam de realiteit in één klap, met alle geweld, weer bij ons terug, alsof we tegen een muur liepen.

'Dus je wilt nog steeds dat ik ga?'

Hij stond onder aan de trap en kneep zijn ogen halfdicht tegen het felle licht van de lamp in de hal. Met zijn blonde haar dat weerbarstig over zijn voorhoofd viel leek hij zoveel op degene die twintig jaar geleden tijdens een toneelrepetitie met zijn wijsvinger naar mij had gewezen, dat ik gedurende één moment bijna de moed verloor. Om kracht te putten reikte ik naar het kastje in de hal en trok de lade open, tastte naar de envelop die in de bus was gestopt en die ik op de deurmat had zien liggen, een halfuur voor de komst van onze gasten. Er was toen een uitzonderlijke kalmte over me gekomen, waardoor ik erop had kunnen aandringen dat we zowel deze gruwelijke schijnvertoning van een gezellig etentje zouden voortzetten en dat hij direct daarna het huis — en ons huwelijk — zou verlaten. Het was moeilijk om dezelfde kalmte een tweede keer op te brengen, nu ik overmand werd door vermoeidheid na de hele vertoning van die avond, en door zijn aanblik, zo mooi en zo gegriefd, onder aan de trap. 'Het is voorbij, Martin.'

'Dus jij hecht meer geloof aan een stom, boosaardig briefje dan aan het woord van je man?'

'Ja.'

Hij draaide zich op zijn hakken om, zette één voet op de onderste trede van de trap, en bleef toen staan. 'Hoor eens,' snauwde hij, en hij draaide zijn gezicht slechts half naar me toe, 'er is iemand geweest, maar alleen als vriendin — ja? Alleen maar als vriendin, Charlotte, iemand om mee te praten, verdomme, maar er is niets gebeurd. Helemaal niets.'

Een bekentenis onder druk — na zoveel jaren van ontkenning. Ik voelde even iets van opgetogenheid. Maar het volgende ogenblik bedacht ik hoeveel verspilde tijd er was geweest, met al die jaren van zoeken naar de waarheid, van behoedzaam aftasten met de vingers, alsof ik een archeoloog was, terwijl de eenvoudige sloophamer van een ultimatum het beste was geweest. 'Die "vriendin" van jou, hoe heet die?'

'Dat doet er niet toe.'

'Voor mij doet dat er wél toe.' Ik schuifelde mijn voeten iets verder uit elkaar om me schrap te zetten. 'En voor jou kennelijk ook, gezien het feit dat een hulpvaardige ziel het nodig heeft gevonden mij op haar bestaan te attenderen.'

Martin zuchtte, klemde zijn kaken opeen. 'Heb jij eigenlijk enig idee hoe het al deze jaren voor mij is geweest, met steeds weer jouw achterdocht, je gebrek aan vertrouwen...'

'De naam van je vriendin, Martin. Hoe heet deze nu weer?'

'Ze is inderdaad een vriendin, een ware vriendin, en ze heet Cindy.'

'Cindy! Wat een perfecte naam. En ga jij nu naar Cindy, of zit zij ook, heel ongemakkelijk, aan een wederhelft geketend?'

'Charlotte...'

'Is ze getrouwd?'

'Nee, ze is niet getrouwd. En ik zou er niet over peinzen haar nu te bellen, ik ga wel naar een hotel.'

Ik aarzelde opnieuw, krulde al mijn tenen in mijn schoenen terwijl Martin naar boven ging, de overloop op. Ik bleef in mijn verstarde houding staan en keek met knipperende ogen

omhoog, over de lege trap. Ik hoorde de geluiden van laden en kasten die open en dicht werden gedaan en ten slotte de klik van het sluiten van de koffer. Toen ik daarna zijn zachte
voetstappen op de bovenste trap hoorde, was ik naar de eetkamer verdwenen. Ik wilde niet
aan zijn afscheid van Sam denken, of aan de zorgzaamheid om zachtjes te doen — een vader
die voldoende liefde bezat om niet het kind wakker te willen maken van wie hij zal worden gescheiden.

De kaarsen, nu slechts stompjes in een plas kaarsvet, gaan uit. Ik heb het koud en sla
mijn armen om me heen, trek mijn knieën naar mijn borst. Het is gemakkelijker om in
het donker na te denken. Ik stop mijn duim in mijn mond en sabbel er even op. Ik moet
niet te hard over mezelf oordelen. Ik moet dapper zijn en ik heb tijd nodig om te herstellen. Dat wat ik het meeste vreesde, is gebeurd. Ik heb Martin verloren. Ergens, diep in mijn
binnenste, heb ik altijd geweten dat dit zou gebeuren.

Maar het is veel beter om alleen te zijn dan eenzaam! Voor mij niet het lot van mijn
moeder — een heel leven van zelfbeschermende onwetendheid, altijd een oogje dicht moeten
knijpen. Het heeft even geduurd, maar de kogel is eindelijk door de kerk. Nu kan het herstel beginnen. Degene die het beste met me voor had, heeft er juist aan gedaan. Met deze
troost val ik op het tapijt in slaap. Ik kan nog niet blij zijn, maar dat komt nog wel. Ik
weet dat dat zal komen.

14

Charlotte liep door het smalle laantje halverwege de doodlopende straat, sloeg linksaf, nam toen de tweede rechts, voorbij de garage, waarna ze zich weldra op de kinderspeelplaats bevond die haar moeder had beschreven, met de beboste helling als achtergrond en een weelderig weiland ernaast. Door de manier waarop Jasper de hele weg aan de lijn rukte, had ze het waarschijnlijk ook zonder de instructies kunnen stellen. Het hondje trok nu zelfs nog harder, met uitpuilende ogen doordat hij bijna stikte en van gretigheid om verder te gaan op een route die hij kennelijk kende en graag liep. In de weide liepen wat paarden en een veulen, op dunne benen en met een donzige vacht. Toen Jasper blafte, sprong hij verschrikt op en ging snuffelen onder zijn moeders buik op zoek naar iets te drinken.

Zoals haar was opgedragen wachtte Charlotte tot het pad door het bos voor ze de lijn losmaakte. Jasper snelde vrolijk een paar meter omhoog, maar minderde vaart toen de helling zijn tol begon te eisen. Charlotte, die bang was geweest dat dit gekoesterde wezen misschien tussen de bomen zou verdwijnen, kreeg bijna medelijden met hem, zo oud en dwaas, zo volstrekt hulpeloos als hij was. De bomen waren hoog, met stammen die onderaan kaal waren. Tussen de bomen, over de wortels en rond de voet van braamstruiken, golfden velden van boshyacinten die oplichtten in het vlekkerige avondlicht. De lucht was koel en stil, met vage geuren van wilde ui en dennen. Hier en daar hingen wolken muggen in de bundels zonlicht, kennelijk even blij met de vroege zomerwarmte van die dag als de moeders die ze was tegengekomen, in shorts en T-shirts, die met wandelwagens vol kinderen met zonnehoedjes van het speelterrein waren vertrokken.

Toen er een bank verscheen naast het pad, liet Jasper zich ervoor vallen, keek Charlotte aan en blafte hard.

'Dus hier stoppen jullie altijd? Mij best,' mompelde ze, en ze stapte over hem heen en ging zitten. Het pad was nog steeds een lege corridor in beide richtingen, met steile zijkanten en bespikkeld met licht. Het was er zo mooi dat Charlotte zich bijna schuldig voelde omdat ze er nooit eerder was geweest. Het speelterrein was ooit een tankstation geweest, herinnerde ze zich. De zeldzame keren dat ze erlangs was gereden of er gebruik van had gemaakt, was de mogelijkheid om de omgeving ervan te verkennen nooit in haar opgekomen. Ze vroeg zich onwillekeurig af hoeveel andere zaken haar in deze wereld waren ontgaan. Ze haalde haar mobieltje tevoorschijn om nog eens te proberen Jason te pakken te krijgen, maar ze besloot toen dat het geen pas gaf om de stilte van het bos te verbreken. Ze had al een bericht achtergelaten, en het was Eerste Paasdag, bracht ze zichzelf in herinnering, wat niet direct een geschikte tijd was om iemand lastig te vallen, zelfs niet voor iets belangrijks.

In plaats daarvan liet Charlotte haar gedachten teruggaan, nu met een poging tot galgenhumor, naar haar moeizame confrontatie met de zusjes bij de supermarkt. Cindy's vlekkerige gezicht vol oprechtheid, de manier waarop zij hen achterna was gegaan door de automatische deuren – het was een enorme farce geweest. Je moest erom lachen of kwaad worden. Want Cindy's beweringen waren natuurlijk krankzinnig geweest. Ze was zwanger, haar hormonen speelden haar parten, zodat de arme vrouw waarschijnlijk alleen maar zag wat ze wilde zien, verstrikt in de verblindende gloed van de liefde, zoals Charlotte dat twintig jaar geleden ook was geweest. Een konijn in het licht van de koplampen, klaar om te worden verpletterd.

Daarna had een gigantische hoeveelheid huishoudelijk werk wonderen verricht voor haar gemoedstoestand. Als ze zichzelf een medaille had kunnen toekennen, had ze dat gedaan. Druk bezig blijven betekende dat ze ook niet veel met haar moeder hoefde te praten, eveneens een pluspunt.

Charlotte legde een voet zachtjes op de hond en deed haar ogen dicht. Het was niet stil in het bos, er klonk allerlei geritsel en gekraak en gefluister, het bos ademde geluid. Het was een kwestie van goed genoeg luisteren, peinsde ze, en op de juiste manier. Je moest je zintuigen afstemmen op een dimensie die zich onder het voor de hand liggende bevond. Deze vreedzame overwegingen werden ruw onderbroken door het gepiep van haar telefoon, wat een sms bleek te zijn, niet van Jason – tot haar spijt – maar van Martin: 'Concertdatum 28 mei. Plaats nog niet bekend maar wil graag dat Sam erbij is. Hoop dat J. opknapt.'

Charlotte grinnikte smalend. Cindy had kennelijk niets over hun ontmoeting verteld, wat op zich mooi was, misschien zelfs wel grootmoedig, maar hier was de ware Martin, degene die zíj kende: egocentrisch, eerloos, veeleisend, met weinig begrip voor anderen. Hij had donderdag aanzienlijk aan haar niveau van stress bijgedragen door het te druk te hebben om met Sam te kunnen helpen, en nu was de datum van dat onuitstaanbare concert van Cindy en hem het enige waar hij zich om bekommerde. En waarom moest zij er trouwens voor zorgen dat Sam daar kwam? Het was zíjn optreden, dus dan moest hij het vervoer van Sam ook maar zelf regelen. Charlotte liet de lijn voor de neus van de hond bungelen om hem weer in beweging te krijgen en liep het pad weer op. Cindy mocht hem van haar houden, zoals ze dat al vaak had bedacht.

Ze vond zo'n lange route door het bos dat tegen de tijd dat ze bij de speelplaats terug waren, de zon begon onder te gaan en de hond zo vreselijk liep te treuzelen dat Charlotte hem optilde en hem onder veel protest onder haar arm stopte. Ze hield hem daar en trok zich niets aan van Jaspers verbazing en pogingen om haar hals te likken, tot ze bijna bij het huis waren. Ze was toch wel blij dat dankzij het opgeven van haar verhuisplannen, ze haar belofte van een hond voor Sam niet na hoefde te komen.

'Ik ben het,' riep ze, toen ze was binnengekomen met behulp van de sleutels waarvan Jean per se wilde dat zij ze meenam, zelfs als ze even naar de brievenbus moest. 'Ik ben het,' herhaalde ze, nu zachter. Ze keek in de keuken en daarna in de zitkamer, waar de tv nog aan stond en de beker thee die ze had ingeschonken grijs en onaangeroerd op het krukje was achtergebleven. Voorzichtig duwde ze de deur van de wc beneden open, maar die was ook leeg, en zag er nog steeds smoezelig uit, ondanks alle uren die ze schrobbend had besteed aan de kalkrichels rond de kranen en de ongezellige avocadokleurige tegels op de muren. In de hal stond een tas met vers brood en melk nog steeds op de plaats waar ze die had neergezet, als gevolg van een aantal andere taken na haar terugkeer van de buurtwinkel – thee inschenken, de afstandsbediening van de tv en een bepaald kussen zoeken, en de hond meenemen voor zijn gebruikelijke uitvoerige weekendwandeling.

Pas toen Charlotte halverwege de trap naar boven was, vroeg ze zich af of ze zich ongerust moest maken. Het was doodstil in huis. Haar moeder was vast niet weggegaan. Tenzij de zon haar naar buiten had gelokt... Charlotte drukte haar gezicht tegen het ronde raampje op de overloop om in de achtertuin te kijken – het schuurtje, de rustieke stoel die tegenwoordig met korstmossen was overdekt en te broos was om op te zitten, drie grote molshopen, een lege plastic tas die ergens vandaan was gewaaid. Het laatste beetje zon was vuurrood ondergegaan met een schijnsel dat eerder silhouetten verlichtte dan licht gaf. Charlotte liep haastig verder de trap op en keek in de badkamer voor ze ten slotte de slaapkamer bereikte. De deur stond op een kier en ze duwde hem verder open. Jean lag boven op het beddengoed, met dichte ogen en haar hoofd vreemd over haar kussen naar achteren gekanteld. De Paisley-jurk, die ze sinds het ziekenhuis voortdurend had gedragen, was tot halverwege haar bovenbenen omhooggeschoven, zodat de paarszwarte kneuzing op haar linkerbeen en een stuk onderrok te zien waren.

Charlotte bleef even staan kijken naar die onderrok: tegenwoordig een ouderwets, zinloos kledingstuk voor de meeste mensen, maar toch kon ze zich opeens heel duidelijk herinneren dat ze als klein kind had gezien hoe een kous werd opgehesen onder een dergelijke zoom met mooie kant, dat ze vol ontzag had toegekeken in het volledige besef van de onmogelijke, zozeer begeerde ambitie om ooit zelf zo'n wezen te worden, zo elegant, zo mooi, zo volwassen.

'Mam?' Charlotte deed nog een stap naar het bed. Ze lag zo stil, zo vreemd. Toen Charlotte de implicaties hiervan tot zich door liet dringen, was ze zich bewust van niet zozeer ontzetting als wel een diepe schaamte dat ze ooit, hoe kortstondig ook, de dood van deze vrouw – geliefd, gehaat, nimmer begrepen – als de gewoonste zaak van de wereld had kunnen beschouwen.

'Heeft Jasper van zijn wandeling genoten?'

Charlotte slaakte een gesmoorde kreet van opluchting. 'Ja… tenminste…' Ze aarzelde, ze moest nog steeds bijkomen van de schrik. 'Mooi, dus alles is goed met je. Dat is mooi. Jasper, ja, dat denk ik wel. Maar hij was wel moe,' bekende ze, toen ze schuldbewust terugdacht aan hoe ze de hond onder haar arm mee naar huis had moeten nemen.

Jean stak haar kin in een iets normalere positie en keek haar dochter kalm aan. 'Een kussen erbij zou fijn zijn.'

'Een kussen erbij… Natuurlijk.'

'In de bovenkast. Je moet ervoor op de stoel gaan staan.'

'Hebbes. Mooi. Alsjeblieft. Kun je gaan zitten? Ziezo… Beter? Ik wilde eten gaan koken. Pasta met een lekkere saus – ik zal er extra champignons en zo bij doen, om het heel lekker te maken.'

'Dank je, liefje, maar ik heb niet veel trek. Een stukje toast is goed genoeg, en misschien wat Bovril.'

'Bovril? Op de toast?'

'Boter op de toast. Bovril in een beker, met warm water. Maar ik vroeg me af of je eerst misschien…'

'Ja?' Charlotte prutste met de grendel van het raam. Het was zo benauwd in de kamer dat ze bijna geen lucht kon krijgen.

'Doe dat alsjeblieft niet, het gaat tochten.'

'Tochten… Jawel.' Charlotte deed de grendel weer dicht en sloeg haar armen over elkaar, waarbij ze haar vingers in haar oksels stopte als om te voorkomen dat die nog meer kwaad konden doen. Nog twee dagen. Twee dagen slechts, en dan zou ze weer vrij zijn – vrij om ongeduldig te zijn, geen brave dochter te zijn, en verder te gaan met haar leven. Een groep van vier zou volgende week de thuiszorg doen, had het bureau gezegd – ze zouden om beurten werken, en waarschijnlijk zonder de irritatie die Charlotte voelde, met haar duistere vermoedens over het zelfmedelijden dat achter de hulpeloosheid school, het feit dat (zoals de zuster had gezegd) het eerder haar moeders zelfvertrouwen was dat een zware klap had gehad dan haar lichaam. 'Wat zei je?'

'Mijn haar… Ik vroeg me af of je me wilde helpen dat te wassen?'

Charlottes eerste reactie was een uitvlucht verzinnen om hieraan te ontkomen. Ze had al zoveel gedaan, ze had boodschappen gehaald, van alles geregeld, schoongemaakt, gesleept, gewandeld, ze had zich volledig van de buitenwereld afgesloten, en dan ook nog die akelige ontmoeting met Cindy die haar nog steeds dwarszat; en geen andere troost dan af en toe een telefoontje naar Sam die niets te melden had buiten een kwetsende gretigheid om het gesprek snel te beëindigen en terug te hollen naar zijn verbijsterende nieuwe vriendschap met de Porters. Hun gesprek van gisteravond had precies vijftig seconden geduurd.

'Haren wassen – natuurlijk. Had het maar eerder gezegd.' Ze sprak wat kortaf, in een poging haar weerzin te maskeren. 'Wil je dat ik het nu doe, of na je…'

'Nu.'

Het was niet eenvoudig. De badkamer was klein, de wasbak zat op precies de verkeerde hoogte. Ze probeerden het met Jean op een stoel – naar opzij, naar voren, naar achteren. Ze werd erg nat en toen verdrietig. 'Het komt niet door mijn arm maar door mijn nek. Ik kan hem niet goed buigen, het is hopeloos.'

'Misschien kan ik het gips met krimpfolie inpakken en jou dan helpen om onder de douche te staan,' opperde Charlotte, terwijl ze onzeker van haar moeder naar de oude, vaste douchekop keek. Ze was zelf nu ook nat, met spatten aan de voorkant en doorweekte manchetten van haar blouse, ondanks haar pogingen die uit de weg te houden.

'Nee, laat maar. Geeft niet. Het is allemaal echt hópeloos.'

Ze huilde, besefte Charlotte verbaasd, blij dat de beslagen spiegel haar in staat had gesteld dit te constateren zonder opvallend te hebben gekeken.

'Ik wil mijn Bovril,' blafte Jean nu, en ze ging staan. 'En mijn toast. Zou je dát dan tenminste nog kunnen doen?'

'Ik heb een beter idee,' antwoordde Charlotte, en ze duwde haar voorzichtig terug in de stoel. 'Blijf even zitten.' Ze kwam een paar minuten later terug met een oude plastic handdouche, een gekoesterde aanwinst uit haar tienerjaren, die ze uit de onderste lade in haar slaapkamer had opgediept, plus nog meer handdoeken. 'Kniel hier eens op,' beval ze, en ze legde twee handdoeken op de vloer en één over Jeans schouders. Daarna duwde en prutste ze om de uitgedroogde uiteinden van de slang over de tuit van de kranen te krijgen. 'Ziezo. Leun nu zo ver mogelijk naar voren, op je goede elleboog. Goed zo. Doe je ogen dicht. Die handdoek houdt wel wat tegen maar niet alles. Je bent trouwens al zo nat dat een beetje meer water ook niet erg is. We zullen straks iets droogs voor je pakken.'

Jean deed zwijgend wat haar werd gezegd, en na een tijdje zweeg Charlotte ook. Ze werkte heel snel, bewoog haar vingertoppen behendig door het schuim van de shampoo, waarbij ze de zachte contouren van de schedel voelde, niet met weerzin of zelfvoldaanheid of aarzeling, of een van de andere, weinig verheffende emoties die de afgelopen dagen – de afgelopen dertig jaar – hadden gedomineerd, maar met een eenvoudige, respectvolle tederheid. Bij het spoelen (met lekker warm maar niet té warm water, waarbij Charlotte zoveel zorgzaamheid aan de dag legde als in de eerste, heerlijke, onbekommerde jaren dat ze Sam in bad had gedaan) zuchtte Jean hoorbaar van genot. Er was geen schuim meer over om weg te spoelen, maar Charlotte liet het water stromen en bleef over de dunne, natte slierten haar vegen tot ze piepten onder haar vingertoppen.

Het was een heel eenvoudige taak, niet alleen het wassen, de kalmerende warmte van het water, maar ook het hebben van fysiek contact, uitgevoerd met zorgzame handen. Toen Charlotte de kraan ten slotte dichtdraaide, drong het tot haar door dat ze zelf ook een paar momenten van deze koesterende zorg had ondergaan, een paar maanden geleden, toen ze op bijna precies hetzelfde stuk linoleum was neergeknield, kwijlend en ellendig, en Jean haar haar voor haar had vastgehouden en het zachte warme waslapje tegen haar bonzende hoofd had gedrukt.

Hoe klein en onbetekenend deze momenten ook waren, er was een verband dat Charlottes hart deed overlopen; bijna, besloot ze later, toen ze in bed lag en probeerde dit gevoel te omschrijven, als hoe ze zich een staat van genade zou hebben voorgesteld als ze godsdienstig genoeg was geweest om in zoiets te kunnen geloven. Wat het ook was, ze wist dat Jean het ook had gevoeld: het was geweest als een gesprek tussen hen, onuitgesproken en toch het sterkste verband dat ze ooit met elkaar hadden gehad. Daarna, bijna buiten zichzelf van verbazing, van vreugde, had Charlotte Jean in droge kleren geholpen en had zich daarna met alle genoegen naar de keuken laten sturen om daar de strijd aan te binden met kleverige lepels Bovril en de broodrooster die alleen maar omhoog wilde wippen wanneer de inhoud reddeloos zwartgeblakerd was.

Op de avond van Tweede Paasdag was de blauwe lucht van de laatste twee dagen dichtgetrokken en vormde nu een laag, grijs plafond. De eerst zoele bries die 's middags de plaids en de rokken van picknickers had doen opwaaien, begon nu in alle ernst op te steken, zodat de mensen naar huis werden gedreven, naar het comfort van dikkere kleren en warme maaltijden.

'Die twee redden zich wel.'

'Dat weet ik. Ik maak me ook helemaal niet bezorgd over hen.'

'Hou dan eens op met uit het raam kijken.'

'Ze hebben een ei niet gevonden – in het scharnier van het tuinhek. Ik kan het hiervandaan zien.'

'Je moet eens verdergaan met uitpakken.'

'En jij moet eens naar je eigen huis gaan.'

'Ik moet koken, weet je wel? Ganzenfricassee.'

Dominic draaide zich om bij het raam en fronste. 'Ja, wat ís dat eigenlijk?'

Benedict lag languit op de sofa en sabbelde op een potlood terwijl hij een script voor een auditie van de volgende dag bestudeerde. 'Net zoiets als fricassee van kip, maar dan met gans; vergezeld van haricots verts en nieuwe aardappelen – een echt feestmaal. Jezus, je boft toch maar dat je mij als broer hebt.'

Dominic richtte zijn aandacht weer op het raam aan de voorzijde. Hij had feitelijk meer op de uitkijk gestaan naar een zwarte Volkswagen dan naar de kinderen, die allebei een mobieltje hadden, om nog maar te zwijgen van de bescherming van de vader, die zo flink was geweest om een gezellige middag voor hun klas in het park voor te stellen – met spelletjes slagbal en iedereen moest zijn eigen picknick meenemen. Vijf uur, had Charlotte gezegd, en het was nu bijna zes uur. Hij had geprobeerd haar te bellen, om haar over de slagbal te vertellen, haar te waarschuwen zich daarom niet te haasten, maar haar telefoon was uitgeschakeld, vermoedelijk tijdens de rit, maar dat was al twee uur geleden. 'Hoe lang denk je dat het van Tunbridge Wells naar hier is?'

'Een uur?' gokte Benedict, terwijl hij zijn aandacht weer op zijn rol richtte (een advocaat met een voorliefde voor Perzische katten en een wraakzuchtige ex) en een stijgende behoefte moest onderdrukken om het afgebladderde uiteinde van het potlood te verruilen voor een sigaret. 'Misschien twee uur, als er veel verkeer is.'

'En dat is vandaag natuurlijk het geval, vooral de South Circular – Catford, Lewisham...' Dominic huiverde bij de gedachte hoe het Charlotte moest vergaan.

'Heb je dan zo'n haast om Sam kwijt te raken?'

Dominic rukte zich los van het raam en begon de kussens op te kloppen en de weekendkranten op nette stapeltjes te leggen. 'Integendeel. Ondanks hun weinig veelbelovende start lijkt hij me een goeie knul. Een beetje rustig, wat zwijgzaam – net iets voor Rose. Ik dacht dat je hem ook wel mocht – met al dat vuurtjestoken en barbecuen heb je hem een geweldige tijd bezorgd.'

'Het joch is oké.' Benedict legde zijn script weg en ging rechtop zitten. 'Wat is er aan de hand?'

'Niets.'

'Maak jij je zorgen omdat Rose en hij elkaar aardig vinden?'

'Doe niet zo absurd.'

'Nou, je maakt je anders wel érgens zorgen over.'

'Nee, helemaal niet.' Dominic klopte het laatste kussen op en liet het op zijn plaats vallen, terwijl hij zich vertwijfeld afvroeg hoe je kon houden van iemand die met opzet zo irritant deed. Hij vroeg zich ook af of het moment was aangebroken om de nieuwste onfortuinlijke wending in zijn loopbaan in de City te onthullen, een wending die, heel bizar misschien, nog steeds geen echte bezorgdheid bij hem kon oproepen, hoogstens wat gekwetste trots. Als Benedict op dat gebied spanning had opgepikt, was het volledig onbewust geweest.

'Ha. Ik weet het.' Benedict sloeg met het script op zijn knieën. 'De beeldschone Petra. Je hebt het nog niet over haar gehad, en uit deze omissie kan ik slechts concluderen dat...'

'Vlieg op, jij. Moet jij niet iets nuttigs gaan doen, zoals ganzenvlees van het karkas rukken of zo?'

Benedict kwam met een zwaai van de sofa overeind en grijnsde voldaan terwijl hij zijn korte broek ophees. Eén sigaret in de achtertuin voordat het ging regenen, als beloning omdat hij slechts de helft had opgegeten van alle chocola die hij dit weekend in de loop van de festiviteiten had verzameld, en omdat hij de vorige dag bij de lunch geen tweede portie van Dominics appeltaart had genomen. 'Je hebt afspraakjes met haar gehad, hè, sluwe vos? Ik heb haar jouw kant uit gestuurd en dan heb jij nog niet eens het fatsoen om…'

'We gaan vrijdag lunchen,' viel Dominic hem in de rede, opeens vermoeid, niet alleen door de nieuwsgierigheid van zijn broer, die zoals ze allebei wisten zowel voortsproot uit broederlijke genegenheid als uit een ernstig tekort in zijn eigen leven, maar ook door de algemene menselijke veronderstelling (ook die van hemzelf) dat iedere volwassene een partner diende te vinden. Hij had zich de laatste tijd heel goed gevoeld, veel zekerder, en hij was in toenemende mate in staat geweest zich Maggies dolmakende gewoonten voor de geest te halen met de oprechte irritatie zoals hij die in die tijd had gevoeld, in plaats van door het bedrieglijke prisma van de nostalgie. Er school in het alleenzijn een emotionele vrijheid waar hij ook van kon genieten, en hij zou zich niet snel weer overgeven.

Petra's bijdrage aan deze evenwichtiger gemoedstoestand was heel plezierig geweest voor de incidentele seksuele fantasie en had ongewild zo'n efficiënte rol gespeeld dat Dominic zich zelfs had afgevraagd of het niet beter was om haar binnen deze beperking te houden, onbeproefd, niet in staat voor teleurstellingen te zorgen, het onbeschreven blad waarnaar hij zo had verlangd, in plaats van haar in de leeuwenkuil van het dagelijkse leven te werpen, bij alle rommelige toestanden, alle oude littekens, ergerlijke gewoonten en onvervulde verlangens. Hij maakte zich niet echt bezorgd over Sam en Rose, maar hij was bevreesd voor de onrijpheid van hun jonge harten, voor hun onschuldige onwetendheid van het feit dat het verwerven van de mogelijkheid tot liefhebben hand in hand ging met de macht om teleur te stellen en pijn te doen.

'Dat is uitstekend nieuws.'

'Zoals altijd ben ik weer blij je instemming te hebben,' merkte Dominic droog op en hij liep terug naar het raam, waar hij zag dat het in folie verpakte ei was verdwenen uit zijn hoge post bij het hek, vermoedelijk weggeblazen door de wind. Achter zich merkte hij dat zijn broer naar de keuken verdween, daar luidruchtig een paar laden open- en dichtschoof en daarna zachtjes (onnozele hals die hij was te denken dat hij iemand voor de gek kon houden) de achterdeur opende en de tuin inglipte om daar een sigaret op te steken. Zo'n geweldige, hartelijke, open, getalenteerde man, maar behept met geheime zwakheden, peinsde Dominic met oud en vertrouwd leedvermaak. Hij hield het gordijn opzij om beter de straat in te kunnen kijken en bleef daar even staan terwijl hij een bericht aan Rose sms'te om te zeggen dat als de regen er geen voortijdig einde aan maakte hij hen om zeven uur thuis verwachtte.

Pas toen hij het gordijn liet vallen merkte Dominic de auto op – iets zwarts achter een massa roze bloesem – die zo'n vijftig meter verderop geparkeerd stond, tegenover de vervallen kerk die binnenkort, volgens borden met gemeenteplannen die aan lantaarnpalen waren bevestigd, tot een basisschool zou worden verbouwd. Het kon de Volkswagen natuurlijk nog niet zijn – het was onmogelijk om onder deze hoek en op deze afstand volmaakt zeker te zijn – maar Dominic had het stellige gevoel dat het hem wel was.

'Ik ga even weg,' riep hij, en hij duwde de achterdeur open tot schrik van Benedict, die zich haastig als een betrapte schooljongen, met een rood hoofd, omdraaide en het gewraakte voorwerp achter zijn rug hield. 'Je ruimt de peuk wel op, hè?' voegde Dominic hem grinnikend toe. Hij pakte zijn jack en liep haastig de straat in.

Het was beslist een Volkswagen. Dominic hield zijn pas wat in en dacht terug aan de vorige keer dat hij in deze zelfde straat naar die auto toe was gelopen, die dag dat hij de laatste zaken met de Stowes had afgehandeld. Er had een storm gewoed en zij had haar neus opgehaald voor zijn aanbod om te helpen. Dominic begon te glimlachen maar bleef toen abrupt staan. De auto was leeg en overdekt met bloesem. Hij moest er al uren hebben gestaan. Het was dus niet háár auto. Sufferd. Allemachtig, alsof het iets uitmaakte wanneer dat stomme mens kwam. Ze gebruikte hem net naar hoe het haar uitkwam, beschouwde behulpzaamheid als de normaalste zaak van de wereld, in plaats van als een geschenk.

Dominic liep de straat verder in met de vage bedoeling mee te doen met de groep, misschien zijn diensten aan te bieden als verrevelder. Hij was vroeger heel goed geweest in balsporten – cricket en voetbal – voordat huwelijk en werk de tijd in beslag hadden genomen die nodig is voor zulke hobby's. Dat was misschien ook iets wat hij nu zou kunnen overwegen – wat cricket in het weekend. Dat was perfect nu het zomer werd. Hij zou dan bovendien misschien nieuwe vrienden kunnen maken, gelijkgestemde zielen om op een zondagavond een biertje mee te drinken. Ja, dat zou leuk zijn.

Dominic liep langzaam en met toenemende twijfel verder. Hij besefte dat zijn verschijning op het slagbalfeest misschien niet met onverdeeld enthousiasme zou worden begroet, zowel door zijn dochter als door haar nieuwe vriend. Ze zouden bijvoorbeeld kunen denken, met hun nog zo recent verworven, broze dertien-jaar-oude onafhankelijkheid, dat hij het nodig vond dat ze onder begeleiding naar huis gingen. En dat kon niet... dat kon echt niet.

Dominic bleef weer staan. Hij was inmiddels de weg overgestoken en stond naast de kerk, pal bij het verboden-toegangbordje dat scheef aan het hek hing, alsof iemand had geprobeerd het eraf te halen. De vervallen staat van het hek deed de waarschuwing zinloos lijken – gebroken en ontbrekende latten, als een stel verrotte tanden en kiezen. De basisschool zou hierbij vergeleken een paleis lijken. De kerk, met zijn verweerde rode bakstenen en dichtgetimmerde ramen, leek omsingeld en op het punt van overgave. Eromheen lag een rijke verzameling afval verstrooid – blikjes, flessen, bakjes van piepschuim, een enkel verfrommeld kledingstuk. Bijna, bedacht Dominic, alsof enkele bewoners van het kerkhof uit hun rustplaats waren gekropen om eens een nacht flink feest te vieren zonder daarna te hebben opgeruimd. Door de bomen opzij van de kerk kon hij nog net de bovenkant ontwaren van een paar grafstenen die schots en scheef in het lange gras stonden. En een vrouw. Dominic knipperde met zijn ogen. Er was een vrouw met een blauw truitje en rood haar te zien... Ze dook weg achter een grafsteen en toen... Waar was ze gebleven? Was het een geest? Dominic tuurde, niet zeker van zijn emoties en gezichtsvermogen in het vale, grijze licht. Maggie? Hij deed zijn mond open om te roepen, maar schoof in plaats daarvan zijwaarts door een opening in het hek, de breedste opening, vlak naast het krakkemikkige bord dat de toegang verbood.

'Sorry.'

'Doe niet zo mal. Er is niets om sorry voor te zeggen. Het gebeurt gewoon.' Theresa keek naar haar sokken terwijl ze haar onderbroek optrok en ze vroeg zich vaag af of die er misschien de schuld van waren: enkellang, grijs, handig, gemakkelijk, met een kleine ladder over de linkerenkel. Nee, ze waren niet direct erotisch om te zien. Henry was zo gretig geweest toen hij haar had weggeplukt van het inladen van de vaatwasser en haar naar boven had gejaagd, dat het niet in haar was opgekomen zich zorgen te maken over de noodzaak er bijzonder verleidelijk uit te zien. Het was de eerste echte fysieke belangstelling die haar man in meer dan twee maanden had getoond, dus was het niet in haar opgekomen om te weigeren, ook al waren er duizend andere dingen die ze van plan was geweest te doen voordat George en zijn broers weer werden afgezet van hun diverse speelafspraken in en rond het park. Ze had vooral genoten van hun onhandige gestommel op de trap, giechelend en tot stilte manend vanwege Matilda, aan wie ze in eerste instantie deze gelegenheid te danken hadden. Ze had de ongekende daad verricht, onmiddellijk na haar bad in slaap te vallen.

Eenmaal in de slaapkamer hadden ze toch maar uit voorzorg de deur op slot gedaan en waren op het bed gevallen, waar ze elkaar uitsluitend even hadden losgelaten om kleren uit te kunnen trekken. Behalve sokken... Had Henry zijn sokken ook aan gehouden? Theresa was te zeer opgegaan in het herontdekken van het oude genot van te begeren en begeerd te worden om hierop te letten. Hij had ze nu in elk geval aan, samen met zijn kaki broek die nodig in de was moest en een geruit overhemd dat hij zo haastig weer had dichtgeknoopt dat alles scheef zat.

'Eén moment...'

Henry deinsde achteruit, in de kennelijke misvatting dat ze wilde proberen hem opnieuw op te winden.

'Je knopen,' zei Theresa, terwijl haar woede het won van het echtelijk mededogen. Wat had ze tenslotte misdaan, behalve ingaan op zijn avances en daarna, toen hij, onomkeerbaar, onverklaarbaar, in gebreke was gebleven, proberen begrijpend te zijn? Ze kende zat vrouwen die seks vervelend vonden, die grapjes maakten over dat een week vrijaf vanwege hun maandelijkse cyclus een gezegende opluchting was. Maar zij niet... In elk geval de laatste tijd niet. Nu het er lang niet van was gekomen, had ze echte fysieke honger herontdekt. Toen ze bij de vaatwasser werd belaagd, had niemand gretiger, gewilliger, verrukter kunnen zijn dan zij. 'Je knopen,' zei ze op scherpe toon. 'Die zitten verkeerd.'

Toen Henry wegging, ging Theresa op het bed liggen om haar broek dicht te doen. Het ding was strak – veel te strak – en ze deed haar ogen even dicht. Ze wenste opeens dat ze de komende uren, waarvan ze wist dat ze hectisch zouden zijn, kon overslaan om regelrecht in slaap te vallen. De jongens zouden moe zijn, maar ze zouden, ongetwijfeld, ook honger hebben, ondanks hun thee of picknick. George had een werkstuk over de Taj Mahal moeten maken en de twee jongsten hadden spellinglijsten gehad en Alfie had eerst gezegd dat zijn sportschoenen te klein waren en toen weer dat ze niet te klein waren, en nu wenste ze dat ze toch maar een paar nieuwe voor hem had gekocht.

Theresa deed haar ogen open en stak een been in de lucht, wiebelde met haar tenen. Sokken vormden een betere reden om niet meer tot daden te kunnen komen dan dat andere, het andere dat ze van zich af had gezet. Henry was op zaterdagmiddag de trein uit gewankeld en had zich in haar armen laten vallen in zo'n wonderlijke, ongewone staat van uitgeputte opluchting, dat ze zich even zorgen had gemaakt of hij soms ziek was. Maar hij was alleen maar blij weer thuis te zijn, had hij haar verzekerd, waarna hij zijn aandacht op hun drie jongste kinderen had gericht en hen beurtelings in de lucht had gegooid, zelfs Jack, die stevig en log van bouw was. Meestal deed hij niets aan Pasen en liet het aan haar over om de kinderen tevreden te stellen met betrekking tot paashaasjes en snoepgoed, maar deze keer had Henry zich de rest van het weekeind ingespannen om deel te nemen aan ieder ritueel. Op zondagmorgen had hij haar zelfs een groot, duur ei van pure chocolade gegeven, gevuld met truffels, en een kaart, een echte paaskaart met voorjaarsbloemen, lammetjes en kuikens. Een kaart! Henry kwam meestal alleen met haar verjaardag tot zoiets extravagants en zelfs dan vergat hij het nog wel eens of kwam met iets prulligs of ongepasts dat hij kennelijk op de valreep in het winkeltje bij het station had gekocht. *Liefste Theresa, Vrolijk Pasen, heel veel liefs. H.*

Theresa wiebelde nog wat harder met haar voet. Deze gedachtegang beviel haar helemaal niet, maar ze kon er geen weerstand aan bieden. Het ei, de kaart... Er klopte iets niet. Dit leek op boetedoening. Wat had Henry om spijt over te hebben? Dat hij drie maanden lang een stuk chagrijn was geweest, of was het iets ergers, iets recenters, iets bedreigenders…?

De voordeur viel dicht en Henry riep naar boven: 'Theresa, de jongens zijn er, en ik ga roerei maken. Zal ik voor ons ook wat maken of wil je nog wachten?'

Theresa rolde van haar bed. 'Ja, geweldig. Laten we nu met z'n allen eten.' Ze kon de jongens op de benedenverdieping horen stampen en hollen, alsof het nooit snel genoeg kon gaan. Wat moest het heerlijk zijn, dacht ze verlangend, om snel naar een volgende activiteit te willen, om niet bang te hoeven zijn voor wat er misschien wachtte. Er was er een die haar riep – Alfie, met zijn grappige lage gromstem, altijd degene die haar het meest nodig had van de vier.

'Ik kom eraan.' Ze fatsoeneerde haar haar en veegde de uitgelopen make-up onder haar ogen vandaan. Henry deed, om wat voor reden dan ook, zijn best en dat moest zij ook doen. Niets van wat hij had gezegd over zijn paar dagen met Charlotte en Sam had reden gegeven tot nieuwe achterdocht; integendeel. Hij had het vervelend gevonden, te veel afleiding, had hij steeds beweerd. Charlotte moest intussen een vermoeiend weekend hebben gehad met het verzorgen van haar gewonde moeder en ze zou hard toe zijn aan wat steun. Theresa besloot dat ze eens samen moesten gaan lunchen, ergens op een leuke plek, misschien wel het nieuwe ding dat ze had genoemd als mogelijkheid voor Charlottes veertigste verjaardag. Ze zou drie gangen met wijn bestellen – de hele handel – en het research noemen. En ze kon dan gelijk wat naar Suffolk vissen, wat vragen stellen en de instincten waarover haar moeder het had gehad de rest laten doen. Een mens was nu eenmaal onschuldig tot zijn schuld was bewezen.

Na de loszittende tand, waarvoor Alfie haar had geroepen, te hebben bewonderd, voegde Theresa zich bij Henry in de keuken, waar ze gemorst eierstruif opdweilde, bestek pakte en verder de rol van brave sous-chef speelde, ook al popelde ze om de pollepel uit zijn hand te grijpen en het over te nemen. Henry deed er nooit genoeg boter in of melk of zout. De eieren zouden droog zijn in plaats van smeuïg, zoals de jongens en zij het liever hadden. Vroeger zou ze geen seconde hebben geaarzeld om hem opzij te duwen. Ze zou hem een onhandige sukkel hebben genoemd en hij zou hebben gezegd dat ze een bazige feeks was, om vervolgens tevreden achter zijn krant te kruipen.

Maar die avond was Theresa degene die, na de tafel te hebben gedekt, de krant openvouwde. Oorlogsgebieden, moord, onrecht – de
verhalen waren hevig en gevarieerd. Maar ze werd toch te veel door
het verhaal van haar eigen leven meegesleurd om zich erom te bekommeren. Een leven dat, ondanks al haar inspanningen, op de een
of andere manier rafelig leek te worden, op een punt dat ze niet goed
kon aanwijzen. Er was iets niet in orde, iets waar ze geen greep op
had, iets wat zomaar verdween. Theresa vroeg zich verbijsterd af hoe
ze zoiets grilligs als het huwelijkse bestaan ooit gemakkelijk te overzien had gevonden. Hoe had ze ook, heimelijk en voldaan, commentaar durven hebben op scheidende echtparen, hen kunnen bekritise-
ren om hun gebrek aan volharding? Henry was om de een of andere
reden onbereikbaar geworden. Het ging niet om uithoudingsvermo-
gen, het ging om breuklijnen die te diep lagen om te kunnen zien, een
onderaards landschap dat iedere keer verschoof, juist als ze dacht dat
ze het bijna had begrepen.

Tim zag tot zijn verbazing een vrouw op haar hurken zitten in de voortuin, een vrouw met een rok in zoveel lagen en met zoveel roesjes, en
met zoveel kralen en franje aan haar armen en rond haar nek dat hij
zich even afvroeg of Charlotte soms een van die zigeuners aan de deur
had gehad die de laatste tijd met groezelige kinderen in de buurt van
de pinautomaat hadden rondgehangen. Enigszins van zijn stuk gebracht, terwijl de speech die hij had bedacht op slag verdampte, bleef
Tim halverwege het tuinhekje staan, dat inmiddels was gerepareerd,
zag hij opeens toen hij naar het blinkende, nieuwe koperen scharnier
keek. Maar toen de vrouw opstond zag hij dat ze op een grote leren
weekendtas zat, en dat de strokenrok een goede snit had en tot vlak
boven ronde, welgevormde kuiten en bruine suède schoenen met
adembenemende hoge hakken reikte. 'Moet je Charlotte hebben?'
vroeg ze, en ze sloeg haar armen over elkaar en keek hem met een
scheef hoofd aan.

Tim had zich bijna omgedraaid om terug te hollen naar zijn auto,
die hij uit voorzorg ruim uit het zicht had geparkeerd, zowel omdat
hij het onderwerp van zijn mogelijke bezoek niet wilde alarmeren als

om zichzelf tijdens de wandeling de kans te geven van gedachten te veranderen. De vraag van de vrouw – op zich heel onschuldig – was heel veelbetekenend. Moest hij Charlotte hebben? Tim zocht naar een paar regels uit zijn speech – het grappige deel over kinderen die voor koppelaar wilden spelen, de luchthartige toon van *informeren naar*, die in zijn hoofd zo gemakkelijk had geleken. Charlotte zou tenslotte elk moment kunnen opduiken en dan moest hij toch een samenhangend verhaal hebben. Maar zijn eerdere heldere ideeën waren verdwenen en de vrouw met haar scheefgehouden hoofd en duidelijk geamuseerde blik verwachtte een antwoord. 'Ja, maar ik kwam op goed geluk.'

'Net als ik,' riep ze, met kennelijke voldoening, en haar armbanden rinkelden toen ze haar handen in elkaar sloeg. 'Ik zou eigenlijk pas eind volgende week komen – ik woon in Amerika, weet je – maar mijn plannen zijn veranderd, zoals dat met plannen kan gaan, dus heb ik op goed geluk aangebeld. Alleen is Charlotte er niet en het begint nu te regenen en ik heb ook nog een broer om naartoe te gaan.'

Er volgde een stilte waarin ze allebei naar de lucht keken.

'Zullen we samen wachten?'

Tim tastte achter zich naar de grendel van het tuinhekje en schudde zijn hoofd. Hij had zichzelf beloofd dat hij de dingen aan het lot over zou laten en nu was het zover: een leeg huis, een dichte deur. Het was ook stom om enige waarde te hechten aan de boodschap van zo'n knulletje, om zijn gevoelens weer op te laten spelen terwijl hij ze bijna voorgoed had begraven. Het was heel aandoenlijk geweest om zoiets te doen – hij had nooit de indruk gehad dat het joch hem graag mocht – maar wist een kind van dertien nou veel?

'Ik ben eerlijk gezegd een beetje verbaasd dat ze niet thuis is, want ik weet zeker dat ze zei dat Sam de dag na Pasen weer naar school moest. Haar zoon is mijn petekind,' liet de vrouw er met kennelijke trots op volgen. 'Ik heet trouwens Eve. Charlotte en ik kennen elkaar al heel lang. We waren het contact een beetje kwijtgeraakt, maar toen besloot ik haar op te sporen – de wonderen van het internettijdperk, snap je?' Ze draaide met haar ogen en kwam toen in een verlegen drafje over het pad naar hem toe en stak haar hand uit.

Het was een erg kleine hand, koud om aan te raken, en behangen met ringen. Ze had een voller figuur dan Tim had gedacht, met een

diep, openlijk getoond decolleté en een rond achterwerk dat omhoog-
welfde naar een opmerkelijk slanke taille die werd geaccentueerd door
een brede leren riem. 'Ik ben Tim – Tim Croft.'

'En wat doe jij zoal, Tim Croft?'

'Ik leid een makelaarskantoor.'

'Ik dacht dat ze haar huis van de markt had gehaald.'

'Dat heeft ze ook. Hoor eens…' stamelde hij, 'kun je misschien tegen Charlotte zeggen dat ik langs ben geweest?'

'Als ik haar zie,' mompelde Eve, met een spottende blik. 'Ik blijf hier
niet veel langer rondhangen.'

Tim stak zijn handen in zijn zakken toen hij terugslenterde door de
straat, en hij draaide zich vol verbazing om toen Eve nog eens extra
gedag riep, zo hevig zwaaiend dat hij de armbanden naar haar elleboog zag zakken.

Charlotte sloeg haar blote benen over elkaar op zoek naar warmte, terwijl ze zich tegen de brokkelige muur van de kerk drukte en voor de
zoveelste keer probeerde de windvlagen zodanig te ontwijken dat ze
een sigaret kon opsteken. Jasper, die zich verveelde op deze besloten
lokatie, trok met frisse, verbluffende kracht aan de lijn. Charlotte rukte
hem terug en opeens voelde ze een golf van de oude haat jegens haar
moeder, die erop had aangedrongen dat ze het stomme beest naar
Londen mee zou nemen. Wat egoïstisch, wat onattent, wat… Maar
haar gedachten stokten bij de herinnering aan Jeans bevende smeek-
bede aan haar om op hem te passen. Charlotte besefte dat het een daad
van opoffering was geweest, niet van egoïsme. Nu haar been zo ge-
kneusd was en met haar arm in het gips, had Jean verklaard, was ze
bang dat hij te veel dagelijkse pleziertjes zou moeten missen. Prue, die
hem min of meer tolereerde (háár eerlijk gezegd min of meer tolereerde, had Jean somber gemompeld), zou het uiterste minimum
doen, zelfs als ze ervoor werd betaald. Hij was klein en oud, maar hij
was energiek. Hij zou het niet begrijpen. Hij zou de hele dag zitten
janken. Het zou haar hart breken. Als Charlotte het kon opbrengen om
hem een paar weken te hebben, tot zij weer op krachten was…

Ze hadden tegenover elkaar aan de keukentafel gezeten, Jean in haar
verwassen ochtendjas van gele chenille, Charlotte in haar nachthemd

met een deken over haar schouders, een oud en stug exemplaar dat naar mottenballen rook. Ze waren elkaar in het holst van de nacht op de overloop tegengekomen, een stel slapelozen dat niet één keer tegen de ander had verteld dat ze niet in slaap kon komen. Charlotte had voorgesteld iets warms te gaan drinken en ze was als eerste naar beneden gegaan om water op te zetten. Ze had zich nog steeds verbaasd over die nieuwe, stille verbondenheid tussen hen, om die wereldlijke staat van genade die zich rond haar hart had gevouwen. Het verzoek om voor de hond te zorgen was weldra gevolgd – onwelkom, ongelegen, maar onmogelijk om te weigeren. Charlotte had 'Natuurlijk' gezegd, en ze was de melkpan om gaan spoelen terwijl ze zich had getroost met de gedachte hoe blij Sam zou zijn en met een steek van verlangen in haar hart om de zonnige glimlach van haar zoon te zien.

Toen ze zich omdraaide van de gootsteen, klaar om voor te stellen dat ze nu weer naar hun respectievelijke bedden terug zouden gaan, zag ze tot haar verbazing haar moeder vanuit de zitkamer de keuken weer binnenschuifelen, met een onnatuurlijke schittering in haar ogen, terwijl haar adem kort en stotend ging.

'Wat is er gebeurd? Is alles goed met je?'

'Ja… Zeker. Eén moment.' Jean sloot haar ogen en deed een zichtbare poging om langzamer adem te halen. 'O lieve help,' zei ze, toen ze haar ogen weer opendeed en naar haar stoel liep. 'Ik ben niet zo goed in dit soort dingen.'

'In wat voor dingen?' had Charlotte voorzichtig aangedrongen, terwijl ze een hand op haar moeders schouder legde en haar daarna even over haar zachte, zilverkleurige haar streek… het haar dat zij had gewassen. Het nieuwe, liefdevolle gevoel kwam weer boven, als een deur die openging en warmte binnenliet.

'Dit.' Jean stak haar hand in de zak van haar ochtendjas en haalde een opgevouwen stuk papier tevoorschijn. 'Wees niet boos op me, Charlotte.'

'Boos op jou? Natuurlijk niet. Waarom, in hemelsnaam?'

'Ik probeerde je te beschermen.'

'Tegen wat? Mam, wat ís dit?'

'Ga zitten, liefje, alsjeblieft.' Jean klopte op de stoel naast de hare en zuchtte diep. 'Herinner je je nog die dag dat papa en ik je naar Durham hebben gebracht?'

'Natuurlijk.' Charlotte, die inmiddels was gaan zitten, begon aan een glimlach maar durfde deze niet af te maken.

Jean had het opgevouwen papier tussen hen in gelegd en ze keek er af en toe even naar – bang, beschaamd, beschroomd – onmogelijk te doorgronden, maar er kwam beslist iets wat niet goed was, daar was Charlotte van overtuigd. Ze wist ook wat er zou komen, vanwege de nieuwe band tussen hen – de open deur – en dit maakte dat ze die deur liefst voorgoed had dichtgeschopt.

'Die dag was hij erg ziek, hè?'

Charlotte wachtte. Haar versie van die dag, die diep in haar binnenste zat opgeborgen, hoefde ze niet te uiten. 'Dat geld dat hij je heeft gegeven... daar zat ook dit bij.' De vingers van Jeans goede hand, met knokkels die door reuma waren opgezwollen, met vergeelde nagels vol richels, waren teruggekropen naar het opgevouwen stuk papier. 'Ik heb het eruit gehaald...'

Charlotte staarde als verbijsterd naar de tafel. 'Je hebt het erúit gehaald?'

'Ik heb het achtergehouden... Ik vond dat je er nog niet aan toe was... Je was nog zo onzeker over jezelf, je stond op het punt een heel nieuw leven te beginnen. Ga het niet nu lezen, Charlotte... Alsjeblieft niet nu meteen... Laat me het eerst uitleggen. Ik heb het achtergehouden omdat ik van je hield, en omdat ik wist hoeveel je van hém hield...'

Maar Charlotte had het papier al uit de vingers van haar moeder getrokken en schudde het nu open. Uiteindelijk waren er toch antwoorden in het leven. Ze kwamen alleen nooit wanneer je ze verwachtte.

Charlotte drukte zich nog wat meer tegen de muur van de kerk en trok hevig aan haar sigaret, waarna ze een vieze zwavelsmaak van de lucifer proefde. De punt van de sigaret gloeide op en doofde toen. Ze haalde het pakje van tien – dat ze bij een kiosk had gekocht – uit haar zak en probeerde de sigaret weer tussen zijn negen metgezellen te stoppen, maar hij brak, zodat de flintertjes tabak door de wind werden weggeblazen. Terwijl Charlotte het restant onder haar schoen vermorzelde, herinnerde ze zich opeens de kale, met Blu-Tack gevlekte muren van haar kamer op de universiteit en een andere sigaret die op de rand van het lelijke formicabureau balanceerde – zo'n drama en daarna zo'n anticlimax toen de vier briefjes van vijftig pond in haar schoot vielen.

Aanvankelijk, zoals ze daar aan de keukentafel had gezeten, met haar moeder die snel en hijgerig praatte, de achtergrond van haar vaders woorden verklaarde, had Charlotte zich goed gevoeld. Ze had de brief een paar keer open- en dichtgevouwen, had met haar vingers over de kreukels gestreken. Het vage eerste deel van haar leven was nu scherper in beeld gekomen. Alles werd duidelijk. En hij had inderdaad geprobeerd het haar te vertellen – alleen al de schok daarvan werkte bijna euforisch. Ze had Jean naar bed geholpen en haar teder omhelsd, had gezegd dat het allemaal goed was en had haar bedankt. Ze had zelfs goed geslapen en was de hele dag behulpzaam geweest. Pas op weg naar Londen, toen ze vervallen winkels en huurkazernes passeerde toen de buitenwijken zich aandienden, begon het gevoel dat haar hele bestaan ondersteboven was gekeerd haar te overweldigen en had ze zo'n moeite om zich te concentreren dat ze de raampjes omlaag had gedraaid en een muziekzender keihard had aangezet om zich op de weg en het doel van de reis te kunnen concentreren.

'Ik had nooit gedacht dat jij een roker was.'

Charlotte slaakte een kreet van schrik en liet het pakje sigaretten vallen. Ze trapte erop, en ook op de vingers van Dominic die toeschoot om het voor haar op te rapen. 'Sorry!' hijgde ze. 'Je hebt me vreselijk laten schrikken – je hand, heb ik je pijn gedaan?'

Toen Dominic weer rechtop was gaan staan en haar het pakje sigaretten had overhandigd, schudde hij zijn vingers, die hevig klopten, even uit. 'Jij hebt mij ook laten schrikken… en je hebt kennelijk een hond,' mompelde hij, afgeleid door Jasper, die tussen hen in sprong. 'Dat wist ik niet. Sam heeft nooit verteld dat jullie een hond hadden. Was je die hier aan het uitlaten?' Hij stopte zijn zere hand in zijn zak en keek omhoog toen er boven hun hoofd twee kraaien luid krijsend op een afgebrokkelde rand bij een raam neerstreken.

'Nee, ik… Ja…' stamelde Charlotte. Hoe moest ze de gemoedstoestand beschrijven van iemand die vlak voor het huis was gestopt om haar toevlucht op het kerkhof te zoeken, met een armzalig pakje Silk Cut in de hand. Sam, de familie Porter, alle normale dingen van het heden, maakten opeens deel uit van een andere wereld, een wereld waaraan ze gewoon nog even geen deel kon hebben, niet tot ze even wat tijd had gehad om… om wat precies te doen? Om na te denken, dingen tot zich door te laten dringen, tot zichzelf te komen. Ja, dat was het, ze moest haar leven opnieuw in kaart brengen, waarbij ze de informatie moest gebruiken die, besefte ze nu, negenendertig jaar lang aan de rand van haar bewustzijn had gelegen, die haar pogingen om evenwichtig en als een compleet mens door het leven te gaan had verstoord. 'Het is niet mijn hond maar de hond van mijn moeder, en ja, daardoor ben ik wat laat,' wist ze uit te brengen in een heldhaftige poging een antwoord te geven dat bij de omstandigheden paste. 'En daarvoor moet ik je mijn oprechte excuses aanbieden, nu je al zo behulpzaam bent geweest. Het was echt niet mijn bedoeling om het zo laat te maken...'

'Het geeft niet. Ik heb geprobeerd je te bellen. Rose en Sam zijn nog naar het park. Ze zijn niet voor zeven uur terug. Maar wat belangrijker is, hoe gaat het met je moeder?' Dominic veronderstelde dat de hond de reden was voor dit wonderlijke bezoek aan een vervallen kerkhof, en hij draaide zich om en wilde teruglopen over het pad dat hij in het hoge gras had gebaand. Hij kon nu zien waar zij had gelopen, een platgetrapte route rond bosjes braamstruiken en gedeeltelijk overwoekerde monumenten.

'Is het verleden van belang?' flapte Charlotte er opeens uit. 'Dat zou ik wel eens willen weten.'

Dominic, die had verwacht dat ze achter hem aan terug zou lopen naar de weg, met wat gepraat over bejaarde ouders en gebroken ledematen, bleef staan en draaide zich verbaasd om. Ze stond nog steeds tegen de muur, met haar hoofd en handen tegen de stenen gedrukt. Ze was overstuur. Ze was de vorige keer dat hij haar had ontmoet ook overstuur geweest, net als de keer daarvoor, en waarschijnlijk ook aan de telefoon, toen ze de vorige week had opgebeld om te vragen of Sam mocht komen logeren. Ze was door het kapotte hek gekropen, niet om de hond uit te laten maar om zich te verstoppen en om verdrietig te zijn. Ze was ellendig en in de war en moest, ten koste van alles, worden gemeden. 'Het verleden is altijd van belang.'

'Waarom?' ging ze er kribbig tegenin, alsof ze een verhitte discussie voerden.

Dominic haalde hulpeloos zijn schouders op. 'Ik denk omdat het zin geeft aan het heden.'

245

'Maar het is allemaal voorbij en achter de rug, voor eeuwig verdwenen, en andere mensen herinneren zich het verleden anders, dus heeft het géén zin.' Charlotte draaide haar hoofd opzij en drukte haar wang hard tegen de ruwe muur. Haar lippen trilden hevig, gênant. De situatie was ondraaglijk en toch kon ze zich niet beheersen. De deur naar het verleden was uit zijn scharnieren gevallen en ze was nu ten prooi aan alles wat erdoorheen stroomde. Ondertussen had deze arme man die hier voor haar stond, met zijn iets te grote neus en zijn grote bruine ogen alle reden om verbaasd te kijken. Het enige wat hij wilde was dat ze haar zoon kwam ophalen na een logeerpartij die vierentwintig uur zou duren en tot vier dagen was uitgerekt. Hij zou op zijn minst hebben verwacht dat ze op tijd was geweest en hem zou bedanken met een doos chocola. In plaats daarvan liep ze hier op een kerkhof te pruilen en te janken, waarmee ze ongetwijfeld zijn aanvankelijke ergste vermoedens over haar geschiktheid als moeder zou bevestigen. Hij had eigenlijk alle reden om rechtstreeks naar huis te gaan en haar bij juffrouw Brigstock of bij de Kinderbescherming aan te geven.

Dominic wist inderdaad niet goed wat hij moest doen. Het was opgehouden met regenen, maar het begon nu erg koud te worden. Hij kon het kippevel op Charlottes blote benen zien, en de haartjes op haar armen, die van de kou rechtop gingen staan. De verwonding van de moeder was kennelijk veel erger dan ze had gezegd. Het was duidelijk dat ze wat thee of cognac moest hebben, maar toen hij weer door het hoge gras terug begon te lopen, kroop Charlotte nog verder in haar stenen hoek en sloeg haar armen om zich heen, alsof ze iedereen afweerde. Het hondje schuifelde dichter naar haar voeten toe en liet zich toen zakken, alsof hij, met tegenzin, had besloten de wacht te houden.

'Is dit om je moeder?' vroeg Dominic, nu aarzelend, terwijl hij de mouwen van zijn trui, die oud en slobberig was, tot over zijn vingertoppen trok. 'Is ze erg ziek?'

'Ik vermoed dat jij weet waar je vandaan komt, hè?' snauwde Charlotte bij wijze van antwoord. 'Een degelijk milieu, degelijke familie, degelijke opleiding – zo eentje ben jij er precies.'

'Sorry, ik…'

'En je vrouw, ik neem aan dat je haar mist.' Ze keek hem over haar schouder aan en haar groene ogen stonden hard. 'Ik benijd je, dat je de dingen zo dúídelijk kunt voelen.'

Dominic blies zijn wangen op en probeerde aanstoot te nemen aan deze warrige ondervraging. Ze was duidelijk erg de kluts kwijt, dacht hij, ze had verdriet, en hij wist maar al te goed wat verdriet bij een mens kon doen, hoe het alles kon vervormen wat ooit een volmaakt evenwichtige kijk op de wereld was geweest. 'Verdriet is eigenlijk heel onduidelijk. Ups en downs, boosheid en opluchting... dat soort dingen. En Maggie was vegetariër, dát mis ik niet.' Hij zweeg even, in de hoop dat ze zou glimlachen. 'Als je een bewijs wilt van hoe ónduidelijk ik de dingen zie: toen ik jou daarnet vanaf de weg zag, dacht ik dat je misschien haar geest was. Daarom ben ik je gevolgd. Zij had ook rood haar, weet je, maar meer oranje dan dat van jou – een echte worteltjeskleur, net als bij Rose.'

Charlotte knipperde met haar ogen en wendde haar blik af. Na een tijdje zei ze: 'Ik ben erg blij dat onze kinderen vriendschap hebben gesloten.'

'Ik ook. Zullen we nu gaan? Kom een kop thee drinken – of misschien iets sterkers als je dat wilt?' Dominic wreef zijn handen over elkaar, hij moest nu echt zijn ongeduld bedwingen en hij had het vreselijk koud.

'Het spijt me,' zei Charlotte zacht, 'dat ik me zo gedraag... Wat moet je wel niet van me denken.'

'Onzin. Een kop thee, dat zal je goeddoen.'

'Ik heb zojuist heel moeilijk nieuws moeten verwerken.'

'Ja natuurlijk, je moeder...'

'Nee. Niet zij. Mijn vader... Het blijkt dat hij mijn vader niet was. Mijn moeder was in verwachting van iemand anders – een getrouwde man die niet van plan was zijn vrouw te verlaten en die trouwens snel daarna is gestorven. Ze heeft het me gisteravond verteld. Papa heeft haar in huis genomen, heeft met een huwelijk haar reputatie gered. Hij moet hebben gedacht dat hij haar liefhad, maar het was niet blijvend. Ze kon toen echter nergens naartoe, geen geld. Ze bleven daarom bij elkaar – en om mij,' voegde Charlotte er met een klein stemmetje aan toe. 'Hij probeerde het me allemaal uit te leggen, vlak voor hij stierf, maar zij greep in zonder dat hij het wist. Om mij te beschermen, zegt ze.'

'Tja, zoiets valt te begrijpen.'

'Het punt is, dat ik veel meer van hem heb gehouden dan van haar. Hij was een slechte, ontrouwe echtgenoot. Hij néúkte, links en rechts.' Charlotte spuwde het woord uit, in de verwachting dat Dominic verschrikt zou kijken, maar hij was iets dichterbij gekomen en keek haar aandachtig aan, zonder zich te verroeren. 'Ik wist dat. Ik heb hem zelfs een keer met een van zijn vrouwen gezien, toen ik nog klein was – ik heb me er járen rot door gevoeld – en toch... en toch zou ik hem steeds boven mijn moeder hebben verkozen.'

'Liefde is een vreemd iets.'

'Hij heeft me dit geschreven, vlak voor hij stierf, om het uit te leggen...' Charlotte stak haar hand in de zak van haar rok en haalde er een nu verkreukeld stuk papier uit, met een vaag, kriebelig handschrift met balpen, dat ze inmiddels zo vaak had gelezen dat ze het uit het hoofd kende. 'Hij heeft me dit geschreven en zij heeft het achtergehouden. Tot gisteravond.'

'Om je te beschermen,' bracht Dominic haar in herinnering, een beetje ongeduldig, 'omdat zíj van jóú hield. Liefde, zoals ik al zei, is iets vreemds – er zijn geen regels voor, helemaal niet.'

'Ja, misschien, maar... mijn moeder en ik deden voor het eerst aardig tegen elkaar, voor het eerst ontspannen en gewoon, en dan...' Charlotte beet op haar onderlip, maar de schokken kwamen toch, met droge, vreemde geluiden uit haar binnenste. Ze sloeg haar armen strak om zich heen, alsof ze een gekooide kwade macht moest bedwingen. 'Alles... verandert... steeds maar... Ik probeer er... greep... op te krijgen... maar het verándert... Ik weet het gewoon niet meer... wat echt is, wie ik ben.'

'Dat is onzin.' Dominic was weliswaar onder de indruk maar hij begreep er steeds minder van, en hij was bijna blij toen het huilen begon, met veel geschok, aangezien er nu een noodzaak tot fysieke troost ontstond. Hij zette zijn politiek van afstand bewaren even terzijde (zelfs de hardste ziel zou niet minder hebben gedaan) en zei: 'Stil maar.' Hij sloeg zijn armen om haar heen. Charlotte bleef ineengedoken staan, met haar hoofd en armen tegen haar borst, alsof ze zich in een schelp zou hebben teruggetrokken als ze die had bezeten. 'Niemand weet echt wie hij of zij is,' merkte hij op, terwijl hij zelf een stille troost voelde

248

in deze gemeenplaats, alsof hij voor het eerst de waarheid ervan inzag. 'In de meeste levens moeten de mensen proberen hier achter te komen.'

'Dit alles,' hijgde ze, 'het spijt me geweldig.'

'Hou alsjeblieft op met je te verontschuldigen. Ik ben een keer in het postkantoor in huilen uitgebarsten – een oude dame heeft me toen voor de thee mee naar huis genomen. En in een bioscoop – dat was misschien wel het ergste… iedereen siste omdat ik de film bedierf. O ja, en twéé keer op het schoolplein – arme Rosie…' Hij zweeg toen Charlotte, die nu alleen nog maar wat snufte, zich eindelijk weer wist te beheersen en zich van hem losmaakte.

'Je bent heel vriendelijk, Dominic.' Ze knipperde naar hem, met roodbehuilde ogen maar verder heel kalm, alsof er letterlijk een storm door haar heen was gegaan en een nieuwe stilte had achtergelaten. 'In de afgelopen maanden ben ik overvallen door allerlei emoties – demonen – oude dingen uit het verleden, die weer bovenkwamen.'

'Ik denk dat Maggie me misschien ontrouw is geweest. Een leraar. Ik heb e-mails gevonden na haar dood.'

'O lieve help… Ik… Wat verdrietig.'

'Laat maar. Het heeft even geduurd, maar uiteindelijk besefte ik dat het niets veranderde. We zijn overwegend erg gelukkig geweest. En ik ben gaan inzien dat we slechts kunnen hopen ooit een deel van een ander te leren kennen, laat staan dat we onszelf begrijpen.'

'Dat is helemaal waar,' beaamde Charlotte zacht, en daarna, in een uitbarsting van wanhopige humor: 'Maakt verdriet een mens wijzer, denk je?'

Dominic schoot in de lach. 'Dat zou een schrale troost zijn, hè? Maar nee, ik denk helaas niet dat zoiets er noodzakelijkerwijs op volgt.'

'Ik ben al zo'n lange tijd overwegend ongelukkig geweest, dat het misschien wel een gewoonte is geworden,' bekende ze. 'Denk je dat dat mogelijk is? En door dit alles,' ging ze haastig verder, zonder op een antwoord te wachten, 'begin ik te begrijpen dat ik altijd naar andere dingen – andere mensen – heb gekeken om hun de schuld te geven. Eigenlijk…' Ze zweeg even en lachte toen schel. 'Eigenlijk is het een wonder dat ik nog vrienden over heb. Geen wonder…'

'Ja?'

'Laat maar.' Charlotte schudde haar hoofd. De arme man had al meer dan genoeg voor haar gedaan. Hij zag blauw van de kou en zij had het al even koud. Of zij Martin in de (hoe ver uitgestrekte ook) armen van Cindy had gedreven, was niet iets waar een ander commentaar op kon geven, laat staan een min of meer onbekende wiens vermogen tot meeleven al zwaar op de proef moest zijn gesteld. 'Die thee die je noemde, is dat aanbod nog steeds van kracht?'

'Zeer zeker. En als mijn broer zijn zaken een beetje heeft geregeld, is er misschien ook nog wel iets te eten, als je dat wilt.'

'Gossie! Een uitnodiging om te komen eten, boven op gratis hulpverlening op een kerkhof. Dank je wel, maar dat kan ik echt niet aannemen.'

'Wie zegt dat het gratis was?' mompelde Dominic.

'Wat zeg je?'

'Voel je vrij om van gedachten te veranderen – wat dat eten betreft.'

'Oké, dank je.'

Hij ging voorop door het hoge gras, en deze keer volgde ze hem, met Jasper die blij achter hen aan draafde. Toen ze op het punt stonden door het gat in het hek te stappen, bleef Dominic staan en greep haar bij de arm. 'Dat over Maggie, dat heb ik nog nooit aan iemand anders verteld – aan wie dan ook.'

'Dank je,' zei Charlotte, aangezien ze deze confidentie als een geschenk had gevoeld. 'Dat punt over mijn vader, over dat ik hem met een ander heb gezien, heb ik ook nog nooit aan iemand anders verteld.'

'We zijn wel een stel bij elkaar, zeg,' zei Dominic, en hij hield een van de losse latten opzij om haar veilig door het hek op het trottoir te laten stappen.

15

Benedict had zo zijn eigen systeem om zich voor te bereiden op een auditie: geen alcohol op de avond ervoor, de wekker vroeg zetten, een uur yoga en dan joggen, terwijl zijn maag rammelde. Honger kon energiek maken, had hij ontdekt, vooral wanneer je voor de uitputtende, moeilijke taak stond je in te leven in de psyche van een ander. Die morgen meende hij zich voldoende te hebben verdiept in het karakter van de gescheiden advocaat om te beslissen dat de man niet alleen een zwak voor Perzische katten had, maar ook voor romantische poëzie (waarbij Keats' 'Ode aan een Griekse urn' een speciale favoriet was), en om tot de conclusie te komen dat achter zijn scherpe cynisme een gekwetst hart school dat smachtte naar genezing. Tegen de tijd dat hij drie keer het park rond was geweest en hij de hoofdstraat in jogde, kende hij niet alleen alle details tot aan het merk aftershave waaraan de advocaat de voorkeur gaf, maar had hij ook een achtergrondverhaal bedacht dat zo hartbrekend en intens was dat het op zich de synopsis had kunnen vormen voor een volledige speelfilm.

Uiterst tevreden over zichzelf, uitgehongerd, bleef Benedict even op de plaats joggen voor het Italiaanse café, waar hij tot de ontdekking kwam dat hij via de etalage over een stapel vers gebak naar zijn broer stond te kijken. Dominic werd in beslag genomen door de krant van die dag en een groot bord vol Engels ontbijt, en hij keek niet op tot Benedict, zonder zich iets aan te trekken van de verbaasde blikken van andere eters bij het zien van zijn min of meer bekende gezicht en bezwete, verfomfaaide toestand, hem op de schouder tikte.

'Hé makker, heb je er nog een vakantiedag aan vastgeknoopt?'

'Ben… hoi! Jezus, wat zie jij er weerzinwekkend uit.'

'Dank je wel.' Benedict maakte zijn fleece, die om zijn middel hing, los, hing hem op de stoel en ging zitten. Hij wenkte de ober en bestelde toen een groot glas sinaasappelsap en een uitvoerig ontbijt met extra bacon. 'Wat geweldig, om elkaar zomaar tegen het lijf te lopen. Ik zeg altijd tegen iedereen dat Londen net een dorp is, maar niemand gelooft me.'

'Ben, je praat alsof je me in geen twaalf jaar hebt gezien, terwijl het hoogstens twaalf uur is. Je huis staat nog geen kilometer bij mij vandaan, dus is het geen wonder dat onze wegen zich af en toe kruisen.'

'Waarom ben jij niet aan het werk?'

Dominic sneed langzaam zijn laatste worstje in vier stukken. Omdat Charlotte zich had ingehouden omdat ze nog moest rijden, en omdat Benedict niet dronk vanwege zijn auditie, had hij de vorige avond het smakelijke maar wat wonderlijke bedenksel met gans met voldoende hoeveelheden wijn weggespoeld om een sterke behoefte te hebben aan een groot ontbijt, zodra hij Rose naar school had uitgezwaaid. Werkloos, met een vage kater, had hij zich somber moeten voelen, maar toen hij in het stralende zonlicht – alweer – en met een krant onder de arm naar het café was gelopen, was hij zich in plaats daarvan bewust geweest van iets van voldoening en hoop, alsof hij op het punt stond aan een lange, welverdiende vakantie te beginnen. Aangezien hij deze gelukkige illusie niet nu wilde verstoren, prikte hij een stukje worst aan zijn vork en beantwoordde Benedicts vraag door te informeren waarom hij niet op zijn auditie was – of op weg ernaartoe.

'Omdat die auditie pas vanmiddag is… Zeg, ze is toch zeker niet gebleven, hè?'

'Wat zeg je?'

'Je hebt die speciale blik over je – staart in de lucht, onnozele grijns, wazige blik in de ogen. En je zat je gisteravond geweldig voor haar uit te sloven – een en al belangstelling voor die boekwinkel omdat ze daar blijkt te werken en net had gehoord dat die te koop is gezet, terwijl je, toen ik gisteren voorstelde dat jij de pacht van Dean en Jason zou overnemen, dit meteen afwees. Maar gisteravond was je opeens de grote meneer, hè? "Ja, het is misschien wel een interessante uitdaging om een boekwinkel te beheren,"' aapte Benedict hem na, waarbij hij precies het langzamere, lagere timbre van Dominics stem wist te treffen, om vervolgens uit te barsten in hoongelach dat slechts tot zwijgen werd gebracht door de komst van de ober met zijn eten.

'Ja, ach…' begon Dominic stijfjes. Zijn goede humeur begon te verdwijnen, net zoals hij had gevreesd, maar om een reden die hij echt niet had voorzien. 'Dat was voordat ik mijn baan kwijtraakte. En nee, verdomme, natuurlijk is Charlotte Turner vannacht niet gebleven. Jezus, Ben, af en toe is voorliefde voor geroddel moeilijk te verteren.'

'Ben je je baan kwijt?' sputterde Benedict, met zijn mond vol bacon en gebakken ei.

'Ja, ik ben nu officieel werkloos. Ik had gedacht dat jij daar blij om zou zijn,' merkte Dominic droog op.

'Ja, nou ja… zolang jij daar zo gemakkelijk over doet,' erkende Benedict, en hij drukte zijn servet tegen zijn mond om een boer te bedwingen. 'Moeten afvloeien is niet hetzelfde als je ontslag nemen, hè? Allemachtig… De rotzakken.' Hij smeet zijn servet op zijn toastbordje. 'Geen wonder dat jij je gisteravond zo over boeken uitsloofde tegenover die vrouw.'

'Ik heb me niét uitgesloofd,' jammerde Dominic. 'Eigenlijk,' ging hij verder, terwijl hij de ober wenkte om de rekening te brengen, 'wil ik dat je je kop houdt over dit onderwerp. Oké? Dat je… gewoon… je kop houdt.'

Benedict zakte onverstoorbaar onderuit in zijn stoel. Het zweet was nu opgedroogd, waardoor zijn haar in plukken overeind stond en zijn shirt stug en ruw tegen zijn huid voelde. 'Maar even serieus, broer, rustig aan wat dat betreft.'

'Wat bedoel je met "dat"?'

'Ze is heel knap om te zien, dat moet ik erkennen. Prachtige huid, jukbeenderen, en die kwetsbare blik waarvan ik heb begrepen dat een groot percentage van de mannelijke bevolking ervoor smelt, en dan die haarkleur…' Toen Benedict de dodelijke blik van zijn broer zag, ging hij haastig verder: 'Leuk joch ook, ondanks zijn onhandige begin, daar zijn we het wel over eens, en ik weet zeker dat als jij van plan bent je in het boekenvak te storten, zijn moeder een geweldig effectieve medewerkster zal zijn, maar…'

Dominic deed alsof hij niet luisterde. Hij glimlachte even naar de ober en betaalde de rekening voor hen beiden. Hij zou het nog een paar minuten verdragen en dan naar huis gaan om zijn spullen te pakken voor een uitstapje naar het vliegveld. Ruimte, lucht, uitzicht over de wereld, dat was wat hij nodig had. Perspectief. Vrede. Ja, hij had de vorige avond enorm gezellig gevonden. Nou en? Net als Benedict, en de kinderen trouwens ook, zoals ze hadden gesmeekt dat Charlotte nog een kopje koffie nam zodat de avond nog niet was afgelopen. Het was een goede en gezellige gebeurtenis geweest, met veel vrolijkheid rond de keukentafel, onschuldig en hartverwarmend. Haar werk in de boekwinkel was natuurlijk een aangename verrassing geweest, net als haar kennis over de onderwerpen met betrekking tot zelfstandigen. Maar Sams imitatie van juffrouw Brigstock was al net zo leuk geweest, terwijl Rose die deed alsof ze een boom was, hen allen om genade had doen smeken, zó hadden ze gelachen. Toen Dominic zag hoe Charlotte haar buik vasthield terwijl de tranen over haar gezicht stroomden, had Dominic zich half afgevraagd of hij hun ontmoeting bij die vervallen kerk niet had gedroomd. Hij had zich ook moeten verbazen over de extremen van menselijke emotie – verdriet en vreugde – de twee uiterste polen en toch met dezelfde simpele middelen om ze tot uitdrukking te brengen.

'Je zit nu ook aan haar te denken,' zei Benedict op beschuldigende toon, zijn vinger schuddend naar zijn broer. 'Verdomd als het niet waar is.'

'Nee, beste Benedict, ik zit nu te denken dat als ik hier niet binnen een paar minuten weg ben, de morgen te ver heen is om op het vliegveld van Redhill te komen, de lucht in te gaan en weer terug te zijn voordat Rosie thuiskomt uit school.'

'Mooi zo. Uitstekend. Want...' Benedict aarzelde. Ze waren nu de straat uit, turend tegen het zonlicht, en Dominic liep snel. 'Want als je écht aan mevrouw Charlotte Turner had zitten denken, dan zou ik je willen adviseren dat niet te doen.'

'Godsamme, Benedict!' Dominic keek zijn broer aan met oprechte wanhoop in zijn blik.

'Nee, Dom, laat me uitpraten,' smeekte Benedict. 'Ze lijkt misschien wel single, maar dat is ze niet. Ze heeft een verhouding met iemand... met iemand die getrouwd is.'

'En dat zul jij weten,' smaalde Dominic, draaiend met zijn ogen.

'Ja…' Benedict aarzelde opnieuw. Hij hield er niet van om vertrouwelijke dingen door te vertellen, maar hij hield nog minder van de gedachte dat zijn nog broze broer zou worden gekwetst door de een of andere gescheiden sirene die er aan de buitenkant heel zachtmoedig uitzag maar in wier binnenste kennelijk een meedogenloos vermogen school om het geluk te grijpen zonder rekening te houden met de gevoelens van anderen. Hij zuchtte. 'Rosie, zoals je weet, vertelt me altijd alles.'

'Ja, dat weet ik.' Dominic stak zijn handen in zijn zakken en keek links en rechts de straat in, als om een hevig ongeduld over te brengen.

'Nou, het schijnt dat Charlotte iets heeft met de vader van George – je weet wel, George die bij hen in de klas zit, gezet, pikzwart haar, heel sportief. De moeder ziet er aardig uit – mollig figuur, grote bos haar. Charlotte en zij heten dikke vriendinnen te zijn. De vader is de een of andere specialist, hart of longen, ik weet het niet meer. Hij zat vorige week in Suffolk,' hield Benedict aan, en hij sprak nu op dringende toon, in een poging te peilen of Dominic werkelijk luisterde. 'Dat is vermoedelijk de reden waarom ze er met Sam naartoe is gegaan. En er is ook nog een makelaar in het spel, degene die ze de laan heeft uitgestuurd omdat hij haar huis niet kon verkopen. Dus hou je bij Petra,' adviseerde hij, toen Dominic nog steeds geen reactie gaf. 'Dat is beter voor iedereen.'

'En jij,' antwoordde Dominic ten slotte, terwijl hij Benedict met zijn wijsvinger in de borst prikte, 'moet je houden bij het bemachtigen van een nieuwe grote rol in plaats van je zo mee te laten slepen door de praatjes van kinderen dat je er zelf in gaat geloven.'

'Volgens mij is het waar, broer.'

Dominic spreidde zijn armen. 'Kan best zijn, maar zoals ik je nu steeds al probeer te vertellen kan Charlotte Turner wat mij betreft met iedere man in Zuid-Londen – al dan niet getrouwd – naar bed gaan zonder dat ik daar iets mee te maken heb. Ja? Zoals je weet heb ik binnenkort een afspraak met je Poolse *protegee* en ben ik van plan volledig gebruik van haar te maken. Ja? En tot slot nog dit: ik ben erg op je gesteld, zoals je weet, en je hebt me mijn hele leven op talloze manieren heel edelmoedig geholpen, maar zou je je nu alsjeblieft een beetje gedeisd willen houden?'

'Tuurlijk.' Benedict, die zich nu toch gekwetst voelde, sjokte hoofdschuddend naar de rand van het trottoir. 'Net zo je wilt. Veel plezier met vliegen,' mompelde hij, en toen schoot hij tussen de auto's door de weg over, met zijn fleece wapperend rond zijn middel.

'En jij vanmiddag veel succes,' riep Dominic hem zwakjes na, nu al nijdig omdat hij zich uit zijn tent had laten lokken. Toen hij de rest van de weg naar huis in draf aflegde, merkte hij dat hij ook nijdig was om diverse andere dingen, zoals de zelfzuchtige schaamteloosheid van een verder toch intelligente, aantrekkelijke vrouw, en omdat zijn lieve broer hem zo goed kende.

'Niet zo somber, het stuk tot de zomer is altijd het leukste op school. Kijk, Jasper probeert je op te vrolijken,' grapte Charlotte toen de hond, die blij was omdat hij mee mocht rijden naar school, heen en weer sprong in zijn pogingen Sams kin en oren te likken. In haar binnenste was zoiets als de staat van genade teruggekeerd, vermoedelijk dankzij een lange nacht slapen – diep, droomloos, verkwikkend – bijna alsof haar lichaam een nieuw kunstje had geleerd dat net zo fysiek en geweldig was als kunnen vliegen of onder water ademhalen. 'Niemand vindt het leuk om weer naar school te moeten, zelfs de leraren niet. En Rose zal er toch zeker ook zijn?'

Sams enige reactie was een pruilende blik vol onbegrip. 'Het is allemaal best. School is best.' Hij duwde de hond weer terug op zijn schoot en trok een gezicht waarom zij vermoedde dat het een opzettelijke poging was om verveeld te kijken.

Foute aanpak, berispte Charlotte zichzelf, en ze richtte haar aandacht weer op de weg, vastbesloten om haar onverwachte en heerlijke gemoedsrust niet door deze nieuwe fase van kinderlijke vijandigheid te laten bederven. Het verkeer zat zoals gewoonlijk weer behoorlijk verstopt, wat betekende dat ze nergens kon parkeren. Dezelfde problemen als altijd, en toch bewoog het leven zich in exact de richting die het zich moest bewegen. Sam hoorde last van stemmingswisselingen te hebben. Hij was tenslotte een tiener. Ze wierp een snelle blik op de passagiersplaats en zag, als voor de eerste keer, de zwaarder wordende

gelaatstrekken, de neus, die breder en langer werd, de kaak- en jukbeenderen die uitgesprokener werden. Ze besefte opeens dat hij een
knappe man zou worden, net als zijn vader. Wanneer was dat gebeurd?
Grote blauwe ogen, sluik blond haar, smalle heupen en, het opmerke-
lijkst van alles, lange benen. Die morgen had ze, tussen het Jasper in en
uit de tuin jagen, het helpen zoeken naar potloden, gum, inktpatronen
en het zichzelf klaarmaken voor haar werk in, nog de zoom uit zijn
schoolbroek losgetornd en er een strijkbout overheen gehaald, in een
weinig succesvolle poging de pijpen wat langer te maken zodat ze
reikten tot de randen van zijn schoenen, die eveneens te klein bleken
te zijn geworden – zijn grote tenen drukten zichtbaar tegen het versleten leer. 'Ik zal de schoolwinkel bellen om een nieuwe broek. En
schoenen, die doen we wel in het weekend.'

'Ja, goed.'

Toen Charlotte stopte, en dubbel parkeerde met knipperende alarm-
lichten, stapte Sam uit de auto en wandelde naar een groepje kinderen
bij de poort van de school zonder nog één keer achterom te kijken, terwijl hij zijn hand even door zijn haar haalde om het warrige kapsel te
fatsoeneren. Charlotte talmde nog even, probeerde in de menigte gezichten te herkennen, terwijl ze zich afvroeg – hoopte – of het gezicht
van Rose erbij was. Rose, die van een venijnige aanklager in een trouwe bondgenoot was veranderd, die de vorige avond uit haar verlegen
schulp was gekropen en een hilarische vertolking van een eikenboom
in een storm had gegeven; die, ondanks haar broodmagere gestalte,
twee flinke borden van het hoofdgerecht en van het dessert naar binnen had gewerkt; die zonder een spoor van aanstellerij Charlottes lieve,
lastige, prikkelbare zoon ten afscheid had gekust op een manier die
blijk gaf van een oprechte en vertrouwde vriendschap waardoor Charlotte haar ook wilde omhelzen, en het gevoel kreeg dat ze alle pubera-
le ups en downs in Sams genegenheid zou kunnen verdragen nu ze
wist dat hij op een andere plek zo werd gekoesterd.

En dan was er nog het andere, nu belangwekkende aspect van Rose
– het feit dat ze de dochter was van Dominic Porter, een man wiens
naam Charlotte ooit misselijk had gemaakt, maar die nu, dankzij
de onverwachte en zeer opmerkelijke gebeurtenissen van de vorige
avond, een meer positieve plaats in haar gedachten innam. Toen ze

die morgen uit haar verkwikkende slaap wakker was geworden, was Dominic het eerste wat haar in gedachten kwam. Verscheidene uren later was hij daar nog steeds, min of meer als een groot voorwerp dat het uitzicht belemmerde, vond Charlotte nu, iets waar je omheen moest denken of rekening mee moest houden of wat je uit de weg moest werken om een helder zicht te kunnen hebben op de andere zaken die haar aandacht vroegen.

Hij was vriendelijk geweest, daar kwam het door, redeneerde ze, terwijl ze zoekend keek naar een nieuwe groep kinderen die stoeiend en duwend over het trottoir naar de ingang liepen. Hij was heel vriendelijk geweest, en als ze Rose nu maar tussen al die bewegende hoofden kon ontdekken, zou ze Dominic misschien kunnen ontmoeten en hem nog eens extra bedanken. De goedhartige manier waarop hij haar had opgevangen, het eten, de wijn, de fantastische mogelijkheid dat hij de boekwinkel zou overnemen nu hij niet langer een baan in de City had... er viel echt nog vreselijk veel te zeggen. Nadat ze roekeloos van mening was veranderd over de uitnodiging om te komen eten, nog duizelig van de shock – de opluchting – door de onthulling over haar vader, en terwijl ze tekenen van genegenheid probeerde te bespeuren in de nietszeggende blikken die ze vanaf de overkant van de tafel door Sam kreeg toegeworpen, was ze de vorige avond niet erg spraakzaam geweest. Maar nu zou ze hem nog eens goed kunnen zeggen hoe dankbaar ze was, hoe vreselijk blij met het vooruitzicht dat de boekwinkel in veilige handen zou komen. Ze zou hem misschien zelfs toevertrouwen dat Dean en Jason het bedrijf altijd als twee oude vrouwtjes hadden geleid zonder open te staan voor de mening van anderen, en vaak erg impulsief hadden gehandeld. En daarna, als het moment er geschikt voor leek, zou ze misschien durven op te merken dat ze op een volstrekt nieuwe en verkwikkende manier had geslapen, zonder het gebruikelijke wakker schrikken met dromen vol onbeantwoorde vragen, en dat dit duidelijk verband hield met het gedenkwaardige nieuwe licht dat er op haar verleden was geworpen. Ze was ervan overtuigd dat het grotendeels dankzij zijn geduld en vriendelijke wijsheid was geweest dat ze deze nieuwe informatie op zo'n vredige manier had kunnen verwerken in plaats van erdoor te worden gekweld...

Charlotte schrok op van een claxon. Op hetzelfde moment drong het tot haar door dat Rose, die nu op Chalkdown Road woonde, zonder ouderlijke begeleiding naar school kon lopen. Wat betekende dat ze die ochtend, en alle andere ochtenden, niet naar Dominic hoefde uit te kijken. Dezelfde claxon klonk nogmaals, nu feller. Toen Charlotte zich omdraaide zag ze Theresa, die haar hoofd even uit het raampje van de Volvo stak terwijl ze in tegenovergestelde richting met de stroom van het verkeer meereed.

Theresa – Hénry – Charlotte voelde dat ze bloosde. Theresa gebaarde, zei iets, haar haar waaide voor haar gezicht langs. Charlottes lippen waren te droog om te glimlachen. Haar hart bonsde. Henry had iets verteld en nu schreeuwde Theresa vol haat obsceniteiten naar haar. Toen de auto naast haar was, draaide ze aarzelend haar raampje omlaag.

'Is alles goed met je?' riep Theresa opgewekt, en ze draaide meelevend met haar ogen toen Jaspers voorpoten en spitse snuit in het open raampje verschenen.

'Ja... O ja, dank je.' Charlotte aaide de hond over zijn kop. 'Ik heb hem alleen maar tot mijn moeder weer beter is.'

'Tjemig, wat een toestand. Ik wil dat we deze vrijdag samen gaan lunchen – de vrijdag erna is onze mahjong, hè? Komt die verloren vriendin van jou nog? Je boekwinkel staat te koop, wist je dat?' schreeuwde ze terwijl het verkeer in beweging kwam en ze begon weg te rijden.

Charlotte kon nog net 'Ja' gillen voor een vrachtauto, die met zijn koplampen knipperde, haar dwong weer met de stroom verkeer aan haar eigen kant van de weg mee te rijden. Ze sloeg af zo snel ze kon, waarbij ze een doorsteek maakte door het netwerk van straten met woonhuizen dat een omslachtige maar betrekkelijk rustige route naar de boekwinkel bood.

Henry had natuurlijk niets gezegd. Hij was de schuldige partij, bracht Charlotte zich in herinnering, waarbij ze met enige moeite over de drama's van de tussenliggende vijf dagen terugdacht aan die gênante situatie in de keuken in Suffolk. Haar enige misdrijf was geweest dat ze zich had gedragen als een blinde idioot. De eerst zo dringende neiging om het aan Theresa te vertellen was nu ook ver weg. Sommige waarheden waren groot, en sommige waren klein, peinsde Charlotte, terwijl ze ongeduldig afremde voor verkeersdrempels en ten slotte compleet tot stilstand kwam toen een vuilniswagen een groepje fluitende mannen op haar pad liet uitstappen. Eigenlijk, bedacht ze, terwijl ze met haar vingers op het stuur trommelde, ging het er vooral om hoe en wanneer de waarheid werd verteld. *Een tijd om te zwijgen en een tijd om te spreken.* Waar kwam dat ook alweer vandaan?

Haar moeder had informatie achtergehouden in een poging haar te beschermen. Dat was volstrekt begrijpelijk, vergeeflijk, helemaal niet hetzelfde als liegen, daar had het niets mee te maken. En nu wilde ze voor Theresa iets achterhouden omdat ze haar te aardig vond om haar onnodig pijn te doen. Het leven, als je het op de juiste manier bekeek, kon zo prachtig eenvoudig zijn. De waarheid over Henry's genegenheid – of het gebrek eraan – zou Theresa duidelijk zijn op andere manieren dan Charlotte hoefde te weten of zich om hoefde te bekommeren. Intussen zou ze instemmen met die lunch en behulpzaam zijn op alle manieren die Theresa van haar mocht vragen, in het gelukkige besef dat haar op haar beurt hetzelfde ten deel zou vallen in verband met de onthullingen van haar moeder, door Dominics goedheid, Sams norse houding, haar toenemende twijfels over het weerzien met Eve en alle andere onderwerpen die ze haar zou toevertrouwen. Ze waren door dik en dun vriendinnen geweest en Charlotte nam zich stellig voor dat nimmer meer in de waagschaal te zullen stellen of het als vanzelfsprekend te beschouwen.

Toen Charlotte eindelijk van de vuilniswagen was verlost, arriveerde ze bij de boekwinkel, juist toen de man die een TE KOOP-bord had opgehangen weer in zijn bestelauto stapte. Binnen wachtte Jason haar op met gekruiste armen en een ernstig gezicht, niet omdat hij zijn middelen van bestaan moest verkopen, naar het bleek, maar vanwege Dean die stervende was.

'Longkanker – een halfjaar nog, hoogstens een jaar. We gaan naar Spanje,' zei hij voor hij zich met zoveel gewicht tegen Charlotte aan liet vallen dat ze wankelend met hem naar een stoel moest lopen, alsof hij de invalide was in plaats van zijn vriend.

'Ik geloof dat ik haar haat,' mompelde Sam, toen hij de Volkswagen nakeek toen deze ronkend wegreed.

'Dus er is nog niets gebeurd?'

Sam haalde zijn schouders op. Hij vond het fijn dat Rose zomaar uit het niets naar hem toe was gekomen en nu heel dichtbij stond, zonder zich erom te bekommeren dat het duidelijk was dat ze vrienden waren. 'Dat kan ik niet weten, hè? Ik bedoel, nu nog niet in ieder geval, niet tot hij met zijn chique auto voor komt rijden om haar mee uit eten te nemen of zo. Maar nu stond ze gewoon naar de moeder van George te zwaaien alsof er niets aan de hand is. Ik word er misselijk van…' Sam zweeg abrupt toen George over het speelplein naar hen toe kwam geslenterd.

'Hoi.'

'Hoi.'

'Heb je het hol gevonden?'

'Ja, ik geloof het wel.'

'Gaaf, man. Hoi, Rose.'

'Hallo, George. Waarom sta je zo te kijken?'

'Hoezo?'

'Met die stomme grijns, daarom.'

George snoof smalend. 'Jullie tweeën, daarom.'

'Ja, nou en, dikkop? Jij vindt Melanie Cooper aardig en zeg nou maar geen nee. Alleen kun je haar niet zover krijgen dat zij jou ook aardig vindt.'

George was zo vuurrood geworden dat Sam, eigenlijk tot zijn verbazing, medelijden met hem kreeg. Rose voelde dit misschien ook wel en ze vervolgde veel vriendelijker: 'Zij vindt jou eigenlijk ook wel aardig, als je dat wilde weten.'

George werd nu nog roder. 'O ja?' Hij keek zowel ongelovig als vol afschuw, in gelijke mate.

'Is dat echt waar?' vroeg Sam, toen ze wegliepen. Hij nam zich voor George te zullen waarschuwen als dit niet het geval was. Nu hij hem weer zag en zich de kaart voor het hol herinnerde – op zich echt heel tof geprobeerd, ook al had hij het niet kunnen vinden – had hij opeens weer beseft hoe goed George en hij ooit met elkaar overweg hadden gekund. Kleuterschool, lagere school, St. Leonard's – ze hadden elkaar áltijd gekend. Zij konden het ook niet helpen als hun ouders zich idioot aanstelden.

'Echt waar,' antwoordde Rose, met haar gebruikelijke luchtige zelfverzekerdheid. 'Zeker weten,' verklaarde ze, en ze zette het op een draf toen de schoolbel ging en draaide zich daarna om zodat ze hem aan kon kijken terwijl ze achteruitjogde. 'Je weet toch dat je mijn allerbeste vriend bent? In elk geval op dit moment.' Ze giechelde. 'Wie het eerst bij de deur is.' Ze draaide zich met een ruk om en ging er in de richting van het hoofdgebouw vandoor, als een stuntelige spin met haar lange, dunne benen, haar slingerende schooltas, en zo langzaam, zo gemakkelijk in te halen, dat Sam haar nog een kleine voorsprong gunde voor hij met een triomfantelijke indianenkreet langs haar heen raasde.

Jean schonk zich een kop thee in met de bedoeling ermee naar de zitkamer te gaan, maar ze besloot toen dat een stok en een volle beker niet handig waren om tegelijk mee te nemen. Ze strompelde terug en dronk de thee staande naast de waterkoker op, waarbij ze door haar beverigheid iets op haar jurk morste – en door het gevoel van er niet meer om te geven, een gevoel dat heel hardnekkig was geworden. Het had toch niet te veel gevraagd moeten zijn om de thee aan het bureau op te drinken, met Reggies geribbelde vulpen in haar goede hand, het schrijfblok open en wachtend, net zo uitnodigend voor menselijke afdrukken als een laag versgevallen sneeuw.

En een gebroken pols was waarschijnlijk nog maar het begin. De oudevrouwen-osteoporose die ervoor verantwoordelijk was zou naarmate de tijd verstreek ongetwijfeld nog andere aanslagen op haar gezondheid en waardigheid doen. En nu had ze ook helemaal geen gezelschap, behalve de tv en de lompe vrouw van de thuiszorg die haar die morgen haastig had gewassen en aangekleed – nog acht andere cliënten om te helpen, had ze gezegd – en de bazige, opvliegende Prue die, zelfs bij het stofzuigen, Jean altijd had doen denken aan een rondstappende kalkoen met opgestoken nekveren, te zeer vervuld van verontwaardiging over haar eigen problemen (een man met slechte heupen, een dochter zonder man en met een ziekelijk kind) om nog enige oprechte vriendelijkheid op te kunnen brengen voor het lijden van anderen.

Prue had een gehaktschotel achtergelaten, wat in theorie heel vriendelijk was maar wat bij Jean niet vriendelijk was overgekomen door de

manier waarop deze werd gegeven: met veel gezucht, een martelaars-
blik als van een heilige op de brandstapel, en een reeks vinnige instructies over dat het toereikend moest zijn voor twee maaltijden mits
er niet te gretig van werd gegeten, mits op de juiste temperatuur in de
oven verwarmd en op de juiste wijze bewaard... alsof ze het tegen
iemand met dementie had in plaats van met een gebroken pols, genietend van haar eigen betrekkelijk goede gezondheid, alsof het uitsluitend uit financiële noodzaak was geweest dat ze vijftien jaar lang
iedere week op de stoep had gestaan. Jean had een kreun van opluchting geslaakt toen de voordeur achter haar dichtviel, om vervolgens
om zich heen te kijken naar de troost van Jasper, en toen te beseffen
dat hij er niet was.

Toen Jean met haar thee in haar eentje in de keuken stond, vergat ze
het opnieuw en ze draaide zich snel om toen ze vanuit haar ooghoek
iets zag bewegen. Maar er viel niets te zien, buiten het motief op haar
keukengordijnen: grote, zilverachtige vormen op een mosachtig groen,
vlak en stil. Ze zette de lege beker neer en dacht even aan de bridge-
vriendin die had geprobeerd haar van teckels af te praten – Camilla zus
of zo. Het waren net knaagdieren, had de vrouw beweerd, terwijl ze de
kaarten netjes en snel had geschud, allemaal scherpe uitsteeksels en een
ratachtige staart. Jean had toch haar zin doorgedreven en ze had Jasper
gevonden, aanhankelijk en lief vanaf het moment van zijn komst, zoals
hij altijd in haar boodschappenmand wipte als hij zag dat ze weg wilde
gaan, zich oprolde onder haar sprei, als een kleine verstekeling, zodra
hij merkte dat misschien de tijd naderde voor zijn nachtelijke verban-
ning naar de keuken.

Jean haalde langzaam adem terwijl de pijn van het verlangen heviger
werd en toen weer afnam. Ze dacht dat ze zich erop had voorbereid
maar het leek echt of ze haar eigen schaduw kwijt was.

Er waren echter dingen die moesten gebeuren, bracht ze zichzelf in
herinnering, en ze greep haar stok en vertrok naar het bureau in de zitkamer, waar de pen en het schrijfblok op haar lagen te wachten. Er
waren dingen te doen en het leven veranderde, niet geleidelijk maar
op plotselinge, onvoorziene momenten: de conceptie van Charlotte,
bijvoorbeeld – schrik, angst, een ogenblik van ongemak, voorbij binnen enkele seconden, maar met een heel leven om door te moeten

komen met de consequenties ervan, of die onnozele val in de badkamer vorige week – zo'n kleine misrekening van één enkele centimeter toen ze haar been over de rand van het bad tilde, maar nu liep ze te strompelen als de eerste de beste invalide. Vroeger, nog niet eens zo lang geleden, had ze haar arm uit kunnen steken om haar evenwicht te bewaren, zelfs tegen de beslagen gladde tegels van de badkamermuur. Vroeger, iets langer geleden, zou de soepelheid van haar botten een blauwe plek of hoogstens een kneuzing hebben betekend, zelfs na de val – eerst met de arm en dan met de knie – op de badkamervloer.

Halverwege de gang die de keuken met de zitkamer verbond bleef Jean even met haar hoofd tegen de muur geleund staan, terwijl ze zich voor de geest haalde hoe, nog langer geleden, vóór die korte overspeligheid die haar dochter had voortgebracht, er de schoonheid was geweest van de hoop om een goed leven te kunnen leiden in plaats van genoegen te moeten nemen met minder. Ze kneep haar ogen stijf dicht, sloot de zangvogels op het behang buiten en zag Reggie, zorgeloos, knap, altijd even luchthartig, en daarna de rimpelige, hulpeloze man die hij uiteindelijk was geworden, zwoegend om piepend adem te halen, tot ze het liefst een kussen op zijn gezicht had geduwd en had willen schreeuwen dat het zo wel genoeg was geweest, zowel voor haar als voor hem. Een goed einde, daarin was ware deugd, echte waardigheid, te vinden. Jean deed haar ogen open en pakte haar stok nog steviger beet. Ze had niets gedaan om Reggie ermee te helpen – maar misschien kon zij wel zichzelf helpen.

En ze had al veel bereikt, troostte ze zichzelf, toen ze zich met een zucht in de bureaustoel liet zakken. De stok viel op het vloerkleed. Ze had vrede gesloten met Charlotte, ze had haar het moeilijke, duistere verteld dat moest worden verteld, en ze had de dappere, volwassen manier gezien waarop haar dochter het verwerkte. En die lieve Jasper werd nu verzorgd. En zowel de thuiszorg als Prue met het kalkoengezicht had het verhaal geslikt dat Charlotte terug zou komen om haar de rest van de week te verzorgen. Het listigste van alles, ze had die morgen Charlottes opgewonden en aandoenlijke gebabbel over boekwinkels met al dan niet nieuwe eigenaren kortgesloten door te zeggen dat de verbinding heel slecht was en stoorde en dat ze de telefoondienst wilde bellen. Ja, alles was geregeld en ze had eindelijk weer de touwtjes in handen, vastbesloten meer controle over het einde van haar leven te hebben dan ze er in al die jaren van haar bestaan over had gehad.

Jean pakte het schrijfblok, schreef de datum erop en stopte. Reggie was degene geweest die de brieven schreef, als hij zich ertoe zette. *Dus was je niet van mij, maar ik ben altijd je toegewijde vader geweest.* Wat een mooie zin. Geen wonder dat Charlotte ineen was gekrompen toen ze bij die passage kwam. Toen Jean die zelf voor het eerst had gezien, na de envelop te hebben opengestoomd op de avond voor hun lange tocht naar het noorden, twintig jaar geleden, was Jean ook ineengekrompen – uit angst, jaloezie, drang tot bescherming. Het was alsof iedere zwakheid, ieder falen was samengebald tot dat ene moment.

Het was opmerkelijk, besloot ze, toen ze ten slotte begon te schrijven, hoe je je emoties kon herinneren zonder ze nog te voelen. Hoe na verloop van tijd zelfs de vurigste passies konden worden verwezen naar de koelere, veiligere opslagplaats van het alledaagse geheugen. Al haar hartstocht voor Reggie bijvoorbeeld, die nu was verbleekt, net als haar vroegere heimelijke hoop ten aanzien van wat er voort zou kunnen komen uit zijn galante, nobele, voornamelijk broederlijke aanbod van een huwelijk, om nog maar te zwijgen van de daaropvolgende teleurstelling en vreselijke jaloezie, toen eerst Charlotte en daarna andere vrouwen (getrouwde vrouwen, dienstmeisjes, hij was niet kieskeurig) zijn aandacht stalen. Ze werd er al moe van als ze er zelfs maar aan dacht. Ze was er in die tijd ook heel moe van geworden, het had haar uitgeput, haar onvriendelijk en machteloos gemaakt, en waarschijnlijk ook ongeschikt om een moeder te zijn. En toch had ze zich vastgeklampt aan oude gewoonten, aan oude hoop. Ze had zich vastgeklampt tot er plotseling de longproblemen waren om ongerust over te zijn, toen de rollen werden omgedraaid en Reggie haar nodig had en het besef dat de liefde die haar ertoe had gedreven te handelen voor haar dochters bestwil, ook andere verschijningsvormen had gekend, hoezeer ze ook schroomde om die te erkennen.

Mijn lieve Charlotte,
Nog een brief – schenk me alsjeblieft vergiffenis hiervoor, en ook voor al het andere dat ik je heb laten doorstaan.

Probeer alsjeblieft ook te begrijpen dat ik vanaf het moment van je conceptie altijd met het oog op jouw bestwil heb geprobeerd te handelen. Zoals ik al tijdens ons gesprek heb uitgelegd was mijn huwelijk met Reggie, het feit dat ik bij hem ben gebleven, dat ik zoveel van de waarheid heb achtergehouden, erop gericht om jou te beschermen. En hoewel een groot deel van dat gesprek niet gemakkelijk is geweest, heb ik er geen spijt van. Zo was bijvoorbeeld een van de redenen (buiten die lieve Sam, uiteraard) dat ik zo graag wilde dat jij het weer goedmaakte met Martin, dat je daardoor zou ontdekken, net als ik — onverwacht — dat er altijd iets goeds in iets slechts te vinden is, dat geen enkele relatie zonder hobbels en gebreken en compromissen is, en dat er verbluffend veel voldoening kan schuilen in het tot het einde volhouden van iets.

Jean hield op met schrijven en fronste haar wenkbrauwen. Ze vroeg zich af of ze deze pagina eruit zou scheuren en opnieuw zou beginnen. De woorden en de betekenis ervan begonnen nu al een eigen leven te leiden en wegen te gaan die ze helemaal niet had bedoeld. Ze was van plan geweest zich te verontschuldigen, dingen uit te leggen, en afscheid te nemen. Ze had er immers toch spijt van? Dat ze Charlotte niet over haar ware begin had verteld bijvoorbeeld, dat was echt betreurenswaardig. Arme Charlotte. Maar verder... Jean streek met de achterkant van de pen langs haar lippen toen ze terugdacht aan de broosheid van haar dochter, niet alleen als eenzaam, verlegen, timide kind (dat zo hevig behoefte had aan speelkameraadjes dat Reggie en zij met een bezwaard hart hadden besloten haar naar kostschool te sturen), maar ook in de extreme emoties die Charlottes bestaan als volwassene hadden getekend — helemaal kapot bij Reggies dood, toen extatisch bij het ontmoeten van Martin, en helemaal opgaand in Sam, in toenemende mate verdrietig toen het wrokkige wantrouwen was ontstaan. In de jaren die voorbij waren gevlogen, was zwijgen altijd rechtvaardig geweest. En hoe, vroeg Jean zich opeens af, kon je spijt hebben van iets wat je in dezelfde situatie, met dezelfde gegevens, weer net zo zou doen?

Ze kon zo niet goed nadenken. Ze besloot dat ze dit beter zittend in bed kon doen, met het schrijfblok op haar knieën, de kussens in haar rug en een vol glas water binnen handbereik — hemeltjelief, dat moest ze niet vergeten, of de voorraad pillen die ze achter uit de lade van haar nachtkastje moest opdiepen.

Die morgen bleef Henry voor een bloemenstalletje bij station London Bridge staan. Hij herinnerde zich iets op de televisie, waarin een overspelige echtgenoot door de mand was gevallen door een grote, schuldbewuste bos bloemen – zo'n onverwacht romantisch gebaar van een immer sceptische man, dat de achterdochtige vrouw in het drama onmiddellijk onraad had geroken. Hij was niet eens overspelig geweest en toch rook zijn vrouw nog steeds onraad, bedacht Henry terneergeslagen, terwijl hij naar zijn kruis blikte en toen verschrikt om zich heen keek bij de onwaarschijnlijke mogelijkheid dat een omstander zijn gedachtegang kon volgen. Alles functioneerde nog perfect (hij had dit uit voorzorg diverse malen uitgeprobeerd sinds het beschamende slaapkamerfiasco tijdens de paasdagen) en toch leek het – Henry slaakte een zachte kreun – of hij er niet langer op kon vertrouwen wanneer hij het het hardste nodig had.

Zo beroemd als Henry mocht zijn om zijn beroepsmatige stalen zenuwen, om de vastheid van zijn lange, behoedzame vingers onder felle lampen en bij hooggespannen menselijke hoop, zo onthutst was hij over zijn persoonlijke vernedering toen hij had gefaald bij het bedrijven van de liefde met zijn vrouw. Hij was doodsbang dat het weer zou gebeuren en had daarom iedere avond gedaan alsof hij erg moe was, om vervolgens slapeloos in het donker te liggen piekeren. Om zo op het punt te staan, vol oprechte liefde en deugdzame vastbeslotenheid, zijn vrouw, zijn huwelijk, opnieuw en voorgoed te omhelzen... Het leek wel of zijn hele systeem letterlijk was vergeven van schuldgevoelens. Dat hoewel zijn brein misschien klaar was om de herinneringen te wissen aan een misplaatste, ongepaste begeerte om Charlotte Turner te veroveren (gedeeltelijk teweeggebracht, besefte hij steeds opnieuw, door enig medelijden laat op de avond en een glimp van een verschoten behabandje), een ander, sterker deel van hem vond dat het pad naar herstel niet zo gemakkelijk kon zijn.

Intussen was Theresa ondraaglijk rustig, ondraaglijk vriendelijk en liep ze met een boog om zijn gevoelens en zijn lichaam heen, alsof hij een dodelijke ziekte had. Ze spraken niet met elkaar, ze raakten elkaar niet aan, en nu was er die nieuwe angst voor de lunch van die twee op vrijdag, wanneer Charlotte misschien zou besluiten alles eens uit de doeken te doen. Theresa had het bericht over deze ongelukkige afspraak die morgen gemeld, toen Henry al half de deur uit was, met haar mond nog vol toast, en met een stem met daarin de nieuwe, geforceerde opgewektheid die duidelijk van wantrouwen, gekwetstheid en het woord 'Waarom?' sprak. Ze gingen naar Santini's om daar de bloemetjes eens goed buiten te zetten, had ze gekwetterd. Om uit te proberen voor Charlottes verjaardag. Was dat niet leuk?

Henry had moeizaam geknikt, denkend aan hoe wijn tongen los kon maken en aan het akelige vrouwelijke vermogen tot wederzijdse ontboezemingen. Charlotte had tenslotte jarenlang haar echtelijke misère bij Theresa uitgestort. Dus hoe kon een omkering van rollen worden voorkomen? Het enige dat Theresa hoefde te bekennen was een zekere mate van spanning, en wie weet wat er allemaal uit zou komen? Het was alsof je stond te wachten tot een bom ontplofte.

Er stonden wat rozen in een emmer aan zijn voeten, zachtroze, met witte takjes bloesem ertussen. Zou Theresa haar wenkbrauwen optrekken, net als die actrice op de tv? Of zou ze die afwezige dromerige blik in haar ogen krijgen, de blik waaraan Henry de laatste tijd zo vertederd aan terug had gedacht; de blik die hem er altijd van had verzekerd dat ze voor altijd van hem was en dat ze van hem zou blijven houden tot de wormen in de grond aan hem zouden knagen.

'Verjaardag?'

Henry draaide zich met een ruk om en zag Martin naast zich staan. Hij was indrukwekkend gladgeschoren en onberispelijk gekleed in een marineblauw pak, met bij wijze van contrast een frisroze overhemd en zo'n opvallend fuchsiaroze das dat Henry onmiddellijk vermoedde dat dit de keuze van Cindy was in plaats van die van Martin zelf. 'Nee.' Hij wist een glimlach tevoorschijn te toveren en bloosde even.

'Maar daar is het niet het juiste moment van de dag voor, hè?' grapte Martin grijnzend, kennelijk in topvorm. Hij stak zijn pols omhoog, schudde zijn horloge even onder de gesteven manchet vandaan, en trok een scheef gezicht toen hij zag hoe laat het was. 'Tenzij je op nachtdiensten bent overgestapt en op weg bent naar huis.'

'Gelukkig niet. Ik stond alleen maar even te kijken... Sommige kraampjes doen hun goede spullen al heel vroeg in de aanbieding.'

'Ja,' mompelde Martin, terwijl hij bedenkelijk van zijn vriend naar de bloemenkraam keek.

'Het feest bij jullie was trouwens erg gezellig,' ging Henry verder. 'Ik weet niet of Theresa nog heeft geschreven, maar...'

'Ja, ze heeft een kaartje geschreven... Dank je.'

'Uitstekend ja, ze houdt dat altijd goed bij, Theresa... Maar het was echt gezellig. En jij ziet er heel goed uit. Het gaat kennelijk goed met jullie.'

Martins grijns werd breder, zijn knappe gezicht rimpelde zich tot een meer accurate weergave van zijn drieënveertig jaren. 'Zeg dat wel, man, zeg dat wel.' Hij liet zijn stem dalen. 'Cindy is in verwachting... We beginnen het nu net aan iedereen te vertellen.'

'Hé, gefeliciteerd! Dat is geweldig.' Henry klopte Martin op de arm in een gebaar van oprechte vreugde. 'Jullie moeten gauw eens langskomen. Ik zal het er met Tess over hebben – we moeten zien of de vrouwen een datum kunnen afspreken.'

'Ja, beslist.' Er viel een stilte waarin beide mannen de onwaarschijnlijkheid van zo'n gebeurtenis onderkenden. 'Of jullie komen samen om een goed doel te steunen,' stelde Martin voor. 'Ons koor geeft over twee weken een liefdadigheidsconcert. Het heeft even geduurd, maar we hebben een prachtige locatie gevonden – St. Gregory's, niet ver van de Albert Hall.'

'De Albert Hall – grote hemel.'

'Nee, de kerk is vlak bíj de Albert Hall. Het is voor het borstkankerfonds. Cindy's moeder is eraan overleden – haar zusje Lu en zij moeten zich regelmatig laten controleren. Maar ik zal vragen of Cindy je wat info stuurt en dan kun je het zelf bekijken.' Hij keek weer op zijn horloge, ditmaal met een frons. 'Hoor eens, makker, ik moet nu rennen – ik moet een taxi hebben en er staat vast een hele rij. Hopelijk tot ziens bij het concert,' voegde hij eraan toe, terwijl hij Henry ten afscheid op de arm klopte.

Henry, die nog slechts een paar honderd meter hoefde te lopen naar het ziekenhuis waar hij twee keer per week spreekuur hield voor particuliere patiënten, bleef waar hij was en keek Martin na, die zich in zijn dure maatpak behendig een weg baande door de mensenmenigte bij de ingang van het station. Het lawaai van de mededelingen die werden omgeroepen en van de haastige mensen om hem heen verdween naar de achtergrond toen hij terugdacht aan de afgunst die hij op het feestje had gevoeld jegens Martin, die er nog steeds jeugdig uitzag en aan een tweede kans begon met de fraaigevormde, stralende, goddelijke Cindy aan zijn zijde. Hij kon nu geen spoor meer van die emotie opbrengen, niet voor het nieuwe leven van zijn vriend, voor zijn nieuwe vrouw, zijn design ingerichte huis en zijn design aftershave, waarvan de geur nog was blijven hangen in de ruimte die hij gedurende hun moeizame gesprek had ingenomen, en zeker niet voor het vooruitzicht van een nieuwe baby. Wie zou weer bij het begin willen beginnen, met al dat moeizame gedoe over de rolverdeling en het proberen erachter te komen wie je partner nu eigenlijk was? Om nog maar te zwijgen van de onveranderlijk tot mislukken gedoemde pogingen tot het herverdelen van oude vriendschappen, zoals dat bij het verkrijgen van een nieuwe partner nu eenmaal nodig was – alsof vriendschappen even plat en flexibel waren als een oud spel kaarten.

Toen de lawaaiige realiteit van zijn omgeving weer tot hem doordrong, maakte Henry zich van de bloemenkraam los en liep naar de dichtstbijzijnde uitgang. Hij wilde een tweede kans, jawel, maar dan met Theresa. Hij wilde wat ze ooit samen hadden weer terug hebben – de ontspannen intimiteit, die zo verleidelijk was om als onbelangrijk af te doen, omdat die zo vertrouwd was, maar die zoveel uren, dagen, weken en jaren had gevergd om op te bouwen, dat hij de waarde en de broosheid ervan volledig over het hoofd had gezien.

Toen hij de straat bereikte, bonsde Henry's hart zo hevig dat hij moest blijven staan en even diep ademhalen. Zo'n groots bezit, en hij had het weggegooid. Tenzij... tenzij hij met Charlotte praatte om zich op de een of andere manier van haar stilzwijgen te verzekeren. Ja, dat was het. Zo eenvoudig – waarom had hij daar niet eerder aan gedacht? Hij zou de spreekwoordelijke koe bij de hoorns vatten om de zaak uit te leggen en daardoor iets van gemoedsrust zien te vinden. Henry stapte de weg op en deinsde toen snel achteruit voor een witte bestelwagen die zo rakelings langs hem heen schoot dat hij de sigaret van de chauffeur kon ruiken. Aan de overkant van de straat zag hij Martin, met zijn bovenlichaam achter het achterraampje van een taxi, nog steeds met een brede grijns, terwijl hij wild zwaaide. Henry stak bij wijze van antwoord een hand op en sjokte toen verder de straat in. Hij waagde een tweede poging om over te steken onder de veiliger hoede van de stoplichten, waar hij geduldig bleef wachten tot het groene mannetje knipperde, ook al kwam er niets aan.

16

De rest van de week hernam april de snel wisselende weertypen waar de maand zo berucht om is, maar op zo'n extreme manier – het ene moment stralend blauwe luchten en het volgende een kletterende hoosbui – dat Charlotte het op vrijdag heel gewoon vond voorbij het hek van de achtertuin een grote regenboog tegen een loodgrijze hemel te zien. Omdat ze inmiddels een paar keer een flinke bui over zich heen had gekregen, nam ze nu steeds een paraplu mee voor zelfs de kortste wandeling met Jasper en probeerde ze vergeefs Sam over te halen een regenpak mee te nemen wanneer hij 's ochtends op zijn fiets naar school ging – de nieuwste bevlieging waarvan Charlotte meer had kunnen genieten als ze niet de heimelijke achterdocht had gehad dat haar zoon dit deed om nog minder tijd met haar samen door te hoeven brengen.

'Een tiener, met puistjes op zijn kin, een nieuw besef van zijn eigen belangrijkheid, een vriendinnetje, en dan verwacht je dat hij jou áárdig vindt?' plaagde Eve, toen ze opbelde om haar komst aan het eind van de volgende week te bevestigen, op tijd, beloofde ze, om haar te helpen bij de voorbereidingen voor de mahjongavond.

'Ik weet niet zeker of Rose een vriendinnetje is, en hij heeft in elk geval geen puistjes – nog niet, tenminste.' Charlotte liet haar blik afdwalen naar het keukenraam waarachter geen regenboog te zien was, alleen maar Jasper, die aan iets in het gras snuffelde. Haar moeders hond bleek een verbazend lastige logé te zijn, die zich uitsluitend in de achtertuin waagde wanneer hij erheen werd vergezeld en daar slechts in zijn eentje wilde blijven als de achterdeur bleef openstaan. Zodra ze zich opmaakte om weg te gaan, had hij het door, hoe stevig opgerold hij ook in zijn mandje lag of hoe zacht zij ook op haar tenen naar de voordeur sloop. Als ze hem dan toch alleen liet, begon hij te janken, en wel zo doordringend, zo langdurig, dat meneer Beasley op woensdag was komen klagen en allerlei opmerkingen had gemaakt over geluidshinder en dierenmishandeling. Omdat Charlotte bang werd voor beide punten, had ze de hond de volgende keer meegenomen naar haar werk, waarbij ze hem eerst in de auto had gehouden en daarna, toen ze ontdekte dat Jason op het raampje stond te kloppen en kirrende geluiden maakte, had ze hem meegenomen de winkel in, waar Jasper zich op een plank in het magazijn tussen de plooien van haar oude groene trui had genesteld alsof er eindelijk was voldaan aan zijn van God gegeven hondenrechten.

Eve schoot in de lach om Charlottes trots op Sams uiterlijk. 'Nou, dat verandert nog wel, blinde liefhebbende moeder die je bent. Maar ik popel om hem te zien, echt waar. Nu ik zelf niets heb...' Ze liet de zin hangen en voegde er snel aan toe: 'Ik ben trouwens maandag op goed geluk even langs geweest, maar er was niemand thuis. Jij zat nog bij je moeder, vanwege dat ongeluk, veronderstel ik. Hoe is het trouwens met het ouwe mens?'

Charlotte aarzelde, deels om de onbarmhartige klank in Eves stem, waarvan ze wist dat ze er zelf voor verantwoordelijk was (de verstandhouding tussen Jean en haar was in hun studentenjaren het onderwerp van veel verhitte gesprekken geweest) en deels omdat, dankzij de laksheid of inefficiency van de telefoonreparatiedienst in Kent, het nu bijna drie dagen geleden was dat Jean en zij enig contact hadden gehad. 'Ze schijnt zich te redden, dank je. Thuiszorg, extra hulp van haar schoonmaakster, dat soort dingen.'

'O, mooi zo. Nou, ik popel om eens lekker bij te praten over echt alles. En het lijkt me heel bijzonder om weer eens mahjong te spelen – een tante van me had een spel, maar het is jaren geleden.'

Charlotte legde de telefoon neer met een nieuwe opwelling van twijfel over het hervatten van een vriendschap die tien jaar lang op een laag pitje had gestaan en niet erg werd gemist. Ze was blij geweest met de onverwachte e-mail voor de kerstdagen, en ze had genoten van de contacten die waren gevolgd. Maar het was vreemd geweest om de stem van Eve weer te horen. Ze had vreemd geklonken, anders. Ze maakte duidelijk nog deel uit van haar vroege, gelukkige herinnerin-

273

gen aan Martin. Charlotte besefte dat het heel schokkend zou zijn om haar oude vriendin weer te zien nu ze gescheiden en alleen was – op de een of andere manier meer verwant aan de verlegen studente met wie Eve twintig jaar geleden met sprits en warme dranken vriendschap had gesloten. Nee, toch niet, verbeterde Charlotte zichzelf, terwijl ze de telefoon pakte en, enigszins woest, het nummer van haar moeder begon in te toetsen. Ze kon niet verder verwijderd zijn van het meisje dat ze toen was geweest: treurig, hulpeloos, verward, boos, wachtend tot haar vader zou sterven en het leven overzichtelijk zou worden. Het was echt een wanhopige tijd geweest, die alleen maar draaglijk was geweest omdat ze verder niets had geweten.

Halverwege het nummer kiezen hield ze op, omdat ze opeens inzag dat toen ze Martin had ontmoet, ze nog in de nasleep verkeerde van het verdriet over de dood van de man die ze altijd als haar vader had gekend en van wie ze heel veel had gehouden. En dan was er nog dat knagende gevoel geweest van iets wat onaf was, van veel dat niet was gezegd en uitgelegd. Geen wonder dat ze een hoog voetstuk had geconstrueerd en Martin erbovenop had gezet. Geen wonder dat hij ervanaf was gevallen.

Charlotte had enkele seconden nodig om te beseffen dat ze de ingesprektoon hoorde, die in haar linkeroor piepte zoals hij sinds dinsdag iedere keer had gepiept als ze probeerde contact met Jean te krijgen. Ongeduldig, maar ook met iets van bezorgdheid, legde ze de telefoon neer en bladerde door haar adresboek, in de kleine hoop dat ze de naam van de hulp onder 'P' had genoteerd. Dat had ze helaas niet gedaan en ze moest zich in plaats daarvan troosten met het besef dat Prue in elk geval háár nummer had en bovendien zo iemand was die in geval van problemen maar al te graag zou bellen om eventuele toestanden te melden.

Toen Charlotte de pagina in haar adresboek opnieuw bekeek, viel haar oog op de nieuwste vermelding, die ze een aantal dagen geleden in haar eigen zorgvuldige handschrift had genoteerd. 'PORTER' en daarna, in kleinere letters: 'Dominic en Rose'. Ze grinnikte even. Alsof zij – of anders Sam wel – die namen snel zou kunnen vergeten. En de neus van die man was eigenlijk helemaal niet zo groot, besloot ze, alleen maar een beetje een adelaarsneus, een onvolmaaktheid die ruimschoots werd gecompenseerd door de diepliggende, donkere, dromerige bruine ogen – net chocola, maar met zwarte spikkels, als... Ho nou, ho nou...

Charlotte sloeg het boekje dicht en probeerde zich weer op haar omgeving te richten. Jasper was door de openstaande deur naar binnen gedraafd en hing nu tegen haar linkerenkel, die hij gebruikte als stevig meubelstuk om tegenaan te leunen terwijl hij lenig met een achterpoot achter een oor krabde.

Ze moest zich klaarmaken voor haar werk, en voor haar uitvoerige lunch met Theresa, later. Wat fatsoenlijke make-up was deze keer wel gepast, evenals een grondige poging om haar haar netjes op te steken. En misschien kwam Dominic wel naar de winkel, bedacht ze, terwijl ze de trap op holde. Hij bleek woensdag langs te zijn geweest toen zij eropuit was om van alles te regelen, en hij was toen heel lang gebleven. Jason had haar gedetailleerd verslag gedaan van de vragen die hij had gesteld; sommige vragen waren zo gecompliceerd geweest dat Dean, de expert waar het de finesses betrof, diverse keren telefonisch geraadpleegd had moeten worden. Zelfs Shona had het over het bezoek gehad, en ze had op zo'n enthousiaste manier 'Wat een aardige man' geroepen, dat Charlotte zich (tot haar schaamte) was gaan afvragen of het meisje zich niet verdacht veel voor hun mogelijke nieuwe werkgever interesseerde. Ze had zichzelf eraan moeten herinneren dat, dankzij diverse gespreksonderwerpen tijdens het etentje op maandag, Dominic al voldoende van de tekortkomingen van haar collega op de hoogte was om er zeker van te zijn dat Shona onder de niet te erven zaken zou vallen mocht hij de zaak willen overnemen. De bestelling van het dure nieuwe tapijt zou eveneens worden geannuleerd, had hij beloofd, samen met de door Jason gekoesterde plannen om de kleine, victoriaanse smeedijzeren haard te vervangen door een armzalig aantal extra meters boekenkast.

Charlotte neuriede terwijl ze haar oogleden en wangen bestoof met de verzameling versleten make-upborsteltjes die in een oude tandenborstelbeker naast de badkamerspiegel stond, maar ze zweeg toen ze al haar aandacht nodig had voor het aanbrengen van lipstick. Ze bekeek mistroostig de droge, kleverige massa mascara, betwijfelde of deze nog enig vermogen tot het flatteren van haar uiterlijk zou bezitten, toen haar mobieltje rinkelde. Bij de gedachte dat het misschien haar moeder was, liet ze het staafje in de afvalbak vallen en viste haastig de telefoon uit haar zak.

Maar in plaats van Prue of Jean was er een mannenstem aan de lijn, die zo hees en aarzelend klonk dat het even duurde voor Charlotte de stem als die van Henry herkende. 'Jij belt zeker over die automonteur van je.'

'Nee, ik... Het spijt me, Charlotte, ik was dat helemaal vergeten. Jezus... Sorry. Dat is ene Jarvis, aan het eind van Moreton Road, onder het spoorviaduct. Ik heb alleen op dit moment zijn telefoonnummer niet paraat.'

Henry hield zijn gsm stijf in zijn hand geklemd. Zoals hij daar in zijn eigen keuken stond, had hij met gemak Jarvis' nummer kunnen opzoeken, maar hij was nu veel te gejaagd om aan zulke dingen te denken. Theresa was zo vroeg de deur uit gegaan dat hij opeens deze adempauze had gekregen – een rustig moment om eindelijk uitvoering te geven aan zijn plan om Charlotte te bellen. Het was de hele week al in zijn gedachten geweest zonder dat het ervan was gekomen, door alle drukte van zijn werk maar ook door zijn gebrek aan innerlijke rust. 'Je hebt vandaag een afspraak met Theresa.'

'Ja. We gaan lunchen bij Santini's. Als het eten er goed en niet te duur is, wil ik daar misschien iets voor mijn veertigste verjaardag doen. Hoe dat zo? Wilde je soms meegaan?'

'Charlotte... alsjeblieft.'

Charlotte overwoog even om op te hangen. Gewoon voor het geval hij iets vreselijks wilde gaan zeggen – zoals dat hij haar aardig vond, of dat hij haar weer wilde ontmoeten. Maar toen bedacht ze dat hij misschien alleen maar probeerde zich te verontschuldigen.

'Het enige wat ik wil,' zei Henry snel, 'is dat jij haar niets vertelt over wat er is gebeurd – alsjeblieft, Charlotte. Het gaat de laatste tijd gewoon niet zo goed, weet je, dus dan zal ze misschien... Hoor eens, vertel Tess alsjeblieft níéts, wil je?'

Dus geen verontschuldiging. Ook geen herhaalde verklaring van genegenheid, en dat was mooi. Charlotte aarzelde, eerder omdat ze even moest nadenken dan omdat ze er genoegen aan beleefde Henry's duidelijke ongemak te laten voortduren. 'Stel dat ze het me ronduit vraagt?' merkte ze ten slotte op.

'O grote hemel, dat zal ze toch zeker niet doen?'

'Henry, ze is je vrouw. Je hebt me niet verteld dat het de laatste tijd niet zo goed tussen jullie gaat. Misschien vermoedt ze iets. Misschien denkt ze dat er in Suffolk iets is gebeurd. Hoe moet ik dat weten? Het enige wat ik je kan zeggen is dat ik, om redenen die ik op dit moment niet wens toe te lichten, geen grote fan ben van het verdraaien van de waarheid.'

Er viel een lange stilte. 'Maar als ze er niet naar vraagt, dan zeg jij ook niets?'

'Nee. Dat heb ik al besloten.'

'Mooi zo.'

Ze kon horen hoe hij uitademde.

'Dank je wel.'

'Laat maar zitten.'

Charlotte stak haar tong naar haar spiegelbeeld uit toen ze weer met haar haar aan de slag ging. Ze stak de speldjes en klemmetjes er ruw in, zonder zich er iets van aan te trekken als ze in haar hoofd prikten, terwijl ze wenste dat ze de klok terug kon zetten naar de tijd dat Henry veilig was ingedeeld als Theresa's intelligente, enigszins verstrooide echtgenoot en zij als de vriendin met de eeuwige rampspoed.

Toen ze klaar was om te gaan, was haar goede humeur echter teruggekeerd. Henry werd kennelijk door schuldgevoelens van zijn gezonde verstand beroofd. Theresa was net zoals ze altijd was. Sinds het geroep uit autoraampjes hadden ze al een aantal volstrekt 'normale' telefoongesprekken gevoerd over onderwerpen variërend van de dolmakende inefficiency van telefoonmaatschappijen tot de vraag of ze stennis zou maken over Martins verzoek ten aanzien van het concert van het koor van Cindy en hem. Op Theresa's advies had ze dit niet gedaan, met het gelukkige resultaat dat Martin had aangeboden Sam de volgende vrijdag meteen uit school te halen zodat zij alle ruimte had om zich voor te bereiden op Eve en de mahjong. Charlotte verheugde zich geweldig op de lunch, niet alleen omdat het haar verstandig leek zich op een plan voor die gehate mijlpaal te richten, maar ook omdat ze het graag over andere, veel belangrijkere dingen wilde hebben, over dingen die in haar leven waren gebeurd. Zoals dat gedoe van haar vader, en de wonderbaarlijke nieuwe vrede met Jean – onderwerpen waarvoor de intimiteit van een gesprek onder vier ogen nodig was, in tegenstelling tot het onpersoonlijke van de telefoon. En dan was er natuurlijk ook nog het punt van Dominic Porter, als ze daar de moed voor kon opbrengen.

Jasper lag haar op de overloop op te wachten, languit langs de onderkant van haar slaapkamerdeur, als een tochtstrip. Toen Charlotte naar beneden liep, volgde hij haar, op de waggelende manier die nodig was door zijn korte pootjes en de diepe victoriaanse traptreden. 'Ik neem aan dat jij ook mee wilt,' mompelde ze, en ze schudde in geamuseerde wanhoop haar hoofd toen hij voor haar uit naar de voordeur schoot om daar zijn alles-of-nietspose aan te nemen. Charlotte bleef even staan en glimlachte. Ze begreep opeens hoe diepe gehechtheid aan zulke wezens kon ontstaan – er werd op je gewacht, je gezelschap werd op prijs gesteld, het was je reinste vleierij, hoe onnozel het dier ook mocht zijn. Toen ze zich bukte om de post van die morgen op te rapen, vroeg ze zich opeens af hoe Jean het in hemelsnaam kon verdragen om het zonder deze gehechtheid te moeten stellen, en dat nog wel tijdens de nasleep van haar ongeluk, wanneer je zou denken dat ze er de meeste behoefte aan had... Charlotte verstijfde, met de post in haar hand. Dit was heel vreemd. En dan de telefoon die het niet deed. Dat was ook heel vreemd. Hier klopte iets niet.

Ze liet de post op het tafeltje in de hal vallen om nog eens goed naar het telefoonnummer van haar moeders hulp te gaan zoeken, waarbij ze papieren van boekenplanken en uit laden smeet, in notitieboekjes en oude agenda's bladerde. Niets vinden betekende dat ze naar Kent moest rijden. Ze zocht nog harder, dreef zichzelf voort met gedachten aan Jasons ontzetting als ze die morgen niet zou komen, en aan die van Theresa als ze de lunch zou afzeggen. Charlotte liet een spoor van verspreid liggende papieren achter en liep ten slotte terug naar het haltafeltje, klaar om voor de laatste keer nog eens goed in de twee laatjes met koperen handgrepen te zoeken. In plaats daarvan werd haar blik getrokken door een scheve postzegel op een envelop die onder het stapeltje post uitstak. Ernaast, een beetje scheef, alsof hij er te dicht bij zat, en duidelijk zichtbaar, was de tweede helft van haar achternaam, geschreven in haar moeders onmiskenbare handschrift, met echte inkt en met zulke beverige letters dat Charlottes hart hevig begon te bonzen toen ze ernaar keek.

Voorzichtig trok ze de brief uit het stapeltje, vechtend tegen de zwakke maar steeds sterker wordende overtuiging dat haar wereld, die nog maar zo kortgeleden op zijn pootjes terecht was gekomen, nu weer op zijn kop zou worden gezet. De flap was stevig vastgeplakt. Toen Charlotte hem lospeuterde, werd het gevoel van angst steeds groter, maar daarnaast was er ook een ontluikend, bijna zoet gevoel van overgave. Waarom zou ze nog langer tegen dingen vechten? Misschien was ze voor een deel nog steeds dat hulpeloze meisje en zou ze dat altijd blijven. Sommige levens liepen voortdurend uit de rails en andere niet. Ze kon net zo hard hopen die geheimzinnige onbalans te verhelpen als denken omhoog te kunnen klimmen langs een van de regenbogen die aan haar tuinhek leken te ontspruiten.

Toen de voordeur met een klap dichtsloeg legde Henry zijn telefoontje snel weg, pakte een glas uit het afdruiprek en draaide de koude kraan open. Toen Theresa even later de keuken binnenkwam was ze erg verbaasd. Ze was teruggekomen voor Matty's balletschoenen, verklaarde ze, en ze reikte langs hem heen om de kraan dicht te draaien – zijn pak werd nat en zou hij zijn trein niet missen?

'Hoofdpijn,' verklaarde Henry, en hij tikte tegen zijn slaap, waarna hij nog een slok water nam. 'Ben teruggekomen om even iets in te nemen… Misschien haal ik de trein nog als ik ren.' En rennen deed hij, de voordeur uit en de straat in, en pas toen hij zich samen met een stel andere laatkomers door de dichtschuivende deuren van de trein van acht uur tweeëndertig perste besefte hij dat hij zijn telefoontje had laten liggen.

Theresa, nog steeds op zoek naar de balletschoenen, in het akelige besef dat haar dochter nog vastgebonden zat in een onafgesloten auto, te laat voor school, maar ook – met haar stralende glimlach en mooie vlechtjes – een eersteklas doelwit voor kinderlokkers en pedofielen, rende door de benedenverdieping van het huis en doorzocht plastic tassen en rugzakken. Ze had die balletschoentjes toch echt ergens zien liggen die morgen, ze had ze zien liggen, had bedacht dat ze ze niet moest vergeten, en had er toen niet meer aan gedacht. Slechts doordat dit 'ergens' tussen de fruitschaal en de koektrommel bleek te zijn, ontdekte ze Henry's telefoontje. Minder gemakkelijk te begrijpen was de reden waarom Theresa, nu ze de schoentjes had gevonden en ze zo'n gloeiende haast had, niet alleen bleef staan en het telefoontje pakte, maar ook op de knoppen drukte die haar brachten bij 'laatst gekozen nummers'.

Toen ze een paar minuten later op de stoep verscheen, bewoog ze zich zo traag dat Matilde haar hoofd met vlechtjes uit het autoraampje stak en riep: 'Mama! Kóm je nou nog?'

'Lekker gedoucht?' vroeg Eve loom, en ze draaide zich om zodat ze haar nieuwe minnaar door de massa van haar haar kon bekijken. Ze genoot van de aanblik van het minirokje van een handdoek dat reikte tot zo'n tien centimeter boven de forse spieren boven zijn knieën. Zijn torso glinsterde nog steeds van het water, waardoor de donkere driehoek van zijn borsthaar en zijn gladde, gespierde wasbordje nog beter uitkwamen. Terwijl ze hem zo door de slaapkamer zag lopen, laden zag opendoen en door een rij overhemden zag zoeken, was het Eve duidelijk dat hij deze verworvenheden opzettelijk toonde. Dus hij is ijdel, dacht ze, en ze genoot van deze constatering, aangezien er weinig was wat ze niet over ijdelheid wist, en naar haar ervaring kon je erop rekenen dat een man die zich om zijn uiterlijk bekommerde, ook rekening hield met andere dingen die zij belangrijk vond – hygiëne, goede manieren, de juiste kleding voor de juiste gelegenheid. Ja, deze zou er heel aardig mee door kunnen. 'Dus geen tijd meer voor een vluggertje?' plaagde ze, met een lage stem vol gespeelde teleurstelling toen de tors in een citroengeel shirt verdween.

'Sorry, liefje.' Tim grijnsde naar haar in de spiegel van de kleerkast. Hij maakte de overhemdknoopjes vast hoewel hij ze liever had losgerukt. Eens goed neuken was precies wat hij nodig had gehad. En zij was exact zijn type: ondeugend, zelfverzekerd, vol verrassingen. 'Ik zou graag willen, maar ik ben nu al te laat.'

'Jammer.' Eve hees zich overeind en stopte het dekbed onder haar armen terwijl ze haar telefoontje weer in haar handtas liet vallen en haar aansteker en sigaretten eruit viste.

'Hela,' zei Tim, en hij stak een vinger op. 'Niet hierbinnen, alsjeblieft.'

'Zet het raam maar even open, dan ben je een lieverd. Op zo'n manier zul je er niets van merken.' Eve stopte een sigaret tussen haar lippen, knipte haar aansteker open en inhaleerde met een kreun van voldoening. 'Zoals ik gisteravond al heb gezegd zijn mijn zonden en ik onlosmakelijk met elkaar verbonden. Alles of niets, daar valt niet over te onderhandelen.' Ze keek met halfdichte ogen hoe Tim, quasischoorvoetend, gehoorzaam het raam openzette. Als beloning voor zijn inschikkelijkheid leunde ze uit het bed en blies een sliert rook in de richting van het raam waarbij ze ervoor zorgde dat het dekbed tot haar middel omlaaggleed.

'Je bent echt vreselijk,' zei Tim zacht, en hij bleef even staan om dit plaatje te bewonderen.

'Weet ik.' Eve leunde achterover en strekte beide armen uitnodigend boven haar hoofd. 'Laat me nog eens zien hoe vreselijk ik wel niet ben…'

'Liefje, dat gaat echt niet. Later.'

'Wie zegt dat ik er dan nog ben?'

'Jijzelf,' bracht Tim haar lachend in herinnering. 'Tot vrijdag, heb je gezegd.'

'Ach ja, vrijdag, wanneer ik naar Charlotte ga. In die tussentijd zal ik een zonnebril en een grote hoed op moeten zetten.'

'Voor mij hoeft dat niet.' Tim sloeg een stropdas om zijn nek. 'Zoals ik je al heb gezegd is er op dat front wat mij betreft nooit veel aan de hand geweest.' Hij prutste aan zijn das tot deze een dikke, losse knoop had die vlak onder het bovenste knoopje van zijn overhemd zat.

'Je ziet er goed uit.'

'Dank je… Jij trouwens ook.'

Eve stapte uit bed om de as van haar sigaret uit het raam te tikken, waarbij het dekbed als een extravagante baljurk achter haar aan sleepte. Niet in staat weerstand te bieden aan deze aanblik liep Tim door de kamer om haar te kussen, en om daarbij zoveel mogelijk van het beddengoed omlaag te trekken. Hij had zelfs geen bezwaar tegen de rooklucht. Hij was te opgetogen over hoe alles nu ging, over dat hij nog steeds de kunst verstond. Hij kon zijn geluk gewoon niet op – dat hij zo'n vrouw zomaar bij Charlotte op de stoep tegen het lijf was gelopen. Hoewel Eve het initiatief had genomen door hem achterna te gaan om telefoonnummers uit te wisselen, waarbij ze had beloofd contact op te nemen na het bezoek aan Charlotte. Eindelijk eens een vrouw met ballen, een vrouw die wist wat ze wilde. Tim had als een bevende tiener op haar telefoontje zitten wachten.

Eve drukte haar sigaret uit op de muur onder het kozijn en leunde naar buiten, genietend van de ochtendzon op haar gezicht. Ze wierp de peuk in de richting van een struik, maar hij bleef liggen op de vooruitstekende rechthoek van Tims keurige, lege terras. 'Maar als ik haar toch tegen het lijf mocht lopen, zal ik het wel eerlijk moeten zeggen.' Ze zei dit nonchalant over haar schouder en keek Tim onderzoekend aan. Hij stond weer voor de spiegel, nu met een kam, waarmee hij de zijkanten gladstreek en de bovenkant wat nonchalant omhoog duwde, waarschijnlijk ter camouflage van de kleine plek waar zijn haar dunner begon te worden.

Ze had zich uitstekend geamuseerd met zijn verslag van zijn korte affaire met Charlotte, over dat haar oude vriendin zich te veel aan hem had vastgeklampt waardoor hij zich geroepen had gevoeld er een punt achter te zetten. En Sams schattige briefje om hem te vragen van gedachten te veranderen (dat hem ertoe had gebracht uit goedheid naar haar toe te gaan en waardoor hij Eve had ontmoet), dat was ook heel leuk geweest. Het idee zó te worden aanbeden en bewonderd door een kínd – zelfs door zo'n pruilende puber – intrigeerde Eve. Het had zelfs gemaakt dat ze zich even had afgevraagd of ze moest overwegen haar sterilisatie ongedaan te laten maken, teneinde ook zo'n loyaal en toegewijd schatje van zichzelf ter wereld te brengen. Maar aan de andere kant was Charlotte vanaf het begin van haar moederschap weerzinwekkend bevlogen geweest en Eve wist dat zij nooit zo zou kunnen zijn. Het gekrijs, de stank, de kots, al die hulpbehoevendheid – ze had met weerzin en verbijstering gezien hoe eerst Charlotte en daarna andere vriendinnen dit doormaakten.

Tim was even opgehouden met het kammen van zijn haar. 'Wat jou het beste lijkt, liefje, hoewel ze er behoorlijk kapot van was.' Hij trok een scheef gezicht.

'Dan zal ik voorzichtig zijn,' beloofde Eve. 'En ik zal er zijn als je terugkomt,' riep ze, terwijl ze weer onder het beddengoed kroop toen hij de trap afdaalde.

Nu het weer overwegend mooi was en de klandizie druk, had Santini's onlangs de achterdeuren geopend naar een grote, geplaveide binnenplaats die aantrekkelijk werd omheind door bemoste natuurstenen muren en weelderige bosschages van kamperfoelie en clematis. Er stonden in totaal acht tafeltjes, elk met een terrasverwarmer, een tafelkleed met gewichtjes eraan en een grote, zware canvas parasol met dezelfde groen-met-gouden strepen als op het baldakijn bij de ingang aan de voorzijde van het restaurant. Die vrijdag was het te warm voor de terraskachels en de parasols waren gespreid als bescherming tegen de zon, waarbij ze zo'n effectief schild vormden dat de lange, lage welving van donkergrijze wolken die zich aan de horizon verzamelden, ongezien bleef en zich even heimelijk kon uitbreiden als een kat die zijn prooi besluipt.

Theresa had de wolken vanuit haar slaapkamerraam gezien en had een dikkere blouse met lange mouwen aangetrokken. Ze had de Volkswagen ook gezien, die op een van de schaarse parkeerplaatsen vlak voor het restaurant geparkeerd stond, met één raampje een eindje open vanwege de kleine hond die met zijn voorpoten tegen het glas omhoogkwam toen zij voorbijliep. Maar bij de aanblik van Charlotte, die onder de verste parasol zat, met haar kin in haar handen terwijl ze het menu bestudeerde, mompelde Theresa een excuus aan de ober die haar naar het tafeltje wilde brengen en dook ze naar beneden om zich in het damestoilet te verschuilen.

Ze ontweek haar spiegelbeeld in de rij spiegels boven de wasbakken en ging zitten op de rand van een klein met velours bekleed stoeltje naast een vaas lelies en bette haar gezicht met een tissue. Haar moeder had haar aan de telefoon zelfbeheersing geadviseerd en koel blijven, afwachten en niets zeggen. Maar het was Theresa duidelijk dat er een keerpunt was bereikt en dat daarnaar moest worden gehandeld – alleen wel op het moment dat het háár uitkwam. Dat was een genoegen dat ze tenminste nog kon smaken: zelf beslissen wanneer het bouwwerk van haar leven zou instorten. Na zoveel maanden van slopende onzekerheid en vage achterdocht, zou het een opluchting betekenen om alles openlijk te kunnen bespreken. Ze liep kalm de trap weer op en stapte toen zo doelbewust mogelijk over de glimmende stenen vloer van het restaurant.

Charlotte glimlachte breed en stond op, lang voordat Theresa het tafeltje had bereikt. Ze zwaaide met het stuk papier dat ze had zitten bekijken – helemaal niet het menu, maar iets wat eruitzag als een brief. Van haar moeder, verklaarde Charlotte, met haar gezicht nog steeds een en al glimlach terwijl ze elkaar kusten. Ze onderbrak haar gekwetter alleen maar om uitbundig in te gaan op de suggestie van de ober voor champagne.

Champagne? Theresa wist een knikje en een stroeve glimlach op te brengen en ging zitten. Haar hoofd voelde zwaar – vol – door die ene zin die erin klaarlag, op het punt te worden afgevuurd. *Hebben Henry en jij een verhouding?* Ja, dat zou ze doen. Het probleem was wat ze daarna ging zeggen. *Je mag 'm hebben. Geef 'm terug. Stop ermee. Rot op.* De mogelijkheden waren legio.

'Dus er staat in de brief dat ze ergens naartoe is gegaan,' vertelde Charlotte, 'in haar ééntje. En dat is natuurlijk heel opmerkelijk, gezien haar verzwakte conditie, maar ze zegt dat ze zich prima weet te redden, ook al wordt haar gips af en toe wat nat, en dat ze zich heeft gerealiseerd dat het allemaal een kwestie van instelling is. Ik kan je niet zeggen hoe opgelucht ik ben – je hebt geen idee hoe ik vanmorgen in alle staten was. Ik was ervan overtuigd dat er iets vréselijks was gebeurd... Ik bedoel, het is natuurlijk vreemd, maar ze heeft het volste recht ergens naartoe te gaan waar ze zelf wil, en ik kan me eerlijk gezegd niet herinneren dat ze érgens heen ging, behalve om die stomme hond uit te laten, hoewel Jasper eigenlijk helemaal niet stom is maar erg lief, en wanneer ze hem weer terug heeft, heb ik zo'n idee dat ik hem vreselijk zal missen – veel meer dan Sam, terwijl ik dacht dat hij het gewéldig zou vinden om een hond te leen te hebben, maar hij heeft nauwelijks naar het beest omgekeken. En als klap op de vuurpijl' – Charlotte zweeg even om een slok champagne te nemen – 'schijnt ze me ook nog wat geld te willen schenken.' Ze wapperde weer met de brief, wees naar een zin en las hardop voor: '"Het bijgesloten bedrag is voor jou, om mee te doen wat je wilt." Met andere woorden, een cheque.'

'Wauw,' merkte Theresa op, en ze nam een flinke, kalmerende slok uit haar glas.

'Behalve,' ging Charlotte lachend verder, 'dat het malle ouwe mens

is vergeten het bijgeslotene bij te sluiten, zodat ik geen idee heb hoe dankbaar ik moet zijn. En omdat ze naar een niet nader genoemde plek is verdwenen, kan ik dit voorlopig niet eens vragen, en misschien moet ik dat wel helemaal niet doen – ik bedoel, dat zou een beetje gênant zijn, hè? Hoewel we nu echt veel beter met elkaar omgaan... Ik kan het niet echt uitleggen, maar vorige week, na het ziekenhuis, zag ik er vreselijk tegenop, maar toen ik daar was om voor haar te zorgen, toen is er iets gebeurd... is er een soort band ontstaan. Ik heb gepopeld om je dit te vertellen want dit heeft ertoe geleid – dat denk ik tenminste – dat ze me dit ongelofelijke, onvoorstelbare feit heeft verteld over...'
Charlotte was langzamer gaan praten en zweeg nu helemaal. Ze had krankzinnig zitten ratelen, besefte ze, en alleen maar over zichzelf. De arme Theresa zag eruit als een verbijsterd dier tijdens een onweersbui. 'Vergeef me, ik zit te kletsen als een kip zonder kop. Maar er is zoveel dat ik je wilde vertellen. Sorry.'
'Nee, ga door,' drong Theresa aan, onder de indruk van de vastheid van haar stem. 'Dat je moeder en jij het eindelijk goed met elkaar kunnen vinden, is echt fantastisch. Wauw,' zei ze nogmaals, met minder overtuiging, en ze drukte haar champagneglas weer tegen haar lippen.
'Jij bent mijn beste vriendin,' zei Charlotte zacht, en ze voelde zich zeker genoeg om Theresa's hand te pakken en die stevig vast te houden terwijl ze vertelde over de man van wie ze dacht dat hij haar vader was, die met haar moeder was getrouwd toen zij al zwanger was, en dat hij dit had gedaan uit vriendschap en uit een galante behoefte haar sociaal respect te bieden in plaats van hartstocht. Dat voorzover ze had begrepen haar eigen bestaan het resultaat was van een eenmalig slippertje met een getrouwde man die was gestorven zonder zich zelfs ooit maar bewust te zijn geweest van de gevolgen van zijn ontrouw.
Er ontsnapte Theresa een kreet van ongeloof, niet van meelevende verbazing, zoals Charlotte begrijpelijkerwijs veronderstelde, maar om de wilde, onvoorstelbare onrechtvaardigheid, op zo'n moment te worden geconfronteerd met zo'n aangrijpend, intiem verhaal. Ze was bij tijd en wijle oprecht nieuwsgierig geweest naar Charlottes verleden – naar de Charlotte uit het tijdperk van voor Martin – maar het was toch wel buitengewoon wreed dat die nieuwsgierigheid nú, en nog wel op zo'n dramatische manier, werd bevredigd, juist nu zij klaarstond om

Charlotte neer te sabelen met andere, nieuwere, en voor haar veel schokkender waarheden.

'Theresa? Is alles wel goed met je? Het was niet mijn bedoeling om...'

'Néé! Alles is níét goed met me,' siste ze, eindelijk blijkgevend van haar woede en wanhoop.

'O lieve help... Ik...'

'Je vader... wat jij hebt verteld... Ik heb natuurlijk met je te doen... Maar...'

'Nee, het geeft echt niet,' stamelde Charlotte, die nu vaag de mogelijke reden van de verbijstering van haar vriendin begon te begrijpen. Ze leunde achterover in haar stoel, die opeens heel hard en ongemakkelijk leek. Langs de rand van de parasol ontwaarde ze een donkere wolk die als een overslaande golf langs de heldere lucht trok. 'Alles begint nu duidelijk te worden,' zei ze zacht. 'En doordat ik het begrijp, hoef ik er nu niet meer over na te denken.'

'O, móói zo!'

Charlotte zette zich schrap toen ze de smalende toon hoorde. De ober, die dichterbij was gekomen om hun bestelling op te nemen, bespeurde de heftigheid van hun gesprek en trok zich tactisch terug om enkele nieuwe gasten hun tafeltje te wijzen.

Dominic bleef even onder het groen-met-gouden baldakijn staan en keek vol ongeloof naar de modderige zwarte Volkswagen met het hondje, dat opgerold op een plaid op de achterbank lag. Er was natuurlijk een kans dat ze niet in dezelfde gelegenheid zou eten, dat het lot, hoewel ondeugend, niet wreed was. Dominic tuurde hoopvol door de glazen voorzijde van het restaurant, maar er viel moeilijk iets waar te nemen behalve de vage contouren van enkele gasten. Hij keek op zijn horloge. Al tien minuten te laat – misschien kwam ze niet opdagen. Hij voelde even een golf van hoop en toen een steek van ontzetting. Wat dacht hij nou eigenlijk? Natúúrlijk wilde hij dat Petra kwam opdagen. Alleen een idioot of een wezen dat op het punt stond in het klooster te gaan zou dat niet willen. En een blauwtje lopen zou ook heel schokkend zijn, peinsde Dominic, na alle telefoontjes over en weer, en met zijn ego dat nog uit het lood was door Maggie en het gebrek aan ervaring en omdat hij was ontslagen om nog maar te zwijgen over het feit dat hij het moet afleggen tegen een getrouwde dokter op leeftijd met dikke oudemannetjeswenkbrauwen…

'Dominic!'

'Hoi, Petra. Ik begon de hoop net op te geven.'

'O nee, het spijt me geweldig. Het verkeer was heel druk en ik kon nergens parkeren in deze stomme stad.' Ze kuste hem op beide wangen en haalde toen haar vingers door haar haar, dat aanzienlijk langer was geworden sinds hun eerste ontmoeting en dat nu in lange, luchtige laagjes was geknipt die de strakke, afgeronde driehoek van haar gezicht accentueerden. 'Wat fijn om je te zien – eindelijk!' Ze haakte een arm gezellig door de zijne en sprong toen weer weg, met haar hand voor haar mond. 'Die stomme parkeermeter! Ik ben vergeten mijn geld erin te doen. Ik moet hollen, maar ik ben zo terug. Ga jij… ik kom eraan.'

Dominic lachte toen ze de straat weer in holde. Wat een geweldige vrouw. Hij duwde de deur van het restaurant open terwijl hij nog even bleef staan om een laatste glimp op te vangen van de wapperende blonde manen en de opmerkelijke benen die in haar strakke rok heen en weer bewogen.

Er was niets welgevormds aan verdriet, dacht Charlotte verslagen. Alleen in films of in boeken waren mensen die verdriet hadden ooit mooi of spraakzaam. In het echte leven waren ze zoals die arme lieve Theresa nu was, met een opgezet gezicht, bijtend op haar onderlip, te veel aan emoties ten prooi om een samenhangende beschuldiging te kunnen uiten. En ook voor haar, zoals ze zat te wachten met haar handen gebald in haar schoot, in het volle besef van de aard van die beschuldiging, terwijl ze zich schrap zette om eerlijk antwoord te geven, was er niets anders dan een overweldigend schuldig besef van het lelijke van menselijke zwakheid en het vermogen om geliefden te verwonden.

'Ik weet het allemaal,' barstte Theresa uit, na een flinke hap lucht, 'van jou en Henry – hij heeft je vanmorgen nog gebeld – ik weet het allemaal – en jullie tweeën in Suffolk – hoe kón je?'

'Wat?'

'Jij en Henry.'

'Wát?' Charlotte herhaalde het woord nu krachtiger. Het ongeloof in haar stem was niet alleen gemakkelijk maar ook waarachtig, besefte ze. Er was geen haar-en-Henry. Oprechtheid bezat verschillende niveaus. Je kon wel willen dat het leven zwart-wit was, maar daarom wás het dat nog niet. 'Theresa, waar héb je het over? Hou onmiddellijk op.' Vanuit haar ooghoek zag ze dat Dominic – *Dominic!* – naar een tafeltje aan de andere kant van de patio werd gebracht. Dit verschafte haar nieuwe energie – nieuw zelfvertrouwen over het pad dat ze koos. En Theresa's gezicht was ook hartverwarmend, toen de opgeblazenheid en het trillen even plaatsmaakten voor een weifelende blik van hoop.

'Hij heeft je vanmorgen nog gebeld,' hield Theresa aan, terwijl de onzekerheid haar gezicht weer bewolkte en ze zichtbaar moeite had om iets uit te brengen.

Hierop schoot Charlotte in de lach, luid en hoog genoeg om Dominic ertoe te brengen zich om te draaien. Charlottes hart sprong even op. 'Over jullie automonteur, suffie.' Ze grijnsde, bijna vrolijk. 'Henry belde me vanmorgen over jullie automonteur – een zekere Jarvis, onder het spoorviaduct. Hij had me beloofd het nummer te geven voor die verhipte Volkswagen, hoewel het ding zich nu weer als een lammetje gedraagt.'

'Maar Suffolk dan?' De toon was nu hardnekkig. 'Het was net of jullie dat samen hadden afgesproken.'

'Onzin! Wát een onzin!' Ook nu lag er genoeg waarachtigheid in de ontkenning om fel te kunnen klinken. 'Jij had me die week aangeboden, en ik voelde me heel erg opgelaten dat Henry daar wilde werken – écht ópgelaten.' De ober, die met enige wanhoop in de buurt was gebleven, schonk hun glazen nog eens vol.

'Maar dat gedoe met die sleutels dan?' hield Theresa aan, hoewel nu met hoorbaar minder overtuiging. 'Al dat gebel op de valreep, toen je Henry een lift aanbood.'

Charlotte zweeg even. De verwarring over de sleutels was echt een misser van haar kant geweest, maar het was Henry die er gebruik van had gemaakt, die haar op het idee van de lift had gebracht door op het allerlaatste moment met een taxi te komen. Hetgeen betekende dat hij tegen Theresa moest hebben gelogen, moest hebben gedaan alsof het háár voorstel was geweest in plaats van het zijne, en dat ze dat aanbod al eerder had gedaan en niet pas die morgen. Charlotte brak zich het hoofd over deze complicatie, over de nieuwe noodzaak tot jokken. Intussen was er een lange, blonde vrouw aan Dominics tafeltje verschenen. Ze trok ieders blik met haar korte, strakke rok en getailleerde jasje, dat ze nu – geholpen door Dominic – uittrok, waardoor een dun, grijs linnen topje en brede, blote schouders onthuld werden. Om haar hals hing een grote, platte sierstenen hanger aan een dunne, zilveren band, keurig in de opmerkelijk diepe holte van haar sleutelbeenderen.

Wat een knappe vrouw. Allemachtig. Dus op dat punt viel niets te hopen. Onnozel, om ooit iets anders te hebben gedacht. Goddank had ze Theresa niets verteld. Goddank dat Theresa er was, bedacht Charlotte, toen ze haar aandacht weer op de nog steeds hoopvolle blik van haar vriendin richtte, waardoor ze eraan werd herinnerd dat deze vriendschap, in al zijn broosheid, nog steeds in haar handen lag om te verpletteren of om te koesteren, al naar zij verkoos. En dan waren er nog andere dingen om zich over te verheugen, zoals Sam – altijd Sam – zelfs met zijn recente chagrijnige humeur, en haar krankzinnige, verwarde, bezielde moeder, met haar vergeten cheques en nieuwe vriendelijkheid en… De vrouw klopte Dominic op de arm, om iets te benadrukken waar hij zijn hoofd om moest schudden en om moest lachen.

'O, Theresa.' Charlotte pakte haar beide handen en omsloot de vingers. 'Ik was die stomme sleutels gewoon vergeten, echt waar, en toen Henry zo vriendelijk aanbood om ze langs te brengen, lag het voor de hand dat ik hem een lift zou aanbieden. Op zich kwam mij dat heel goed uit, weet je. Ik maakte me zorgen of ik de weg wel zou kunnen vinden, en die ellendige auto deed telkens alsof hij het zou begeven en ik moet je eerlijk zeggen dat hij heel gezellig was, je man, toen en talloze andere keren in die heerlijke tijd dat Sam en ik in jullie cottage logeerden, maar alleen tot het punt dat ik dacht wat is Theresa een bofferd en wat is Henry een bofferd, en terecht, want jullie tweeën zijn zo lief en aardig en…'

Theresa voelde zich nu zichtbaar hevig opgelaten, en ze maakte haar vingers uit die van Charlotte los en greep naar haar hoofd. 'O, god, sorry. Sorry! Ik kan me voorstellen dat jij nu woest bent… Waarom ben je niet kwaad?' jammerde ze.

'Omdat het allemaal nergens op slaat en niet van belang is,' antwoordde Charlotte haastig, 'en ik weet dat jij het de laatste tijd een beetje moeilijk hebt…'

Theresa liet haar handen zakken en staarde verbaasd over de tafel. 'Hoe weet jij dat?'

Charlotte slikte even. Theresa was dus nog steeds niet voor honderd procent overtuigd, maar wel bijna, als ze het nog even vol kon houden, haar hoofd erbij hield, zich niet af liet leiden door Dominic en die vrouw. 'Vanmorgen zei Henry aan de telefoon dat jij de laatste tijd een beetje depri leek – hij zei dat hij hoopte dat onze lunch je een beetje op zou vrolijken.'

'Heeft hij dat gezegd?' antwoordde ze zacht. De beschuldigende toon was nu helemaal uit haar stem verdwenen. 'Dat was aardig van hem. Charlotte, het spijt me echt geweldig…'

'Toe, alsjeblieft. Het is allemaal prima. Eerlijk. Een misverstand is gauw geboren. Dat gebeurt de hele tijd. Ik bewonder je omdat je ermee bent gekomen en me er ronduit naar hebt gevraagd. Typisch iets voor jou.' Ze glimlachte bemoedigend.

Theresa antwoordde met een kalme blik en er kwam weer iets van bravoure over haar nu ze was gerustgesteld. 'Hij heeft wel een zwak voor jou, weet je.'

'Ja,' antwoordde Charlotte, zo luchtig als ze kon, blij dat alleen zijzelf kon voelen hoe haar hartslag toenam. Ze had een pad van halve waarheden gekozen en ze zou zich daaraan houden, niet om haarzelf maar om Theresa. Relaties konden aan een zijden draadje hangen, je moest ze echt beschermen. 'En ik voor hem, trouwens. Je mag je gelukkig prijzen, zoals ik al heb gezegd.'

'Het spijt me echt gewéldig,' fluisterde Theresa nogmaals, verbijsterd. 'Het is alleen dat… nou ja, ik ben inderdaad de laatste tijd een beetje down geweest, maar dat kwam omdat Henry zo vreemd afstandelijk heeft gedaan – het was gewoon niet de oude Henry – en ik denk dat toen ik zag hoe goed jullie het met elkaar konden vinden, ik twee en twee bij elkaar heb opgeteld en…'

'Er vijf van gemaakt,' viel Charlotte haar in de rede. 'En als we niet gauw iets bestellen val ik nog van mijn stoel door alle champagne of schopt die kwaad kijkende ober ons eruit omdat we niet opschieten.'

Het was een bewijs van hun goede vriendschap, dacht Charlotte later, toen ze met Jasper naar de rivier liep terwijl de regen op haar paraplu kletterde, dat ze uit de puinhopen van dit gesprek een heel gezellige tijd hadden weten te halen. Een fles pino grigio had ook geholpen, hoewel het eten snobistisch en duur genoeg was geweest om hen ervan te overtuigen dat dit toch geen goede locatie voor een verjaardagsfeest was. Theresa had gezegd dat ze er nog eens goed over zou nadenken, maar Charlotte had gezegd dat ze echt geen moeite moest doen en dat ze op haar verjaardag misschien gewoon bij haar moeder op bezoek ging.

'Heel fraai,' had Theresa zacht gezegd toen ze bij het weggaan Dominic en zijn etensgast ontdekte. 'Een heel ondoorgrondelijk type, die daar – geef mij z'n broer maar. Toch is het leuk dat Rose en Sam hun geschillen hebben bijgelegd,' had ze eraan toegevoegd terwijl ze Charlotte een laatste knuffel gaf voor ze haar jasje over haar hoofd trok en naar haar auto rende.

Charlotte tuurde over de muur naar de rivier. Het oppervlak was troebel, grijs en gebroken, als onder een hagel van kogels in plaats van alleen maar regendruppels. Haar paraplu was klein en vormde geen partij voor de natte vlagen die nu horizontaal vanaf het water werden gejaagd en haar gezicht en borst nat maakten. De achterkant van haar benen was toch al nat van de wandeling, terwijl haar haar, dat tijdens de lunch al was ingezakt, nu als een natte knoedel in haar nek lag. Ze had eigenlijk helemaal niets aan die paraplu, besloot ze opeens, en ze klapte hem dicht en keerde haar gezicht naar de lucht. Wat dwaas om te proberen droog te blijven. Wat dwaas! Ze deed met dichte ogen een paar huppelpasjes, terwijl ze zich afvroeg of ze soms nog een beetje dronken was, zonder zich daar echter veel van aan te trekken. Ze had gedaan wat ze kon om alles weer goed te maken voor Theresa, dat was het belangrijkste. En al haar dwaze fantasieën over Dominic hadden geen kwaad aangericht. Niemand wist ervan. Niemand hoefde er ooit van te weten. Charlotte draaide in het rond, waarbij ze haarspeldjes strooide toen haar doorweekte knot definitief in elkaar zakte.

Toen ze een paar minuten later bij het stoplicht stond te wachten, met mascara die uit haar ogen stroomde en met de spartelende, modderige hond in haar armen, was het misschien maar gelukkig dat

Charlotte de inzittenden niet herkende van de kleine zwarte sportauto die voorbij schoot, en een boog smerig water op haar al doorweekte enkels spoot.

Dominic, die de verfomfaaide gestalte op het trottoir wel herkende, zakte wat verder weg in zijn stoel, blij om het woeste rijden van zijn Poolse gezelschap. Toen ze wegstoven, hield hij haar beeld zo lang mogelijk in de zijspiegel vast terwijl hij zich, net als talloze keren tijdens de lunch, verbaasde over de onbeschaamdheid waarmee iemand zo enthousiast uit eten kon gaan met de vrouw van haar minnaar. Het was natuurlijk niet aan hem om te oordelen – zoals hij ook tegen Benedict had gezegd – maar het viel toch tegen om te ontdekken dat er zo'n andere, zo'n harde kant kon zijn aan iemand van wie hij had gedacht dat hij haar misschien wilde leren kennen. Bovendien waren er nu weer pijnlijke herinneringen bij hem bovengekomen over hoe hij Maggies 'andere kant' had ontdekt, en de desolate periode die daarop was gevolgd, toen het geloof in de liefde verloren had geleken, samen met al het andere.

Die middag regende het in Kent ook hard, waardoor er een zachte glans lag over de korstmossen die op de oudste grafstenen groeiden en op de nieuwe leien op het dak van de kerk. Jean, verstandiger gekleed dan haar dochter, in een regenjas en rubberlaarzen, liep langzaam het grindpad af terwijl Bill, de chauffeur die nu al vier dagen zo geweldig voor haar had gezorgd, hen beiden droog hield onder de grote, veelkleurige paraplu die altijd in de kofferruimte van zijn mooie, zilverkleurige Audi lag. Hij gebruikte hem altijd bij het golfen, had Bill uitgelegd, tijdens een van hun vele aangename gesprekken, en voor speciale klanten, had hij eraan toegevoegd, met een van die knipogen waar Jean inmiddels naar uit begon te kijken, om de volmaakte balans die ze tussen respect en familiariteit wisten te handhaven.

Bill hield de paraplu stevig vast en richtte zijn blik over de stenen muur van het kerkhof terwijl Jean haar boeket bloemen neerzette – haar lievelingsbloemen, irissen en paarse campanula's. Met haar goede hand gleed ze langzaam met haar wijsvinger over de letter 'R' die in de steen stond gegraveerd. Het was heerlijk eenvoudig om te doen, zoals vaak met ogenschijnlijk gecompliceerde zaken het geval was. Vergeving, het accepteren van alle onvolmaaktheid van de liefde die haar veertig jaar lang aan Reggies zijde had gehouden – het ging eigenlijk vanzelf.

'Hij was altijd heel vriendelijk,' zei ze tegen Bill, toen ze terugliepen naar de auto. 'Heel vriendelijk,' herhaalde ze zacht, maar ze zweeg over haar constatering dat dit nou juist altijd zo moeilijk was geweest; dat het tederste gebaar een belediging kon lijken voor iemand die de uitwisseling zocht van iets wat meer op hartstocht leek.

Bill stak zijn arm uit zodat ze die vast kon pakken toen ze zich in de auto liet zakken. 'Nu maar terug naar het hotel?'

'Ik zou hier graag nog even willen blijven zitten, als dat goed is,' antwoordde Jean, terwijl ze het raampje omlaag deed.

'Dan ga ik even een eindje wandelen,' zei hij opgewekt, en hij haalde zijn sigaretten tevoorschijn en tikte op het oortje dat hem met zijn mobiele telefoon verbond. 'Ben over vijf minuten terug. Druk maar op de claxon als u me nodig hebt.' Hij stapte weg, met de stok van de paraplu tegen zijn schouder terwijl hij zijn sigaret aanstak.

'Ja, ja,' zei Jean hardop, en ze verschoof haar zere arm wat zodat ze dichter bij het open raam kon komen en de vochtige lucht kon opsnuiven. Aarde, boomschors, de geur van pasgemaaid gras en de zoete, subtiele geur van de regen zelf... Er waren eindeloos veel verschillende lagen wanneer je de tijd nam om je ervoor open te stellen. Er zat ook veel geluid in, een heel orkest van gedruppel en geroffel, met erdoorheen het gezang van vogels en het verre geraas van de snelweg. Het had bij Reggies begrafenis ook geregend, hoewel ze daar op dat moment de schoonheid natuurlijk niet van had ingezien.

'Sorry, Reggie, dat ik niet eerder ben gekomen... Sorry, lieverd.' Jean veegde een traan weg en zette toen haar bril op, omdat ze een heldere laatste blik op de bovenkant van de steen wilde werpen, door de striemende regen en de zwiepende boomtakken heen. De lucht voelde koud op haar gezicht, maar haar voeten en handen waren aangenaam warm. 'Wie had dit kunnen denken?' riep ze vervolgens uit, zowel als algemene opmerking over haar omstandigheden als in een nieuwe poging om te begrijpen hoe ze precies in deze omstandigheden terecht was gekomen. Een licht, dat was het. Er was een licht in haar slaapkamer verschenen, juist toen die vermoeide hopeloosheid op zijn ergst was. Het schrijfblok met de afscheidsbrief aan Charlotte – de derde poging – had onhandig tegen haar knieën geleund. Er had inkt op het beddengoed gezeten, herinnerde ze zich, vreselijke zwarte vlekken, en het akelige besef dat ze uiteindelijk toch was vergeten die voorraad slaappillen te pakken, dat ze zich ertoe zou moeten zetten om moeizaam weer uit bed te klauteren en ernaar op zoek te gaan. En toen, zonder enige waarschuwing, was er het licht geweest... of in elk geval een warmte, een gloed – íéts.

Jean zwaaide naar Bill toen hij weer tussen de bomen verscheen, en daarna deed ze het raampje weer omhoog. Ze geloofde niet in geestverschijningen. Gedurende haar jaren in het buitenland had ze zonder meer alle bijgelovigheid van bedienden van de hand gewezen. Maar ze twijfelde er niet aan dat er die avond iets haar kamer was binnengekomen – een geest, of een energie, die haar vervuld had achtergelaten, ook nadat het was vervlogen. Het idee voor deze persoonlijke pelgrimage was meteen na afloop ontstaan, en de drang hiertoe was zo hevig dat het volstrekt duidelijk was dat ze in leven moest blijven. Ze had die avond het taxibedrijf gebeld en had nog meer zelfvertrouwen gekregen toen haar aarzelende vraag om een chauffeur op dagelijkse basis zo goed was ontvangen, alsof dit de gewoonste zaak van de wereld was in plaats van een zonderling verzoek van een eenzame weduwe met een gebroken pols, die impulsief met dingen van vroeger bezig was.

Ze had de telefoon ernaast gelegd – niemand iets verteld – uit angst de moed te verliezen. Koffer pakken, route en onderkomen regelen, het huis afsluiten, bij iedere beweging haar arm moeten forceren, hadden gemaakt dat Jean er steeds bijna mee was opgehouden. Af en toe was het alleen de moeite die het zou kosten om alle arrangementen ongedaan te maken die haar op de been had gehouden, samen met gemopper vol zelfspot over de onbelangrijkheid van slap haar en nat gips. En toen was Bill gearriveerd, fluitend, keurig gekleed, gladgeschoren, om portieren open te doen, haar bagage met een zwaai in de auto te zetten en grapjes te maken over het groeizame weer. Ze had zich willoos mee laten voeren, als een verlegen bruid achter in een limousine.

'Terug naar het hotel nu, alsjeblieft, Bill.'

'Wat fijn dat u zo'n goed huwelijk hebt gehad, mevrouw, en dat na al die jaren – een mens leert een hoop in het leven, hè?'

'Ja, zeg dat wel... een mens leert veel.' Jean leunde achterover tegen de hoofdsteun en deed haar ogen dicht. Ze zag opnieuw die grijze muren voor zich van de kamer waarin Reggie en zij hadden gekibbeld over Engeland, over huizen, over Charlotte... kortom, over alles, maar vooral over dat ene onderwerp dat, in die weken althans, zo belangrijk was geweest: Charity, het meisje met de satijngladde huid, aan wie haar man, voor het eerst en ongewild, bijna zijn hart had verloren.

Het gekibbel ging op en neer tot Charlotte, als een geweerschot in het donker 'Stop' had geroepen en op de muur had getimmerd. Op slechts enkele tientallen centimeters van elkaar hadden ze alle drie hun adem ingehouden. Daarna, in de dichte, vreselijke, stille duisternis had Jean Reggies hand op haar arm gevoeld. Een minuut later bewoog de hand over haar arm omlaag, naar haar buik, haar been, doelbewuster, maar ook met zoveel tederheid, alsof onder het mechanisme van die onverzadigbare lust toch ook een beetje liefde school.

17

Toen Martin en Sam de volgende vrijdagavond in de doodlopende straat in Rotherhithe stopten, glinsterden het gras en het beton in de stralende zon na opnieuw een middag van zware buien. Omdat hem tijdens de rit was verteld dat hij een halfbroertje of -zusje zou krijgen en dat, nu Cindy nog zwak en moe was, hij zich de volgende zesendertig uur vooral rustig en onopvallend moest gedragen, had Sam nou niet direct een geweldig humeur toen hij zijn rugzak naar boven sleepte. Er kwamen dubieuze geuren uit de keuken, die van vis bleken te zijn – drie grijze vissen die naast elkaar in een pan lagen, met hun dode, glazige ogen gericht op de stoom die rond het plafond kringelde.

Voor de verandering en omdat het gezond is, zei Cindy, toen hij naar binnen ging om gedag te zeggen, alsof ze wist dat het smerig eten was, zelfs nog voor ze het op tafel had gezet.

'Mag ik nog even fietsen?'

'Na het eten, denk ik, als het droog blijft en als papa het goedvindt.'

'Wat moet ik goedvinden? Man, er ruikt hier iets heel lekker.' Martin kwam de keuken binnen en sloeg zijn armen om Cindy's middel, waarbij hij vertederd de nieuwe, dikkere taillelijn, die door haar schort werd gecamoufleerd, omvatte.

Sam keek snel de andere kant uit. Zonder het verhaal in de auto zou hij niet eens hebben gezien dat Cindy dikker was, laat staan dat ze in verwachting was. Hij had ooit wel een broertje of zusje willen hebben, maar nu hij met de realiteit werd geconfronteerd – en dan ook nog in deze gespleten versie van een gezin – wist hij het nog niet zo zeker. Hij zou nog steeds nummer één zijn, had zijn vader gezegd, en dat had hem alleen maar aan het denken gezet over de broers en het zusje van

George, en hoe daar niemand ooit echt nummer één was. 'Ik wil na het eten nog even fietsen.'

'Er valt hier niets te willen,' mompelde Martin. 'Bovendien is het vroeg donker.'

'Ik heb gezegd dat hij mocht,' merkte Cindy op, en ze trok een speciaal gezicht naar Sam. 'Het is voorlopig nog niet donker. We gaan vroeg eten omdat ik, net als steeds tegenwoordig' – ze trok weer een ander gezicht, deze keer naar zijn vader – 'rammel van de honger.'

'En ik heb licht op m'n fiets,' vulde Sam aan, nu iets vrolijker bij het zien van aardappelpuree.

'Twee tegen één, daar kan ik niet tegenop,' verklaarde Martin, op een toon alsof hij zich graag gewonnen gaf. Hij liet Cindy los en liep naar Sam, met zijn vuisten omhoog, als een bokser die klaarstaat om te vechten. Sam dook eronderdoor en rende in de richting van de deur, maar halverwege werd hij met een zwaai over zijn vaders schouder geworpen.

'Zo groot ben je nou ook nog weer niet, hè?' gromde Martin tevreden, terwijl Cindy een vrolijk berispend geluid liet horen, met haar ogen draaide en de doperwtjes afgoot, en Sam, die voor de show hevig spartelde, zich afvroeg of een jongen ooit zulke spelletjes niet meer zou willen en zo ja, wanneer.

De vis was niet zo erg als Sam had gedacht, vooral toen hij de ketchup had mogen pakken. Hij at snel, met een half oog in de richting van de strepen blauwe lucht tussen de keukenjaloezieën, terwijl zijn vader en Cindy over hun werk praatten en daarna over de kaartverkoop voor hun concert, waarbij ze hem af en toe een vraag stelden, maar op een heel opvallende manier, alsof ze vonden dat ze moesten proberen hem erbij te betrekken.

Toen hij klaar was om te gaan, tikte zijn vader, nu nog vrolijker met een glas wijn in de hand, hem op zijn helm en zei dat hij in de wijk moest blijven, geen oude dametjes omver mocht rijden en voor donker thuis moest zijn.

Sam liet zijn fiets van de helling van de parkeerplaats rollen en peddelde toen een paar keer langzaam rond de kleine rotonde. Hij wenste dat hij zijn mobieltje had meegenomen. Rose en hij hadden elkaar kortgeleden hun telefoonnummer gegeven – eindelijk! – en hij wilde haar heel graag vertellen dat Cindy een baby ging krijgen. Ze zou, zoals gewoonlijk, begrijpen hoe hij zich voelde, zonder dat hij het uit hoefde te leggen. Ze was daar geweldig goed in – ze snápte alles meteen – net zoals ze had begrepen, na het duidelijk mislukken van hun plannetje, dat ze het weerzinwekkende onderwerp van zijn moeders liefdesleven maar beter met rust konden laten. En dat zij gewoon goede vrienden wilden blijven – hij was ervan overtuigd dat zij dat ook vond – ondanks alle stomme opmerkingen op het schoolplein.

De wielen van zijn fiets maakten een heerlijk zoevend geluid op het natte asfalt. Sam zette vaart in de richting van twee dikke duiven die om een broodkorst ruzieden, en hij kreeg een heerlijk gevoel van macht toen ze er verschrikt vandoor gingen. Later wilde hij een motorfiets hebben, bedacht hij terwijl hij nu zo snel trapte als hij kon, weg van de kleine rotonde en over de splitsing die naar de ingang van de wijk leidde.

'Die mahjong. Dat kan niet doorgaan.' Theresa's stem klonk kortaf, ondoorgrondelijk. 'Er heeft zich helaas een soort huiselijke crisis voorgedaan.'

Charlotte legde langzaam haar mes neer en pakte een tissue om de uientranen uit haar ogen te vegen. Haar haar, dat nog nat was van het bad – ze had heerlijk lang in het warme water gelegen, met de radio op het krukje naast haar – voelde onaangenaam koud aan. 'O nee, Theresa... Wat vervelend.'

'Het betreft Naomi,' zei Theresa snel. Ze begreep de gedachtegang van haar vriendin, in wier stem toch iets van bezorgdheid doorklonk.

'Naomi?' Charlotte liet zich op een stoel vallen en hoopte dat ze niet al te opgelucht klonk. 'Waarom? Wat is er gebeurd?'

'Ze stond opeens met alle drie de kinderen bij Jo op de stoep, helemaal in tranen. Het schijnt dat Graham en zij ruzie hadden gehad en dat hij haar heeft geslágen – of heeft geprobeerd te slaan. Ze bukte toen, en hij sloeg met zijn vuist tegen de muur... Kun je het je vóórstellen?'

Door haar toon van verbijsterd meeleven heen klonk Theresa bijna opgewonden. En dat viel niet te verbazen, dacht Charlotte. Een wat stroevere relatie met Henry was niets vergeleken met zulke verschrikkingen.

Toen Theresa uitweidde over de ernstige gebeurtenissen in het leven van hun vriendin, werd ze steeds ernstiger en een beetje hysterisch. 'Ik moet toegeven dat ze een beetje verward deed, die keer voor Pasen, toen de tweeling hier de boel op stelten zette. Ze zat duidelijk niet goed in haar vel... Maar ik heb nooit gedacht dat het zo ernstig zou zijn. En Jo had ook niets in de gaten, terwijl zij nou eenmaal degene is met wie ze altijd de hechtste band heeft gehad. En nu is het dan tot zo'n vreselijke uitbarsting gekomen, en omdat Naomi's ouders in Frankrijk zitten en haar enige zuster de hele tijd op reis is, kon ze niemand anders bedenken om naartoe te gaan. Jo zegt dat ze vanavond heeft geprobeerd jou hierover te bellen maar dat ze geen gehoor kreeg.'

'Ik had waarschijnlijk de kraan van het bad openstaan – ik ben weer eens drijfnat thuisgekomen na het uitlaten van de hond. Allemensen, arme Naomi... Ik kan het gewoon niet geloven, hoewel ik denk dat dit maar weer bewijst...'

'Wat? Wat bewijst dit?'

'Dat... nou ja, dat er altijd nog een ander leven is.'

'Een ander leven?'

'Het leven dat we proberen niet aan elkaar te onthullen,' mompelde Charlotte, terwijl ze – heel ongemakkelijk en ook heel egocentrisch – aan Dominic moest denken, de vorige week in het restaurant, aan hoe haar maag ineen was gekrompen elke keer dat hij zijn hoofd naar die andere vrouw had gebogen, aan hoe zij iedere keer had willen kijken wanneer hij lachte. 'Het leven dat we in ons hoofd hebben.'

'Ach ja...' mompelde Theresa, terwijl haar gedachten ook van Naomi naar haar eigen situatie gingen. Het enige 'andere leven' waar zij zich om kon bekommeren was haar wereld met Henry; een verdwenen wereld, die ze zo graag terug wilde hebben dat ze na Jo's telefoontje rechtstreeks naar de koelkast was gelopen om te zien of ze iets verrassends voor het avondeten kon bedenken, vastbesloten de huiselijke harmonie te herstellen met behulp van alle middelen die haar ter beschikking stonden, hoe armzalig of ouderwets ook. Aldus hoopvol gestemd had ze met een pak bevroren garnalen in de hand gestaan toen Henry opbelde om haar eraan te herinneren dat hij een lezing moest houden, dat hij niet mee zou eten en niet voor negen uur thuis zou zijn. 'Nou, in mijn hoofd zit niet zozeer een leven als wel een grote puinhoop, zoals jij helaas maar al te goed zult weten.'

'Hoe zouden we haar kunnen helpen?' Charlotte was vastbesloten het bij dit ene punt te houden.

Theresa zuchtte. 'Ik geloof niet dat we iets kunnen doen, in elk geval niet voor dit moment. Jo schijnt alles onder controle te hebben. Ze heeft Naomi en de tweeling op de verbouwde zolderverdieping ondergebracht en Pattie bij een van de meisjes. Paul zal met Graham gaan praten. Ze belt me morgen. Ik hoop dat je nog niet was begonnen met eten koken?'

Charlotte keek naar haar fijngehakte uien die in een plas olie in de braadpan lagen. 'Nee, nog niet echt, maar ik moet nu natuurlijk wel aan de slag, voor Eve.'

'Ach, Eve, ik was haar helemaal vergeten. Nou, veel plezier.'

'Theresa?'

'Ja?'

'Eve... Ze zal nooit zo'n goede vriendin zijn als jij.'

'Dank je, Charlotte. Wat lief dat je dat zegt... Dank je wel.'

'Ik meen het.'

'Ik ook... en wat onze lunch betreft,' flapte Theresa eruit, 'het spijt me dat we elkaar sindsdien niet meer echt hebben gesproken. Ik heb het eerlijk gezegd steeds voor me uit geschoven... Ik voelde me zo'n sukkel. Maar je bent echt geweldig geweest over alles. En toen je me dat vertelde,' ratelde ze verder, 'over dat je vader niet je echte vader was... toen wist ik gewoon niet wat ik moest zeggen. Ik bedoel, zoals je hebt begrepen had ik andere dingen aan mijn hoofd. Maar ik denk dat de hele waarheid kennen uiteindelijk altijd het beste is. Ik bedoel, het érgste in dit leven is het gevoel hebben dat er iets niet klopt en niet te weten wat het is, vind je ook niet?'

'Absoluut. De hele waarheid – die hebben we nodig.' Eerlijkheid bezat verschillende niveaus, bracht Charlotte zich resoluut in herinnering toen ze de telefoon uitschakelde. Het leven zat vol grijze vlekken. Je moest je vastklampen aan de schaarse zekerheden die je had. Theresa en Henry hoorden bij elkaar, en zij had er goed aan gedaan alles te doen wat in haar macht lag om daarvoor te zorgen. Naomi's verdriet klonk vreselijk maar zou na verloop van tijd wel weer bijdraaien, net zoals dat bij haarzelf was gebeurd. En wat het gedoe met Dominic betrof, dat zou vanzelf wel slijten, uitdoven zonder de hoop op wederzijdsheid, net als een vlam die geen zuurstof kreeg. Haar handen beefden een beetje toen ze zich weer op de uien richtte. Dat was natuurlijk vanwege Naomi, dacht ze, terwijl ze hevig roerde toen de olie warm werd en begon te glanzen.

Eve wist niet precies wat ze had verwacht. Grijze haren, het figuur van iemand van middelbare leeftijd, wallen onder de ogen? Uit consideratie met Charlotte had ze niet alleen de winkelstraten gemeden, maar had ze ook Tim niet over dit punt uitgehoord. Die arme vrouw had het tenslotte al moeilijk genoeg gehad, naar hun transatlantische correspondentie te oordelen: een scheiding, geldzorgen, Sams problemen op school – het was een hele waslijst aan toestanden geweest. Lang voor het gedoe met Tim had Eve, die had geantwoord met nieuws over haar florerende postorderbedrijf, haar bevredigende persoonlijke leven, haar liefde voor alles wat Amerikaans was, af en toe een haar onbekend gevoel van medelijden met haar vriendin bespeurd.

'Charlotte!'

'Eve!'

Er was een kort moment – zo snel als de klik van een camera – van wederzijds elkaar opnemen voor ze elkaar in de armen vielen. 'Typisch iets voor jou om het zwaar te verduren te hebben en er verdomme toch uit te zien als Nicole Kidman,' zei Eve op beschuldigende toon terwijl de oude angst om in de schaduw te worden gesteld bij haar weer de kop opstak. 'En waar is die lieverd van een Sammy?' riep ze uit. Ze zette het nare gevoel van zich af en wierp een angstige blik op Jasper die met kleine sprongen probeerde deel te hebben aan de feestelijkheden. 'Ik heb iets afschuwelijk ingewikkelds voor hem gekocht om te bouwen – technisch Lego. Je hebt er zelfs batterijen bij nodig.'

'Wat lief,' mompelde Charlotte beleefd (hoe had Eve ook kunnen weten dat Sams stoffige doos met Lego het enige was waarvan hij bij een recente opruimwoede bereid was geweest afstand te doen?), terwijl ze (iets minder gemakkelijk) de opwelling bedwong te verklaren dat 'Sammy' geen acceptabele optie was als mogelijke variabele van de naam van haar zoon.

Alleen al het ongewone van Eve die bij haar over de vloer kwam, was heftiger dan Charlotte had verwacht. Ze zag er nog net zo uit als ze zich herinnerde, maar toch ook weer niet. Het lichtbruine haar was nog steeds op schouderlengte, met nog steeds een meisjesachtige rechte pony, maar er zaten nu blonde en gouden strepen in, en in plaats van slap omlaag te hangen leek het nu van haar hoofd en hals weg te springen, alsof het energie van zichzelf had. Nog opmerkelijker was dat het ronde, vrouwelijke lichaam, dat eens schuchter onder wijde jurken en slobberige spijkerbroeken verborgen was geweest, nu vrijelijk werd getoond in een strakke rok en een laag uitgesneden truitje, waardoor die grote, welgevormde rondingen goed uitkwamen.

'Je ziet er echt gewéldig uit,' riep Charlotte, en ze pakte de hond, wiens attenties zo te zien niet op prijs werden gesteld. Terwijl ze zich bukte zag ze de schitterende hooggehakte schoenen van Eve, van uitzonderlijk zachte suède. 'Fantastisch… Je ziet er echt fantastisch uit.' Ze duwde de deur verder open en stapte opzij om haar gast, met een grote koffer op wieltjes, binnen te laten. 'Sorry voor die hond, die is van mijn moeder. En Sam logeert bij Martin, maar alleen tot morgen… en de plannen voor de mahjong zijn helaas gewijzigd,' ratelde ze, zonder te weten over welk onderwerp ze het eerst moest beginnen. 'Er heeft zich een beetje een drama voorgedaan, maar kom binnen, kom binnen… Ik zal alles straks uitleggen. O Evie, het is echt gewéldig om jou weer te zien na al die tijd.'

'En jou ook. O, wat is dit allemaal énig,' riep Eve terwijl ze haar koffer onder aan de trap parkeerde en alle kamers in en uit liep, in een vertoon van enthousiasme dat een gevoel van afkeer moest maskeren bij het zien van de verschoten meubels en de zichtbaar gehavende roomkleurige muren. Het maakte dat ze Charlotte dolgraag haar zitkamer in Boston zou willen laten zien, met de losse, perzikkleurige kussens die pasten bij de banden aan haar gordijnen, en het lichte tapijt dat zo'n hoge pool had dat ze nog steeds, drie jaar na de aanschaf ervan, iedere bezoeker bij de deur verzocht de schoenen uit te trekken, een huisregel die vaak irritatie veroorzaakte, maar die uiteindelijk altijd het ijs brak, zelfs bij chagrijnig uitziende klanten, zoals die mopperige Mexicaan, die was gekomen om de afvoeren in te spuiten tegen kakkerlakken en die ten slotte voor een glas ijsthee was gebleven, waarbij hij twee rijen gouden tanden had laten zien, iedere keer dat hij lachte.

'Het is helemaal niet enig,' corrigeerde Charlotte haar opgewekt.

'Het is allemaal hard aan een opknapbeurt toe. Ik heb al een schilder ingehuurd, maar hij heeft nog een andere klus die uitloopt – het gebruikelijke verhaal. O, wat lief,' riep ze uit toen Eve een fles wijn uit haar schoudertas tevoorschijn toverde.

Toen haar gastvrouw op zoek ging naar een kurkentrekker, was Eve heimelijk blij dat die vreselijke mahjong niet doorging. En dat Sam er niet was, was ook een meevaller. Beleefd gebabbel met huisvrouwen, de liefhebbende peettante spelen, waren uitdagingen waarvan ze wist dat ze er heel goed in zou kunnen zijn, maar waren lang niet zo aantrekkelijk als eens lekker met elkaar kletsen. Ze had nog een fles in haar koffer, maar die zou ze voor later bewaren, wanneer ze echt goed op dreef waren en dat heerlijke stadium hadden bereikt waarin ze de glazen niet meer telden. En tegen die tijd, hoopte ze oprecht, had Charlotte misschien niet meer zo'n opgewonden, verschrikte manier van doen over zich en begon ze zich wat te ontspannen.

'Ik moet helaas echt even roken,' bekende ze toen Charlotte terugkwam met een kurkentrekker en twee glazen. 'Ik weet dat iedereen tegenwoordig wil stoppen, maar ik doe nu eenmaal nooit mee met de mode. Ik ga natuurlijk wel naar buiten,' voegde ze eraan toe, met een snelle blik op de avondlucht, waarvan door het raam van de zitkamer te zien was dat deze donker werd als paarse inkt. 'Ik neem aan dat jij al jaren zonder saffies bent?'

'Een tijdje, ja,' gaf Charlotte toe, en ze weerstond met moeite de verleiding iets te vertellen over de manier waarop ze bijna was gezwicht achter de kerk op Chalkdown Road. Ze vroeg zich opeens af wat Dominic van deze hele scène moest hebben gevonden en haar hart kromp ineen. Hoewel zij iets van een zekere verbondenheid had vermoed – een soort betekenisvolle band – had hij kennelijk helemaal niet zoiets gevoeld. Vriendelijkheid, beleefdheid, die hadden geleid tot een aanbod om te komen eten, dat was alles. En te midden van alle gezelligheid van de maaltijd was de broer opvallend koel gebleven, herinnerde ze zich nu, helemaal niet de hartelijke grappenmaker die haar vóór Pasen had verwelkomd toen ze Sam had afgezet.

'Eh... misschien is het inderdaad het beste als je naar buiten gaat,' zei ze voorzichtig, teruggekeerd naar het heden bij de aanblik van Eve die doodleuk in een stoel ging zitten en een sigaret opstak. Waar was de Eve die wél meedeed met de mode, vroeg ze zich af. De Eve die tegen háár verhalen over longkanker had gehouden, die liever in gemakkelijke kleren liep dan op hakken van twaalf centimeter en in truitjes die een maat te klein waren. En vooral de Eve die zou hebben aangeboden haar te helpen met de voorbereidingen voor het eten, in plaats van naast de keukendeur te gaan staan en de rook de tuin in proberen te blazen terwijl ze een uitvoerige rapportage gaf van de geneugten van het leven aan de oostkust.

'Ik wil me graag even gaan opfrissen,' zei ze, toen Charlotte de snelkookrijst afgoot. 'Ik vind de weg wel. Ben zó weer terug.' Er volgde het gebons van een koffer op de trap, en daarna werd alles heel stil. Na een paar minuten legde Charlotte deksels op de schalen met warm eten en liep de hal in. Toen ze over de trap omhoogkeek, kon ze zien dat de deur van de logeerkamer op een kier was blijven staan. Ze stond op het punt te roepen, toen Eves gesmoorde stem over de overloop klonk, met schaterend gelach ertussendoor. Charlotte trok zich glimlachend terug. Dat was leuk voor Eve. Zonder de troost van het moederschap was het nóg belangrijker dat ze iemand had. Zonder Sam, bijvoorbeeld... Charlotte keek weer omhoog toen de deur naar de logeerkamer openging en Eve op de overloop verscheen, met haar haar nog uitbundiger na een borstelbeurt en met lippen die verzacht werden door een verse laag roze.

'Hoi!' Eve haalde een arm achter haar rug vandaan en toonde nog een fles wijn. 'Shiraz – altijd goed na een merlot – vind je niet? Uit de Nieuwe Wereld, uiteraard. Ik ben dol op de Nieuwe Wereld. En kijk eens wat ik nog meer heb gevonden?' Ze zwaaide met haar andere hand. 'Over akelige aandenkens gesproken, Charlotte, lieverd... "Van iemand die het beste met je voorheeft." Wat is dát gestoord!'

Charlotte sloeg haar armen over elkaar en probeerde te blijven glimlachen terwijl ze moest vechten tegen een absurd gevoel van te zijn overvallen. Ze had natuurlijk wel verwacht dat ze het over haar scheiding zouden hebben – over Martin – maar niet zo vroeg, en niet op een manier die haar zich zo ongemakkelijk deed voelen... alsof ze was bestolen. 'Ik was vergeten dat het daar lag. Ik...'

'En wie had er dan wel het beste met je voor? Dat zou ik wel eens willen weten.'

'Ik ook. Ik bedoel, ik... ik ben er nooit achter gekomen.'

Eve liet zich met een theatrale kreet tegen de trapleuning vallen.

'Ik heb het bewaard omdat dat briefje er bij ons een punt achter heeft gezet,' zei Charlotte. 'Martin en ik, dat ding dat je daar in je handen hebt, heeft er definitief een punt achter gezet bij ons.'

Eve liep hoofdschuddend de trap af. 'Meen je dat nou? Dit hier?' Ze liet het briefje tussen twee vingers bungelen. 'Heb je hem hierom laten gaan? Heeft dit niet gemaakt dat je wilde véchten om hem te houden? Martin. Mártin! Heb je hem híérom laten gaan?'

Charlotte deed een stap achteruit. Het begon tot haar door te dringen dat haar gast meer dan een beetje dronken was. Gedurende het kettingroken bij de keukendeur had ze in haar eentje het grootste deel van de inhoud van de fles naar binnen gewerkt. 'Het eten is klaar.' Charlotte griste het briefje uit Eves vingers en propte het in haar handtas toen ze voorging naar de keuken. 'Het begint koud te worden.'

Eve klampte zich even aan de trapleuning vast omdat ze wankelde. Ze had de dingen wel zo op de spits willen drijven, maar niet echt zo snel. Nadat ze in een opwelling van iets als nostalgie, een behoefte haar Engelse wortels op te zoeken, had besloten weer contact op te nemen met Charlotte, had het bericht over de scheiding van Martin haar ideeën gescherpt tot aan het punt waar een ontmoeting van aangezicht tot aangezicht geboden had geleken. Maar de zaken bij Charlotte naar eigen inzicht aanpakken, zou veel moeilijker zijn. Het briefje, dat haar vanuit het boek in het nachtkastje was opgevallen, had nu al bijna alles uit de koers gebracht. Om nog maar te zwijgen van de wijn, die – als ze eerlijk was tegenover zichzelf – misschien iets te snel was gevolgd op de scheutjes whisky in haar thee en de wodka-tonic die Tim haar had ingeschonken bij zijn terugkeer van zijn werk voor hij haar rok omhoog had getrokken en haar in het rond had gedraaid om haar vervolgens tegen de muur van de hal te nemen, waarbij hij in zijn gretigheid allerlei foto's en snuisterijen omver had gemaakt.

In de keuken stond Charlotte scheppen rijst op borden te doen, en te zacht gehakt met slabonen. 'Ik wist niet hoeveel je wilde,' zei ze kortaf. 'Ik hoop dat het zo goed is.' Ze zette het dampende bord eten op een placemat, naast een vol glas water. 'Alsjeblieft, Eve...' Ze gebaarde naar het eten, naar het water. 'Ga zitten.'

'Ik pak eerst even de kurkentrekker, goed?' Eve tikte tegen de fles shiraz, zodat de ringen aan haar vingers tegen het glas rinkelden. Het glas water was als een bevel, en ze wenste tegenwoordig geen bevelen te krijgen, van wie dan ook. 'Ik denk dat ik hem in de kamer heb zien liggen.' Ze kon Charlottes ogen – nog steeds heel opmerkelijk na al die jaren, nog steeds van het soort waar mannen voor vielen – tussen haar schouderbladen voelen prikken toen ze de kamer uit liep. 'Wie A heeft gezegd...' mompelde ze, terwijl ze kalm probeerde te worden door aan Tim te denken (over geluk gesproken) toen ze de fles tussen haar knieën nam. De kurk bood even weerstand, maar schoot toen piepend los en met zoveel kracht dat er een boog rode druppels op het vloer-kleed spoot. De druppels wijn trokken in het gevlekte blauw en lieten een zichtbare lijn achter, als van een rij spijkerkoppen. Eve vroeg zich even af of ze op haar knieën zou zakken om ze met een tissue op te deppen. Ze had een gloeiende hekel aan rommel, vooral aan haar eigen rommel. Maar het was een lelijk, oud tapijt, vond ze, en ze stapte ach-teruit over de vlekken, waarbij ze haar schoenen met puntneuzen heel hoog en heel behoedzaam optilde, alsof de hindernis die ze voor haar terugtocht moest nemen veel belangrijker, veel gevaarlijker was dan een paar druppels wijn.

Sam had geen duidelijk plan. Het ene moment reed hij over het gladde, zwarte asfalt van het netwerk van wegen van de wijk het volgende moment hobbelde hij over het smerige, verzakte trottoir dat langs de hoofdweg liep, waarbij hij goed uitkeek voor oude dametjes, zoals zijn vader voor de grap had bevolen. Er bleken inderdaad enkele oude vrouwtjes te zijn, van wie één met een stok, één in een scootmobiel en één rare strompelende, die zijwaarts liep en een paar lange haren aan haar kin had hangen en die hem een doodsschrik bezorgde door te vra-gen of hij haar wilde helpen om over te steken. Het was niet zo ge-makkelijk, met de fiets en dat ouwe mens dat zijn arm fijnkneep toen hij op de voetgangersknop drukte. Maar zodra hij haar had overgezet en haar zijwaarts het plein voor een flatgebouw op zag gaan, voelde Sam zich heel goed, alsof zijn kleine avontuur gerechtvaardigd was geweest.

Hij draaide zich om naar het stoplicht, maar de weg stond weer helemaal vol auto's, bumper aan bumper, sissend en ronkend als een kudde wilde beesten. Dus liep Sam nog een eindje verder, met zijn fiets aan de hand, op zoek naar een winkel waar hij iets kon kopen voor de munt van vijftig penny die hij in zijn broekzak voelde dansen. Langs de hoofdweg waren geen winkels, maar toen hij een bord van Walls' ijs in een zijstraat zag, wipte hij snel weer op het zadel en reed erheen. Vervuld van hoop kwam hij bij het bord aan, maar kwam toen tot de ontdekking dat het een achtergebleven attribuut voor een leegstaande garage was. Op het plein ervoor waren twee jongens, een blanke en een zwarte, die een paar jaar ouder leken dan hij, bezig met skate-boarden, waarbij ze om beurten sprongen probeerden te maken op een van de verhogingen waarop eens de pompen hadden gestaan. Ze droegen trainingsbroeken en hemden die de spieren in hun armen lieten zien. Hun wielen ratelden over het beschadigde beton.

'Hé zeg, we hebben publiek, man,' schreeuwde de langste na een tijd-je. Hij knikte in Sams richting. 'Zullen we hem daarvoor laten betalen?'

Sam keek de andere kant uit maar verroerde zich niet. Hij kon snel zijn op zijn fiets, heel snel. Hij voelde zich kwaad, machtig. Hij had een moeder die met de vaders van vriendjes naar bed ging, en een vader die baby's maakte bij een vrouw die er sexy genoeg uitzag om model te kunnen zijn. Deze twee waren misschien ouder, langer, maar ze kon-den hem niks maken. En het gaf ook een cool gevoel op zo'n vreemde plek te staan met de avondzon warm in zijn nek, één voet op de rand van het trottoir, klaar om weg te gaan wanneer hij dat zelf wilde. Allebei de skateboarders waren goed, maar de kleinste, donkere, was beslist de beste, zoals hij diep hurkte wanneer hij wegschoot, en zijn armen als een balletdanser uitstrekte als hij landde.

'Sta je hier te kijken, of wat?'

Sam haalde zijn schouders op.

'Hé, brother, hij denkt dat hij gewoon kan staan kíjken, man.'

Sam begon nu te aarzelen, niet omdat de woorden dreigend klonken, maar omdat ze over zijn rechterschouder waren gericht, waar hij niets bijzonders had waargenomen, buiten een paar overvolle afvalcontai-ners. Toen hij zich langzaam omdraaide, als een dier dat het gevaar in ogenschouw wil nemen, zag hij nu dat er nog drie andere jongens waren die tussen de twee vuilnisbakken vandaan kwamen, zorgeloos schoppend door de lege flessen en oude kranten, alsof deze rommel van even weinig belang was als het water dat rond hun enkels klotste. Hun armen hingen een beetje opzij, alsof ze zichzelf als cowboys zagen, klaar om razendsnel hun revolver te trekken. Alleen hadden ze natuurlijk geen holsters en ook geen revolvers. En dit was niet het Wilde Westen, maar Rotherhithe op een zonnige avond in mei, met mensen die van hun werk naar huis gingen op slechts enkele meters afstand, en zijn vader en Cindy waren niet veel verder weg, natuurlijk samen knus op de bank, om hun kans te grijpen nu hij er even niet was.

Sam besloot ervandoor te gaan. Hij zag zijn vluchtroute in gedachten al voor zich, net zo duidelijk alsof hij een nieuwe kaart had: een u-bocht maken, een sprintje trekken, en dan was hij weer terug op de drukke weg – die nu als een streep van het beloofde land zichtbaar was aan het eind van de straat – voordat een van die vijf zelfs maar met zijn ogen had kunnen knipperen. Maar toen hij begon te keren versnelden de drie jongens hun pas en stapten in de opening waar hij doorheen moest. De andere twee hadden inmiddels hun skateboard weggelegd en liepen nu snel, soepel op de bal van hun voeten, naar het trottoir. In de hand van de langste zag Sam iets schitteren toen de zon erop viel. Toen de jongen hem zag kijken, grijnsde hij breed en toonde een rij kapotte tanden.

Sam gaf de u-bocht op en begon in plaats daarvan langs de garage te fietsen. Vanuit zijn ooghoek zag hij dat de eerste twee, die nu holden om hem te bereiken, met hun handen door de lucht maaiden om meer snelheid te krijgen. De langste was sneller, met het mes dat als een extra vinger uit zijn palm omhoogstak. Sam ging op zijn pedalen staan en hield zijn blik gericht op de weg die smaller werd. Niet veel verderop hield de straat op bij een lang, laag flatgebouw. Maar daarvoor was er een bocht naar rechts, een bocht die hij misschien kon halen, als de snelste nou maar een keer struikelde of langzamer ging lopen, of als de spieren in zijn eigen benen nou maar lang genoeg ophielden met bibberen om genoeg kracht te kunnen zetten voor een echte sprint – zoals die sprint die hij die middag had gemaakt toen hij tegen de secondewijzer van zijn horloge had geracet toen hij het laatste stuk naar huis fietste en hij zijn persoonlijke record met bijna twee volle minuten had verbeterd.

Dominic lag op zijn rug met zijn handen onder zijn hoofd, zodat de punten van zijn ellebogen precies de randen van het kussen raakten. Het bed was een klein tweepersoonsbed dat in een hoek van de kamer stond gepropt om ruimte te maken voor een ladekast, een kleerkast en een hoog rek vol schoenen. Toch konden de deuren van de kleerkast niet volledig open zonder de zijkant van het bed te raken; de pogingen om deze beperking te negeren hadden twee symmetrische groeven in het ledikant gebeiteld. Dominic had die gezien toen hij met zijn hoofd tussen Petra's lange benen was geknield, waarbij hij probeerde te denken aan de taak waar hij mee bezig was, in plaats van aan het ongemak van de harde vloer aan zijn knieschijven.

Maar het was toch beter geworden, veel beter. Petra had in elk geval tevreden geleken en had na afloop zijn gezicht met kussen overdekt. 'Heerlijk,' had ze gezegd voor ze uit bed was gesprongen om te douchen. Toen Dominic daar in zijn eentje lag, had hij de schoenen geteld en daarna aan Rose gedacht, die een slaapfeestje had bij een leuk Nigeriaans meisje dat Gabby heette, kennelijk een nieuw vriendinnetje – maar niet om Sam te vervangen, had zijn dochter uitgelegd, met haar aandoenlijk ernstige manier van doen, maar náást hem. Deze tweede afspraak was op aandringen van Petra geweest, net als de beslissing om direct uit de kleren te gaan.

Dominic sloeg zijn benen over elkaar en keek naar zijn voeten, waarvan Maggie hem vaak had verteld dat ze ongewoon elegant waren voor een man, elegant en láng, had ze vaak geplaagd, en dan had ze aan zijn tenen getrokken. Het was heel prettig geweest om iemand te hebben die zijn lichaam zo goed kende, bedacht hij nu, om het beschouwd te laten worden als een terrein dat geen geheimen bevatte, dat een gezamenlijk bezit vormde om te gebruiken en commentaar op te leveren en om van te genieten.

'Dominic, je bent knap,' merkte Petra op, die misschien de dromerige blik in zijn ogen zag toen ze tevoorschijn kwam, gehuld in twee handdoeken, de ene als tulband om haar hoofd, de andere als minijurk. 'Ik vind je heel aardig.' Ze hief haar vinger naar hem terwijl ze in een lade vol ondergoed rommelde. 'Maar nu moet ik weg. Naar een party. Maar alleen cocktails. Ik kom weer terug zodat we kunnen eten en weer seks kunnen hebben. Over twee uur. Wil je dat?' Ze liep naar het bed en kuste hem, deze keer heel sensueel, zoals ze haar lippen met haar tong bevochtigde voor ze haar mond hard tegen de zijne duwde.

'Ik denk eerlijk gezegd dat ik naar huis ga,' mompelde Dominic. 'Voor Rose,' voegde hij eraan toe, zichzelf verbazend met die leugen.

'Dat is heel jammer. Nu ben ik verdrietig.' Ze pruilde toen ze zich omdraaide, om vervolgens haar beha vast te maken waarbij ze helemaal niet verdrietig keek.

Buiten was de zon een bloedrode veeg oranje, als van een uitdovende asrest in een donkere haard.

'Het zal weer regenen,' kondigde Petra aan toen ze buiten op het trottoir stonden. Ze trok de kraag op van haar zwarte denim jasje dat ze over een glinsterend zilverkleurig T-shirt en een helderwitte spijkerbroek had aangetrokken, en ze stopte haar lange haar erin.

'Ik heb een plu – een paraplu – in de auto liggen, als je die wilt hebben.'

'Nee, het is al laat. Ik moet nu gaan.' Ze draaide zich snel om en meteen weer terug. 'Misschien kan ik na mijn party naar jouw huis komen? Maar nee,' ging ze verder. Ze had zich bedacht in de fractie van een seconde die Dominic nodig had om te aarzelen. 'Jouw Rose, zij zou dat niet goedvinden. Meisjes die van hun pappies houden – dat begrijp ik.' Ze schudde geamuseerd haar hoofd toen ze wegliep.

Dominic reed langzaam naar huis, peinzend over deze opmerking bij het afscheid en over het nodeloos aanvoeren van zijn dochter als alibi. Het hield hem ook bezig dat gedurende hun twee recente, zeer intieme ontmoetingen, Petra hem nog steeds bijna niets over zichzelf had verteld, maar hem in plaats daarvan had bestookt met vragen over de stad en over Benedict en over films, een onderwerp waarover ze zowel goed geïnformeerd als enthousiast was. Iedere keer dat hij, bijna uit een soort plichtsgevoel, het gesprek op Maggie had gebracht, had zij het behendig weer op iets anders weten te brengen, waarbij ze had aangedrongen om meer te horen over zijn plannen voor de boekwinkel en om hem te waarschuwen, in haar ietwat monotone Engels uit een boekje, dat hij waarschijnlijk de adrenaline van onmogelijke deadlines en verlokkelijke bonussen zou missen.

Misschien had Benedict haar grondig ingelicht op het punt van Maggie, peinsde Dominic, en hij had moeite om een gevoel van verslagenheid te bedwingen toen hij zijn lege huis binnenging en controleerde of er nog berichten voor hem waren. Sinds hun enigszins scherpe woordenwisseling buiten het café had zijn broer nadrukkelijk geen contact gemaakt en was Dominic de stilte gaan voelen. 'Oké, oké, het spíjt me,' blafte hij in de telefoon nadat hij de bekende opname van Benedicts stem had gehoord die op een irritante en aanstellerige manier werd gebracht met op de achtergrond de klanken van een fuga van Bach. 'Je had gelijk. Charlotte Turner hééft wel iets... maar ja, een vrouw als zij zou me bij het ontbijt verslinden en me uitspugen bij de lunch, en toevallig weet ik dat ze zo het een en ander aanrommelt, dus zal ik met een boog om haar heen lopen. En,' ging hij sluw verder, wetend dat het juiste aas een reactie teweeg zou brengen, 'ik heb zojuist een tweede heerlijke middag doorgebracht met de verrukkelijke Petra... en, eens even kijken, wat nog meer? Ach ja, volgende week is de sportdag van Rose – woensdagmiddag na schooltijd – en ze zou het leuk vinden als jij erbij kon zijn. Jouw prestaties bij de driebeenswedloop van vorig jaar staan haar nog levendig voor de geest. Dus hoor eens, bel me gewoon maar, klootzak die je bent.'

Dominic stopte de huistelefoon en zijn mobieltje in zijn broekzakken en maakte voor zichzelf een dienblad klaar met koud vlees, kaas, olijven en brood en nestelde zich op de bank in de zitkamer om wat papierwerk door te nemen. Er viel nog steeds veel te regelen – een lange lijst met vrienden en instellingen die nog een adreswijziging moesten krijgen, formulieren van nutsbedrijven en een brief van de advocaat die zijn ontslagprocedure behartigde, en die optimistisch was over de mogelijkheid er een betere regeling uit te slepen – zes maanden salaris doorbetaald in plaats van drie – mits hij de volgende informatie kon verschaffen...

Dominic hield er al snel mee op ten gunste van de verkoopcijfers van Ravens Books. Het bord Te Koop had ook een aantal andere belangstellenden gelokt, maar die morgen aan de telefoon had Jason hem op gespannen en vermoeide toon zo goed als verzekerd dat hij de winkel kon overnemen mits hij hun vraagprijs van zestigduizend pond kon opbrengen. Dat was voor het 'goodwill'-element van de klandizie die ze doorgaven. Daarbovenop zou er een jaarlijkse huur van vijfentwintigduizend pond zijn, plus de onroerendgoedbelasting, die in totaal vijfduizend pond was... Dominic stopte even, sabbelde op zijn potlood en dacht na over de suggesties van Charlotte inzake het anders inrichten van de winkel, het verbeteren van de voorraden en het verstevigen van de contacten met scholen uit de buurt. Geen punt. Hij tikte met zijn potlood tegen het notitieblok. Hij zou Charlotte de laan uit sturen, samen met de onhandige Shona. Hij zou verklaren dat hij één ervaren fulltime medewerkster nodig had. Omdat ze ook voor Sam moest zorgen, zou ze die baan niet ambiëren. Dominic haalde een tweede biertje om dit besluit te vieren, en nestelde zich weer op de bank, waar hij zijn papieren aan de kant legde en vergeefs ging zappen, op zoek naar een tv-programma dat bij zijn stemming paste.

Rond halfnegen had Eve aan twee gangen zitten knabbelen en had zich met zo'n snelheid en vastberadenheid op de tweede fles wijn gestort dat Charlotte er bijna bewondering voor kreeg. Ze kon echter minder gemakkelijk commentaar geven op de aanblik van haar gast die onderuit op de rechte keukenstoel hing, waarbij ze de as van haar eindeloze reeks sigaretten in de overblijfselen van haar onaangeroerde eten tikte en haar voeten op de afvalbak naast Jaspers mand had gelegd. De teckel had zich, na aan Eves lege suède schoenen te hebben gesnuffeld, teruggetrokken op zijn derde geliefde slaapplaats, tussen de kapstok en de deurmat in de hal.

Een beetje gespannen, door Eves uitbarsting op de trap, had Charlotte gemerkt dat zij ook weinig trek had, zowel in haar chili con carne als in de tweede fles wijn. Iedere keer belangstelling moeten opbrengen voor de anekdotes (waarvan ze er een aantal inmiddels al twee keer had gehoord) over het glorieuze leven van een selfmade postordergoeroe, maakte dat de avond — om nog maar te zwijgen van de komende dagen — er uiterst onaantrekkelijk uit begon te zien. Maar het was ook wel grappig, moest Charlotte inwendig toegeven, om geconfronteerd te worden met deze nieuwe, extroverte versie van haar ooit zo bezadigde vriendin. Ze had geen idee wat Sam van haar zou vinden. En het zou heel gezellig zijn om Theresa over haar te vertellen. Ze smoorde een geeuw toen ze — naar ze hoopte tactvol onopvallend — hun vuile borden begon op te stapelen.

Op hetzelfde moment kwam Eve tot leven, ze schoof haar voeten van de bak en klampte zich aan de rand van de tafel vast. Charlotte, die dacht dat haar hulp zou worden aangeboden, en die zich toch een beetje zorgen maakte over de veiligheid van haar servies, gebaarde naar haar dat ze rustig moest blijven zitten.

'Sam fucking Mendes.'

'Wat?' Charlotte bleef met de borden in haar hand staan.

'Martin... met al dat regisseren op de universiteit. Hij had net zo goed kunnen zijn als Sam Mendes.'

Charlotte lachte terwijl ze verderging met afruimen. 'Ik weet niet zeker of je daarin gelijk hebt, Eve, maar Martin zou beslist heel gevleid zijn dat te horen. Dat ding in het nachtkastje, trouwens,' ging ze verder, niet in staat de neiging te weerstaan om de zaken duidelijk te stellen, zelfs bij iemand van wie ze wist dat ze nooit meer een echte vriendin zou zijn, iemand die duidelijk op het punt stond de kluts kwijt te raken, 'dat was uiteraard het eind van een lange weg. Martin had het met andere vrouwen gehouden – ik had het al jaren vermoed – maar dat was het eerste harde bewijs. Het betekende eerlijk gezegd een opluchting. De vrouw op wie het slaat is degene met wie hij nu samenwoont. Ze verwachten hun eerste kind. Het heeft een tijdje geduurd maar ik ben er nu overheen – ik ben er echt overheen.' Ze richtte zich op van het inruimen van de vaatwasser en trok een scheef gezicht. 'Een huwelijk, kinderen – je krijgt er alleen maar narigheid van. Heel verstandig van jou om die dingen te mijden.'

Eve fronste, probeerde Charlotte iets scherper in beeld te krijgen. Voor haar had de avond nu het laatste, altijd weer spannende stadium bereikt waarin haar geest voldoende los was geraakt van haar lichaam en de saaie beperkingen van geweten en maatschappelijk fatsoen om geheel de vrije loop te nemen. Ze moest de rand van de tafel beetpakken omdat deze, net als de andere meubelstukken in de keuken, op en neer begon te deinen op een onzichtbare zee en ze vreesde dat ze zonder tastbaar houvast misschien de kamer uit zou zweven. 'Verstandig?' Het woord beviel haar wel, evenals het effect ervan op Charlotte, die haar bundeltje bestek weglegde en eindelijk luisterde. Eve herhaalde het woord nog eens, nu met meer kracht, waarbij ze haar lippen spande alsof ze een operazangeres was. 'Er is altijd maar één man voor me geweest.'

Charlotte pakte haar vorken en messen weer op, leek onzeker. 'En wie was dat?'

'Wie dacht je?' snauwde ze. 'Martin, natuurlijk. Maar dat wist je toch zeker! Dat wíst je.'

Charlottes mond ging open en toen weer dicht. 'Nee, ik... Tenminste...'

'We waren met elkaar naar bed geweest, wist je dat? Nog voor die stomme audities. Eén keer maar, en het had het begin van iets kunnen zijn – maar toen kwam jij en zette hij er een punt achter. Hij was altijd een man voor één vrouw, Martin... Het meisje vóór me – hij heeft haar meedogenloos de bons gegeven op dezelfde dag dat hij mij ontmoette. Liefde, trouw, tot-de-dood-ons-scheidt... hij geloofde in dat soort dingen.'

'Net als ik,' fluisterde Charlotte, ontzet maar gefascineerd, toen het verleden dat zij steeds maar probeerde te begrijpen, wankelde en zich opnieuw vormde. 'Ik wist dat jij... Ik bedoel, ik dacht dat het een bevlieging was. Ik had geen idee. Het spijt me geweldig.'

'En hij hád van mij kunnen houden.' Eve sloeg met haar vuist op de tafel nu ze opnieuw het onderspit moest delven in de strijd tegen de totale bedwelming. 'Ik weet het zeker, want na de geboorte van Sam, toen jij in hemelse sferen verkeerde – nooit aanwezig was, altijd boven of weg of moest slapen of voeden of dat verrekte kind van je koest moest zien te krijgen, toen je hém altijd maar negeerde – toen zijn we weer heel hecht geworden, wij tweeën. Maar hij wilde niet... hij wilde er niet aan toegeven of er iets aan doen of ook maar één woord in jouw nadeel zeggen.' Ze sloeg weer op de tafel, zo hard dat Charlotte ervan schrok.

'Hoor eens, Eve, ik had echt geen idee, ik...' stamelde Charlotte. Het besef begon te dagen dat het deze verbittering was geweest die Eve ertoe had gebracht terug te komen, dat dit uiteindelijk de reden was waarom ze contact had opgenomen. Geen wonder dat het vernieuwen van die vriendschap zo vreemd had gevoeld, zo tot mislukken gedoemd.

Eve had haar hoofd in haar handen laten vallen en zat aan haar haar te plukken. 'Dat ik naar de States ben gegaan was voor een deel om hier weg te zijn – weg van jou.' Ze stak een hand op en wees met een vinger naar Charlotte. 'Van jou, verdomme.'

'Ik denk,' zei Charlotte zacht, 'dat het wellicht tijd is om dit alles achter ons te laten en om er misschien een punt achter te zetten en naar bed te gaan.'

'En ik denk dat jij misschien je stomme kop moet houden.'

Charlotte bleef heel stil staan, terwijl ze probeerde te midden van alle verontwaardiging nog iets van medelijden te vinden, probeerde er nog iets van te begrijpen. Dat Eve en Martin kortstondig een hechte band hadden gehad, verbaasde haar niet zo. Evenmin als de meelijwekkende onthulling dat Eve nog jarenlang verliefd op hem was gebleven. Nee, wat werkelijk schokkend was, was dit nieuwe bewijs van Martins verzet, van zijn tróúw. Een man voor één vrouw, zonder één verkeerd woord over haar te zeggen, vechtend voor hun huwelijk, terwijl zij... Wat had zij gedaan? Ze had van Sam gehouden, ze had zich in echtelijk zelfmedelijden gewenteld, overtuigd van overspel nog voordat dit had plaatsgevonden... misschien er zelfs wel voor had gezorgd dat het gebeurde. Charlotte hield haar adem in toen ze weer moest denken aan de beweringen van Cindy, over hoe Martin het had volgehouden. 'Het spijt me dat je zo ongelukkig bent, Eve,' zei ze zacht. 'Ik heb heel veel fouten gemaakt – ik begin net pas te beseffen hoeveel – maar jouw gevoelens... die vallen daar niet onder. Die zijn tenminste niet mijn schuld.'

Eve hief haar hoofd met een ruk op, met ogen die opnieuw fel waren. 'Wie heeft er iets over ongelukkig zijn gezegd? Ik voel me gewéldig, dank je zeer. Ik heb iemand ontmoet, weet je, een heel bijzonder iemand. Hij was degene met wie ik eerder aan de telefoon was. Hij sméékte me letterlijk om langs te komen. Dus als je zo goed zou willen zijn om een taxi te bellen...' Ze probeerde overeind te komen maar viel weer terug in haar stoel.

'Hoor eens, Eve,' smeekte Charlotte, die nog niet de mogelijkheid wilde opgeven dat er misschien nog iets uit deze rampzalige reünie kon worden gered, 'het is geweldig dat je iemand hebt ontmoet, maar misschien is het beter als je vannacht hier blijft. Als je daarna besluit je bezoek in te korten...'

'Maar ik ben dáár meer welkom,' mompelde Eve. Ze bekeek haar sigarettenpakje en keek enigszins verbaasd toen even schudden niet meer dan een paar sliertjes tabak opleverde.

'Maar je bent hier meer dan welkom,' verklaarde Charlotte zwakjes, schuldbewust omdat ze het niet echt kon menen.

Eve bekeek het pakje nog eens en kneep het toen plat in haar hand.

'Die iemand heet trouwens Tim, Tim Croft. We hebben elkaar bij jou op de stoep ontmoet toen ik op goed geluk langskwam, en dat is heel passend, als je er goed bij stilstaat.'

'Tim Croft?'

'Geloof me, Charlotte,' zei ze sussend, op quasi-medelijdende toon, 'ik wéét hoe jij je moet voelen. Maar het was meteen raak – zoiets als liefde op het eerste gezicht...' Eve zweeg. Haar lippen begonnen stroef te worden, alsof ze achter de woorden aan liepen. En de muren van de keuken helden naar haar over en er was geen sprake van de triomf die ze zich had voorgesteld te zullen voelen, niet over Tim of over Martin, het gesprek waar ze zo naar uit had gekeken. Er was alleen maar het gelach van Charlotte, die in haar handen klapte en zei dat liefde geen regels kende en dat ze met alle genoegen een taxi wilde bestellen en waarom ze dat niet eerder had gezegd, maar alleen als ze absoluut zeker was dat ze het bezoek niet tot de volgende dag wilde rekken.

De wereld werd pas weer een beetje helder tegen de tijd dat Eve op de achterbank zat van een auto die over verkeersdrempels hobbelde en die sterk – misselijkmakend – naar vanille luchtverfrisser stonk. De herinneringen aan die avond bestonden nu al uit losse flarden, die moeilijk in de juiste volgorde te plaatsen waren. Het was fout gelopen, dat wist ze. Daarna was er koffie geweest en Charlotte die haar omhelsde en Tim belde, en de taxi...

Eve boog zich moeizaam naar voren en tikte de chauffeur op de schouder. 'De plannen zijn veranderd – ik wil naar het Heathrow Hilton, en ik wil graag een sigaret als je die voor me hebt.'

'Allemachies, dat gaat je een fortuin kosten, wijffie,' gromde de taxichauffeur, 'én er hangt een verboden-te-roken-bordje, voor het geval je dat nog niet had gezien.'

Maar Eve had haar hoofd al achterover laten vallen en gaf toe aan het heerlijke gevoel van haar ogen dicht te kunnen doen. Ze was te lang uit Engeland weggeweest. Het beetje dat er was geweest om naar terug te keren was allang verdwenen. En het verleden kon toch nooit worden veranderd, je kon het alleen maar achter je laten.

Het was halftien toen Henry thuis op de stoep stond. Er brandden geen lichten in het huis en de gloeilamp in de portiek was verdwenen. Toen

hij stond te zoeken naar zijn sleutels moest hij onwillekeurig terug-
denken aan de avond dat hij Charlotte een lift naar huis had gegeven,
die avond dat alles was begonnen. Haar huis was toen heel donker geweest, heel leeg, heel stil, afgezien van het gepiep van het kapotte hek.
Hij was verstikt geweest van medelijden, hij was helemaal van de kaart
geweest. Theresa wist van zijn gevoelens – daar was Henry nu van
overtuigd. Het was de bestudeerde vrolijkheid in haar stem, het mini-
male verslag over de gevreesde lunch, de boosaardige manier waarop
ze de verdrietige reden had toegelicht, over het op de valreep afzeggen
van haar geliefde mahjong, die avond. Een kleine overtreding, misschien in het algehele schema van menselijk falen, om een beste vriendin het hof te maken, maar niet voor hen: voor hen bleek het enorm,
onherstelbaar, verwoestend te zijn.

Eindelijk had hij de juiste sleutel te pakken en stak die in het slot,
terwijl hij ongelukkig in zichzelf liep te mompelen... Een pikdonker
huis, de opzettelijke terechtwijzing van vroeg naar bed (halftien!) – ze
waren in hun hele huwelijk nog nooit zo vroeg naar bed gegaan. Aldus
piekerend zag hij bijna het kleine briefje van gelinieerd papier dat met
plakband aan de deurklopper was vastgemaakt, over het hoofd. Henry
deinsde achteruit, met de sleutels nog in het slot bungelend. Niet
alleen maar een donker huis, maar ook een léég huis, dus... Ze was
weg. O god, ze was weg. Henry rukte het briefje weg en strompelde de
portiek uit, om in het gele licht van de maan datgene te kunnen lezen
wat nu al als een doodvonnis voelde. Zijn armen waren als van lood
toen hij het papier voor zich uit stak – zo ver mogelijk, omdat hij de
verkeerde bril op had.

Als je mij hebt opgegeven, kom dan alsjeblieft niet binnen.

Henry draaide zich om en holde zo snel terug dat hij over de stoep
van de portiek struikelde. Daarna kon hij de sleutels niet omdraaien of
de handgreep van zijn aktentas vinden. Binnen zat, ook met plakband
vastgeplakt naast de alarminstallatie, nog een briefje.

Ik zal jou nooit opgeven.

En boven aan de trap: *Ik wacht op je. Ik hoor je voetstappen. Ik hou mijn adem
in.* (NB *Maak de kinderen níét wakker!*)

En op de handgreep van de slaapkamerdeur zat deze keer een dicht-
geplakt briefje, vermoedelijk in verband met de mogelijkheid van

nieuwsgierige minderjarigen op weg naar de wc: *Ik hou van je, voor altijd. Seks = glazuur op de taart. Heb ik al gezegd dat ik van je hou?*

Cindy kon gewoon niet geloven dat ze ruzie hadden. Sam was niet teruggekomen van het fietsen en in plaats van één lijn te trekken, maakten ze ruzie. Martin was hem gaan zoeken, eerst te voet en toen met de auto. Het was slechts op haar aandringen dat hij de politie had gebeld, en nu liep hij door de zitkamer te ijsberen en sprak met stemverheffing alles tegen wat zij te berde bracht, alsof het háár schuld was dat zijn humeurige zoon ertussenuit was geknepen of was overreden en niet het fatsoen of het gezonde verstand had om zijn mobieltje mee te nemen. Maar erger – veel erger – dan dit alles was naar haar mening dat Martin weigerde Charlotte te bellen.

'Het is bijna tien uur. Je móét het haar vertellen. Dat is niet meer dan redelijk.' Cindy drukte beide armen beschermend rond de welving van haar buik. 'Als het ons…' Cindy maakte de zin niet af, hopend dat ze genoeg had gezegd om een eind te maken aan de strijd, om Martin op te laten houden en zijn toon te verzachten.

Maar de uitdrukking op Martins gezicht was harder geworden. 'Ik heb je verteld wat de politie heeft gezegd. Er worden iedere dag honderden tieners vermist, en negenennegentig procent daarvan komt binnen vierentwintig uur weer opdagen. Sam is precies op die leeftijd – om grenzen te willen verleggen, het gezag uit te dagen. Hij is het hele jaar al lastig geweest. Ik was net zo – ik heb mijn ouders tot wanhoop gedreven.'

'Je moet het haar vertellen,' herhaalde Cindy hardnekkig. 'Dat is alleen maar redelijk.'

'Wat? Is het redelijk dat ik Charlotte net zo ongerust laat worden als ik? Redelijk dat ik haar laat líjden terwijl dat rotjoch elk moment de oprit weer op kan komen rijden?'

Cindy kromp ineen maar zei kalm: 'Martin, het is bijna tien uur. Sam is nu al drie uur weg! Charlotte heeft het recht om…' Ze zweeg verbijsterd toen Martin opeens naar haar toe rende, zich voor de sofa op zijn knieën liet vallen, zijn handen voor zijn gezicht sloeg en zijn hoofd schudde.

'Dat kan ik niet,' kermde hij tussen zijn vingers door. 'Ze heeft altijd gevonden dat ik niet genoeg van hem hield. Nooit. Vanaf het eerste begin ben ik altijd tekortgeschoten. En nu, met dit, zal ze...'

'Natuurlijk hou je wel van hem,' fluisterde Cindy, geschokt over deze nieuwe kwetsbaarheid bij een man van wie ze had gedacht dat ze hem beter kende dan wie ook, en bij dit nieuwe facet van het mislukken van zijn huwelijk. Dat hij Charlotte aan Sam had verloren was een opmerking die Martin vaak had gemaakt gedurende hun eerste ontboezemingen, en zij had daar gretig begrip voor getoond – een overbezorgde moeder die zich op een enig kind fixeerde moest voldoende zijn om iedere man op de vlucht te laten slaan. Maar dit was de eerste keer dat Cindy een vermoeden van duisterder reacties zag. 'Hé, lieverd.' Ze schoof naar de rand van de sofa, legde zijn hoofd in haar schoot, en draaide dit zo dat zijn wang tegen de welving van hun ongeboren kind lag. 'Lieverd, natuurlijk hou je van hem. Dat weet Charlotte ook wel. Maar je moet haar vertellen dat hij vermist wordt, gewoon voor het geval dat...' Cindy beet tot bloedens toe op haar lip, in haar poging de moed te vinden om verder te gaan. 'Voor het geval dat mocht blijken dat Sam iets is overkomen. Ik wil het ook wel voor je doen.' Ze likte langs haar lippen en probeerde zakelijk te klinken in plaats van dapper.

'Nee.' Martin kwam moeizaam overeind en balde zijn vuisten. Hij keek nu niet kwaad maar eerder alsof hij een fysieke kwelling moest verdringen. 'Ik weet dat je het goed bedoelt, liefje, maar... nee. Ik ga nog een laatste keer naar buiten om te zoeken, oké? Ik ga op de fiets... dat lijkt me het beste... dat had ik eerder moeten doen. Als ik hem niet vind, of als hij intussen niet is komen opdagen, zal ik Charlotte bellen, dat beloof ik. Oké?'

Cindy knikte, zoog op het sneetje in haar lip en probeerde de brok in haar keel weg te slikken. Met tranen zou ze niets bereiken. Martin had het er heel moeilijk mee, dus was het aan haar om sterk te zijn. Dat was tenslotte hoe goede stellen functioneerden, met elkaar te steunen en elkaars tekortkomingen aan te vullen. Met de kanker was haar moeder opgewekt en positief gebleven tot het einde, waarbij ze zelfs haar vader op de been had gehouden, ook al was zij degene die dood zou gaan.

Cindy draaide zich moeizaam om en drukte haar gezicht tegen het raam achter de sofa, zodat het door haar adem besloeg, terwijl ze het zilveren frame van Sams fiets in het donker probeerde te ontwaren.

Tim wachtte een halfuur, toen een uur, toen nog eens twintig minuten, en liep daarna de straat in om te kijken of de taxichauffeur soms bij het verkeerde huis stond te wachten. Eve had over de telefoon geklonken alsof ze een beetje te ver heen was, dus was het heel goed mogelijk dat ze het verkeerde nummer had gegeven. Hij tuurde door de met lantaarns verlichte duisternis, met zijn mobieltje in de hand, maar hij bedwong de aanvechting om dit te gebruiken. Ze was niet van het soort dat het op prijs zou stellen als een man te gretig, te verlangend deed.

Uit de tuin aan de overkant schoot een magere vos tevoorschijn. Hij stak de straat over en verdween tussen de vuilnisbakken van de buren. Ergens miauwde een kat. De maan was bijna vol en heel geel. Een zomermaan, dacht Tim terloops. Hij genoot van de koele nachtlucht tegen zijn blote huid en het vooruitzicht van Eves zachte lichaam weer in zijn armen te voelen. Hij keek nog eens op zijn horloge en liep toen weer terug naar het huis. Op de stoep bleef hij staan, blij grijnzend toen er eindelijk een auto aan het eind van de straat verscheen. De auto reed ook langzaam, alsof de inzittenden op zoek waren naar het juiste adres. Maar toen meerderde hij, met loeiende motor, opeens vaart en schoot voorbij, met een voorwiel rakelings langs de vos toen deze weer naar de stoeprand draafde.

De telefoon was een bel in een andere wereld. Charlotte, die volledig ondergedompeld was in het pas onlangs ontdekte genot van een diepe slaap, kwam langzaam weer tot bewustzijn. Eve was niet gebleven, herinnerde ze zich blij. Ze was dronken geweest en ze had van alles gezegd en ze was in plaats daarvan naar Tim Croft gegaan. Tim en Eve – hoera! Wat een verrassing! Wat een perfect bewijs dat het leven vol verrassingen was en op een heel onwaarschijnlijke manier voor oplossingen kon zorgen.

Toen het gerinkel voortduurde, werd ze ten slotte echt wakker; ze ontdekte met slaperige verbazing dat het ver na middernacht was. Bij het horen van Martins stem was het het gesprek met Eve dat haar het eerst in gedachten kwam, met het nederig stemmende besef dat ze het bij het verkeerde eind had gehad. Het duurde een paar seconden voor het tot haar doordrong wat Martin haar vertelde, voor ze besefte dat ze bang moest worden.

'Zijn fiets? Hoe lang? De politie?' Charlotte liet hem alles herhalen, en ze blafte vragen terwijl de verdoving door haar ledematen kroop en ze opeens de meest uiteenlopende beelden van Sam voor zich zag – zoals hij die morgen naar school was gefietst, zonder om te kijken, ook al wist hij dat ze daarop hoopte; wiebelend toen hij de hoek om ging en zijn rugzak rechttrok; liggend op een weg naast het verwrongen metaal van zijn fiets... Maar nee, dat kon ze zich niet voorstellen. In plaats daarvan dacht ze terug aan het ongelofelijke verhaal dat laatst in het nieuws was, over een peuter op de rand van een klif. Hoeveel dagen was dat geweest? Hij was veilig en wel op een richel gevonden. 'Ik kom helpen zoeken.'

'Ik geloof niet dat dat...'

'Ik moet hem gaan zoeken.'

'Charlotte, het spijt me geweldig... Ik... Als er iets is gebeurd...' Martin begon opeens te ratelen, bijna in tranen. 'Ik... Jezus, ik...'

'Hé, kalm nou maar, daar is het te vroeg voor, Martin, veel te vroeg,' kwam Charlotte ertussen. Ze merkte dat haar angst overging in een ijzige kalmte. 'Hij is ergens buiten. Hij heeft waarschijnlijk een lekke band gehad of is verdwaald of... Hoor eens, Martin' – haar stem klonk nu logisch, licht verwijtend – 'als er een ongeluk was gebeurd, had de politie dat inmiddels wel gehoord, toch zeker? Ze zouden het echt hebben gehoord, dat verzeker ik je. Bovendien... hij is dertien, sterk en verstandig...' Charlotte moest weer denken aan die geredde peuter, die drie dagen lang op die richel van een klif had gelegen, zonder ervaring of inzicht. 'Hoe zit het met zijn telefoontje? Had hij dat bij zich?'

'Nee,' zei Martin bedremmeld. 'Neem een zaklantaarn mee,' voegde hij eraan toe, nu scherper. 'Neem die grote mee, die aan de haak in de bezemkast hangt.'

Charlotte arriveerde een halfuur later met de zaklantaarn en met een felle, intense uitdrukking op haar gezicht, als van iemand die in een hel licht kijkt en weigert met zijn ogen te knipperen. Cindy deed de deur open. 'O, Charlotte, hij had beloofd voor donker thuis te zijn, in de wijk te blijven... om...' Haar ogen waren opgezet van het huilen. 'En toen, daarnet, kreeg ik opeens de gedachte dat wij hem misschien overstuur hebben gemaakt over de baby. Denk je dat hij overstuur kan zijn geweest om de baby?' smeekte ze, handenwringend.

'Als dat zo is, zal het me een zorg zijn,' antwoordde Charlotte kortaf. 'Sam, die loopt te pruilen... graag, als het dát is.'

'Voor mij ook,' zei Martin die uit de keuken kwam. Hij was bleek en uitgeput, alsof deze marteling al enkele maanden duurde in plaats van enkele uren. 'Hoi, Charlotte.' Hij keek haar even aan, en wendde toen snel zijn blik af. 'Blijf jij bij de telefoon, liefje,' instrueerde hij Cindy vriendelijk. 'De politie is ook aan het zoeken. We kunnen elk moment iets van hen horen.' Er lag hoop in zijn stem, maar zijn ogen, toen hij door de openstaande deur achter Charlotte de duisternis in keek, waren hol van wanhoop.

Ze kamden samen de hele wijk uit, riepen in het donker, belden aan bij huizen waar nog licht brandde. Charlotte had in een moment van koortsachtige inspiratie Sams laatste schoolfoto van de schoorsteenmantel in de zitkamer meegegrist, waarbij ze meteen zag dat hij nu al fout was – te veel een babygezicht, het haar te kort, de neus te klein en te weinig gevormd. Toen Martin de foto zag holde hij terug naar het huis om zelf een foto te halen, een meer recente, die Cindy moest hebben gemaakt, van Sam en hem samen, leunend over de reling langs het wandelpad dat langs de rivier liep.

De rivier, o god, de rivier. 'Martin, ben je al achterom geweest, over het pad aan de achterkant, naar de... rivier?' Ze had de grootste moeite om dit woord uit te brengen.

'Nee. Maar ik dacht... Het is moeilijk om daar met je fiets te komen, in elk geval het eerste stuk. Je moet afstappen en lopen. Dat vond Sam nooit leuk om te doen. Maar misschien moeten we...'

'Ik ga al.'

'Charlotte?'

Ze draaide zich om en herinnerde zich vaag, als in een vroeger bestaan, wat Eve haar allemaal had verteld waardoor het landschap van het verleden volledig veranderd was. Het verhaal van Martin en haar; ze hadden elkaar liefgehad, niet liefgehad. Het enige wat nu van belang was, was dat het hen tot dit moment had gebracht, een moment van smart die zo sterk werd gedeeld dat een blik in het vertrouwde gezicht – dat ze had gekust, had gewantrouwd, had gemist, niet gemist – was als het kijken in een spiegel.

'Als er iets... met Sam... is gebeurd,' bracht hij moeizaam uit, '... zal ik niet...'

'Stil, dat hoeft niet,' fluisterde ze, terwijl ze weer de kracht verzamelde om streng te zijn. 'Ik bel je over tien minuten.' Ze sprintte weg over het pad dat langs de rand van de wijk naar de rivier leidde. Het was smal en bezaaid met ijzeren hekken om fietsers tot afstappen te dwingen, en Charlotte raakte er in toenemende mate van overtuigd dat Martins eerste veronderstelling juist was geweest. Sam zou dit veel te lastig vinden, veel te veel gedoe, zeker gezien zijn recente, afstandelijke, uiterst nonchalante manier van doen. Maar toen ze het stuk asfalt bereikte dat langs de Theems liep, maakte Charlottes stelligheid plaats voor een vlaag van pure verschrikking. Links of rechts? En de rivier was heel zwart, heel dreigend, heel goed in staat een reus te verslinden, laat staan een kind. Links of rechts? De tijd was kostbaar. Ze mocht geen seconde verspillen.

Ze sloeg linksaf, langs de achterkanten van de huizen, en veranderde toen van gedachten. Besluiteloos, hopeloos... Nee, niet hopeloos, berispte ze zichzelf. De richel, de peuter, en dat andere geval, een paar jaar geleden – de jongen in de afvoer – of was dat een film op de tv geweest? Ze belde Martin na twintig minuten in plaats van tien, om te zeggen dat er niets te melden viel, dat ze bij de volgende afslag weer terug zou gaan naar de weg.

'De politie... Ze hebben zojuist een zilverkleurige fiets gevonden,' zei Martin met dikke stem. 'Ze willen dat ik kom kijken...'

'Waar?' Het woord kwam eruit als een gil. 'Waar hebben ze de fiets gevonden?' herhaalde ze nu rustiger, in een poging haar ontzetting te bedwingen. 'En waar zijn ze naar hem aan het zoeken? De politie, die zoekt toch, Martin?'

'Dat zeiden ze.'

'Waar hebben ze hem gevonden?' vroeg Charlotte weer, terwijl ze inwendig de tijd verwenste die ze op het pad langs de rivier had verdaan en tegelijkertijd een levendig beeld van nieuwe, akeliger scenario's van zich af probeerde te zetten. Sam was dol op zijn fiets. Slechts onder extreme omstandigheden zou hij die hebben achtergelaten.

'Voor een tijdschriftenwinkel op Warren Road. Ik ben nu op weg ernaartoe. Het is vlak bij die straat voor de rotonde, die straat die we als afsnijding naar Old Kent Road gebruiken.'

Ze kon Martin horen hollen tijdens het praten, ze hoorde zijn voetstappen op het asfalt, het gehijg van zijn adem. Charlotte begon nu ook te rennen, deze keer was het geen joggen maar rende ze zo snel als ze nooit in haar leven had gerend. Voor Sam, ze rende voor Sam, net als Martin, en dat was een macht van het goede, een macht om op te bouwen – twee mensen die tegenover elkaar tekort waren geschoten maar die hun kind liefhadden.

Tien minuten later snelde ze, zwetend maar koud, de straat in die het begin van de afsnijding vormde, en zag ze Martin hoofdschuddend haar kant uit komen. 'Het was niet zijn fiets. Te groot. Ander merk.'

Charlotte boog zich diep om op adem te komen. Het rennen had tegen de paniek geholpen. Zonodig zouden ze eeuwig blijven zoeken. Eeuwig. Zo simpel was het. Toen ze zich weer oprichtte, ging haar telefoontje.

'Dat is waarschijnlijk Cindy – ik heb met het politiebureau gebeld.'

Maar het was Cindy niet, het was Dominic Porter, die belde om te zeggen dat Sam volledig overstuur bij hem op de stoep was beland en dat het hem beter leek als ze hem kwam halen.

Pas toen begon Charlotte te huilen, en ze liet zich tegen Martin aan vallen, die – omdat hij inmiddels had begrepen dat het goed nieuws was in plaats van slecht – eveneens begon te huilen. Met betraande gezichten klampten ze zich als een stel dronkaards aan elkaar vast en wankelden terug om het goede nieuws te vertellen aan de politieman die naast de tijdschriftenwinkel stond te wachten.

'Ik vermóórd hem,' zei Martin hees, en hij veegde grijnzend zijn ogen af toen ze weer naar huis gingen. 'Ik vermóórd hem, verdomme.'

'En anders ik wel,' hijgde Charlotte. Ze kneep in Martins vingers toen hij haar hand zocht, zich bewust van een band die intenser was dan die welke ze ooit als geliefden of als ouders hadden gehad, zelfs niet tijdens het wonderbaarlijke moment in de verloskamer, dertien jaar geleden. 'En ik wil dat je weet dat het me spijt.'

'Dat het je spijt?' Hij liep nog steeds een beetje te lachen en de tranen uit zijn gezicht te vegen.

'Van ons. Over hoe het fout is gegaan. Ik besef dat het net zoveel door mij als door jou kwam.'

'Oké. Bedankt. Het spijt mij ook.' Hij liet haar vingers los, kennelijk onzeker.

'Ik moest dat gewoon even zeggen,' verklaarde Charlotte snel, voor ze het gesprek weer op Sam bracht en het over hem bleef hebben terwijl ze haastig naar huis teruggingen.

Cindy, die met haar zusje aan de telefoon was toen ze terugkwamen, juichte en dook op hen af terwijl ze tegelijkertijd het goede nieuws in de telefoon gilde. Enkele seconden later waren ze met hun auto's op weg naar Wandsworth. Martin reed achter Charlotte aan en had moeite om haar bij te houden toen ze alle snelheidsbeperkingen overtrad, door rode stoplichten reed en over verkeersdrempels zeilde als de vrouw die ze was – een vrouw met een missie, een vrouw die leerde vliegen.

18

Ondanks de vroege datum op de kalender begon de woensdag van de sportdag van St. Leonard's met een Caribisch blauwe lucht en een felle zon die aan hoogzomer deed denken. Toen Jean het raampje omlaag deed van Bills Audi met airconditioning, terwijl ze een parkeerplaats zochten, werd ze in gedachten even teruggevoerd naar haar eerste stap uit het vliegtuig in Ceylon, zestig jaar geleden, toen de warme lucht haar mond had gevuld en onder de zoom van haar jurk was gewaaid, wat het klamme gevoel in haar knieholten had verjaagd.

'Hier moet het zijn.' Bill probeerde reikhalzend over de haag te kijken die daarna gelukkig overging in een hek, waarachter een sportveldcomplex lag vol kinderen, kleine, felgekleurde paaltjes, en toeschouwers. 'Kunt u zien of ze het zijn?'

Jean tuurde, hield een hand boven haar ogen tegen het felle licht. 'Ik kan zo gauw geen bekenden zien, maar het lijkt me wel goed. Sam zei dat het in de buurt van een kerk was, en ik zie daar een kerk.' Ze rommelde met haar goede hand in haar tas om haar bril te zoeken maar vond slechts haar lipstick, portemonnee en het mobieltje waarvan Bill haar had aangespoord het te kopen, en haar vervolgens had geholpen het te gebruiken, maar waar ze zelf vooralsnog erg bang voor was; en de envelop met de cheque erin. Hemeltje ja, die moest ze niet vergeten… niet weer. Het hervinden van een positieve levenshouding was een stuk gemakkelijker gebleken dan het scherpen van haar geheugen.

'Misschien moet ik dat sms'je nog even bekijken, mevrouw Boot?'

'O, daar zie ik iemand,' riep Jean, die geen zin had in nog meer gedoe met dat mobieltje. 'Laten we even stoppen om het aan hem te vragen. Meneer… Meneer, mag ik u iets vragen?' riep ze opgewonden, terwijl ze haar hoofd zo ver mogelijk uit het raampje stak. 'Weet u misschien of dat daar de sportdag van St. Leonard's School is?'

Tim Croft, die het vreselijk warm had in zijn krijtstreep, veegde met zijn zakdoek over zijn voorhoofd en glimlachte hartelijk. Grootouders, besloot hij, en het oude mens zat achterin omdat ze zich daar veiliger voelde. Het tweetal was ongetwijfeld in de war geraakt door het Londense verkeer, het systeem van eenrichtingswegen, en de warmte. 'Ja, ik denk het wel. Maar er is hier helaas geen parkeerplaats. U zult daar de volgende zijstraat voor moeten proberen.'

Na deze plicht te hebben volbracht spoorde hij Charlotte op toen ze zich door de menigte bewoog. Tussen bezichtigingen in naburige straten had hij haar puur toevallig gezien, zoals ze een paar minuten geleden was gearriveerd op een heel oude fiets met een mand aan het stuur en een roestige bagagedrager achterop. Toen hij zag hoe de wind tijdens het fietsen haar lila katoenen rok tegen haar schitterende benen blies, met het hondje dat naast haar draafde, had Tim zijn oude begeerte voldoende voelen opvlammen om goed te blijven kijken toen ze de fiets parkeerde en de hondenriem aan het stuur vastmaakte, terwijl hij zich afvroeg wat er zou zijn gebeurd als zij die avond op haar stoep had gestaan in plaats van Eve, of het toch iets tussen hen had kunnen worden. Zoals hij haar nu zag, te midden van de vrolijke menigte kinderen en volwassenen, probeerde hij nog even te dagdromen over hoe het samen met haar zou kunnen zijn, met dat joch op sleeptouw, om naar evenementen van school te gaan en een rol te spelen in zo'n andere wereld.

Het was een vreselijke schok geweest dat Eve er zomaar vandoor was gegaan. Die je-weet-wel had hem tot de volgende morgen laten wachten voor ze iets van zich had laten horen, toen ze vanuit de vertrekhal van Heathrow had opgebeld, omringd door het geroezemoes van aankondigingen, gepraat en het geratel van bagagewagentjes. Ze had haar buik vol van Engeland, had ze gezegd, alsof dat alles verklaarde. Het was leuk geweest om Charlotte weer te zien, en om hem te ontmoeten, uiteraard, maar ze handelde nu eenmaal graag in een opwelling. En hij kon altijd naar Boston komen, wanneer hij maar wilde, een staande uitnodiging. Twee dagen later had hij een e-mail gekregen waarin de uitnodiging op zo'n flirtzieke manier werd herhaald dat Tim haar alles had vergeven en in gelijke trant had geantwoord. De correspondentie die sindsdien verhit werd gevoerd was dolle pret, net als het vooruitzicht naar Amerika te gaan. Ondertussen was hij in de supermarkt een oude vlam tegen het lijf gelopen (veel knapper om te zien dan hij zich herinnerde) en dan was er ook nog die nieuwe vrouw in de sportschool die signalen in zijn richting uitzond – asblond, begin veertig, maar in uitstekende conditie... Het was net als met de bus, bedacht Tim voldaan. Tijdenlang kwam er niet één, en dan opeens een paar tegelijk.

Het was toch veel beter om vrij man te zijn, besloot hij, terwijl hij bij het hek vandaan liep en de weg overstak: in augustus Amerika, volgende week de oude vlam, vanavond de sportschool. Charlotte was een vergissing geweest, een na-echtelijk ongelukje dat hem parten had gespeeld.

Toen hij in zijn zak iets voelde dat ritselde bij zijn aanraking haalde hij de bruine envelop, die die morgen met de post was gekomen, uit zijn zak. Erin zaten de nu verfomfaaide tickets voor wat hij ooit als Charlottes verjaardagscadeau had bedoeld, met een kortaf briefje met een verwijzing naar de kleine lettertjes die vermeldden dat het bedrijf niet de gewoonte had afzeggingen te vergoeden. Tim tikte met de envelop tegen zijn hand en aarzelde tussen de verleiding de tickets te gebruiken om een van zijn nieuwe veroveringen het hof te maken, en het vage idee dat ze misschien ongeluk brachten.

Uiteindelijk won het bijgeloof het. Hij had de reservering op naam van Charlotte gedaan, hield hij zichzelf voor. Hij haalde een pen tevoorschijn, schreef haar adres over het zijne, plus een haastige uitleg op de flap van de envelop. Misschien, heel misschien, zou zo'n gebaar van duidelijke goedgeefsheid helpen om mogelijk vervelende herinneringen aan die onfortuinlijke gebeurtenis op zijn sofa te verdrijven. Het maakte natuurlijk allemaal niets uit, nu niet meer, maar een man had nu eenmaal zo zijn trots, zei hij tegen zichzelf en hij voelde even iets van voldaanheid toen hij de envelop in een brievenbus liet vallen.

Charlotte had zich moeten dwingen om niet dichtbij hem te gaan staan, hem niet aan te raken, niet iedere minuut te vragen of hij zich goed voelde, of hij echt geen hoofdpijn meer had, of hij zeker wist dat door vierhonderd meter hardlopen de wond in zijn been niet weer open zou gaan en nog meer van zijn kostbare, kostbare bloed zou vergieten. Lieve god, ze zou hem het liefst in staal willen verpakken, iedere kwetsbare centimeter van hem, niet alleen als bescherming tegen boosaardige jongelui met messen maar tegen al het mogelijke toekomstige lijden.

Maar dat ging nu eenmaal niet, dacht Charlotte, en ze liep nog wat verder weg om in plaats van al dit gepieker te genieten van Sam te midden van zijn leeftijdgenoten, van de manier waarop hij met hen omging. De blauwe plek die nu geel begon te worden, de pleister op zijn been, dat alles was wel het laatste wat hem bezighield. Het had misschien dertien jaar geduurd, maar ze begon nu te begrijpen dat de wens van een moeder om haar nageslacht te beschermen af en toe moest worden beteugeld om niet al het andere uit balans te brengen. Net als het speelplein op school kon de wereld gemeen en gewelddadig zijn, maar geen enkele hoeveelheid moederliefde of pantserplaten konden een mens er ooit ongedeerd doorheen helpen – haar niet, Martin niet, Eve niet, Sam niet, hoe graag ze dat ook zou willen. Het beste waarop je kon hopen was dat wat er was gebeurd: dat onder omstandigheden waaraan schurken en geweld te pas kwamen, haar zoon over genoeg gezond verstand, zelfvertrouwen, instinct bleek te beschikken om te proberen er overhaast van weg te fietsen – zelfs nadat de snelste van zijn aanvallers met een stiletto een jaap in zijn been had gemaakt, zelfs nadat hij van zijn fiets was gevallen toen hij de bocht in de weg te snel had genomen en zijn vlucht onhandig hollend had moeten voltooien, leunend op zijn fiets. Charlotte was blij dat ze niets had gezien van alles wat hij had moeten doorstaan, dat ze alleen Sams spaarzame, onwillige beschrijving had van de lange blanke jongen met het mes die zo hard had gehold, en het hek waar hij met zijn hoofd tegenaan was geklapt toen hij was gevallen, en de lange tijd die hij had lopen dwalen voor hij bij de hoofdweg kwam en het grote bord zag met 'Clapham', waarvan hij wist dat het in de buurt van Wandsworth was.

Voor Charlotte begonnen de levendige herinneringen met de komst van Martin en haar in Dominics zitkamer en de aanblik van Sam op de sofa, met een gezicht zo bleek als een laken, afgezien van de grote blauwe buil boven zijn rechteroog, met één pijp van zijn spijkerbroek opgerold vanwege een lange, opgezette snijwond vol aangekoekt bloed. Dominic, in een grijze trainingsbroek en een wit T-shirt, bleek en verkreukeld van de slaap, had zich enigszins afzijdig gehouden, had gemompeld dat het hem beter had geleken even op hen te wachten alvorens iets te doen, dat Sam bij het opperen van een ambulance overstuur was geraakt. Met betraande ogen, buiten adem, waren ze bij de sofa neergeknield om zijn eerste verwarde versie van deze vreselijke ervaring aan te horen, voor ze over het punt begonnen dat ze hem zelf naar een dokter zouden brengen. 'En de politie, makker,' had Martin er zacht aan toegevoegd. 'Je moet hun alles vertellen wat je je kunt herinneren.'

'Maar ik wil geen hechtingen,' had Sam gesnikt, terwijl hij zich had vastgeklampt aan de bekleding van de sofa.

'Het zal echt niet meer pijn doen dan wat je nu al voelt, lieverd,' verzekerde Charlotte hem, en ze probeerde hem over zijn bol te aaien maar bedwong zich vol ontzetting toen hij zijn hoofd wegdraaide. 'We brengen je er nu meteen naartoe – dan is het maar gebeurd. En ze moeten ook naar die buil op je arme hoofd kijken.'

'We zouden Georges vader kunnen bellen,' had Martin opgewekt voorgesteld, toen Sam bleef huilen. 'Ik weet dat het al laat is, maar Henry zal met alle genoegen – dat weet ik zeker – jou in eerste instantie willen nakijken en je uitleggen wat ze waarschijnlijk in het ziekenhuis zullen doen.'

Maar Sam, die eerst overstuur was geweest, werd nu volstrekt hysterisch. 'Nee, hij niet, pap, nee, alsjeblieft! Ik ga wel... naar het ziekenhuis.'

'Oké, makker, oké. Rustig maar.'

'We gaan wel naar het St. George's,' zei Charlotte snel. Ze besefte dat verder uitstel niet goed was, zowel voor Sam, die te geschokt was om begrijpelijke taal uit te slaan, als voor Dominic, wiens gepijnigde blik erop wees dat hij zich uiterst ongemakkelijk begon te voelen.

'Héél hartelijk dank voor je goede zorgen.'

'Hij stond hier gewoon op de stoep. Ik heb niets gedaan.' Dominic keek naar het vloerkleed, schuifelde wat met zijn voeten die in versleten suède pantoffels waren gestoken, en wierp daarna een blik over zijn schouder naar waar Martin Sam optilde om hem naar de auto te dragen. 'Hoor eens, neem me niet kwalijk dat ik dit zeg,' – hij liet zijn stem dalen en sprak snel – 'maar ik vind dat jij het moet weten: dat gedoe daarnet over de vader van George. Sams reactie… dat komt doordat… het spijt me, Charlotte, dit is heel moeilijk… maar hij reageerde zo omdat hij het wéét. Van jou en van die vader die dokter is – na Suffolk heeft hij het aan Rose verteld. Sam wéét het.'

Zelfs nu ze er op dit moment aan terugdacht, met overal fluitjes die snerpten en kinderen die schreeuwden en Sam die in de rij ging staan voor de wedstrijd wie het verste met een tennisbal kon gooien, voelde Charlotte hoe haar lippen zich krulden tot een glimlach van geschokt ongeloof. 'Maar…' was alles wat ze uit had weten te brengen. *Maar*. En daarna waren ze de deur al uit geweest en reden ze weer in konvooi, deze keer met Martin voorop en Sam languit op de achterbank, via haar huis, zodat ze de Volkswagen kon achterlaten en samen met hen naar de Spoedeisende Hulp kon rijden.

Ze was op de achterbank gaan zitten en had Sam tegen zich aan gedrukt, waarbij ze de terughoudendheid in zijn slappe reactie had gevoeld, maar waarvan ze nu eindelijk wist wat er de oorzaak van was. En toen Martin opeens 'Shit' zei en bij een tankstation stopte, zodat zij samen een paar rustige minuten in de auto alleen hadden, had ze resoluut en welsprekend verklaard, zonder acht te slaan op de vuurrode blos op Sams bleke gezicht, dat er niets gaande was tussen haar en de vader van George, dat als iets in Suffolk hem aanleiding had gegeven om iets anders te denken, hij het helemaal mis had en dat haar dat erg speet. Ze waren goede vrienden, dat was alles, en hij kon haar geloven want ze had nog nooit tegen hem gelogen en ze was niet van plan daar nu mee te beginnen. 'En ik vind Cindy heel aardig,' had ze eruit geflapt, iets minder welsprekend, 'en ik ben heel blij dat papa en zij gelukkig zijn en een baby gaan krijgen, en daar zou jij ook blij om moeten zijn.' En Sam had zijn armen om haar nek geslagen en zijn gezicht tegen haar borst gedrukt, nu zonder enige terughoudendheid maar net als vroeger, toen zijn liefde nog onbekommerd was geweest vol puur verlangen, en zij zo naïef gelukkig was geweest dat ze zich voor al het andere in haar leven had afgesloten om erop te kunnen reageren.

Dominic daarentegen had een *maar* gekregen, peinsde Charlotte somber. De man was kennelijk geen kletskous, maar het zat haar toch dwars. En, herinnerde ze zich met stijgende verontwaardiging, als ze Jason (die wél een kletskous was) moest geloven, zou de ophanden zijnde overname van Raven Books door Dominic beginnen met het zoeken naar een fulltime medewerkster in plaats van een enthousiaste amateur met een beperkt aantal uren. Omdat ze sindsdien niet meer de kans had gehad hem te praten, viel dit onmogelijk te verifiëren. Hij was een keer in de winkel geweest toen zij er niet was, en twee pogingen van haar om nogmaals dank te zeggen vanwege Sam hadden slechts zijn antwoordapparaat bereikt.

Dat hij nu met zijn rug naar haar toe stond was vast evenmin toeval, merkte Charlotte grimmig op. Hij stond geanimeerd te praten met Naomi, die een gewaagd kort, geel zonnejurkje droeg en die geweldig opgeknapt leek na haar vierentwintigurige verblijf op Josephines zolder. Graham en zij kregen nu relatietherapie. Josephine had het aan Theresa verteld, die het aan haar had verteld, maar ze wilden niet dat anderen dat zouden weten. Naomi vermoedde dat ze na de tweeling iets van een postnatale depressie had gehad, terwijl Graham had erkend dat hij zijn woede wat beter moest leren beheersen. Ze zouden weer met een schone lei beginnen en luisteren naar elkaars verlangens.

Net als Theresa en Henry... Charlotte richtte haar blik nu op haar vriendin en haar man. Henry vierde een middag vrij van zijn spreekkamer door een strooien hoed op te zetten en een knaloranje met groen gekleurd hawaïhemd aan te trekken. Ze hadden met thermosflessen en sandwiches op een plaid hun bivak opgeslagen bij het scorebord voor het verspringen, waarbij ze vertederde blikken op George wierpen, die vlakbij bezig was met warmlopen. Toen Theresa Charlotte in het oog kreeg, gebaarde ze met een plastic beker en wees naar een thermoskan, maar trok een overdreven teleurgesteld gezicht toen Charlotte haar hoofd schudde.

Maar ze had wel een beetje dorst, besloot Charlotte, en ze vroeg zich af of ze nog tijd had om de fles water die ze in het mandje aan de fiets van meneer Beasley had achtergelaten, op te halen. Ze tuurde over het sportveld en zag met plezier hoe een oude dame Jasper over de kop aaide. Opeens echter besefte ze dat het haar moeder was. Haar moeder, die sinds haar geheime uitstapje nu regelmatig opbelde om te informeren of Charlotte nog nieuws had, om de lof te zingen van een taxichauffeur die Bill heette en meer recent, van Bills dochter Jill, die kennelijk Prue en de dames van de thuiszorg had vervangen en heel bedreven was in kaartspelletjes.

'Sam, kijk eens, daar is oma!' riep ze uit, en ze liep haastig naar hem toe en wees naar waar Jean stond. 'Ik moet haar even gaan helpen. Hoor eens, wacht even met gooien, wil je? Zeg maar tegen meneer Tyler dat ik heb gevraagd of jij als laatste mag.'

'Ma... am...' kreunde Sam. 'Dat kan ik écht niet doen, hoor... De volgorde staat al vast. En ik wist dat oma zou komen, want ze had me een sms'je gestuurd.'

'Heeft zíj je een sms'je gestuurd?'

'Ja, ze heeft een mobieltje,' antwoordde Sam, alsof hij iemand met een verstandelijke beperking iets heel simpels moest uitleggen. 'Ze wilde jóú verrassen. En Jasper. Ze gaat hem meenemen, terug naar huis.'

'O. Gossie... O, kijk eens, ze komt al hierheen... en ze neemt hem mee, en er mogen hier geen honden komen. O lieve help.'

Sam draaide tegenover zijn vrienden met zijn ogen toen zijn moeder er op een holletje vandoor ging en zocht toen naar Rose, die verdrietig was omdat zij tot haar schande bij de hardloopwedstrijd in verkleedkleren was ingedeeld – iets voor sukkels, hoewel geen van de leerkrachten dit toe wilde geven. Sam vond het heimelijk wel gaaf van zijn oma, die anders nergens naartoe wilde, dat ze op zijn sportdag kwam kijken, ook al was het voornamelijk omdat ze haar hond wilde ophalen. Dit vergoedde ook een beetje de teleurstelling dat zijn vader op het laatste moment niet had kunnen komen omdat hij met Cindy naar het ziekenhuis moest vanwege het een of andere drama met bloedverlies, wat op zich te gruwelijk was om over na te denken, maar wat wel had gemaakt dat Sam vond dat het krijgen van een broertje of zusje waarschijnlijk altijd beter was dan dat er iets fout ging met een baby die nog onderweg was. Ze waren allebei geweldig geweest sinds die aanval, want ze hadden niet één keer gezegd (hoewel ze dat natuurlijk duizend keer moesten hebben gedacht) dat het zijn eigen schuld was omdat hij uit de wijk was gegaan. Wat zijn moeder bij het tankstation had gezegd, was hem ook een pak van het hart geweest.

Eigenlijk was alles zo'n stuk beter gegaan sinds de problemen op school en nu met dat messengevecht (zoals hij het tegenover zijn vriendjes had genoemd) dat Sam zich zelfs begon af te vragen of er eerst iets naars moest gebeuren voordat het leven echt goed leek.

Hij boog zich naar achteren voor de worp, met gestrekte arm, waarbij hij zich een cricketspeler op de grenslijn voorstelde, en hij probeerde zijn hele schouder te gebruiken toen hij naar voren zwaaide om los te laten. Hij wist dat het goed ging door de soepele manier waarop de bal uit zijn hand vloog en doordat juffrouw Johnson, die meneer Tyler moest helpen, achteruit begon te draven, weg van de markeervlaggetjes van vorige beurten, terwijl ze struikelde in haar poging omhoog te blijven kijken.

'Hoera!' riep Jean uit, opgetogen dat ze in de goede richting keek toen de bal op de grond stuiterde. Ze was de arme lieve Jasper, die Charlotte weer aan de fiets had vastgemaakt, nu even helemaal vergeten. 'Hoera! Ik wou alleen dat ik kon klappen. O, en ik heb nog iets voor jou – die cheque. Was je ooit van plan me te vertellen dat ik vergeten had die in de envelop te stoppen, lieve, dwaze meid die je bent? Zou je hem uit mijn tas kunnen vissen? Die dingen gaan veel gemakkelijker wanneer je twee handen hebt. Hij zit in een envelop... Ja, dat is hem. Het is eigenlijk maar goed dat ik hem was vergeten erbij te doen, want dankzij het resultaat van een van de slimme beleggingen van Reggie kon ik er nu een beetje meer van maken dan wat ik eerst van plan was. Zeg, probeert die aardige dame daar ons thee aan te bieden? Ik geloof van wel, Charlotte, lieverd. Kijk, ze zwaait en wijst, en ik kan niet bedenken wie ze anders bedoelt.'

Maar Charlotte kon niets uitbrengen. Door alle recente gebeurtenissen had ze niet meer aan haar moeders vergissing met de cheque gedacht. Zelfs toen ze haar vinger onder de flap van de envelop duwde, had ze haar aandacht meer bij de geweldige worp van Sam. 'Mam, ik kan dit echt niet aannemen,' zei ze ten slotte zacht, terwijl ze vol ongeloof naar de cijfers in het vakje keek, waarmee, net als met het voluit geschreven bedrag en ondanks Jeans onzekere oudedamesgekrabbel volstrekt duidelijk haar voornemen kenbaar werd gemaakt om aan toonder desgevraagd het bedrag van drieënzestigduizend pond uit te betalen.

'Natuurlijk kun je dat wel. Het is alleen maar verstandig. Het blijkt dat Reggie doodsbenauwd was om in kommervolle omstandigheden te overlijden. Hij heeft allerlei investeringen gedaan die in de loop der jaren geweldige opbrengsten hebben gegeven – vaak tot grote verbazing van mijn accountant, en niet minder die van mij. En ik kan je verzekeren dat ik dit op zijn advies doe, vanwege het belastingaspect en... "je kunt het toch niet meenemen" en zo. Beschouw het maar als een vroeg verjaardagscadeau, Charlotte, lieverd, als dat je een prettiger gevoel geeft. O kijk, nou komt ze hierheen. De dame die ons op de thee wil vragen – ze komt hierheen met een man met een vreselijk overhemd. Is dat haar man?'

'Mam, ik... Dank je wel.' Charlotte schoof de cheque in haar zak toen Theresa en Henry dichterbij kwamen. 'Wauw... we hebben een zonnebril nodig om naar jou te kunnen kijken,' grapte ze, nog steeds bibberig vanwege de cheque, en blij om het overhemd, als gespreksonderwerp en omdat het zo opvallend en aandoenlijk was, zo typisch de óúde Henry, dat alle dwaasheid in Suffolk voorgoed begraven leek.

'Ik kan gewoon niet geloven dat wij elkaar nog nooit hebben ontmoet,' riep Theresa vriendelijk uit, en ze greep Jeans goede hand terwijl ze werden voorgesteld, 'en ik heb naar jullie gezwaaid omdat ik zoals gewoonlijk weer een te grote picknick heb gemaakt, hè, Hen? Charlotte, je had ons moeten vertellen dat je moeder ook zou komen,' zei ze berispend, met ogen die straalden van hartelijkheid. 'Ze heeft ons helemaal niets verteld!'

Jean glimlachte, opgetogen over deze drukte. 'Ze wist er niets van. Het was een verrassing. Ik wilde zelf zien hoe Sam het ervanaf zou brengen – na die afschúwelijke toestand van vorig weekend – en om Jasper eindelijk weer op te halen,' voegde ze er snel aan toe, omdat ze de stemming niet wilde bederven door een nabeschouwing te houden over het recente trauma van haar kleinzoon. 'Ik voel me nu weer in staat om hem uit te laten, weet je. Dat beestje is toch zo dól op wandelen. Je bent vast doodmoe van hem geworden, hè, Charlotte?'

'Zoals ik je al vaak genoeg heb proberen te vertellen, mam, heb ik ervan genoten.'

'Dat is echt waar.' Theresa haakte haar arm door die van Charlotte, uit angst dat, aan de enigszins verdwaasde blik van haar vriendin te

zien, iets van de oude moeder-dochterstekeligheid de kop zou opsteken. 'Maar zeg eens, Charlotte, weet je zeker dat dit het beste moment
was om een fiéts aan te schaffen?'

'Hij is niet van mij,' verbeterde Charlotte haar lachend. 'Hij is van
meneer Beasley – mijn auto heeft vanmiddag opeens écht de geest
gegeven. Ik begon net heel kwaad te worden omdat hij me door de
gordijnen stond te bekijken, maar toen kwam hij opeens met die fiets
naar buiten. Die schijnt van zijn vrouw te zijn geweest, dus ik voel me
zeer vereerd.'

'Dan zul je Jarvis, de automonteur nu echt nodig hebben,' zei Henry,
in de gedachte over een veilig onderwerp verder te kunnen gaan. 'Ik
heb je nog steeds dat nummer niet gegeven.'

Het bleef lang stil. Voor Charlotte voelde het in elk geval lang, nu ze
nog duizelig was van het geld en probeerde niet in Theresa's arm te
knijpen toen ze zwoegde om een antwoord te bedenken dat niet alles
weer op losse schroeven zou zetten. Een leugen verdween nooit, besefte ze, werd nooit minder gevaarlijk, verloor nooit zijn vermogen te
worden ontdekt en pijn te veroorzaken. 'O toch wel, Henry,' wist ze uit
te brengen, en ze probeerde haar stem rustig en neutraal te houden. 'Je
bent zo vriendelijk geweest om me erover op te bellen. Weet je nog
wel, die dag dat Theresa en ik samen hebben geluncht? Maar ik moet
je eerlijk bekennen dat ik door alles wat er is gebeurd, niet meer weet
waar ik het heb opgeschreven, dus hopelijk wil je me het nummer nog
eens geven.'

'Geen probleem.' Henry kuchte even in zijn hand.

'Wil er iemand thee?' Theresa bespeurde enige spanning maar was,
in haar nieuwe staat van geluk, bereid hier geen aandacht aan te schenken. Henry en zij waren hechter dan ze in jaren waren geweest, ze
waren het eens over de aanpak van de kinderen, ze lachten om dezelfde
dingen, bedreven de liefde als jonggehuwden, op de raarste momenten en in nieuwe houdingen. Het zou niet blijvend zijn, dat besefte
ze. Het was een krankzinnige bevlieging voordat de dagelijkse routine
werd hervat; het was het resultaat van een wederzijdse, stilzwijgende
viering van Henry's terugkeer uit een onzichtbare afwezigheid die als
een kille wind door hun gelukkige huis had gewaaid. Er was bijna iets
gebeurd, maar nog net niet echt. Theresa was niet zeker van wat, of

met wie, en het kon haar niet langer schelen. Ze zaten weer op dezelfde golflengte, ze gingen samen voorwaarts, zonder om te kijken, net zo zeker als lijders aan hoogtevrees weten dat ze nooit naar beneden moeten kijken.

Toen iedereen zich verzamelde voor de grote finale van de hardloopwedstrijd zag Charlotte dat er door Sams pleister wat bloed was gelekt, maar ze wist zich te beheersen en zei er niets van. Haar moeder leunde nu zwaar op haar, zichtbaar vermoeid na aan al haar vrienden en vriendinnen te zijn voorgesteld, inclusief Naomi en Jo, die er heel charmant op had aangedrongen dat een volgend bezoek moest samenvallen met een van hun mahjongsessies. 'Wat een lieve vriendinnen heb jij,' had Jean zacht gezegd. 'Dat heeft een mens nodig.'

Toen ze Dominic weer ontwaarde, ditmaal met de jonge vrouw uit het restaurant, was Charlotte blij dat ze hun spelletje van wederzijds vermijden mee had gespeeld. De broer was er ook bij en hij trok veel bekijks vanwege zijn beroemde gezicht, maar hij wist goed te doen alsof hij hier niets van merkte. De vrouw stond tussen hen in, met wapperende blonde haren. Ze droeg sandalen met hoge hakken en een minispijkerrokje dat kort genoeg was om een grote moedervlek op de achterkant van haar rechterbovenbeen te onthullen. Ze hield een kleine krokodillenleren tas in de ene hand en in de andere een mobieltje, klein en roze, en overdekt met glitter.

Charlotte stak haar duimen op naar Sam en keek even naar Jean, die een eindje verderop was gaan zitten op een zitstok die Theresa voor haar uit de kofferruimte van de Volvo had gehaald. Er was een valse start, en nog een. Daarna werd de rij hardlopers wazig toen Charlottes gedachten teruggingen naar die moedervlek en de opeens cruciale vraag of Dominic er al dan niet zijn lippen op had gedrukt. Die zachte, brede mond die over je huid gleed – hoe zou dat voelen? Ze sloeg haar handen om haar blote ellebogen en merkte dat ze kippevel kreeg, ondanks de nu benauwde middaghitte.

De wedstrijd was voorbij en ze had niet gekeken. Sam was derde geworden – of was het vierde? Hij zag er blij uit, zag ze nu met enige opluchting, hij hijgde en veegde het zweet van zijn voorhoofd, klopte zijn medestrijders op de schouder alsof ze aan dezelfde kant strijd had-

den geleverd. Toen Charlotte zijn blik wist te vangen, trok ze een gezicht vol overdreven medelijden. Sam haalde zijn schouders op en
dook in zijn sporttas om een stapel papieren te pakken die hij snel
begon uit te delen onder de zich nu verspreidende menigte.

'Ik moet reclame maken voor papa's concert,' bekende hij, en hij
glimlachte schuldig toen hij voorbij holde. 'Ik heb ze al een eeuwigheid in m'n tas zitten. George heeft gevraagd of ik vanavond bij hem
kom eten, is dat goed?'

'Natuurlijk.' Charlotte lachte om de gehavende foldertjes. Omdat ze
had beloofd Sam af te zullen zetten, was ze zich de laatste tijd gaan
afvragen of ze zelf ook niet het concert wilde bijwonen. Martin die
Mozart zong, dat wilde ze toch met eigen ogen zien. En ze was rijk!
Die gedachte ontplofte in haar hoofd als een fel licht.

'Neem me niet kwalijk. Heb je een moment?' Dominic was uit het
niets opgedoken. Ze was blij te zien dat hij er van dichtbij slordig,
ongeschoren uitzag, met donkere kringen onder zijn ogen – een groot
verschil met de aantrekkelijke gestalte die enkele minuten geleden haar
gedachten was binnengedrongen.

'O. Nee. Ik bedoel… Dit is mijn moeder.' Charlotte struikelde over
haar woorden toen ze zich herinnerde dat Jean, die nu weg wilde
gaan, weer naast haar was komen staan. 'Mam, dit is Dominic Porter,
de vader van Sams vriendin.'

'Ach. Charlotte heeft me alles over u verteld, de man die onze Sam
heeft gered.' Jean greep met haar goede hand Dominics arm. 'U hebt het
huis gekocht dat zij zo mooi vond. En nu gaat u de boekwinkel kopen.'

'Mam…'

'Ik weet niet zeker of dat een geheel juiste samenvatting is,' mompelde Dominic, met een zuur gezicht.

'Maar daar heb je Bill,' riep Jean vervolgens uit. 'Hij staat vast dubbel geparkeerd en hij heeft al zo lang moeten wachten. Charlotte, ik
moet nu echt gaan. Ik haal Jasper onderweg wel op.'

'Maar hoe moet het dan met zijn mand en zo?'

'Dat kan wachten tot de volgende keer,' antwoordde ze opgewekt. 'Ik
moet zien of Jill me mahjong kan leren spelen. Tot ziens, lieverd. En
een fijne verjaardag, als ik je niet voor die tijd nog zie, hoewel we
elkaar binnenkort natuurlijk nog wel spreken.'

'Wauw.'

'Tot voor kort was ze niet zo.'

'Wanneer ben je jarig?'

'Wat?'

'Ze had het over je verjaardag. Wanneer ben je jarig?'

'O... over een paar weken...' Charlotte zag in de verte dat Benedict, de broer, Rose, die de hardloopwedstrijd in verkleedkleren had gewonnen, optilde en op zijn schouders zette. Samen met het grootste deel van de menigte liepen ze nu terug naar de straat. Het blonde meisje liep ernaast en ze gebaarde met haar vrije hand terwijl ze in haar telefoontje praatte.

'Mijn moeder... Er is iets gebeurd – ze is opeens heel vrolijk geworden. Dat is vreemd.'

'Dat is leuk, lijkt me... en misschien houdt het verband met... met wat jij me toen bij de kerk hebt verteld.'

'O god, die keer, ja... Ik zat toen een beetje in de put.' Charlotte bloosde. 'Sorry dat ik jou ermee heb lastiggevallen. Hoor eens...' Sam was met de familie Curtis verdwenen, maar ze was zich er terdege van bewust dat Dominics trouwe drietal in de straat stond te wachten. Ze waren nu nog de enigen op het hele sportveld, afgezien van een chagrijnig kijkende jonge terreinknecht die achtergelaten waterflesjes en kledingstukken verzamelde. 'Hoor eens,' herhaalde ze. Ze ergerde zich opeens aan het voorzichtige gedoe, aan haar eigen dwaze fantasieën en aan het plotselinge gevoel van verlegenheid nu hij zo dicht bij haar stond. 'Even voor alle volledigheid, niet dat het iets uitmaakt, maar er is niets gaande tussen Henry Curtis en mij – of tussen mij en wie dan ook, trouwens. Het is alleen maar een misverstand omdat hij met me te doen had, denk ik, en dat valt misschien niet te verbazen omdat ik tot voor kort er vrij slecht aan toe ben geweest... en... en... O ja.' Haar stem werd harder. 'Als het jouw ware bedoeling was om mij te ontslaan op het moment dat je het contract voor de boekwinkel tekent, had je op zijn minst het fatsoen kunnen hebben mij alvast een keer te waarschuwen.'

Dominic kreeg een kleur, sloeg zijn armen over elkaar en begon met de vingers van zijn ene hand op de pols van de andere te trommelen. 'Nou ja, ik heb kennelijk...'

'Maar misschien vind je het interessant te weten dat ik niet uitsluit dat ik zelf een bod op de winkel ga uitbrengen. Ik heb inmiddels wat geld gekregen.' Charlotte balde haar handen tot vuisten, ze genoot van zijn verbazing, van het gevoel hem voor deze ene keer te slim af te zijn. 'Misschien kan ik Jason wel een beter bod doen.'

'Maar je hebt Sam nog om rekening mee te houden – dat kun je vast niet bolwerken.'

'Ach, we zullen zien, hè?' antwoordde ze, met een schalkse blik die niet overeenkwam met haar bonzende hart, toen ze zich omdraaide en terugliep naar haar fiets.

Pas toen ze op de fiets stapte, schoot haar te binnen dat Dominic naar haar toe was gekomen met een gezicht alsof hij haar iets wilde zeggen. Ze tuurde over het hek maar de straat lag er verlaten bij, afgezien van de jonge terreinknecht die met zijn stapel verloren voorwerpen liep te slepen. Ze reed langzaam weg, een beetje afwezig. Ze ging het natuurlijk niet echt doen, dat gedoe met die boekwinkel. Ze zou verstandig zijn en het geld op een spaarrekening zetten, iets met een hoge rente, waar je jarenlang van af moest blijven. Maar het gevoel van macht was de moeite waard geweest, vond ze, en ze moest even lachen toen ze terugdacht aan de uitdrukking op Dominics gezicht, alsof ze een glas koud water naar hem had gegooid, in plaats van een wild idee.

19

'Wat is eigenlijk een requiem?'

'Een stuk muziek voor als er iemand is gestorven...'

'Nou, gezéllig hoor!' Sam sloeg zijn armen over elkaar en staarde somber naar de tijdelijke stoplichten waar ze bij Wandsworth Bridge voor moesten wachten.

'Mozart is wel erg mooi. Hij heeft dit geschreven toen hij stervende was...'

'Joepie.' Sam liet zich wat dieper in zijn stoel zakken en sloeg zijn handen voor zijn gezicht.

Charlotte lachte. 'Ik denk dat je verbaasd zult zijn over hoe mooi je het zult vinden. Ik ben zoals je weet zelf ook niet zo'n kenner van klassieke muziek, maar ik verzeker je dat je bij Mozart altijd op een mooie melodie kunt rekenen. En het is voor het goede doel.'

'Kanker, jawel, dat weet ik,' zei Sam snel, om vooral maar niet het woord 'borst' te hoeven horen uitspreken.

'Zeg, de kever doet het weer goed, hè?'

'Ik dacht dat we een nieuwe auto zouden krijgen.'

'Gaat ook gebeuren. Binnenkort. Maar ik ben blij dat meneer Jarvis er toch iets aan heeft kunnen verhelpen. Ik hou van deze auto – hij is als een vriend. We hebben samen zoveel meegemaakt.'

'Ja, zoals al die keren dat hij niet wou starten,' smaalde Sam, die er niets van begreep.

'Dat shirt staat je leuk,' merkte Charlotte vervolgens op, terwijl ze zich afvroeg of het licht ooit nog op groen zou springen. 'Vooral bij die spijkerbroek,' voegde ze er sluw aan toe, toen ze vanuit haar ooghoeken zag hoe Sam hevig zijn best deed er niet voldaan uit te zien.

'Jawel.' Sam zwichtte en grijnsde. Hij stak zijn armen uit om het shirt met lange mouwen, een kraag en blauwe en witte strepen te bewonderen. Zijn moeder had dit het vorige weekend in de winkel uit het rek geplukt en hij had tot zijn verbazing gezien dat het hem goed stond. Hetzelfde uitstapje had hem een spijkerbroek opgeleverd – verwassen, laag uitgesneden, slobberig, en hij had hem – tot zijn nog grotere verbijstering – vanavond aan mogen trekken. Sam had zichzelf vol verbazing in de spiegel bekeken, niet in staat te geloven dat hij er met andere kleren zo goed uit kon zien, dat hij zich er zo goed in kon voelen. En door de cheque van zijn oma zou hij nu een toelage krijgen, had zijn moeder die avond aangekondigd, niet zomaar een beetje zakgeld, maar een tóélage – dertig pond per maand! – voor dingen die niets met school te maken hadden, behalve zijn telefoontje, dat zijn vader betaalde zolang hij de rekening onder de vijfentwintig pond wist te houden.

Charlotte onderkende de voldoening die haar inmiddels niet langer kleine zoon uitstraalde, zonder zich'erom te bekommeren dat zij daar vaak (en voorlopig waarschijnlijk nóg langer) geen deel aan had, en richtte haar aandacht tevreden op de weg. In het zachte licht van de avondzon leek het water van de rivier voor deze ene keer blauw in plaats van bruin. Er zigzagde een kleine zwerm vogels overheen; ze doken omlaag en schoten weer omhoog, waarbij hun vorm voortdurend veranderde maar toch steeds wonderbaarlijk – mathematisch – precies bleef. Ze greep het stuur nog steviger vast toen ze werd overweldigd door een golf van vertrouwen in de geordende schoonheid van deze wereld. Enkele maanden geleden nog had het leven zo akelig grillig geleken, zo onbegrijpelijk en ongrijpbaar. Hetzelfde water had er boosaardig zwart uitgezien, in staat haar zoon – haar eigen geluk – te verzwelgen.

Maar het was niet de fysieke wereld die was veranderd, besefte Charlotte, terwijl ze vaart meerderde over de brug toen het licht eindelijk groen was geworden, maar eerder de menselijke perceptie ervan. Op dezelfde manier was de energie – het optimisme – waarmee ze nu iedere morgen uit bed stapte niet het gevolg van een metamorfose van de moeizame feiten van haar bestaan, maar gewoon van haar verbeterde inzicht in hoe deze tot stand waren gekomen.

Er was een parkeerplek vlak bij de kerk, niet gemakkelijk maar net

groot genoeg. Charlotte manoeuvreerde de auto erin terwijl ze opnieuw nadacht over het goede op deze wereld. En zij was een slechte
vrouw geweest. Ja, dat was ook waar. Ze trok hard aan de handrem
toen deze nieuwe, nog steeds ongemakkelijke waarheid weer bovenkwam – deze keer iets beter verteerbaar omdat ze had geprobeerd zich
ervoor te verontschuldigen. Ze had obsessief liefgehad, maar daarna
was ze onachtzaam, vol zelfmedelijden, klagerig geworden en had ze
zich in haar verdriet gewenteld alsof dat het enige was waar het bij
haar om ging. Ze had er natuurlijk redenen toe gehad, er waren altijd
redenen, maar het was geen wonder dat Martin zulke hechte banden
met andere vrouwen had gekregen, met of zonder seks.

Ondanks al deze ruimhartige zelfanalyses werd Charlotte toch even
uit haar evenwicht gebracht toen Cindy op het podium van de dirigent
stapte om iedereen welkom te heten. Ze zag er prachtig uit in een soepel vallende jurk van zwarte zijde, met haar blauwe ogen stralend van
emotie, haar blonde haar als goud onder de lampen, haar stem die laag
en sterk was. En zoals ze daar stond, zwanger, oprecht, met het koor,
dat eveneens in het zwart was gehuld, achter zich, straalde ze iets heel
wezenlijks uit waardoor ze ieders aandacht had. Charlotte moest in een
ogenblik van oprechtheid erkennen dat Martin een goede keuze had
gemaakt.

'Het betekent heel veel voor mijn zusje Lu en mij…' – aller blikken
gingen nu naar Lu, tengerder dan Charlotte zich herinnerde, gehuld in
onopvallend lichtbruin, die op de eerste rij bleek te zitten – 'dat jullie
met zovelen hier zijn gekomen, zoveel vrienden en vrienden van
vrienden…'

Het was misschien nog meer de kerk dan de gelegenheid op zich die
haar aangreep, besloot Charlotte, en ze keek omhoog naar het gewelfde
plafond, in een poging de tranen weg te werken die zich hadden verzameld tegen de tijd dat Cindy haar plaats tussen de andere koorleden
weer had ingenomen en de zachte, weemoedige openingsmaten van
het Kyrie hadden geklonken. Als ruimte voor de belangrijke momenten in het leven van de mens – liefdadigheidsconcerten, begrafenissen,
requiems, trouwerijen, doopplechtigheden, belijdenissen – was de
kerk nu eenmaal een plek die emoties opriep. Zeker een kerk met zoveel schoonheid, peinsde Charlotte, toen ze zich op praktische punten

probeerde te richten zoals metselwerk en architectonische stijlen terwijl haar blik van de groepjes engelen en cherubijnen boven op iedere pilaar naar de orgelgalerij gleed. Maar de muziek die door haar heen, over haar heen, spoelde, met iedere noot die in gefluisterde echo's omhoogwervelde, riep alle redenen tot vreugde en verdriet die ze ooit had gekend weer bij haar op: haar huwelijk met Martin, de begrafenis van haar vader (die haar vader niet was), de doop van Sam – hij had hevig gehuild, herinnerde Charlotte zich opeens, om vervolgens stil te worden bij de aanraking van de natte vingertoppen van de priester, waarbij hij de man strak had aangekeken met verbaasde blauwzwarte ogen.

Hetzelfde kind dat nu zijn slungelige benen naast haar over elkaar sloeg en weer naast elkaar zette, energiek kauwend op een stuk kauwgum dat hij had uitgepakt toen ze van huis gingen. Hij zou het vreselijk vinden als ze huilde. Charlotte knipperde met haar ogen en kon even weer helder zien, tot ze een vogel – uitgerekend een vogel – op de afgebrokkelde stenen neus van een engel boven op de pilaar vlak bij haar zag zitten, met zijn kopje scheef naar de muziek gericht, als een doorgewinterde recensent. De tranen werden nu alleen maar meer in plaats van minder. Het werd haar allemaal te machtig – het vogeltje, haar gevoelens, de herinneringen, de lijnen van de muziek die tot elkaar kwamen, stegen, zich vermengden, uiteengingen... Hevig knipperend met haar ogen, een dikke prop in haar keel, stak Charlotte een hand in haar tasje, op zoek naar een tissue, en vond opeens het verkreukelde stuk papier dat ze haastig uit het zicht had gewerkt bij het onbevredigende weerzien met Eve. *Je man... iemand die het beste met je voorheeft...*

De schok maakte korte metten met haar tranen. Dat stomme ding was nu al veel te lang in de buurt gebleven, dacht Charlotte, als een vieze stank, een herinnering aan narigheid, altijd met de dreiging haar weer terug te slepen, haar weer in de put te werken. Ze had de antwoorden die van belang waren. Ze had alles gedaan wat ze kon om de dingen recht te zetten in het leven van de mensen om wie ze gaf. Ze had net zoveel greep op haar bestaan als een mens maar kon hopen te krijgen, nu al helemaal, met een berg geld veilig in een bouwfonds en met een bijgewerkte versie van haar cv die ze had gestuurd naar een bureau dat beweerde over interessante banen voor parttimers te beschikken. Ze had zelfs een brief naar Dominic Porter geschreven, om hem op de hoogte te brengen van haar besluit op hetzelfde moment als haar huidige werkgevers te vertrekken, onder het aanvoeren van de behoefte aan verandering en andere gemeenplaatsen, teneinde de ongemakkelijke verwarring over haar ware gevoelens te maskeren.

Charlotte keek, inmiddels met droge ogen, om zich heen. Ze wilde alleen maar dat treurige, verkreukelde stukje papier kwijt. Het was op zich al akelig om het in haar handen te houden. Zonder het te beseffen gleed haar blik naar Henry. Hij zat in een zijbeuk, naast Theresa. Er was een seconde van... dankbaarheid, spijt, opluchting? Het viel moeilijk te zeggen. Henry wendde zijn blik als eerste af, draaide zijn gezicht naar het front, schoof zijn arm beschermend over de rugleuning van de bank, achter Theresa, die rechtop zat met dichte ogen, geheel verzonken in de muziek. Charlotte richtte haar aandacht weer op de bovenkant van de pilaar, maar de vogel was verdwenen en de engel zag eruit als een stenen beeld met een kapotte neus.

Toen er aan haar mouw werd getrokken keek ze opzij en zag Sam met een overdreven moeilijk gezicht naar zijn mond vol oude kauwgum wijzen. Zonder één moment te aarzelen hield Charlotte hem het briefje voor om het in te spugen, waarna ze weer van de muziek ging zitten genieten terwijl ze papier en kauwgum tot een stevige bal kneedde, klaar om die tijdens de pauze in een afvalemmer te laten vallen.

'Ik dacht dat er een pauze zou zijn.'

'Ik vermoed dat dat de spanning zou hebben verbroken. Het was prachtig, hè?'

'Schitterend. Blijf je nog even wat drinken? Er is champagne met iets erbij. Henry heeft beloofd een heleboel mee te zullen nemen. Ik ben op een nieuw dieet: soep en groenten. Maar één avondje zondigen zal wel geen kwaad kunnen.' Theresa zweeg even om adem te halen. Aan de ene kant wilde ze heel graag zeggen dat zij – allebei – heel gelukkig waren, maar aan de andere kant was ze zo verstandig te beseffen dat Charlotte dit zelf ook kon zien en dat zoiets gevoeligs als persoonlijk geluk meer voor huiselijk gebruik bestemd was dan in het openbaar te worden geroemd. Ze had het ooit als de gewoonste zaak van de wereld beschouwd, had zich onkwetsbaar, voldaan gevoeld, had niet ingezien dat de sleutel tot persoonlijk geluk het besef was dat het je kon worden afgenomen. 'Vooruit... één glas. Ik zal Henry even een seintje geven.'

'Nee, Theresa, echt niet. Ik heb het allemaal heel mooi gevonden maar ik blijf hier niet rondhangen. Ik heb Sam aan Martin overgedragen – ze gaan met hem uit eten en houden hem daarna bij zich. Ik heb eerlijk gezegd het gevoel dat ik zo wel genoeg mijn best heb gedaan.'

'Zeg dat wel,' riep Theresa uit, en ze kuste haar. 'Absoluut. En je hebt het heel goed gedaan voorzover ik het kan bekijken, de manier waarop je alles voor elkaar hebt gekregen, ervoor hebt gezorgd dat iedereen verder kan gaan. Te bedenken hoe het eerst was...'

'Ik weet het.' Charlotte rinkelde nadrukkelijk met haar autosleutels. Theresa bedoelde het goed en ze was inderdaad heel trots op hoe ze zich erdoorheen had weten te slaan, maar het begon haar nu allemaal een beetje te machtig te worden... Cindy die er zo florissant uitzag, Martin die straalde. Je bij zo'n gelegenheid fatsoenlijk gedragen was wel het minste wat ze voor hem kon doen, maar op dit moment was ze nog niet tot meer in staat.

'Maar je verjaardag,' gilde Theresa, en ze greep Charlottes elleboog toen ze probeerde zich een weg te banen door de menigte die zich rond de tafels met eten en drinken verdrong. 'We hebben nog steeds niet besloten wat je daaraan gaat doen.'

'Toch wel,' bekende Charlotte met een glimlach. 'Iets heel onverwachts. Ik heb twee tickets voor een ballonvaart in het westen van Sussex. Ik neem Sam mee. Het is het enige wat ik wil, echt waar,' voegde ze eraan toe, toen Theresa's blik van verbazing plaatsmaakte voor een van bezorgdheid.

'Nou, dat is natuurlijk heel leuk. Hemeltjelief, hoe ben je daaraan gekomen?'

Charlotte grinnikte. 'Je kunt het geloven of niet... Tim Croft, niemand minder! Hij schijnt ze te hebben besteld toen hij nog in de hoop verkeerde mijn hart te zullen veroveren – voordat Eve op het toneel verscheen. Hij heeft er een briefje bij gedaan om te zeggen dat ze voorbestemd waren om voor mij te zijn en dat ik ze maar als bedankje voor Eve moest beschouwen. Weet je wel? Ik heb tòch over dat gedoe met

Eve verteld?' hield ze aan, toen Theresa vol verbazing haar hoofd bleef schudden.

'Ja, ja, dat heb je verteld. Lieve help, dat lijkt me heel bijzonder. Een ballonvaart!'

'Sam vindt het een geweldig idee.'

'Dat geloof ik direct, maar het lijkt me geen…'

'Theresa, ik vind het zo prima,' verzekerde Charlotte haar, nu wat gehaast omdat Henry zichtbaar werd, zich een weg banend door de massa met een bord eten boven op twee flûtes champagne. En wat nog erger was, dat zusje, Lu, liep pal achter hem en kwam doelbewust haar kant uit. Charlotte wist wel zeker dat haar tanende moed echt niet meer zo ver reikte.

Met een haastige afscheidskus vertrok ze in de tegenovergestelde richting, waarbij ze een omtrekkende beweging naar de uitgang maakte, dwars tussen de koorbanken achter het altaar door. In die lege ruimte – die sterk naar boenwas en wierook rook – bleef Charlotte even staan om te genieten van de plechtige sfeer van de kerk, met de versleten natuurstenen vloer, de wapens en namen van weldoeners die in de banken waren gegraveerd. Maar toen werd de stilte verbroken door het geklak van naderende hoge hakken en haastte ze zich verder, dook door de gewelfde opening die naar het minder drukke deel van de kerk leidde en sloeg linksaf naar de houten deuren. Op hetzelfde moment stopten de klakkende hakken toen Cindy's zusje haar de weg versperde.

'Charlotte… ik wilde je nog even bedanken voor je komst.' De lichtbruine jurk had lange, wijde mouwen waar ze nerveus aan plukte tijdens het praten.

'Ik vond het heel mooi.' Charlotte wist een glimlach te produceren en stapte langs haar heen. Ze zag opeens weer allerlei beelden uit de supermarkt voor zich en ze bloosde bij de gedachte aan die vernedering. Goddank had ze dat alles inmiddels ver achter zich gelaten. Het incident was nu gewoon een fragment uit het verleden, een van de vele stapstenen op een moeilijke reis, niet vergeten maar afgehandeld, even zeker als de kleverige prop papier met kauwgum die ze in een afvalbak naast de tafel met dranken had laten vallen.

'Ik wilde je nog even zeggen…'

'Dank je, Lu. Ja. Ik moet nu echt gaan.' Charlotte versnelde haar pas, en haar eigen hakten klikten nu luid op de harde, ongelijke tegels.

'... dat ik het ben geweest,' flapte Lu eruit, nu op een drafje achter haar aan lopend. 'Degene die het beste met je voorhad. Dat was ik. Cindy weet het niet. Ik heb het gedaan omdat zij zo ongelukkig was – en uit wat ik ervan heb begrepen waren jullie ook ongelukkig. Jullie zaten alle drie in de narigheid. Ik... Ik vond dat... er iets moest gebeuren.'

Het duurde even voor Charlotte, die nu stokstijf was blijven staan, zich ertoe kon zetten zich om te draaien. Lu keek haar aan tussen de lange, zijdeachtige slierten van haar pony, duidelijk doodsbang. 'Iets,' fluisterde ze weer, en ze wapperde met de dunne stof die aan haar armen bungelde en greep toen haar ellebogen vast.

'Je had het recht niet,' wist Charlotte ten slotte uit te brengen, met een stem die alleen maar kon fluisteren.

'Weet ik.' Lu bleef nu iets rustiger staan en keek haar recht aan, met iets uitdagends in haar grote, blauwe ogen. 'Mama was net overleden, Cindy was heel ongelukkig – jullie waren allemaal heel ongelukkig – maar Martin wilde niet weggaan of zich uitspreken of... Dus toen deed ik wat ik heb gedaan. Ik geloof oprecht dat het anders ook zou zijn gebeurd, dat ik alles alleen maar heb versneld.'

'Alles heb versnéld?'

Lu sloeg haar ogen neer. 'Ik weet dat dat vreselijk klinkt. Het is vreselijk wat ik heb gedaan, en het heeft sindsdien steeds aan me geknaagd, maar toen zei Cindy dat jij iemand had ontmoet en ik was heel blij omdat ik dacht dat jij ook gelukkig zou worden, dat alles goed uitpakte. Maar in het supermarktcafé zag ik dat het jou, gelukkig of niet, ook nog steeds dwarszat – het niet-weten. Ik bedoel, dat jij dacht dat het Cindy was geweest. En daarom heb ik sindsdien steeds de behoefte gevoeld het te bekennen, sorry te zeggen...' Lu prutste met de band van haar tas, en leek, hoewel Charlotte dat niet graag wilde toegeven, oprecht ontredderd.

'Je zult vast geen spijt hebben van iets met zo'n gelukkige afloop,' merkte ze verbitterd op.

Lu zuchtte, duwde tegen de slappe blonde pony die meteen weer in haar ogen viel. 'Maar voor alles wat jij hebt moeten doorstaan – en waar ik geen weet van heb – bied ik je mijn oprechte excuses aan.'

'Nou, dank je wel, hoor.'

'Charlotte, zou je het erg vinden... om het haar niet te vertellen... het alsjeblieft niet aan Cindy te vertellen?'

Charlotte knikte nauwelijks merkbaar en liep weg. Ze hield haar rug recht en haar hoofd geheven, om zo alle dingen uit te stralen waarvan ze vond dat Lu die verdiende te zien: gekrenktheid, trots, woede. Maar eenmaal buiten de kerk liet ze haar schouders zakken en haalde diep adem. Dus daar was het, het laatste antwoord, het antwoord dat niet van belang was, dat nooit van belang was geweest. Op een dag, binnenkort, zou ze dat tegen Lu zeggen. Het huwelijk was toch al kapot geweest, door haar hand en door Martins hand. Ze waren nu echt veel gelukkiger, alle drie – alle vier, als je Sam meetelde. En hoe zou je Sam niet mee kunnen tellen? berispte Charlotte zichzelf glimlachend, terwijl ze de laatste meters naar de auto liep.

'Daar!' riep Dominic. Hij maakte zijn veiligheidsriem los en schoot naar voren om te wijzen toen de taxichauffeur eindelijk de straat in draaide. 'Daar!'

'Ik dacht dat je zei dat je bij een kerk moest zijn, makker.'

'Dat is... Dat was ook zo, maar we zijn te laat en ik moet die vrouw spreken.'

'O ja? Is dat zo?' grinnikte de taxichauffeur, niet in het minst verbaasd dat deze irritante en uiterst onfortuinlijke klant uiteindelijk op een alles-of-nietsmissie met betrekking tot het andere geslacht bleek te zijn. 'Ja, en ik wil ook graag worden betaald,' riep hij, hoewel met minder vrolijkheid toen Dominic zich uit de taxi stortte en als in een tekenfilm – met wapperende armen en jas – naar de zwarte Volkswagen sprintte die langzaam uit zijn parkeerplaats schoof. Toen hij een paar minuten later bij het raampje terug was, was hij buiten adem, bezweet, en zaten zijn donkere haren in de war. 'Ze zegt dat ze zal wachten.'

'Nou, dat is dan een opluchting voor ons allebei, makker, maar ik vrees dat het totaal nog steeds op vijfenveertig pond komt – een heel bedrag, dat weet ik, maar we moesten ook voor benzine naar de garage, weet je nog? En dan het wachten toen we begrepen dat je problemen verdergingen dan een lege tank en daarna het telefoontje toen je ontdekte dat je lidmaatschap voor de pechhulp was verlopen.'

Dominic viste drie briefjes van twintig pond uit zijn portemonnee zonder te luisteren. Hij had geen taxichauffeur nodig om hem te vertellen dat het een rampzalige avond was geweest. In de file naar Wandsworth Bridge, nadat Benedict zo laat was geweest voor het oppassen, daarna het fiasco met de auto die het begaf, had hem alles bij elkaar het gevoel gegeven als van een wanhopige zalm die probeert tegen een waterval op te springen, terwijl hij alleen maar naar een liefdadigheidsconcert wilde, daar op tijd wilde zijn in een enigszins presentabele staat, vroeg genoeg om een vriendelijk gezicht te vinden om naast te zitten… Maar nee, dat was niet helemaal waar, verbeterde Dominic zichzelf, terwijl hij toen hij naar de Volkswagen terugliep een halfbakken poging deed om zijn haar wat te fatsoeneren. Er was één gezicht dat hij in het bijzonder op het oog had, een niet bijzonder vriendelijk gezicht.

Hij liep langzaam, zich ervan bewust dat de taxichauffeur zat te kijken en dat hij er een gewoonte van scheen te maken Charlotte te benaderen wanneer ze in haar eigen, berucht temperamentvolle voertuig zat. 'Hartelijk dank, dat je hebt gewacht. Ik wilde even iets met je bespreken.' Hij hurkte op het trottoir, naast het open raampje.

Ze fronste. 'Je weet toch dat het concert afgelopen is? Het begon al om zeven uur.'

'Ik ben me helaas bewust van dat feit, ja. Ik heb een nogal problematische rit gehad.'

'Maar je kunt binnen nog wat drinken.'

'Dat klinkt geweldig, maar ik hoef niets te drinken.'

'Ik neem aan dat je mijn brief hebt gekregen,' onderbrak ze hem. Ze sloeg haar armen over elkaar en het laatste beetje vriendelijkheid was nu verdwenen.

'Die heb ik inderdaad gekregen.' Domionic schudde zijn benen wat uit en kwam half overeind. Zijn knieën deden pijn en hij besefte dat het een vergissing was geweest te denken dat dit gesprek zo soepel zou verlopen als hij zich tijdens het voor zichzelf oefenen had voorgesteld.

'Gaat alles goed met je?' Ze stak haar hoofd wat verder uit het raampje en keek met iets wat op bezorgdheid leek naar zijn benen.

'Mijn knieën doen pijn.'

'O lieve help, ik…'

'Mijn knieën doen pijn en ik heb ruziegemaakt met mijn broer, en dat doe ik anders nooit. Helemaal nooit.'

'Met Benedict?'

'Die bedoel ik. Hoor eens, is er misschien een mogelijkheid dat jij me een lift naar huis geeft?'

Charlotte lachte ongelovig. 'Maar je bent nog maar net hier.'

'Ja. Deze avond is één grote ramp geweest. Maar ik wilde toch even met je praten.'

'Nou, ik denk dat dat wel gaat.' Ze boog zich over de passagiersplaats heen en klikte het slot open, enigszins misprijzend, misschien zelfs boos, meende Dominic, die opeens moest denken aan zwarte-weduwe-spinnen en hun web en andere beeldende waarschuwingen van zijn broer, terwijl hij zijn lange benen in de auto hees. Toen hij eenmaal naast haar in de veiligheidsriem zat, werden deze twijfels zo hevig dat hij niets meer uit kon brengen. Charlotte reed al even zwijgzaam verder. Af en toe trok ze haar wenkbrauwen op om ten slotte, op enigszins ruwe toon, te vragen wat de broederlijke onenigheid had veroorzaakt.

'Jij,' mompelde Dominic.

'Ik?' Ze voerde een onorthodoxe versie van een noodstop uit, wierp hem een blik vol afschuw toe en schakelde toen weer luidruchtig op om vervolgens, terwijl zowel haar zinnen als de Volkswagen vaart kregen, een verhit betoog te houden over haar dreigement de bockwinkel over te nemen, en over haar volgende besluit om toch maar haar ontslag te nemen. 'Ik heb geen hoofd voor cijfers en jij had natuurlijk gelijk – het laatste wat ik wil is een baan die me ervan weerhoudt bij Sam te kunnen zijn. Maar,' voegde ze er heftig aan toe, 'ik bezit nog voldoende trots om zelf te willen lopen in plaats van te worden geduwd.'

'Ja, ik had je willen ontslaan,' gaf Dominic rustig toe.

Ze sloeg op het stuurwiel, eerder triomfantelijk dan beledigd. 'Mooi zo. Ik ben blij dat dat nu duidelijk is. En was dat het gelukkige nieuws dat je me op de sportdag had willen vertellen?'

'Jawel.'

'Prima. Geweldig. Dat hebben we dan gehad. En heeft Benedict geprobeerd je dit uit het hoofd te praten?' ging ze verder, waarbij voorzichtig nieuwsgierigheid door haar bravoure heen brak.

351

'Nee, integendeel. Benedict vindt dat ik het contact met jou tot iedere prijs dien te vermijden.'

Charlotte parkeerde de auto bij een bushalte, trok de handrem aan en sloeg haar armen over elkaar. 'Ik denk dat je misschien maar beter uit kunt stappen en een taxi gaan zoeken. Het lijkt misschien wat onvriendelijk, maar dit gesprek leidt tot niets en ik heb er ook geen zin in.'

Dominic bleef heel stil zitten. Hij was zich ervan bewust dat hij er een puinhoop van maakte, maar dat kwam doordat hij wist dat hij weer op het randje stond – op de onzichtbare rand van iets zo graag willen dat iedere beweging het risico van teleurstelling, van verdriet, leek in te houden. 'Ik denk dat Benedict het mis heeft,' zei hij ten slotte, en hij draaide zich op zijn stoel opzij zodat hij haar goed aan kon kijken, met de lichte sproetjes op haar neus, de kleine, koppige kin, het rode haar dat als vlammetjes onder haar oorlelletjes krulde. 'Charlotte, ik vraag je je idee om de boekwinkel over te nemen te heroverwegen,' gooide hij eruit. 'Niet als enige eigenaar maar samen met mij. Fifty-fifty. Ik denk dat we een goed team zouden kunnen vormen. Ik ben wel goed in getallen en jij zou de expert zijn op het gebied van de voorraden, om van de klanten nog maar te zwijgen. We zouden het werk samen kunnen delen, we zouden allebei tijd hebben voor onze kinderen... en eh... er komt een bus aan, zo'n lange, gelede bus.' Hij wees naar de gloed van de koplampen in het achteruitkijkspiegeltje. 'Een bus?' herhaalde hij, toen ze zich niet verroerde en hem zelfs niet aankeek. 'Oké, laat die bus maar zitten. Wat vind je van mijn voorstel? Hoe denk je erover?'

'Ik denk: nee,' zei Charlotte, met een benepen stemmetje. 'Onmogelijk. Nee.' Ze schudde langzaam haar hoofd, vol verbazing over hoe zwaar een hoofd kon zijn wanneer het tegen zijn natuurlijke neiging in moest bewegen. 'Bedankt, maar nee,' herhaalde ze, nu luider, en ze staarde recht voor zich uit, alsof ze werd geobsedeerd door de vlekken van dode insecten die over de voorruit verspreid zaten.

'En de redenen?'

'Een heleboel.'

'Juist ja. Goed. Tja, het was de moeite van het proberen waard.' Dominic sloeg met zijn handen op zijn bovenbenen en greep naar de hendel van het portier. 'Ik kom zelf wel thuis, zoals jij al zo vriendelijk hebt voorgesteld.'

Toen hij halverwege buiten stond, aarzelde hij even, verbaasd dat ze hem dit niet probeerde te verhinderen, al was het maar uit gewone beleefdheid, zeker nu het al laat werd en de bus op enkele centimeters van haar bumper stond te sissen, als een wild beest dat wraak wilde nemen.

Vele uren later, klaarwakker, lag Charlotte ieder moment opnieuw door te nemen, alles te bekijken met de intense aandacht van een rechercheur die in een reeks geheimzinnige gebeurtenissen op zoek was naar een aanwijzing. Had Dominic de tegenzin gezien in haar langzame, treurige hoofdschudden? Was dat de reden waarom hij er zo lang over had gedaan om de straat over te steken, om ervoor te zorgen dat zij de tijd had om te zien in welke straat hij verdween? En wat haarzelf betrof, wat had haar er precies toe gedreven om zomaar midden op de weg te keren, langs een bord voor eenrichtingsverkeer te rijden, het steegje in waardoor hij vermoedelijk wilde ontkomen? Het had op dat moment echt niet als moed gevoeld, eerder als dwaasheid, en misschien, onder dat alles, een dringende behoefte om uitgerekend dat moment – van alle momenten in haar leven – niet voorbij te laten gaan zonder de waarheid zo goed mogelijk onder woorden te hebben gebracht. Misschien had Lu haar geïnspireerd, of anders de verijdelde poging van haar stervende vader tot een bekentenis? Want het speelde allemaal mee, alle beslissende momenten in het leven waren het gevolg van de miljoenen momenten die eraan vooraf waren gegaan.

Toen Charlotte hem inhaalde, bleef Dominic doorlopen, zodat zij voetstaps had moeten rijden. 'Je hebt een verkeersovertreding begaan,' schreeuwde hij, toen ze het raampje omlaagdraaide. 'Dit gebied staat propvol videocamera's – misschien sturen ze je wel naar de gevangenis. Of je raakt op zijn minst je rijbewijs kwijt.' Hij schopte tegen een steen. 'Of stalken. Misschien kan ik je daarvoor aanklagen.'

'Dominic.' Het was moeilijk om zich verstaanbaar te maken en tegelijk te rijden. 'Wat je voorstel betreft, het antwoord is nog steeds nee, maar het is niet wat je denkt. De redenen... die zijn niet wat jij denkt.'

Hij bleef onmiddellijk staan, met een verslagen gezicht. 'Ik deed alleen maar alsof ik kwaad was. Dat jij zo rijdt – ik dacht dat je van gedachten moest zijn veranderd. Waar heb je zo leren rijden? Wil je alsjeblíéft van gedachten veranderen?' Hij was tot vlak bij het raampje gekomen en liet zich op zijn knieën vallen, drukte zijn handpalmen als in gebed tegen elkaar.

'Dominic, hou op! Ga staan, dit is onverdragelijk.' Charlotte boog haar hoofd. 'En heel gênant. En je knieën… ik dacht dat die pijn deden… Doen ze geen pijn?' vroeg ze smekend, toen hij bleef waar hij was.

'Niet tot ik die redenen heb gehoord. Tot die tijd zal ik lijden.'

'O god.' Charlotte kreunde en liet haar voorhoofd op het stuur vallen. 'Het feit is…' – ze zette de motor af en deed de waarschuwingslichten aan, hoewel de straat verlaten was – 'dat jouw voorstel heel… aantrekkelijk klinkt. Ik heb mijn geld zelfs op zo'n rekening gezet waarvan je iedere drie maanden iets op kunt nemen zonder dat het je rente kost.'

'Nou, dat is schitterend.' Dominic liet zijn armen naast zijn lichaam vallen en keek verbaasd. 'Wat is dan het probleem?'

Charlotte slikte even. 'Het probleem is dat ik – zoals ze dat in Amerika zeggen – gevóélens heb…' Ze blies haar wangen leeg en floot, met een vuurrood gezicht.

'Die hebben we allemaal, Charlotte.'

Hij ging nu op zijn hielen zitten en staarde haar aan, met een ondoorgrondelijke blik in zijn donkerbruine ogen.

'Voor jou,' flapte ze eruit, en ze sloeg met haar hand tegen haar voorhoofd en hield haar gezicht afgewend. 'Ziezo. Dit is waarschijnlijk het moeilijkste dat ik ooit heb moeten zeggen, dus, eh… doe even voorzichtig en zo… eigenlijk is het onder deze omstandigheden misschien maar beter als we ons bij die taxi houden.'

'Nee, op dat punt ben ik het niet met je eens. En het afslaan van mijn voorstel, daar ben ik ook op tegen. En wat was dat andere ook alweer? O ja, gevóélens. Misschien zit ik wel met hetzelfde probleem.' Dominic schoof wat dichter naar het raampje. 'Charlotte? Kijk me alsjeblieft aan. Ik wil dat je me aankijkt als ik verderga.' Hij pakte haar kin en draaide haar hoofd tot ze hem aankeek. 'Ik was als bevroren. Rose en ik waren als bevroren. Sam en jij…'

'Sam heeft Rose geslagen.'

'Dat klopt, ja, maar ze is een gecompliceerd meisje, en ze was in die tijd ook heel verdrietig. Sam was de eerste die erdoorheen brak. Ik zal hem daar altijd dankbaar voor blijven, wat er ook tussen hen mag zijn… Relaties op je dertiende…' Hij fronste zijn wenkbrauwen. 'Kun jij je nog herinneren hoe dat op die leeftijd moet zijn geweest?'

'Ja, eigenlijk wel,' bekende Charlotte, en haar gedachten gingen terug naar het grove, goedhartige gezicht van Adrian met de flaporen. 'Ja, ik herinner me dat nog heel goed. Hoewel ik geloof dat Sam en Rose gewoon heel goede vrienden zijn.' Ze was nog niet euforisch, alleen maar kalm – kalmer dan ze zich kon herinneren ooit in haar leven te zijn geweest – alsof ze al wist dat haar instincten haar, na al het gestuntel, eindelijk in de juiste richting zouden voeren.

'Goed, waar waren we ook alweer gebleven? O ja, je zei dat jij zo je gevoelens had. Klopt dat?' Hij pakte haar hand als een dokter die een patiënt de pols wil voelen.

Charlotte knikte. Ze probeerde zich te concentreren, probeerde zelfs in dit betrekkelijk late stadium waarin ze de warmte van zijn belangstelling en energie kon voelen, niet al te hoopvol gestemd te raken. 'Ik denk dat het op dat ellendige kerkhof is begonnen…'

'Ach, de hemel zij dank voor dat ellendige kerkhof, en voor het verkopen van huizen en voor auto's met kuien en alle andere dingen die jou naar mij hebben geleid.'

'Wat?'

Zijn mond was zo dichtbij dat ze vaag iets zoets in zijn adem rook, chocola, of misschien koffie. 'Maar hoe zit het dan…'

'Hoe zit het dan met wat?' Hij schoof nu beide handen door haar haar, streek over haar huid, tot zijn vingertoppen de welving van haar schedel omvatten.

'Je… Die vrouw…' zei Charlotte gesmoord. 'In het restaurant… op het sportveld… O, hou alsjeblieft op,' smeekte ze. 'Anders kan ik niet meer… anders kan ik niet meer instaan voor wat ik doe.'

'Dat wil ik ook niet,' fluisterde hij. 'Ik wil dat je bij mij nooit meer instaat voor wat je doet.' Hij gleed met zijn lippen, en met de lange neus waarvan ze hevig had geprobeerd hem niet mooi te vinden, door haar haar, over haar voorhoofd en haar oogkassen.

'Die vrouw…' Ze kon bijna niets uitbrengen. De vrije val van het begeren en het begeerd worden, ze was het vergeten. Hoe had ze dat ooit kunnen vergeten?

'Ze heet Petra. Ze is een Poolse. Ik heb mijn best gedaan om haar aardig te vinden omdat Benedict dat wilde, en het gehoorzamen aan mijn broer heeft me in het verleden veel geluk gebracht.' Hij streek met zijn lippen langs haar kin. 'Ik heb veel theorieën over Petra, met op dit moment als sterkste dat ze op zoek is naar een Engelse – bij voorkeur rijke – man. Benedict overweegt erop in te gaan – voor zijn eigen voordeel.'

'Benedict?' Charlotte trok zich verbaasd terug.

Dominic greep deze gelegenheid aan om moeizaam – met overdreven grimassen – overeind te komen. 'Ik mag zeker niet weer bij je in de auto komen zitten, hè? Dat wil zeggen, als ik nog tot lopen in staat ben.'

'Natuurlijk, natuurlijk – stap in!' riep Charlotte, schuldbewust vanwege zijn ongemak, waar ze helemaal niet meer aan had gedacht. Maar ze schoot onwillekeurig in de lach toen hij met veel vertoon om de auto heen strompelde. 'Arme oude man – is dat voortijdige artritis of zo?'

'Beledigingen. Dat is een héél goed teken,' mompelde Dominic, en hij deed het portier dicht en trok haar zo ver in zijn armen als de versnellingspook dat toeliet. 'Nu ben ik de draad weer kwijt. Waar waren we ook alweer?'

'Benedict.'

'O ja.' Hij streek over haar haar en keek even ernstig. 'Mijn broer is een homo, maar hij wil toch een vrouw hebben. Rock Hudson-syndroom. Dat is een geheim, maar dat hebben we al eerder gedaan, hè, Charlotte – elkaar geheimen verteld, en ik vond dat een geweldig gevoel, jij ook?'

'Heel geweldig,' zei ze zacht. Ze verbaasde zich erover hoe het wachten op een kus bijna even spannend kon zijn als de kus zelf. 'Maar toch wou ik dat hij me aardig vond.' Ze zuchtte en ging toen quasi-pruilend verder: 'Hij is zo knap en beroemd – hij móét me aardig vinden.'

Dominic schoot in de lach en trok haar nog dichter naar zich toe. 'Benedict vindt jou echt heel aardig. Hij wil me alleen maar beschermen. Hij dacht dat jij veel te mooi was om geïnteresseerd te zijn in een lelijke aap als ik, en dan was er natuurlijk nog het rode haar, dat volgens hem te veel aan Maggie deed denken. Maar jij lijkt in geen enkel opzicht op haar, in geen énkel.' Hij zweeg even. 'En hij geloofde natuurlijk die kwalijke roddel waarmee je zoon was begonnen – die ellendige dokter. Jezus, ik had hem vorige week op het sportveld wel kunnen vermoorden toen hij je kuste, dat verzeker ik je.'

'Heeft Henry me gekust?' riep Charlotte verrukt uit. 'Dat herinner ik me niet eens.'

'Twee keer. Eén keer op elke wang… zoals dit. Maar niet zoals dit, of dit, of…'

Charlotte, die nu in haar lakens verstrikt zat, draaide haar gezicht in de kussens. Een fourwheeldrive die had geprobeerd vanaf de juiste kant de straat in te rijden, had hen met veel verontwaardigd getoeter doen opschrikken. Ze had de Volkswagen moeten keren, met zoemende oren en de wereld die om haar heen draaide en Dominic, die evenmin zichzelf meester was en allerlei onbetrouwbare adviezen gaf over links of rechts en vooruit of achteruit.

Ze draaide zich op haar rug en deed haar ogen open; ze zag hoe het zilverachtige licht van de dageraad door de opening tussen de gordijnen trok. Haar lichaam, vervuld van hoop en blijdschap, was meer dan klaar voor de dag. Ze keek op haar wekker, dwong in gedachten de wijzers sneller te gaan.

'En ik maar denken dat ik je heel moe had gemaakt,' mompelde Dominic, en hij schoof over het bed heen en sloeg zijn armen om haar heen.

'Had je ook; ik was totaal uitgeput. Maar nu ben ik klaarwakker, omdat ik zo blij ben.'

'Hm, dat voorspelt niet veel goeds… Jouw geluk, slaap… kan ik die niet allebei hebben?'

Charlotte bleef zo stil liggen als ze maar kon. Ze moest zich bedwingen om niet te vragen of het echt goed kon zijn – zij samen, roekeloos een bedrijf leiden. Dominic zou ja zeggen, want hij was vriendelijk en genoot nog steeds van de nasleep van hoe ze de liefde hadden bedreven. Maar hij wist het niet. Hij kon het niet weten. En zij kon het ook niet weten. Niemand kon het weten. En hij was erg moe, besefte ze, door haar, had hij gezegd, al die weken van overwegen wat hij moest doen, bang voor een afwijzing, bang om Benedict voor het hoofd te stoten, bang om zijn hart te volgen.

Hij was stil geworden, lag met zijn kin op haar schouder. Charlotte liet haar ogen ook dichtvallen, niet om te slapen maar om te genieten van zijn warmte en van het lome, verrukkelijke besef dat ze weer terug was bij het begin, klaar om geen antwoorden nodig te hebben, klaar om te geloven en te worden geloofd.

20

Omdat ze heel duidelijk haar wens voor een rustige verjaardag te kennen had gegeven, besefte Charlotte dat ze geen enkel recht had zich ook maar enigszins teleurgesteld te voelen toen de dag aanbrak met als enige bijzonderheid dat ze uitzonderlijk vroeg thee moest zetten. Er viel evenmin veel feestelijkheid te beleven aan het wakker maken van een slaperige tiener voor een rit naar een weiland in het midden van West-Sussex.

'Is daar ook iets te eten?'

'Natuurlijk is er niets te eten. Het is een ballon, geen cafetaria.'

'Gefeliciteerd met je verjaardag, trouwens,' mompelde Sam toen hij een paar minuten later in zijn pyjama de keuken in kwam gesloft. 'Ik heb op school iets voor je gemaakt maar dat moet nog worden gebakken. Zal ik vertellen wat het is?'

'Nee!' Charlotte deed alsof ze hevig verschrikt was. 'Ik vind een verrassing veel leuker.' In een poging alles wat op te vrolijken, haalde ze het pakje dat haar moeder haar zo voortijdig in februari had gegeven en maakte het tijdens het ontbijt open, waarbij ze heel uitvoerig het plakband eraf peuterde. Sam zat slaperig toe te kijken en nam af en toe een hap toast met jam tot Charlotte uit een grote hoeveelheid vloeipapier haar ooit zo geliefde set baboesjkapoppetjes tevoorschijn haalde.

'Lieve help.' Ze bekeek het object van alle kanten, zowel verbaasd als teleurgesteld, omdat ze eerder badzout of iets nuttigs voor de keuken had verwacht, en ze vroeg zich af of Jean in haar huidige, positieve instelling ook zoiets onwaarschijnlijks zou hebben gegeven.

'Mag ik even?' vroeg Sam, opeens klaarwakker, terwijl hij de jam van zijn vingers likte.

'Natuurlijk. Die was van mij toen ik klein was. Oma dacht zeker dat ik ze zou missen.'

Charlotte liep, nog steeds verbaasd, met hun vuile ontbijtborden naar de gootsteen. Ze was ooit dol op die poppetjes geweest. En Reggie had ze weer opgeschilderd, herinnerde ze zich opeens, vlak voor hij stierf. Misschien was het dat... het werk van Reggie, een aandenken, vermengd met liefde...

Achter haar slaakte Sam opeens een wilde, meisjesachtige kreet.

'Wauw, wat gaaf, hé! Mam, kijk eens wat ik heb gevonden, helemaal binnenin. Denk je dat oma het daar expres in heeft gestopt? Er staat een plaatje van een leeuw op. Wat gaaf!' herhaalde hij, en hij paste iets waarvan Charlotte nu kon zien dat het een ring was, aan al zijn vingers, teleurgesteld toen er niet één vinger groot genoeg bleek te zijn.

'Lieve help, het is zijn zegelring,' zei ze zacht, en ze pakte hem van Sam aan en hield hem in de palm van haar hand, voelde het gewicht ervan, en herinnerde zich de groef die de ring in de pink van Reggies linkerhand had gemaakt. 'Die was van... van je grootvader... van mijn vader... Of liever gezegd, hij wás mijn vader omdat hij vanaf mijn geboorte voor me gezorgd heeft, maar mijn echte vader is gestorven voor ik werd geboren.'

Sam had de ring afgedaan en bekeek het wapen. 'Wat een pech, maar ik denk dat als je hem nooit hebt gekend, je hem ook wel niet echt zult hebben gemist, hè?'

'Nee,' zei Charlotte zacht, deemoedig door deze argeloze samenvatting en door het nog onschuldige hart dat er verantwoordelijk voor was. Haar wereld was duister geworden toen zij zo jong was geweest; één moment van slechte timing – toen ze de schuur binnenstruikelde – en de wereld was voor haar op zijn kop gezet. Sam had zo zijn problemen gehad, maar nog niets op die schaal – al was het soms op het nippertje geweest. 'Dit is een zegelring,' herhaalde ze, terwijl ze van de gelegenheid gebruikmaakte om snel door zijn haar te woelen. 'Dat betekent dat je hem in de zegellak kunt dopen en er brieven en enveloppen mee kunt dichtmaken, ze ermee kunt verzegelen, zoals dat vroeger gebeurde.'

'Wauw,' riep Sam uit, nu nog heftiger. 'Ik ga het meteen proberen.' Hij keek om zich heen alsof zegellak in een keukenla te vinden kon zijn.

'Niet nu. Ik ga hem veilig opbergen en jij gaat naar boven en je aankleden.'

'Maar mag ik hem later hebben?' hield hij aan, terwijl hij in de deuropening bleef staan.

'Ja, misschien wel,' gaf Charlotte lachend toe. 'Maar voorlopig is hij van míj, en het is vandaag míjn verjaardag en als jij niet gauw naar boven gaat zal die ballon zonder ons vertrekken.'

Sam kwam een paar minuten later weer beneden, niet alleen aangekleed maar ook met een kaart – die hij kennelijk van de computer had gehaald – met het getal veertig er vuurrood op gedrukt. 'Wat ik heb gemaakt is ook een sieraad, maar het is geen ring,' verklapte hij, kennelijk bang dat zijn cadeau magertjes af zou steken, zowel doordat het er nog niet was als naast de indrukwekkende schat die in het cadeau van zijn grootmoeder verstopt had gezeten.

'Ik zal het vast prachtig vinden,' verzekerde Charlotte hem, en het teleurgestelde gevoel was al verdwenen toen ze in de auto wegsnelden, zonder spitsverkeer om zich druk over te maken – het was pas zeven uur op zaterdagmorgen – en met de heldere hemel die door de weerberichten was voorspeld al stralend boven hun hoofd.

Sam lag al snel weer te slapen, met zijn hoofd op zijn fleece die hij als kussen tegen het autoraampje had gepropt. Hij was natuurlijk moe omdat hij zo vroeg op had moeten staan, maar Charlotte vermoedde ook dat hij wellicht had verwacht dat zij de gedwongen intimiteit van de auto zou willen gebruiken om hem te ondervragen over zijn gevoelens ten aanzien van de situatie met Dominic. 'Maar het maakt toch zeker allemaal niks uit,' had hij enigszins ongeduldig uitgeroepen, de vorige keer dat ze het had geprobeerd, 'want het gebéúrt toch zeker gewoon?'

Het gebeurde inderdaad gewoon, peinsde Charlotte, en ze was bij dit alles net zo machteloos als een kiezelsteen in een brandingsgolf. En zoals Dominic een keer heel wijs had opgemerkt was het een zeldzaam voorrecht het hart van een ander te kennen, en als Sam met rust wilde worden gelaten, zou ze zich daar nu eenmaal bij neer moeten leggen.

Omdat er alleen maar een kleine vrachtauto in de hoek van het weiland geparkeerd stond, dacht Charlotte aanvankelijk dat ze de verkeerde tijd of plaats had. Maar weldra werden zij en enkele van de andere zestien passagiers in spe uitgenodigd inschrijfformulieren te tekenen en te helpen met het uitpakken van de uitrusting, waaronder een grote

baal van een zak met daarin de lege ballon. Sam, die opdrachten uit-
voerde van de forse man die de leiding had, vond het allemaal geweldig, en hij sleepte en sjouwde met de inhoud van de zak tot er een verbijsterende hoeveelheid materieel tevoorschijn was gekomen en het
grootste deel van het weiland ermee bezaaid lag. Daarna stonden ze
naast elkaar, allebei diep onder de indruk, toen er vanuit een kleine,
lawaaierige machine achter op de vrachtauto koude lucht werd geblazen in een deinende, vrolijk gestreepte bobbel ter grootte van een
parkeergarage.

'En daar komt je andere cadeau,' schreeuwde Sam over het lawaai
heen, toen er een zilverkleurige Mercedes bij het eind van de rij andere
geparkeerde auto's stopte. 'Ik heb gezegd dat ze dit moesten doen, ik
hoop dat je het niet erg vindt.'

'Wie heeft er wat moeten doen?' schreeuwde Charlotte terug, maar
ze kende het antwoord al nog voordat Dominic en Rose in zicht kwamen, met bleke, verfomfaaide gezichten en in een wonderlijk samen-
raapsel van kleren – rubberlaarzen, korte broek, sjaal – dat erop wees
dat ook zij moeite hadden gehad met de vroege start.

Sam holde het veld over om de pas aangekomen te begroeten.
Charlotte liep iets langzamer, een beetje beducht voor de ijzige blikken
die Rose soms op iemand kon werpen, en ze zag dat Dominic zijn onvermijdelijke rode muts met de pompon droeg, in een poging de och-
tendkilte te trotseren. 'Wat een geweldige verrassing.' Ze beperkte zich
tot een snelle kus op zijn wang, bij wijze van begroeting. 'En ik heb die
muts altijd prachtig gevonden – weet je, Rose, dat je vader hem op had
de allereerste keer dat ik hem ontmoette, toen hij ons huis kwam bekijken en het niet mooi vond?'

'Ik vond het wel mooi – maar het was gewoon niet het soort huis
dat ik zocht,' protesteerde Dominic. 'En ik had het nooit zo leuk kunnen maken als jij het nu hebt. Als je het ooit weer te koop wilt zetten,
zullen ze ervoor in de rij staan.'

Ze lachten elkaar toe, blij in het besef dat ze zich in verband met de
aanwezigheid van hun nageslacht in moesten houden. Dezelfde behoedzaamheid had ertoe geleid dat ze nog niet het bed deelden – niet
openlijk althans, een ontbering die ze sterker zouden hebben gevoeld
als de heimelijke mogelijkheden om hun wederzijdse enthousiasme

tot uitdrukking te brengen – op minder traditionele momenten van de dag – niet royaal voorradig waren geweest.

Maar Rose had het te druk om zich bezig te houden met het in ontvangst nemen van complimentjes of om zich te bekommeren om het enigszins afgezaagde probleem van een rivale voor haar vaders genegenheid. De ballon was een reusachtige planeet geworden, strakgespannen en mooi, en leek het grootste deel van de lucht in beslag te nemen. 'O, maar hij is enórm!' kreet ze, en ze draafde achter Sam aan, die graag wilde pronken met zijn vriendschap met de forse man die de leiding had.

'Ja, hij is echt groot, hè?' merkte Dominic op, toen hij omhoogkeek, net als alle anderen die op het terrein verzameld waren. 'Gefeliciteerd met je verjaardag, trouwens.'

'Práát me er niet van.' Charlotte trok een zuur gezicht.

'Het is maar een getal.'

'Dat is iets wat mensen die jonger zijn altijd zeggen.'

Dominic grinnikte. 'Ik loop maar een paar maanden op je achter. We gaan samen veertig worden, hè?' Hij wendde zijn blik van de lucht af, pakte haar hand en bleef die vasthouden zelfs toen Rose terug kwam hollen om aan te kondigen dat ze voort moesten maken omdat het tijd werd om in te stappen en dat je met zijn tweeën moest zijn en dat zij met Sam wilde. 'En gefeliciteerd met je verjaardag,' voegde ze er buiten adem aan toe. Ze draaide zich om en glimlachte naar Charlotte. 'De ballon, die is echt gaaf, súpergaaf...' En daarop holde ze weer terug, moeizaam zwikkend op haar laarzen.

'Ik heb een cadeautje, maar dat is voor wanneer we alleen zijn, goed?'

'Dat jullie hier zijn, is een cadeau voor me.'

'Dat ging heel gemakkelijk – er waren twee plaatsen over – alsof het zo heeft moeten zijn.' Hij kneep in haar vingers.

Tijdens het opstijgen bleef de ballon zo rustig en met zoveel precisie enkele centimeters boven de grond hangen, dat Charlotte zich afvroeg of de instructies van de forse man, over het innemen van de juiste houding bij het landen, niet overbodig waren geweest. Het was ook erg warm onder de hete lucht uit het apparaat dat hen zwevende moest houden, zodat tegen de tijd dat de ballon echt begon te stijgen, zij haar fleece had uitgetrokken en Dominics wollen muts in een broek-zak was gepropt.

'O jezus.'

'Wat is er?'

'Ik weet niet zeker of ik dit wel kan.'

'Maar jij bent hier de vliegenier,' bracht Charlotte hem in herinnering, toen ze lachend over de rand van de mand hing om te genieten van de aanblik van de grond die steeds verder daalde, van het krimpen van auto's, huizen, koeien en schapen tot het formaat van boerderijspeelgoed. In het naburige compartiment waren Sam en Rose, die schreeuwden en wezen en elkaar vastgrepen, kennelijk al even enthousiast.

Dominic echter drukte zich tegen de achterwand van het rieten compartiment, met een asgrauw gezicht.

'Stil maar, het gaat allemaal goed.' Charlotte sloeg een arm om hem heen toen ze eindelijk besefte dat de angst serieus was.

'Helemaal niet. Het gaat helemaal niet goed.'

'Maar, lieverd, je bent zelf vlieger,' zei ze vriendelijk.

'Kan me niet schelen. Dat is niet hetzelfde.'

'Omdat je er zelf niets aan kunt doen?'

Hij knikte en beet op zijn lip. 'Misschien. Maar ik kan niet omlaag kijken. Echt niet.'

'Doe dat dan niet. Kijk naar de lucht. Kijk naar al het groen van de bomen en de velden. Kijk naar hoe keurig netjes het landschap eruitziet, als een plek voor tuinkabouters, een speelgoeddorpje, zo lief en overzichtelijk...'

'Maar dan moet ik omlaag kijken... om die dingen te zien.'

'O ja, sorry. Kijk dan maar naar de lucht. Hou je ogen daarop gericht. En er drijft daar een wolk, klein en donzig – net een verdwaald schaap.'

Dominic schoof voorzichtig naar voren en bleef haar hand stevig vasthouden. 'Maggie was altijd degene met hoogtevrees. Niet ik.'

'Hopelijk betekent dit niet dat je het vliegen eraan gaat geven.'

Dominic lachte, en ontspande zich een beetje. 'Nee, nooit... Ik zou het heel erg missen.'

'Je hebt het me al een maand geleden beloofd en je hebt me nog nooit meegenomen.'

'Maar dat zal ik nog doen. Er zijn gewoon veel dingen gebeurd, voor het geval je dat nog niet in de gaten had.' Hij schoof wat dichter naar de rand van de mand toe en tuurde voorzichtig over de rand. 'Het gaat wat beter nu we hoger zijn, meer als in een vliegtuig. God, ik voel me zo… onbeschermd, jij niet? Eén nies en ik val eruit.'

Charlotte begon te giechelen. 'Onzin. En dan zou ik je bovendien nog vasthouden.'

'Dan zouden we samen vallen.'

'Dan zouden we samen vallen,' herhaalde ze glimlachend.

Zo hoog was het rustig en stil, alsof ze aan een onzichtbare haak in de lucht hingen in plaats van werkelijk te bewegen. Onder hen was de wereld een tapijt, glad en veilig, zonder mensen, zonder problemen. Ze waren nu volstrekt ontspannen en leunden met hun ellebogen naast elkaar op de rand van de mand om van het uitzicht te genieten – de gekleurde strepen in de lucht, het verdwaalde schaap van een wolk, die kromp tot een plukje, tot een stip, en daarna verdween.

'We gaan omlaag,' schreeuwde Dominic, opgelucht en uitgelaten, toen de ballon zo'n veertig minuten later begon te dalen. 'Ik hoop dat je nog weet wat je te doen staat.'

'Makkelijk zat… Kijk maar.' Charlotte ging met haar rug naar de rand staan, pakte de veiligheidshendel vast en hurkte neer zoals hun was getoond.

'Heel indrukwekkend, maar,' ging hij op sluwe toon verder, 'er is nog iets waarop jij je moet voorbereiden, iets wat ik nog niet heb genoemd.'

'Wat voor iets? Waar heb je het over?' Ze stompte hem op zijn arm.

'Als je nu kijkt, zie je het misschien.' Dominic wees omlaag naar de weg, waar de vrachtauto – die met hun gezagvoerder in walkietalkie-contact stond – naar het terrein reed dat als de beste plek om te landen was beoordeeld. 'Er staat daar min of meer een comité van ontvangst klaar. Sorry, maar Theresa kan heel bazig doen, wanneer zij zich iets in het hoofd heeft gezet, hè? Dat hele idee van een verjaardags-feestje, dat wilde ze niet opgeven.'

Charlotte staarde sprakeloos naar de rij auto's die achter de vracht-auto in zicht kwam, met open raampjes en overal, zag ze nu, bekende hoofden en zwaaiende armen. Theresa, Naomi, Josephine – met mannen en kinderen, ze waren er allemaal. En de fonkelende Audi van de onvolprezen Bill sloot de rij, met ditmaal haar moeder voorin, zodat haar gezicht als een vage vlek achter de voorruit was. Vier, vijf auto's, de vrachtauto meegerekend… Charlotte keek het weggetje af, op zoek naar Martins zwarte auto met linnen dak. Hij was er niet, maar het was goed dat ze hem erbij had willen hebben, goed te weten dat hij een integraal, positief deel van haar wereld vormde.

'Ik ben compleet.' Ze fluisterde de woorden in de lucht. De grond kwam nu snel op hen af, voerde het geritsel van de bomen met zich mee en het geronk van auto's, het geblaf van een hond. De realiteit keerde terug: het werd tijd om de houding van noodsituaties in te nemen, zoals hun was gedemonstreerd. En het leek ook nodig, nu het moment was aangebroken. Ze gingen zo snel, er kon van alles gebeuren. Charlotte hurkte, waarbij ze niet de veiligheidsgreep beetpakte maar Dominics hand, en ze keek naar zijn gezicht toen ze zich schrap zetten voor de landing.

Dankwoord

'Hulp bij mijn research' krijg ik voortdurend, op manieren die te talrijk of te subtiel zijn om op te sommen of aan te wijzen. Maar ik wil een uitzondering maken voor die vormen van hulp die een bedankje rechtvaardigen, en dus denk ik aan Paula Carter, die me heeft meegenomen om te vliegen, aan Ed en Louisa Brookfield, voor mijn nuttige verjaardagscadeau, aan Sara Westcott, voor medische zaken, en aan Greene's College, Oxford, voor het corrigeren van mijn Latijn.

F